Prentice Hall

# Realidades 2

Peggy Palo Boyles

Myriam Met

Richard S. Sayers

Carol Eubanks Wargin

Taken from:

Prentice Hall *Realidades 2*
by Peggy Palo Boyles, Myriam Met, Richard S. Sayers, Carol Eubanks Wargin

LINCOLN
INTERACTIVE

**Learning Solutions**

New York   Boston   San Francisco
London   Toronto   Sydney   Tokyo   Singapore   Madrid
Mexico City   Munich   Paris   Cape Town   Hong Kong   Montreal

Taken from:

Prentice Hall *Realidades 2*
by Peggy Palo Boyles, Myriam Met, Richard S. Sayers, and Carol Eubanks Wargin
Copyright © 2011 by Pearson Education, Inc.
Published by Prentice Hall
Upper Saddle River, New Jersey 07458

This special edition published in cooperation with Pearson Learning Solutions.

Pearson Learning Solutions, 501 Boylston Street, Suite 900, Boston, MA 02116
A Pearson Education Company
www.pearsoned.com

Printed in the United States of America

1 2 3 4 5 6 7 8 9 10 XXXX 15 14 13 12 11 10


000200010270577011

MH

ISBN 10: 0-558-67845-9
ISBN 13: 978-0-558-67845-6

# Prentice Hall
# Realidades 2

"¡Bienvenidos a *Realidades 2* y a realidades.com !"

# *Realidades* Authors

## Peggy Palo Boyles

During her foreign language career of over thirty years, Peggy Palo Boyles has taught elementary, secondary, and university students in both private and public schools. She is currently an independent consultant who provides assistance to schools, districts, universities, state departments of education, and other organizations of foreign language education in the areas of curriculum, assessment, cultural instruction, professional development and program evaluation. She was a member of the ACTFL Performance Guidelines for the K–12 Learners task force and served as a Senior Editor for the project. She currently serves on the Advisory Committee for the ACTFL Assessment for Performance and Proficiency of Languages (AAPPL). Peggy is a Past-President of the National Association of District Supervisors of Foreign Language (NADSFL) and was a recipient of ACTFL's K–12 Steiner Award for Leadership in K–12 Foreign Language Education. Peggy lives in Oklahoma City, OK with her husband, Del. Their son, Ryan, works at the University of Texas at Arlington.

## Myriam Met

For most of her professional life, Myriam (Mimi) Met has worked in the public schools, first as a high school teacher in New York, then as K–12 supervisor of language programs in the Cincinnati Public Schools, and finally as a Coordinator of Foreign Language in Montgomery County (MD) Public Schools. She is currently a Senior Research Associate at the National Foreign Language Center, University of Maryland, where she works on K–12 language policy and infrastructure development. Mimi Met has served on the Advisory Board for the National Standards for Foreign Language Learning, on the Executive Council of ACTFL, and as President of the National Association of District Supervisors of Foreign Languages (NADSFL). She has been honored by ACTFL with the Steiner Award for Leadership in K–12 Foreign Language Education and the Papalia Award for Excellence in Teacher Education.

## Richard S. Sayers

Rich Sayers has been an educator in world languages since 1978. He taught Spanish at Niwot High School in Longmont, CO for 18 years, where he taught levels 1 through AP Spanish. While at Niwot High School, Rich served as department chair, district foreign language coordinator, and board member of the Colorado Congress of Foreign Language Teachers. Rich has also served on the Board of the Southwest Conference on Language Teaching. In 1991, Rich was selected as one of the Disney Company's Foreign Language Teacher Honorees for the American Teacher Awards. Rich has served as a world languages consultant for Pearson since 1996. He is currently the Curriculum Specialist Manager for Pearson in the Mountain Region.

## Carol Eubanks Wargin

Carol Eubanks Wargin taught Spanish for 20 years at Glen Crest Middle School, Glen Ellyn, IL, and also served as Foreign Languages department chair. In 1997, Ms. Wargin's presentation "From Text to Test: How to Land Where You Planned" was honored as the best presentation at the Illinois Conference on the Teaching of Foreign Languages (ICTFL) and at the Central States Conference on the Teaching of Foreign Languages (CSC). She was twice named Outstanding Young Educator by the Jaycees. Ms. Wargin passed away in 2004.

## Contributing Writers

**Sheree Altmann**
Lassiter High School
Marietta, GA

**Madela Ezcurra**
New York, NY

**Thomasina Pagán Hannum**
Albuquerque, NM

**Norah L. Jones**
Gladys, VA

**Mary A. Mosley, Ph.D.**
Fulton, MO

**Craig Reubelt**
The University of Chicago Laboratory Schools
Chicago, IL

## National Consultants

**Lucy Amarillo**
Yorktown, VA

**María R. Hubbard**
Braintree, MA

**Patrick T. Raven**
Milwaukee, WI

# Tabla de materias

## Para empezar

**realidades.com**

**eBook,** pp. xxxii–13
**eBook Activities,** pp. xxxii–13
**Leveled Vocabulary and Grammar Workbook**

**Audio Activities**
**Puzzles**
**Self-test**
**Online Table of Contents,** Web Code: jdk-0001

# Tema 1 **Tu día escolar**

## Video

**Videocultura**
*Tu día escolar*
**Videohistoria**
1A *La clase de Esteban*, pp. 20–21
1B *Después de las clases*, pp. 48–49
**GramActiva**
1A Stem-changing verbs, p. 27

1A Affirmative and negative words, p. 31
1B Making comparisons, p. 53
1B The verbs *saber* and *conocer*, p. 56
**Videomisterio**
Preparación para *En busca de la verdad*

eBook, pp. 14–69
eBook Activities, pp. 14–69
**Leveled Vocabulary and Grammar Workbook**
**Audio and Video Activities**
**Canciones de hip hop:**
*¿Cómo aprendes tú?,
¿Qué haces después de las clases?*

**Tutorials:** Indefinite and negative expressions; Conjugation of stem-changing verbs; *Saber* and *conocer*
**Verb Conjugator:**
*conocer, empezar, pedir, poder, saber*
**Flashcards:** Ch. 1A & 1B
**Puzzles**
**Self-test**

# Tema 2 Un evento especial

## Video

**Videocultura**
*Un evento especial*
**Videohistoria**
2A *¿Más maquillaje?*,
pp. 76–77
2B *Buscando una
ganga*, pp. 104–105
**GramActiva**
2A Reflexive verbs,
p. 80

2A *Ser* and *estar*, p. 86
2B Preterite of regular
verbs, p. 110
2B Demonstrative
adjectives, p. 114
**Videomisterio**
Preparación para *En
busca de la verdad*

## realidades.com

**eBook**, pp. 70–125
**eBook Activities**,
pp. 70–125
**Leveled Vocabulary
and Grammar
Workbook**
**Audio and Video
Activities**
**Canciones de hip hop:**
*¿A qué hora te
despiertas?, ¿Qué
compraste?*

**Tutorials:** Reflexive
pronouns, actions;
Demonstrative
adjectives; Preterite

**Verb conjugator:**
*almorzar, buscar,
ducharse, estar, mirar,
lavarse, pagar, pintarse,
secarse, ser, vestirse*

**Flashcards:** Ch. 2A & 2B
**Puzzles**
**Self-test**

# Tema 3 Tú y tu comunidad

## Video

**Videocultura**
*Tú y tu comunidad*
**Videohistoria**
3A *¿Qué hiciste esta mañana?*, pp. 132–133
3B *¿Cómo llegamos a la plaza?*, pp. 160–161
**GramActiva**
3A Direct object pronouns: *lo, la, los, las*, p. 138

3A Irregular preterite verbs: *hacer, tener, estar, poder*, p. 142
3B Irregular affirmative *tú* commands, p. 168
3B Present progressive: irregular forms, p. 171
**Videomisterio**
*En busca de la verdad,* Episodios 1 y 2

## realidades.com

**eBook**, pp. 126–181
**eBook Activities,** pp. 126–181
**Leveled Vocabulary and Grammar Workbook**
**Audio and Video Activities**
**Canciones de hip hop:** *¿Qué hiciste ayer?, ¿Cómo se va?*

**Tutorials:** Direct object pronouns; Irregular preterite forms; Preterite forms of *estar, tener, ser* and *ir*
**Verb conjugator:** *creer, decir, dormir, hacer, ir, leer, pedir, poder, salir, seguir, servir*
**Flashcards:** Ch. 3A & 3B
**Puzzles**
**Self-test**

# Tema 4 Recuerdos del pasado

## Video

**Videocultura**
*Recuerdos del pasado*

**Videohistoria**
4A *¿Cómo era de niña?*, pp. 188–189

4B *La fiesta de San Pedro*, pp. 214–215

**GramActiva**
4A The imperfect tense: irregular verbs, p. 196

4A Indirect object pronouns, p. 199

4B Preterite and imperfect: describing a situation, p. 219

4B Reciprocal actions, p. 224

**Videomisterio**
*En busca de la verdad,* Episodios 3 y 4

## realidades.com

**eBook,** pp. 182–235
**eBook Activities,** pp. 182–235
**Leveled Vocabulary and Grammar Workbook**
**Audio and Video Activities**
**Canciones de hip hop:** *¿Cómo eras de niño?, ¿Cómo celebran ustedes?*
**Tutorials:** Imperfect of irregular and regular verbs; Indirect object pronouns; Summary of uses of preterite and imperfect; Reciprocal actions; Use of the imperfect
**Verb conjugator:** *abrazar, besar, dar, haber, hacer, ir, jugar, saludar, ser, tener, ver*
**Flashcards:** Ch. 4A & 4B
**Puzzles**
**Self-test**

# Tema 5 En las noticias

## Video

**Videocultura**
*En las noticias*
**Videohistoria**
5A *En el noticiero,*
pp. 242–243
5B *¡El pobrecito soy
yo!,* pp. 268–269
**GramActiva**
5A Preterite and
imperfect, p. 248

5A The preterite of: *oír,
leer, creer, destruir,* p. 250
5B Irregular preterites,
p. 274
5B Imperfect
progressive and
preterite, p. 277
**Videomisterio**
*En busca de la verdad,*
Episodios 5 y 6

## realidades.com

eBook, pp. 236–289
**eBook Activities,**
pp. 236–289
**Leveled Vocabulary
and Grammar
Workbook**
**Audio and Video
Activities**
*Canciones de hip hop:*
*Un acto heroico, Un
accidente*

**Verb conjugator:**
*creer, decir, destruir,
estar, haber, leer, oír,
parecer, pedir, pensar,
poder, poner, repetir,
seguir, sentirse, servir,
tener, traer, venir,
vestir*
**Flashcards:** Ch. 5A & 5B
**Puzzles**
**Self-test**

# Tema 6 La televisión y el cine

## Video

**Videocultura**
*La televisión y el cine*
**Videohistoria**
6A *El partido final*,
pp. 296–297
6B *El mosquito*,
pp. 322–323
**GramActiva**
6A The preterite of *-ir*
stem-changing verbs,
p. 302

6A Other reflexive
verbs, p. 305
6B Verbs that use
indirect object
pronouns, p. 328
6B The present
perfect, p. 331
**Videomisterio**
*En busca de la verdad,*
Episodios 7 y 8

## realidades.com

**eBook**, pp. 290–343
**eBook Activities,**
pp. 290–343
**Leveled Vocabulary
and Grammar
Workbook**
**Audio and Video
Activities**
*Canciones de hip hop:*
*¿Viste el partido?, ¿Qué
películas has visto?*

**Tutorials:** Past participle;
Present perfect indicative
**Verb conjugator:**
*aburrirse, alquilar, caer,
casarse, comer, divertirse,
doler, fascinar, gustar,
hablar, hacer, molestar,
morir, ver, vestirse, vivir*
**Flashcards:** Ch. 6A & 6B
**Puzzles**
**Self-test**

# Tema 7 Buen provecho

## Video

**Videocultura**
*Buen provecho*
**Videohistoria**
7A *¿Cómo se hace la paella?*, pp. 350–351
7B *Un día al aire libre*, pp. 376–377
**GramActiva**
7A Negative *tú* commands, p. 356

7A The impersonal *se*, p. 360
7B *Usted* and *ustedes* commands, p. 382
7B Uses of *por*, p. 386
**Videomisterio**
*En busca de la verdad*, Episodios 9 y 10

## realidades.com

**eBook,** pp. 344–397
**eBook Activities,** pp. 344–397
**Leveled Vocabulary and Grammar Workbook**
**Audio and Video Activities**
**Canciones de hip hop:** *¿Cómo se hace la paella?, Parrillada*
**Tutorials:** Impersonal *se*; Negative *tú* commands; Attaching object and reflexive

pronouns to formal commands; Formation of formal commands; Negative formal commands

**Verb conjugator:** *añadir, cortar, dar, empezar, encender, estar, pagar, perder, picar, poner, probar, servir, usar*
**Flashcards:** Ch. 7A & 7B
**Puzzles**
**Self-test**

# Tema 8 Cómo ser un buen turista

## Capítulo 8A Un viaje en avión ........ 400

## Capítulo 8B Quiero que disfrutes de tu viaje ................... 424

### Video

**Videocultura**
*Cómo ser un buen turista*
**Videohistoria**
8A *¡Buen viaje!*, pp. 404–405
8B *Un día en Toledo*, pp. 428–429
**GramActiva**
8A The present subjunctive, p. 410
8A Irregular verbs in the subjunctive, p. 413
8B Present subjunctive with impersonal expressions, p. 434
8B Present subjunctive of stem-changing verbs, p. 437

### realidades.com

**eBook,** pp. 398–447
**eBook Activities,** pp. 398–447
**Leveled Vocabulary and Grammar Workbook**
**Audio and Video Activities**
**Canciones de hip hop:** *Un viaje de avión, Turistas*
**Tutorials:** Imperfect subjunctive; Irregular and regular present subjunctive; Spelling changes in present subjunctive; Subjunctive in noun clauses with verbs of feelings and emotions; Use of the subjunctive with verbs of volition
**Verb conjugator:** *aprender, dar, dormir, escribir, estar, hacer, ir, llegar, pedir, perder, recordar, saber, ser*
**Flashcards:** Ch. 8A & 8B
**Puzzles**
**Self-test**

# Tema 9 ¿Cómo será el futuro?

## Video

## realidades.com

# México

La Pirámide del Sol, Teotihuacán, México

Día de la Independencia, México

## México

**Capital:** México, D.F.

**Población:** 110 millones

**Área:** 761,606 mi cuadradas / 1,972,550 km cuadrados

**Lenguas:** español (oficial), náhuatl, lenguas maya, y otras lenguas indígenas

**Religiones:** católica romana, protestante

**Gobierno:** república federal

**Moneda:** peso mexicano

**Exportaciones:** productos manufacturados, petróleo y sus derivados, plata, café, algodón

Tijuana

Estados Unidos

Ciudad
Juárez

Chihuahua

SIERRA MADRE OCCIDENTAL

SIERRA MADRE ORIENTAL

Nuevo
Laredo

Monterrey

México

Golfo de México

OCÉANO PACÍFICO

Guadalajara

Querétaro

Mérida

Paracutín ▲

Ciudad
de
México ⊛

*Iztaccíhuatl*
▲
*Popocatépetl* ▲ Puebla

Veracruz

SIERRA MADRE DEL SUR

Oaxaca

ISTMO DE
TEHUANTEPEC

Belice

Acapulco

Guatemala

| Metros | | Pies |
|---|---|---|
| Más de 3,000 | | Más de 9,840 |
| 2,000–3,000 | | 6,560–9,840 |
| 1,000–2,000 | | 3,280–6,560 |
| 500–1,000 | | 1,640–3,280 |
| 200–500 | | 656–1,640 |
| 0–200 | | 0–656 |

–·–·– Frontera nacional
⊛ Capital
● Ciudad
▲ Volcán o montaña

norte
oeste ✦ este
sur

0        200        400 millas
0    200    400 kilómetros

Arquitectura colonial, Guanajuato, México

# América Central

## Guatemala

**Capital:** Ciudad de Guatemala

**Población:** 13 millones

**Área:** 42,043 mi cuadradas / 108,890 km cuadrados

**Lenguas:** español (oficial), quiché, cakchiquel, kekchi, mam, garifuna, xinca, y otras lenguas indígenas

**Religiones:** católica romana, protestante, creencias tradicionales mayas

**Gobierno:** república democrática constitucional

**Moneda:** quetzal, dólar

**Exportaciones:** combustibles, maquinaria y equipos de transporte, materiales para construcción, granos

## Honduras

**Capital:** Tegucigalpa

**Población:** 7.6 millones

**Área:** 43,278 mi cuadradas / 112,090 km cuadrados

**Lenguas:** español (oficial), lenguas indígenas

**Religiones:** católica romana, protestante

**Gobierno:** república constitucional democrática

**Moneda:** lempira

**Exportaciones:** café, plátano, camarón, langosta, carne, cinc, madera

## El Salvador

**Capital:** San Salvador

**Población:** 7.1 millones

**Área:** 8,124 mi cuadradas / 21,040 km cuadrados

**Lenguas:** español (oficial), nahua

**Religiones:** católica romana, protestante

**Gobierno:** república

**Moneda:** colón salvadoreño, dólar

**Exportaciones:** elaboración de productos con materiales fabricados en el extranjero, equipos, café, azúcar, camarón, textiles, productos químicos, electricidad

Piscinas termales, cerca del Volcán Arenal, Costa Rica

México

Parque Nacional Tikal ■

Belice

*Lago Petén Itzá*

*Golfo de Honduras*

San Pedro Sula

## Guatemala

Quetzaltenango

*Copán*

## Honduras

Antigua

Ciudad de Guatemala

Santa Rosa de Copán

*Cerro El Pital*

Tegucigalpa

*Volcán de Santa Ana*

Santa Ana

## El Salvador

San Salvador

Santa Rosa de Lima

*CORDILLERA ISABELIA*

La Libertad

*Golfo de Fonseca*

*Lago de Managua*

## Nicaragua

*CORDILLERA CHONTALEÑA*

*Lago de Izabal*

Managua Masaya

Granada

*Lago de Nicaragua*

### OCÉANO PACÍFICO

Los Chiles

## Costa Rica Puerto Limón

San José

*Golfo de Nicoya*

*Golfo Dulce*

*Mar Caribe*

*Canal de Panamá*

Colón Ciudad de Panamá

## Panamá

*Golfo de Panamá* PARQUE NACIONAL DARIÉN ■

norte

oeste ✦ este

sur

| Metros | Pies |
|---|---|
| Más de 3,000 | Más de 9,840 |
| 2,000–3,000 | 6,560–9,840 |
| 1,000–2,000 | 3,280–6,560 |
| 500–1,000 | 1,640–3,280 |
| 200–500 | 656–1,640 |
| 0–200 | 0–656 |

—··—··— Frontera nacional
✪ Capital
● Ciudad
▲ Volcán o montaña
■ Zona arqueológica

0 ___ 200 ___ 400 millas

0 ___ 200 ___ 400 kilómetros

## Nicaragua

**Capital:** Managua

**Población:** 5.8 millones

**Área:** 49,998 mi cuadradas / 129,494 km cuadrados

**Lenguas:** español (oficial), inglés, miskito, otras lenguas indígenas

**Religiones:** católica romana, protestante

**Gobierno:** república

**Moneda:** córdoba oro

**Exportaciones:** café, camarón, langosta, algodón, tabaco, carne, azúcar, plátano, oro

## Costa Rica

**Capital:** San José

**Población:** 4 millones

**Área:** 19,730 mi cuadradas / 51,100 km cuadrados

**Lenguas:** español (oficial), inglés

**Religiones:** católica romana, protestante

**Gobierno:** república democrática

**Moneda:** colón de Costa Rica

**Exportaciones:** café, plátano, azúcar, textiles, componentes electrónicos

## Panamá

**Capital:** Ciudad de Panamá

**Población:** 3 millones

**Área:** 30,193 mi cuadradas / 78,200 km cuadrados

**Lenguas:** español (oficial), inglés

**Religiones:** católica romana, protesta...

**Gobierno:** democracia constitucional

**Moneda:** balboa, dólar

**Exportaciones:** plátano, azúcar, camarón, café

# El Caribe

El Capitolio, La Habana, Cuba

Río Yaque Norte, República Dominicana

**Estados Unidos**

*Golfo de México*

*Islas Bahamas*

OCÉANO ATLÁNTICO

*Estrecho de la Florida*

⊛ La Habana

**Cuba**

norte

oeste ⟶ este

sur

*Isla de la Juventud*

**República Dominicana**

*Bahía de Samaná*

**Puerto Rico**

● Guantánamo

Santiago de Cuba ■

San Juan ⊛ ▲ *Vieques*

▲ *El Yunque*

● Ponce

**Haití**

⊛ Santo Domingo

**Jamaica**

*Mar Caribe*

| Metros | Pies |
|---|---|
| Más de 3,000 | Más de 9,840 |
| 2,000–3,000 | 6,560–9,840 |
| 1,000–2,000 | 3,280–6,560 |
| 500–1,000 | 1,640–3,280 |
| 200–500 | 656–1,640 |
| 0–200 | 0–656 |

--·--·-- Frontera nacional
⊛ Capital
● Ciudad
▲ Volcán o montaña

| 0 | 150 | 300 millas |
| 0 | 150 | 300 kilómetros |

## República Dominicana

**Capital:** Santo Domingo

**Población:** 9.5 millones

**Área:** 18,815 mi cuadradas / 48,730 km cuadrados

**Lenguas:** español (oficial)

**Religiones:** católica romana, protestante

**Gobierno:** democracia representativa

**Moneda:** peso dominicano

**Exportaciones:** ferroníquel, azúcar, oro, plata, cacao, tabaco, carne

## Cuba

**Capital:** La Habana

**Población:** 11.3 millones

**Área:** 42,803 mi cuadradas / 110,860 km cuadrados

**Lenguas:** español (oficial)

**Religiones:** católica romana, protestante, y otras religiones

**Gobierno:** estado comunista

**Moneda:** peso cubano

**Exportaciones:** azúcar, níquel, tabaco, mariscos, productos médicos, cítricos, café

## Puerto Rico

**Capital:** San Juan

**Población:** 3.9 millones

**Área:** 3,515 mi cuadradas / 9,104 km cuadrados

**Lenguas:** español e inglés (lenguas oficiales)

**Religiones:** católica romana, protestante

**Gobierno:** estado libre asociado de los Estados Unidos

**Moneda:** dólar estadounidense

**Exportaciones:** productos manufacturados, petróleo y productos derivados, plata, café, algodón

# América del Sur
## (Parte norte)

### Colombia

**Capital:** Bogotá

**Población:** 45 millones

**Área:** 439,736 mi cuadradas / 1,138,910 km cuadrados

**Lenguas:** español (oficial)

**Religiones:** católica romana

**Gobierno:** república

**Moneda:** peso colombiano

**Exportaciones:** textiles, petróleo y productos derivados, café, oro, esmeraldas, plátano, tabaco, algodón, madera, energía hidroeléctrica

### Ecuador

**Capital:** Quito

**Población:** 13.9 millones

**Área:** 109,483 mi cuadradas / 283,560 km cuadrados

**Lenguas:** español (oficial), quechua, otras lenguas indígenas

**Religiones:** católica romana

**Gobierno:** república

**Moneda:** dólar

**Exportaciones:** petróleo, textiles, plátano, camarón, cacao, azúcar, carne

### Perú

**Capital:** Lima

**Población:** 27.9 millones

**Área:** 496,226 mi cuadradas / 1,285,220 km cuadrados

**Lenguas:** español (oficial), quechua (oficial), aymara, y otras lenguas indígenas

**Religiones:** católica romana

**Gobierno:** república constitucional

**Moneda:** nuevo sol

**Exportaciones:** oro, cinc, cobre, pescado y productos de pescado, textiles

Volcán Cotopaxi, Ecuador

## Mapa

**Mar Caribe**

Cartagena
Maracaíbo
Caracas

Río Orinoco

**Venezuela**

Medellín
Bogotá

Cali

**Colombia**

Ecuador

**Ecuador**

Quito
Chimborazo ▲
ISLAS
GALÁPAGOS
(Ecuador)
Guayaquil
Golfo de
Guayaquil

**Perú**

CORDILLERA DE LOS ANDES

Huascarán ▲

Machu
Picchu ■
Callao
Cuzco
Lima

**Bolivia**

La Paz
Cochabamba
Lago
Titicaca
Sucre
Nevado
Sajama ▲
Potosí

**Brasil**

**Chile**

**Paraguay**

**Argentina**

**Uruguay**

OCÉANO
PACÍFICO

OCÉANO
ATLÁNTICO

Trópico de Capricornio

Trópico de Capricornio

### Metros / Pies

| Metros | Pies |
|---|---|
| Más de 3,000 | Más de 9,840 |
| 2,000–3,000 | 6,560–9,840 |
| 1,000–2,000 | 3,280–6,560 |
| 500–1,000 | 1,640–3,280 |
| 200–500 | 656–1,640 |
| 0–200 | 0–656 |

- - - - Frontera nacional
⊛ Capital
● Ciudad
▲ Volcán o montaña
■ Zona arqueológica

norte
oeste — este
sur

0    400    800 millas
0    400    800 kilómetros

### Venezuela

**Capital:** Caracas

**Población:** 26.4 millones

**Área:** 352,144 mi cuadradas / 912,050 km cuadrados

**Lenguas:** español (oficial), varias lenguas indígenas

**Religiones:** católica romana, protestante

**Gobierno:** república federal

**Moneda:** bolívar

**Exportaciones:** petróleo y productos derivados, azúcar, plátano, acero, aluminio, energía hidroeléctrica

### Bolivia

**Capital:** La Paz, Sucre

**Población:** 9.2 millones

**Área:** 424,164 mi cuadradas / 1,098,580 km cuadrados

**Lenguas:** español, quechua, aymara (todas lenguas oficiales)

**Religiones:** católica romana, protestante

**Gobierno:** república

**Moneda:** boliviano

**Exportaciones:** soya, gas natural, cinc, madera, oro

# América del Sur
## (Parte sur)

Puerto de Ushuaia, Tierra del Fuego, Argentina

## Paraguay

**Capital:** Asunción

**Población:** 6.8 millones

**Área:** 157,047 mi cuadradas / 406,750 km cuadrados

**Lenguas:** español y guaraní (lenguas oficiales)

**Religiones:** católica romana, protestante

**Gobierno:** república constitucional

**Moneda:** guaraní

**Exportaciones:** azúcar, carne, tapioca, energía hidroeléctrica

## Chile

**Capital:** Santiago

**Población:** 16 millones

**Área:** 292,260 mi cuadradas / 756,950 km cuadrados

**Lenguas:** español (oficial)

**Religiones:** católica romana, protestante

**Gobierno:** república

**Moneda:** peso chileno

**Exportaciones:** cobre, pescado, equipos de transporte, fruta, papel y pulpa, productos químicos, energía hidroeléctrica

## Argentina

**Capital:** Buenos Aires

**Población:** 39.5 millones

**Área:** 1,068,302 mi cuadradas / 2,766,890 km cuadrados

**Lenguas:** español (oficial), inglés, francés, italiano, alemán

**Religiones:** católica romana, protestante, judía

**Gobierno:** república

**Moneda:** peso argentino

**Exportaciones:** carne, aceites comestibles, combustibles y energía, cereales, forraje, vehículos automotores

Venezuela

Colombia

Ecuador

Ecuador

Perú

OCÉANO
PACÍFICO

Lago
Titicaca

Bolivia

ALTIPLANO

CORDILLERA DE LOS ANDES

GRAN CHACO

Paraguay

Asunción

Río Paraguay

Cataratas
del Iguazú

Trópico de Capricornio

Trópico de Capricornio

Chile

Río Paraná

OCÉANO
ATLÁNTICO

Argentina

Uruguay

Viña del Mar
Valparaíso
Santiago

Cerro
Aconcagua

Rosario

Buenos Aires

Montevideo
Punta del
Este

PAMPAS

Río de la Plata

norte

Mar del Plata

oeste      este

sur

| Metros | Pies |
|---|---|
| Más de 3,000 | Más de 9,840 |
| 2,000–3,000 | 6,560–9,840 |
| 1,000–2,000 | 3,280–6,560 |
| 500–1,000 | 1,640–3,280 |
| 200–500 | 656–1,640 |
| 0–200 | 0–656 |

Frontera nacional

Capital

Ciudad

Volcán o montaña

PATAGONIA

0      400      800 millas

0      400      800 kilómetros

Cerro de
San Valentín

Torres del
Paine

TIERRA DEL
FUEGO

Estrecho de
Magallanes

Cabo de Hornos

## Uruguay

**Capital:** Montevideo

**Población:** 3.4 millones

**Área:** 68,039 mi cuadradas / 176,220 km cuadrados

**Lenguas:** español (oficial), portuñol/brasilero

**Religiones:** católica romana, protestante y otras religiones

**Gobierno:** república constitucional

**Moneda:** peso uruguayo

**Exportaciones:** alimentos, vehículos, carne, arroz, maderas

# España
# Guinea Ecuatorial

## España

**Capital:** Madrid

**Población:** 40.3 millones

**Área:** 194,897 mi cuadradas / 504,782 km cuadrados

**Lengua oficial:** castellano; **lenguas regionales:** catalán, gallego, vasco, valenciano

**Religiones:** católica romana

**Gobierno:** monarquía parlamentaria

**Moneda:** euro

**Exportaciones:** alimentos, maquinaria, vehículos automotores

Un molino en Castilla-La Mancha, España

La Sagrada Familia, Barcelona, España

Golfo de Vizcaya

Francia

Asturias   Cantabria   Bilbao
País Vasco

Santiago de Compostela

Galicia

Pamplona

Navarra

P I R I N E O S

OCÉANO ATLÁNTICO

La Rioja

Castilla-León

Río Ebro

Valladolid

Zaragoza

Cataluña

Río Duero

Aragón

Barcelona

norte
oeste ● este
sur

España

Madrid

Mar Mediterráneo

Portugal

Menorca

Mallorca

Río Tajo

Castilla-La Mancha

Baleares

Extremadura

Valencia

Ibiza

ISLAS BALEARES

Mérida

Valencia

Alicante

S I E R R A   M O R E N A

Murcia

Córdoba

Río Guadalquivir

Sevilla

Andalucía

Granada

Málaga

| Metros | Pies |
|---|---|
| Más de 3,000 | Más de 9,840 |
| 2,000–3,000 | 6,560–9,840 |
| 1,000–2,000 | 3,280–6,560 |
| 500–1,000 | 1,640–3,280 |
| 200–500 | 656–1,640 |
| 0–200 | 0–656 |

0      100      200 millas
0      100      200 kilómetros

Estrecho de Gibraltar

ISLAS CANARIAS
La Palma    Lanzarote
Fuerteventura
Tenerife
Gomera    Gran Canaria
Hierro

OCÉANO ATLÁNTICO

0    50 millas
0    50 kilómetros

– – – Frontera nacional
✪ Capital
● Ciudad

Malabo
Isla Bioko

Golfo de Guinea

Guinea Ecuatorial

Camerún

norte
oeste ● este
sur

0    25    50 millas
0    25    50 kilómetros

CAMERÚN
Isla Bioko
GUINEA ECUATORIAL
Isla Annobón    GABÓN

Ebebiyin

Bata
Mbini
PARQUE NACIONAL MONTE ALÉN

Gabón

OCÉANO ATLÁNTICO

## Guinea Ecuatorial

**Capital:** Malabo

**Población:** 616,459

**Área:** 10,831 mi cuadradas / 28,051 km cuadrados

**Lenguas:** español y francés (lenguas oficiales), fang, bubi, ibo, inglés pidgin

**Religiones:** católica romana, religiones africanas tradicionales y otras religiones

**Gobierno:** república

**Moneda:** franco CFA

**Exportaciones:** petróleo, maderas, cacao, café

Un grupo de niños, Guinea Ecuatorial

# Estados Unidos

**Estados Unidos**

**Capital:** Washington, D.C.

**Población:** 296 millones

**Área:** 3,717,813 mi cuadradas / 9,631,418 km cuadrados

**Lenguas:** inglés, español, otras lenguas indoeuropeas, lenguas asiáticas y del Pacífico, otras lenguas

**Religiones:** protestante, católica romana, judía, musulmana y otras religiones

**Gobierno:** república federal

**Moneda:** dólar estadounidense

**Exportaciones:** vehículos automotores, equipos aeroespaciales, telecomunicaciones, equipos electrónicos, bienes de consumo, productos químicos, alimentos, trigo, maíz

Ruinas de Cliff Palace, Mesa Verde, CO

Un chilenoamericano con la bandera de los Estados Unidos

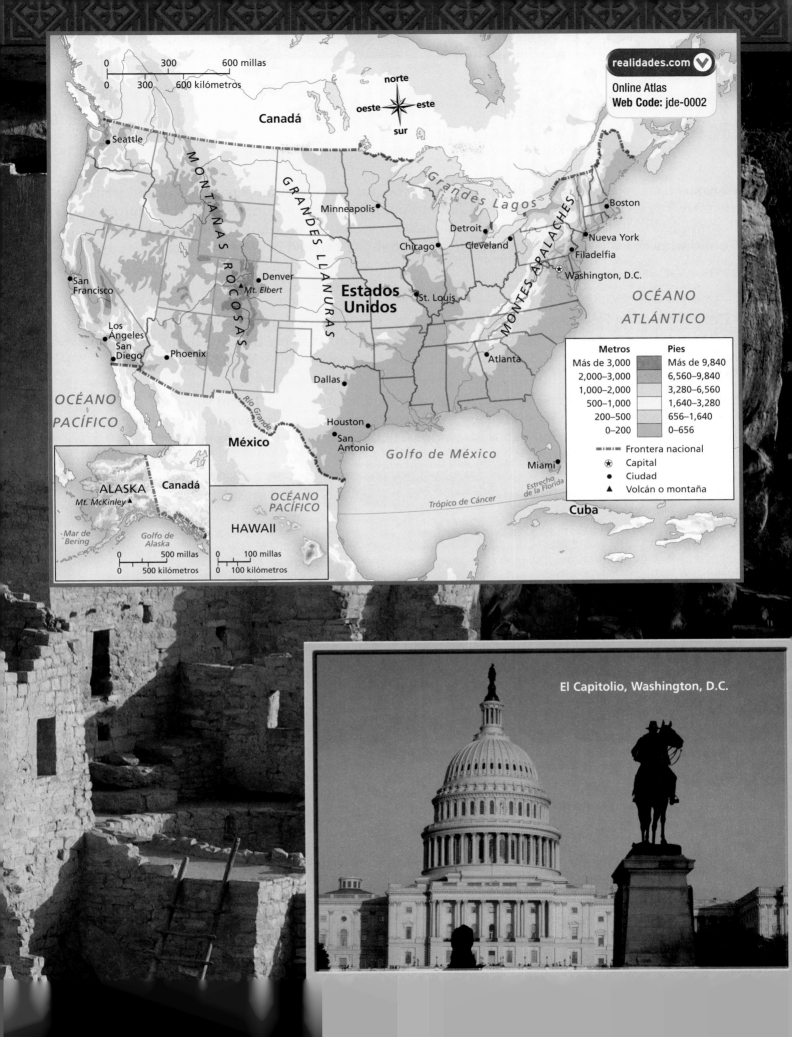

### Canadá

Seattle

MONTAÑAS ROCOSAS

GRANDES LLANURAS

Grandes Lagos

Minneapolis

Detroit

Chicago

Cleveland

Boston

Nueva York

Filadelfia

Washington, D.C.

MONTES APALACHES

San Francisco

Denver

Mt. Elbert

Estados Unidos

St. Louis

OCÉANO ATLÁNTICO

Los Ángeles

San Diego

Phoenix

Atlanta

OCÉANO PACÍFICO

Dallas

Río Grande

Houston

San Antonio

México

Golfo de México

Miami

Estrecho de la Florida

Trópico de Cáncer

Cuba

**Metros**
- Más de 3,000
- 2,000–3,000
- 1,000–2,000
- 500–1,000
- 200–500
- 0–200

**Pies**
- Más de 9,840
- 6,560–9,840
- 3,280–6,560
- 1,640–3,280
- 656–1,640
- 0–656

- – · – · – Frontera nacional
- ✪ Capital
- ● Ciudad
- ▲ Volcán o montaña

norte
oeste — este
sur

ALASKA    Canadá
Mt. McKinley ▲
Mar de Bering
Golfo de Alaska

OCÉANO PACÍFICO

HAWAII

0    300    600 millas
0    300    600 kilómetros

0    500 millas
0    500 kilómetros

0    100 millas
0    100 kilómetros

El Capitolio, Washington, D.C.

# ¡Bienvenidos!

Welcome back to **Realidades 2!** You've already begun to understand, speak, read, and write in Spanish. You've also explored many different Spanish-speaking countries and their cultures. Because learning language is a process in which you build upon what you already know, in **Realidades 2** you'll be using and building on what you learned in your first year of study.

## Tips for Reviewing

Here are some ways you can review.

• **Para empezar Realidades 2** begins with a review chapter that focuses on the basics from first year: talking about yourself, friends, and activities. It is likely that you'll remember this vocabulary and grammar. If not, use the textbook activities and the **Web Code** links at **realidades.com** for extra practice.

• **A ver si recuerdas** Prior to each theme and some chapters, you'll find this section, the title of which means "Let's see if you remember." It contains a quick summary of vocabulary and grammar from first-year Spanish that connects to the upcoming theme or chapter.

• **Grammar Summary and Glossaries** At the end of the book, you'll find grammar and vocabulary references from both first- and second-year Spanish.

• **realidades.com** Be sure to use the online activities as a review. These will provide further practice in grammar, reading, and writing. You will also find some fun activities to help you practice even more!

# Study Tips

## Here are some tips to help you learn Spanish.

**You don't need to understand everything.** When reading a text or listening to someone speak Spanish, don't worry about knowing the meaning of every word. Focus on what you *do* know, and look for context clues to help you with the rest. You'll be surprised at how much you understand!

**Look for opportunities to practice your Spanish.** If you wait to speak until you think your Spanish is perfect, you will have missed many opportunities to use it. Take risks! You will learn from your mistakes. Concentrate on *what* you are saying, and *how* you say it will soon come naturally.

**Look for Estrategia and ¿Recuerdas? boxes.** Throughout **Realidades,** you will see boxes that provide a useful strategy or remind you of something you have already learned.

**Go beyond the book.** Look for ways to practice your Spanish outside of class. You know more language now that you are in Spanish 2, so practice with a friend, watch Spanish television programs, speak with Spanish speakers, or use the Internet. You can also visit the Web site for **Realidades** at **realidades.com.** Throughout the book you'll find **Web Codes** that give you direct access to additional practice and information.

### Estrategia

**Taking notes**
When you are retelling information for a report, it is helpful to jot down key details to include in the report. When you write the report, you build the narrative around retelling the facts.

### ¿Recuerdas?

You know how to use the imperfect tense to say what someone used to do.

- Siempre **nos reuníamos** para los días festivos.
- Mis primos y yo **jugábamos** mucho.

El mundo hispano

**El primer día de clases** En los países hispanohablantes, los estudiantes regresan a las clases en diferentes meses. Por ejemplo, en Uruguay y Chile los estudiantes regresan en marzo porque las vacaciones de verano son de noviembre a febrero. En Colombia, hay tres calendarios para las escuelas. Unas escuelas van de enero a noviembre, el horario tradicional, y otras van de agosto a junio. El tercer calendario va de septiembre a junio, que es igual a los calendarios de los Estados Unidos y de México.

• ¿En qué mes regresas a la escuela después de las vacaciones de verano?

El primer día de clases en el Perú

# Para empezar

## Objectives

### 1 ¿Cómo eres tú?

• Talk about what you and other people are like
• Tell where you and other people are from

### 2 ¿Qué haces?

• Talk about things you and other people do
• Talk about how often you do certain things

## Más práctica

• *Real.* para hispanohablantes
  pp. x–1

• Fondo cultural Activity

# 1 ¿Cómo eres tú?

jdd-0099

Gloria · Enrique

Sonia · Alicia · Felipe

—Oye, Enrique, ¿eres artístico?

—Sí, según mis amigos soy muy artístico y estudioso. También dicen que soy reservado. Y Gloria, ¿cómo eres tú?

—Bueno . . . mis amigos dicen que soy paciente y trabajadora. Pero según mi hermanito, ¡soy impaciente y perezosa!

—¡Hola, Sonia y Alicia! ¡Uy! ¡Qué deportistas son Uds.!

—Sí, somos muy deportistas y también muy talentosas. ¿Te gusta practicar deportes, Felipe?

—Pues, no. No soy nada deportista, pero me gusta pasar tiempo con mis amigos. Soy sociable y muy simpático.

## 1 Los chicos

Leer · Escribir · Hablar

Los chicos en las fotos de arriba hablan de cómo son. Usa las fotos y las conversaciones para contestar las preguntas.

1. ¿Cómo es Enrique?
2. Según sus amigos, ¿cómo es Gloria? ¿Y según su hermanito?
3. ¿Cómo son Sonia y Alicia?
4. ¿Quién es sociable?

### ¿Recuerdas?

Here are some question words that are often used with *ser:*

- ¿Quién(es)?
- ¿Cómo?
- ¿De dónde?

# Gramática Repaso

## Adjectives

Remember that adjectives describe people, places, and things. In Spanish, adjectives have the same number and gender as the nouns they describe and they usually come after the noun.

| Masculine | | Feminine | |
|---|---|---|---|
| **Singular** | **Plural** | **Singular** | **Plural** |
| serio | serios | seria | serias |
| deportista | deportistas | deportista | deportistas |
| trabajador | trabajadores | trabajadora | trabajadoras |
| paciente | pacientes | paciente | pacientes |
| joven | jóvenes* | joven | jóvenes |

*Note that *jóvenes* needs an accent mark in the plural form.

 **Y tú, ¿cómo eres?**

**Escribir · Hablar**

1. Según tus amigos, ¿cómo eres tú? ¿Artístico(a)? ¿Talentoso(a)? ¿Simpático(a)?

2. ¿Eres paciente o impaciente? ¿Eres trabajador(a) o perezoso(a)?

3. ¿Cómo es tu mejor amigo(a)?

### ¿Recuerdas?

You already know these words to describe what you and your friends are like:

| | |
|---|---|
| alto, -a | impaciente |
| atrevido, -a | inteligente |
| bajo, -a | ordenado, -a |
| desordenado, -a | reservado, -a |
| estudioso, -a | sociable |
| gracioso, -a | viejo, -a |
| guapo, -a | |

 **¿Cómo son?**

**Escribir**

Trabajen en grupos para hacer una lista de ocho personas famosas. Luego usen los adjetivos de la *Gramática* y de *¿Recuerdas?* y escriban una frase para describir a estas personas.

**Modelo**

Marc Anthony
*Marc Anthony es talentoso y muy guapo.*

El cantante Marc Anthony en concierto

## 4 Dos jóvenes 🔊

jdd-0099

**Leer • Escuchar**

Lee esta descripción de dos chicas latinoamericanas. Luego escribe los números del 1 al 6 en una hoja de papel. Escucha las frases y escribe *C* si la información es cierta y *F* si es falsa.

> **Nombres:** Alicia Menéndez García y Carmen Díaz Ortiz
>
> **Edades:** Tienen 18 años.
>
> **Residencia:** Viven en Santiago de los Caballeros, República Dominicana, con sus familias.
>
> **Cómo son:** Alicia es una poeta joven. Lee sus poemas en público. Ella es muy inteligente y artística. Carmen no es artística pero le gusta escuchar los poemas de Alicia. Carmen es muy sociable y deportista. Las dos jóvenes son amigas inseparables.
>
> **Amigos:** "Nuestros amigos son graciosos y simpáticos," dicen Alicia y Carmen. "No tenemos tiempo para las personas negativas."

## 5 ¿Y cómo son tú y tus amigos?

**Escribir**

Ahora escribe una descripción de tu mejor amigo(a) y de ti. Usa la información de la descripción en la Actividad 4: nombres, edades, residencia y cómo son.

## 6 Amigos y primos

**Leer • Escribir • Hablar**

Lee la conversación entre los dos chicos del dibujo. Imagina lo que dicen las chicas sobre los chicos. Escribe la conversación de las chicas usando la conversación de los chicos como modelo. Presenta la conversación a la clase.

> Esas chicas son muy bonitas. ¿Sabes cómo se llaman, Carlos?

> Sí, hombre. Se llaman Dolores y Marisa. Son de Buenos Aires.

> ¿Cómo son?

> Las dos son simpáticas. Dolores es seria y reservada. Le gusta leer. Marisa es graciosa y muy sociable. Le gusta pasar tiempo con sus amigos.

> ¿Uds. son muy buenos amigos?

> Pues, sí, pero también somos primos.

### Más práctica

- **Guided** Vocab. Flash Cards, Vocab. Check, Gram. Practice pp. 1–6
- **Core** Gram. Practice p. 1
- **Communication** Writing p. 3
- *Real.* para hispanohablantes pp. 2–3

**realidades.com** ✔

- Audio Activities
- Speak & Record
- Tutorial
- Leveled Workbook
- Flashcards
- Web Code: jdd-0001

# Gramática (Repaso)

## The verb *ser*

You have learned to use the verb *ser* with adjectives to tell what someone is like.

> Esas chicas **son bonitas**.

You have also learned to use *ser* with *de* to tell where someone is from.

> **Son** de Buenos Aires.

Remember that *ser* is irregular. Here are its present-tense forms:

| (yo) | soy | (nosotros) (nosotras) | somos |
|------|-----|----------------------|-------|
| (tú) | eres | (vosotros) (vosotras) | sois |
| Ud. (él) (ella) | es | Uds. (ellos) (ellas) | son |

### 7 Así son los compañeros de Alejandro

**Leer · Escribir**

Escribe la forma correcta del verbo *ser* para completar lo que Alejandro escribe sobre los estudiantes en su clase de español.

Así son los estudiantes en mi clase de español. Ana María __1.__ estudiosa y le gusta mucho leer. Manuel y Marianela practican muchos deportes y __2.__ deportistas. A José Luis le gusta nadar en la piscina grande en el gimnasio; él __3.__ atrevido. A mi compañero Juanito y a mí nos gusta ir a la escuela porque nosotros __4.__ trabajadores. Pero a Mercedes y a Eduardo no les gusta ir a la escuela porque __5.__ perezosos. Carolina dibuja bien y __6.__ muy artística. Manolito y Victoria tocan la guitarra y __7.__ muy talentosos. A mi compañero Ignacio y a mí nos gusta mucho hablar por teléfono y pasar tiempo con amigos porque __8.__ sociables. Pero a mí no me gusta ir al gimnasio porque no __9.__ deportista. Y tú, ¿cómo __10.__?

### Más práctica

- **Guided** Gram. Practice p. 7
- **Core** Gram. Practice p. 2
- **Communication** Writing p. 4
- *Real.* para hispanohablantes p. 4

- Tutorial
- Leveled Workbook
- Web Code: jdd-0002

### 8 ¿Y cómo son tus compañeros?

**Escribir**

¿Cómo son los estudiantes en tu clase de español? Usa la descripción de Alejandro como modelo y escribe cinco o seis frases para describir a tus compañeros.

### 9 Juego

**Escribir · Hablar**

Tu profesor(a) te va a dar una tarjeta con el nombre de otro(a) estudiante de la clase. Escribe una descripción de esta persona en la tarjeta. Luego vas a leer la descripción y tus compañeros tienen que adivinar (*guess*) quién es.

**Modelo**

*Es seria y trabajadora, pero muy simpática. Le gusta la música. Ella e Isabel son buenas amigas. ¿Quién es?*

## Exploración del lenguaje

### Nationalities

You have already learned many adjectives of nationality. The Spanish words for these nationalities are based on the country name. Review the chart to see how each nationality relates to the country of origin. Remember that since the nationalities are adjectives, they agree in gender and number with the nouns they describe. They are usually used with the verb *ser*:

| País | Nacionalidad | País | Nacionalidad | País | Nacionalidad |
|------|--------------|------|--------------|------|--------------|
| Argentina | argentino, -a | El Salvador | salvadoreño, -a | Paraguay | paraguayo, -a |
| Bolivia | boliviano, -a | España | español, española | Perú | peruano, -a |
| Chile | chileno, -a | Guatemala | guatemalteco, -a | Puerto Rico | puertorriqueño, -a |
| Colombia | colombiano, -a | Honduras | hondureño, -a | República Dominicana | dominicano, -a |
| Costa Rica | costarricense | México | mexicano, -a | | |
| Cuba | cubano, -a | Nicaragua | nicaragüense | Uruguay | uruguayo, -a |
| Ecuador | ecuatoriano, -a | Panamá | panameño, -a | Venezuela | venezolano, -a |

 **10 Una población diversa**

**Leer · Escribir**

Los Estados Unidos es un país de inmigrantes, donde hay gente de todas partes del mundo. Un grupo importante de los inmigrantes está formado por hispanohablantes. La población hispana representa más de 35 millones de personas, o el 13 por ciento *(percent)* de la población total. Es muy diversa porque hay hispanohablantes de muchos países hispanos. Lee la gráfica sobre esta población y escribe un resumen.

**Modelo**

*El grupo más grande de hispanohablantes en los Estados Unidos es el grupo de México. Los mexicanos son el 58.5 por ciento . . .*

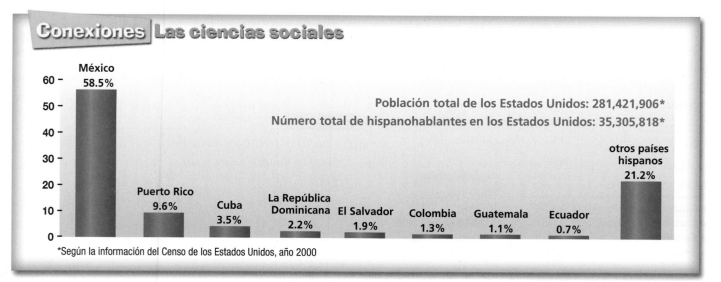

**Conexiones Las ciencias sociales**

Población total de los Estados Unidos: 281,421,906*
Número total de hispanohablantes en los Estados Unidos: 35,305,818*

- México 58.5%
- Puerto Rico 9.6%
- Cuba 3.5%
- La República Dominicana 2.2%
- El Salvador 1.9%
- Colombia 1.3%
- Guatemala 1.1%
- Ecuador 0.7%
- otros países hispanos 21.2%

*Según la información del Censo de los Estados Unidos, año 2000

## 11 ¿De dónde son?

**Hablar**

Estos estudiantes le escriben a tu clase por correo electrónico. Trabaja con otro(a) estudiante y pregúntale de dónde es cada estudiante y de qué nacionalidad. Después de hablar de estos chicos, pregunta a tu compañero(a) de dónde es.

**Para decir más . . .**

**estadounidense** U.S. citizen

**norteamericano, -a** North American (including Canada, Mexico, and the United States)

**canadiense** Canadian

## 12 ¿Y de dónde eres tú?

**Hablar**

Imagina que eres de uno de los países hispanohablantes que está en el mapa de la Actividad 11. Con otro(a) estudiante, pregunta y contesta según el modelo.

**Modelo**

**A** —¿*De dónde eres tú?*
**B** —*Soy de San Juan.*
**A** —*Ah, eres puertorriqueño(a).*

### Más práctica

- **Core** Gram. Practice p. 3
- *Real.* **para hispanohablantes** pp. 1, 5

**realidades.com** ⓥ

- Leveled Workbook
- Web Code: jdd-0003

# 2 ¿Qué haces?

jdd-0099

—¡Uy! No me gusta nada el invierno. Paula, ¿qué te gusta hacer en el invierno?

—Pues, paso tiempo con mis amigos: escuchamos música, tocamos la guitarra y por la noche bailamos. Lo que más me gusta hacer es practicar deportes.

—¿Qué deportes practicas?

—Monto en bicicleta o corro todos los días para hacer ejercicio. Practico deportes todo el año. ¿Y tú, Pepe?

—No soy muy deportista. A veces nado, por eso me encanta el verano. Generalmente tomo el sol y leo. También escribo canciones. ¿Qué haces en tus vacaciones de verano?

—En el verano a veces patino y también monto en monopatín con mis amigos.

## 13 Paula y Pepe  jdd-0099

**Escuchar**

Divide una hoja de papel en dos columnas. En la primera columna escribe *Paula,* y en la segunda escribe *Pepe.* Escucha una lista de actividades. Si Paula hace la actividad, escribe el número de la actividad debajo de *Paula.* Si Pepe la hace, escribe el número debajo de *Pepe.* Usa los dibujos para ayudarte.

| Paula | Pepe |
| --- | --- |
|  |  |

# Gramática  (Repaso)

## Present tense of regular verbs

Remember that in Spanish there are three groups of regular verbs. Their infinitives end in -*ar,* -*er,* or -*ir.* To form the present tense of a regular verb, you drop the -*ar,* -*er,* or -*ir* ending from the infinitive and add the appropriate present-tense ending. Use the present tense to talk about what someone is doing or what someone does.

**comer**

| (yo) | **como** | (nosotros) (nosotras) | **comemos** |
|------|----------|------------------------|-------------|
| (tú) | **comes** | (vosotros) (vosotras) | **coméis** |
| Ud. (él) (ella) | **come** | Uds. (ellos) (ellas) | **comen** |

**hablar**

| (yo) | **hablo** | (nosotros) (nosotras) | **hablamos** |
|------|-----------|------------------------|--------------|
| (tú) | **hablas** | (vosotros) (vosotras) | **habláis** |
| Ud. (él) (ella) | **habla** | Uds. (ellos) (ellas) | **hablan** |

**vivir**

| (yo) | **vivo** | (nosotros) (nosotras) | **vivimos** |
|------|----------|------------------------|-------------|
| (tú) | **vives** | (vosotros) (vosotras) | **vivís** |
| Ud. (él) (ella) | **vive** | Uds. (ellos) (ellas) | **viven** |

## 14 ¿Qué hace Claudia los fines de semana?

**Leer · Escribir**

A Claudia le gusta pasar tiempo con sus amigos. Lee la descripción y completa su historia con la forma apropiada de cada verbo.

Me gusta pasar tiempo con mis amigos los fines de semana. Los viernes generalmente vamos al cine. (Nosotros) __1.__ *(vivir)* cerca de un cine donde dan muchas películas. Por lo general, los sábados por la mañana, (yo) __2.__ *(correr)* por una hora y luego __3.__ *(montar)* en bicicleta. Mis amigos, Carlos y Mario, generalmente __4.__ *(montar)* en monopatín y en el invierno __5.__ *(esquiar).* Los domingos generalmente (yo) __6.__ *(leer)* un libro y hago la tarea para el lunes.

### ¿Recuerdas?

You can talk about leisure activities using these regular verbs and expressions:

| | |
|---|---|
| bailar | montar en bicicleta |
| caminar | montar en monopatín |
| cantar | nadar |
| comer | pasar tiempo |
| correr | patinar |
| dibujar | practicar deportes |
| escribir cuentos | tocar la guitarra |
| escuchar música | tomar el sol |
| esquiar* | usar la computadora |
| leer revistas | |

*In the present tense, *esquiar* has an accent on the *i* in all forms except *nosotros* and *vosotros: esquío, esquías, esquía, esquiamos, esquiáis, esquían.*

## 15 Unas preguntas

**Escribir**

Vas a contestar unas preguntas, pero primero tienes que completarlas. En una hoja de papel, escribe los números del 1 al 7. Luego escribe la palabra apropiada para completar cada pregunta.

1. ¿Con ___ pasas tiempo los fines de semana?
2. ¿ ___ vas al cine, los viernes, los sábados o los domingos?
3. ¿ ___ vives? ¿Está cerca de la escuela?
4. ¿ ___ deportes practicas?
5. ¿ ___ es tu restaurante favorito?
6. ¿ ___ usas la computadora, después de las clases o por la noche?
7. ¿ ___ veces vas a la biblioteca durante la semana?

### ¿Recuerdas?

Here are the question words you already know:

| | | |
|---|---|---|
| ¿Adónde? | ¿Cuánto, -a? | ¿Por qué? |
| ¿Cómo? | ¿Cuántos, -as? | ¿Qué? |
| ¿Cuál(es)? | ¿De dónde? | ¿Quién(es)? |
| ¿Cuándo? | ¿Dónde? | |

And here are words you can use to talk about how often you do an activity:

| | | |
|---|---|---|
| a menudo | el (los) fin(es) de semana | siempre |
| a veces | | todos los días |
| después de | nunca | |

## 16 ¿A menudo o nunca?

**Hablar • Escribir**

Usa las preguntas de la Actividad 15 para hacer una conversación con otro(a) estudiante. Pregúntale con qué frecuencia hace estas actividades. Escribe las respuestas de tu compañero(a) y úsalas para escribir un párrafo.

**Modelo**

*A veces paso los fines de semana con mis amigos. Siempre vamos al cine los sábados . . .*

## 17 Dos preguntas, por favor

**Escribir • Hablar**

**1** Van a trabajar en grupos de tres. Cada estudiante debe escribir en una hoja de papel una actividad que hace.

**Modelo**

*Monto en bicicleta.*

**2** Pasen la hoja de papel a la persona a su izquierda. Esta persona va a escribir una pregunta usando la información de la primera frase y una palabra interrogativa.

**Modelo**

*¿Cuándo montas en bicicleta?*

**3** Pasen la hoja de papel a la persona a su izquierda que va a escribir otra pregunta usando la información de la primera frase y otra palabra interrogativa.

**Modelo**

*¿Dónde montas en bicicleta?*

**4** Pasen la hoja a la persona que escribió la primera frase. Esta persona tiene que leer las preguntas y contestarlas.

**Modelo**

*Monto en bicicleta a menudo. Monto en bicicleta en el parque.*

## 18 Tu tiempo libre

**Hablar**

Trabaja con otro(a) estudiante y pregúntale adónde va en su tiempo libre. Tu compañero(a) te va a contestar y va a decir con qué frecuencia va.

**Modelo**

**A** —¿Adónde vas en el verano?
**B** —En el verano voy a la piscina todos los días.

### Estudiante A

1. en el invierno
2. los fines de semana
3. después de las clases
4. en la primavera
5. en el otoño
6. de vacaciones

### Estudiante B

| ¿Dónde? | ¿Cuándo? |
|---|---|
| la piscina | todos los días |
| el centro comercial | siempre |
| la playa | a veces |
| el parque | nunca |
| el gimnasio | a menudo |
| ¡Respuesta personal! | ¡Respuesta personal! |

## 19 ¡Enrique!

**Leer • Escribir**

Lee este artículo de una revista sobre el cantante Enrique Iglesias. Luego contesta las preguntas.

# Enrique Iglesias

El cantante Enrique Iglesias es de España pero ahora vive en Miami. Su padre es el famosísimo cantante Julio Iglesias, pero los jóvenes de todo el mundo conocen a Enrique por sus canciones populares como "Bailamos", "Be With You", y "Hero". Por primera vez en la historia de la música latina, recibe en 1996 el premio Grammy como Mejor Artista Latino con su primer disco. Enrique dice que la inspiración de su música viene de la música rock norteamericana y por las influencias latinas, caribeñas y europeas. Dice que "Soy y voy a ser siempre latino, pero mi música no lo es". Cuando no está escribiendo música o cantando en conciertos, le gusta practicar deportes acuáticos, pasar tiempo con su perro, Grammy, y ver la tele, especialmente los programas musicales. Sus amigos dicen que es gracioso, independiente, romántico y optimista.

1. ¿Cómo se llama el padre de Enrique?
2. ¿De dónde es Enrique?
3. ¿Dónde vive ahora?
4. ¿Cuándo recibe el premio Grammy?
5. ¿Qué tipo de música le inspira a Enrique?
6. ¿Quién es Grammy?
7. ¿Quién es tu cantante favorito(a)? ¿Por qué te gusta?

## 20 Juego

**Pensar · Escribir · Hablar**

**1** Escribe palabras que puedes usar para hablar de los tres dibujos. No tienes que escribir frases completas. Piensa en estas preguntas:

¿Qué hacen los jóvenes?

¿Dónde están?

¿Cuándo es?

¿Cómo se llaman ellos?

¿Cómo son ellos?

**2** Formen grupos de tres. Decidan quién va a empezar *(start)*. La primera persona habla del primer dibujo por 20 segundos. Su profesor(a) va a decirles cuándo se termina el tiempo. La segunda persona habla del mismo dibujo por 15 segundos sin repetir nada. Su profesor(a) va a decirles cuándo se termina el tiempo. Luego la tercera persona habla del mismo dibujo por diez segundos.

**3** Ahora repitan el Paso 2, pero describan el segundo dibujo. Luego repitan lo mismo, pero con el tercer dibujo.

## 21 Y tú, ¿qué dices?

**Escribir · Hablar**

1. ¿Qué haces los fines de semana?
2. ¿Cuándo vas al gimnasio: nunca, a veces o todos los días? ¿Por qué?
3. ¿Qué hace tu familia en el verano?

### Más práctica

- **Guided** Vocab. Flash Cards, Vocab. Check, Gram. Practice, pp. 8–14
- **Core** Gram. Practice p. 4
- **Communication** Writing p. 5, Integrated Performance Assessment p. 210
- *Real.* para hispanohablantes pp. 6–8

**realidades.com** ✔

- Audio Activities
- Tutorial
- Leveled Workbook
- Flashcards
- Web Code: jdd-0004

# Presentación escrita
## Poemas en diamante

### Task
Write a poem in the shape of a diamond. The poem is going to describe you.

**1** **Prewrite** Follow these instructions to write your poem:

1. Escribe tu nombre.
2. Escribe dos adjetivos que no te describen.
3. Escribe tres adjetivos que te describen.
4. Escribe cuatro actividades que haces todos los días.
5. Escribe tres actividades que tú y tus amigos hacen en el verano.
6. Escribe dos actividades que nunca haces.
7. Escribe "¡Así soy yo!"

**2** **Draft** Use the information above and write your poem in the shape of a diamond.

**3** **Revise** Show your poem to a partner. Your partner will check the following:

• Does the poem include all the information from the *Prewrite* section?

• Did you use the correct forms of the adjectives and verbs?

• Is there anything you should add or change?

Decide whether you want to use your partner's suggestions. Rewrite your draft.

**4** **Publish** Put your poem on an $8\frac{1}{2}$" × 11" sheet of paper or poster board. Decorate the sheet or poster with photos, drawings, and other items that are descriptive of you.

**5** **Evaluation** Your teacher may give you a rubric for grading the poem. You will probably be graded on:

• correct completion of the task

• use of adjectives and verbs

• attractiveness of the project

### Estrategia

**Organizing your thoughts**
Follow the guidelines of a graphic organizer in a diamond shape as you write your poem. This will help you organize your ideas and improve your writing.

Me llamo Linda.

No soy ni seria ni vieja

Soy alta, sociable, estudiosa.

Todos los días yo escucho música, leo, corro, uso la computadora.

En el verano mis amigos y yo nadamos, cantamos, bailamos.

Nunca patino ni monto en bicicleta.

¡Así soy yo!

# Vocabulario  Repaso

**las clases**

el arte
las ciencias naturales
las ciencias sociales
la educación física
el español
el inglés
las matemáticas
la tecnología

**mi horario**

primera hora
segunda hora
tercera hora
cuarta hora
quinta hora
sexta hora
séptima hora
octava hora
novena hora
décima hora

**descripciones de las clases**

aburrido, -a
difícil
divertido, -a
fácil
interesante
práctico, -a

**en mi mochila**

un bolígrafo
una calculadora
una carpeta
una carpeta de argollas
un cuaderno
un diccionario
una hoja de papel
un lápiz
un libro
la tarea

**en la sala de clases**

un asiento
una bandera
un cartel
un escritorio
una mesa
la papelera
la puerta
un pupitre
un reloj
un sacapuntas
una silla
la ventana

## 1  Tu escuela

**Hablar · Escribir**

Un estudiante de América Central estudia en tu escuela este año.
Usa la información del organizador gráfico y dile *(tell him)*:

- una clase que tienes   *Tengo . . .*
- el nombre del profesor / de la profesora
  *El (La) profesor(a) se llama . . .*
- cómo es la clase   *La clase es . . .*

- las cosas que traes a la clase todos los días
  *Todos los días traigo . . .*
- a qué hora tienes la clase   *Tengo la clase a las . . .*
- si te gusta o no te gusta la clase y por qué
  *Me gusta / No me gusta la clase porque . . .*

# Gramática (Repaso)

## The verb *tener*

Use the verb *tener* to show relationship, possession, or age, or in other expressions such as *tener hambre/sueño/sed*.

| | | | |
|---|---|---|---|
| (yo) | **tengo** | (nosotros)<br>(nosotras) | **tenemos** |
| (tú) | **tienes** | (vosotros)<br>(vosotras) | **tenéis** |
| Ud.<br>(él)<br>(ella) | **tiene** | Uds.<br>(ellos)<br>(ellas) | **tienen** |

Use *tener que* + infinitive to say that something has to be done.

**Tenemos que escribir** mucho en la clase de inglés.

## Verbs with irregular *yo* forms

Some verbs are irregular in the *yo* form only.

| hacer<br>*(to do, to make)* | poner<br>*(to put)* | traer<br>*(to bring)* |
|---|---|---|
| hago | pongo | traigo |

**Hago** la tarea de español todos los días.
**Pongo** los libros en el escritorio.
**Traigo** una carpeta a la clase.

---

 **2 ¿Qué tienen que hacer?**

**Escribir**

¿Qué tienen que hacer estas personas en sus clases? Escribe frases con una actividad diferente para cada persona.

**Modelo**

*mi amiga (nombre)*
*Mi amiga Gloria tiene que usar la computadora.*

1. yo
2. mi amigo *(nombre)*
3. nosotros

4. mis amigos
5. la profesora
6. tú

**Más práctica**

- **Guided** pp. 15–16
- **Core** pp. 5–6
- *Real.* **para hispanohablantes** p. 10

- **realidades.com**
- Leveled Workbook
- Web Code: jdd-0101

**3 ¿Cómo son las clases?**

**Leer • Escribir**

Completa la siguiente conversación con la forma correcta del verbo apropiado. Luego escribe un párrafo para describir tus clases.

A —¿Qué __1.__ *(traer/hacer)* Uds. en la clase de ciencias?

B —Nosotros __2.__ *(tener/hacer)* muchas cosas diferentes. Estudiamos plantas y animales. A veces el profesor __3.__ *(poner/hacer)* un experimento y nosotros __4.__ *(tener/traer)* que escribir nuestras observaciones.

A —¿El profesor __5.__ *(traer/hacer)* animales o insectos a la clase para estudiar?

B —Sí, él __6.__ *(poner/hacer)* un animal sobre la mesa y nosotros lo describimos. A veces los estudiantes __7.__ *(poner/traer)* una planta o una piedra interesante a la clase también.

A —¿ __8.__ *(Traer/Tener)* Uds. mucha tarea en la clase?

B —Sí. Leemos mucho y __9.__ *(traer/hacer)* una prueba cada semana. Yo siempre __10.__ *(poner/hacer)* mi libro de ciencias en mi mochila porque hay tarea todos los días.

## Fondo cultural

**Estados Unidos**

**Simón Silva** El artista chicano Simón Silva nació *(was born)* en México en 1961 y se crió *(was raised)* en California. Con el arte, el joven artista aprende a apreciar su cultura y decide continuar su educación. En sus cuadros, celebra su biculturalismo y su bilingüismo.

• ¿Tu escuela tiene un día especial para los maestros? ¿Qué piensas de la idea?

"El día del maestro" (1990), Simón Silva ▶
Courtesy of Simón Silva.

# ¿Qué haces en la escuela?

## Chapter Objectives

- Describe classroom objects and activities
- Talk about classroom rules
- Express affirmative and negative ideas
- Compare the school rules and customs in other countries with those of your own school

## Video Highlights

**Videocultura:** *Tu día escolar*

**A primera vista:** *La clase de Esteban*

**GramActiva Videos:** stem-changing verbs; affirmative and negative words

## Country Connection

As you learn to describe what you do in school, you will make connections to these countries and places:

## Más práctica

- *Real.* para hispanohablantes pp. 10–11

**realidades.com** ✓

- Fondo cultural Activity
- Video Activities
- Online Atlas
- Web Code: jde-0002

La Plaza de la Independencia, Quito, Ecuador

# Vocabulario en contexto

jdd-0187

**Objectives**

Read, listen to, and understand information about
- school activities
- school rules
- items you need for class

**66** ¡Hola! Me llamo Miguel. En mi escuela siempre estamos muy ocupados. Vamos a ver **lo que** hacemos en las clases **99**.

**sacar una buena nota**

Estos estudiantes **discuten** la tarea en **el laboratorio**.

Estos estudiantes hacen **un proyecto** de arte.

Victoria **repite las palabras** nuevas para **aprender de memoria** el vocabulario.

Marcos escribe **un informe sobre** la música latinoamericana.

La profesora le **explica** a Elena cómo usar la computadora.

La profesora de español de la Escuela Benito Juárez prepara un cartel con **las reglas** de la escuela. ¿Cuáles son las reglas?

**Más vocabulario**

**alguien** someone, somebody
**ningún, ninguno, -a** no, none
**prestar atención** to pay attention
**respetar** to respect

# Hay que . . .

Hay que llevar **el carnet de identidad.**

**la cinta adhesiva**

**las tijeras**

Hay que traer **los materiales** a clase.

Hay que **entregar** la tarea **a tiempo.**

**la grapadora**

**hacer una pregunta**

Hay que **pedir ayuda** si no **entiendes.**

**contestar**

Hay que estar en **el asiento** cuando la clase **empieza.**

# Se prohíbe . . .

Se prohíbe ir al **armario** durante las clases.

Se prohíbe **almorzar** en la sala de clases.

**1** ¿Qué hacen en la escuela? jdd-0187

**Escuchar**

Escucha lo que estos estudiantes hacen en la escuela y señala el dibujo apropiado.

**Más práctica**

- **Guided** Vocab. Flash Cards pp. 17–22
- **Core** Vocab. Practice pp. 7–8
- **Communication** Writing p. 12
- *Real.* **para hispanohablantes** p. 12

**realidades.com** ✓

- Audio Activities
- Leveled Workbook
- Flashcards
- Web Code: jdd-0102

**2** ¿Qué reglas tienes? jdd-0187

**Escuchar**

Escucha estas seis reglas. Si tienes la misma regla en tu clase de español, levanta una mano. Si no tienes la regla, levanta las dos manos.

# La clase de Esteban

¿Qué pasa con Esteban el primer día de clases? Lee la historia.

## Estrategia

**Making inferences**
As you read the story, think about why such strange things are happening to Esteban.

- Why is Esteban acting like the teacher?
- Why is his mother in the class?

Pedro      Esteban      Angélica

Mamá      Lisa

**1** **Esteban:** Bienvenidos a la clase de historia. **Algunos** de Uds. me **conocen** como Esteban. Pero hoy soy el profesor.

**Pedro:** Esteban piensa que es el profesor. ¡Qué divertido!

**5** **Esteban:** ¡No! ¡Se prohíbe ir al armario durante la clase! **Nadie** tiene el libro. Es el primer día de clases.

**6** **Esteban:** Mamá, ¿por qué estás aquí en la clase?

**Mamá:** No tengo idea. ¿Y qué vas a enseñar hoy?

**7** **Mamá:** ¿Por qué no empiezas?

**Esteban:** Es la clase de historia. Pienso **dar un discurso** sobre algunos de los presidentes de los Estados Unidos . . . El primer presidente fue George Washington . . .

**2** **Esteban:** Señoritas, ¿saben qué hora es?

**Angélica:** Hola, Esteban. Son las nueve y seis.

**Esteban:** Y la clase empieza a las nueve y cinco. ¿Por qué **llegan tarde** Uds.?

**Lisa:** Pero, ¿por qué estás tú delante de la clase? ¿Dónde está la profesora?

**3** **Esteban:** Yo soy el profesor. ¡Y hay que estar en el asiento cuando la clase empieza!

**4** **Lisa:** Profesor . . . necesito ir al armario. No tengo el libro.

**8** **Mamá:** Esteban. Esteban. ¡Ya es tarde!

**Esteban:** ¿Qué pasa? ¿Dónde estoy? ¡Ay! El primer día de clases . . .

**③** **¿Comprendiste?**

**Escuchar · Hablar**

**1.** ¿Quién es el profesor de la clase?

**2.** ¿Quiénes llegan tarde a la clase?

**3.** ¿Adónde necesita ir Lisa? ¿Por qué?

**4.** ¿Qué enseña Esteban?

**5.** ¿Sobre qué da un discurso Esteban?

**6.** ¿Cuáles son las reglas en la clase de Esteban?

**Más práctica**

- **Guided** Vocab. Check pp. 23–26
- **Core** Vocab. Practice pp. 9–10
- **Communication** Video pp. 6–8
- *Real.* **para hispanohablantes** p. 13

**realidades.com** ✔

- Audio Activities
- Video Activities
- Leveled Workbook
- Flashcards
- Web Code: jdd-0103

# Vocabulario en uso

## 4 ¿Qué tienen que hacer?

**Escribir • Hablar**

**1** Estudia los dibujos y escribe frases para describir las actividades que estos estudiantes tienen que hacer en cada clase.

Gloria

**Modelo**

*Gloria tiene que dar un discurso en la clase de historia.*

**1.** Isabel

**2.** Luis

**3.** Victoria

**4.** Marta y Eva

**5.** David y Clara

**6.** Mercedes y Ana

**2** Habla con otro(a) estudiante sobre lo que ustedes tienen que hacer en sus clases.

**Modelo**

A —¿En qué clase tienes que dar un discurso?

B —Tengo que dar un discurso en la clase de literatura.

**Para decir más . . .**

| | |
|---|---|
| **el álgebra** *(f.)* algebra | **la historia** history |
| **la biología** biology | **la literatura** literature |
| **la física** physics | **la química** chemistry |
| **la geografía** geography | *Para más clases, mira la* |
| **la geometría** geometry | *página 14.* |

## 5 ¡Tantas actividades!

**Hablar**

Con otro(a) estudiante, habla de lo que hacen estos estudiantes en su escuela.

**Modelo**

A —*¿Qué hace Lisa en la clase de español?*
B —*Repite las palabras para aprender de memoria el vocabulario.*

## 6 Tus clases

**Escribir · Hablar**

1 Haz una lista de cinco clases que tienes. Escribe una frase para describir lo que pasa en cada clase. Usa las expresiones del recuadro.

| | |
|---|---|
| hacer proyectos | dar discursos |
| hacer preguntas | escribir informes |
| aprender de memoria | trabajar en el laboratorio |

**Modelo**

*En la clase de inglés, la profesora da muchos discursos.*

2 Trabaja con otro(a) estudiante y comparen lo que hacen en diferentes clases.

**Modelo**

A —*En la clase de inglés, la profesora da muchos discursos.*
B —*En la clase de inglés, la profesora nunca da discursos.*
o: —*No tengo una clase de inglés.*

## 7 Para ser un(a) buen(a) estudiante

**Escribir · Hablar**

Completa las frases. Después discute tus opiniones
con las de otro(a) estudiante.

Para sacar una buena nota, . . .
*Para sacar una buena nota, hay que estudiar mucho.*

**1.** Para aprender de memoria el vocabulario, . . .

**2.** Para entender mejor la tarea, . . .

**3.** Para leer mejor en español, . . .

**4.** Para hacer un proyecto de arte, . . .

**5.** Para ir a la universidad, . . .

**6.** Para un examen, . . .

> ### ¿Recuerdas?
>
> *Para* has a number of different meanings.
> Here are some you've seen:
>
> - *in order to*
>   Estudio **para** sacar buenas notas.
>
> - *intended for*
>   Estos materiales son **para** el proyecto.
>
> - *in (my) opinion*
>   **Para** mí, las reglas son muy buenas.

## 8 ¿Qué hago?

**Hablar**

Habla de los problemas que tienes en la escuela.
Tu compañero(a) va a decirte lo que debes hacer.

**Modelo**

sacar malas notas
**A** —*Saco malas notas en la clase de inglés.*
**B** —*Tienes que pedir ayuda.*
**o:** —*Hay que pedirle ayuda a la profesora.*

### Estudiante A

1. tener hambre
2. no traer ni tijeras, ni grapadora
   ni cinta adhesiva
3. no tener la tarea de . . .
4. no entender la tarea
5. no saber las reglas
6. muchas veces llegar tarde
7. hablar mal de los profesores

### Estudiante B

saber las reglas
almorzar
entregar la
   tarea a tiempo
llegar a tiempo
pedir ayuda

traer los
   materiales
   a clase
respetar a
   los demás
prestar
   atención

Estas estudiantes están tomando apuntes
*(taking notes)* en su clase de historia.

## 9 ¿Qué aprendes de memoria?

**Leer • Escribir • Hablar**

En la escuela debes aprender muchas palabras y fechas de memoria. En casa, aprendes números de teléfono y fechas de cumpleaños. Si te gusta la música, también aprendes canciones de memoria. Aquí hay parte de un poema muy famoso, *Versos sencillos*. Lee el poema y busca los cognados para ayudarte a entenderlo mejor. Luego contesta las preguntas.

1. ¿Cuáles son los cognados que te ayudan a entender el poema?

2. ¿Qué le da el poeta a un buen amigo? ¿Y al cruel?

3. ¿Qué palabras riman *(rhyme)* en el poema?

4. ¿Te gusta el poema? ¿Por qué?

**Conexiones** La literatura

### Versos sencillos[1]
#### José Martí

*Cultivo una rosa blanca,*
*en julio como en enero,*
*para el amigo sincero*
*que me da su mano franca.*

*Y para el cruel que me arranca[2]*
*el corazón[3] con que vivo,*
*cardo[4] ni ortiga[5] cultivo:*
*cultivo una rosa blanca.*

\* \* \*

[1]simple  [2]pulls out  [3]heart  [4]thistle
[5]nettle *(a thorny plant)*

## 10 ¡Aprende el poema!

**Leer • Hablar**

Lee el poema *Versos sencillos* varias veces. Luego practica con otro(a) estudiante sin mirar las palabras. Tu compañero(a) te puede ayudar. Recita el poema en grupos pequeños o para la clase. Hay que:

- hablar claramente
- expresar emoción
- comunicar los sentimientos del poeta

**Estrategia**

**Memorizing**
Repeating out loud is a good strategy for memorizing any text, such as this poem. It will also help you to remember new vocabulary and verbs.

### Fondo cultural
**Cuba**

**José Martí** (1853–1895) fue un poeta y patriota cubano muy famoso. Él es un símbolo de la independencia de Cuba de los españoles. Los versos que acabas de leer son sólo una pequeña parte del poema *Versos sencillos*, en el que el poeta describe su poesía y la vida *(life)* con palabras sencillas y sinceras. Muchas personas creen que este poema es lo mejor de su trabajo literario. Las palabras de la canción "Guantanamera" son de estos versos.

- ¿Qué poema o poeta es famoso por ser símbolo de la independencia de los Estados Unidos?

Una estatua de José Martí en la ciudad de Nueva York

## 11 Las reglas de mis clases

**Escribir • Hablar**

Copia esta tabla. En la tabla, escribe todas tus clases, las horas y las reglas. Luego escribe una descripción.

Trabaja con otro(a) estudiante y habla de las reglas en las clases. ¿Tienen las mismas reglas en las mismas clases? ¿Qué piensa tu compañero(a) de estas reglas?

| Clase / Hora | Hay que... | Se prohíbe... |
|---|---|---|
| matemáticas /segunda | usar una calculadora | hablar con los amigos |

**Modelo**

A —*En la clase de educación física, hay que llevar uniformes. Se prohíbe tomar refrescos. ¿Qué piensas?*

B —*En mi clase también hay que llevar uniformes y no debes tomar refrescos. ¡Estoy de acuerdo! Son buenas reglas porque . . .*

o: —*¡No estoy de acuerdo! No debemos llevar uniformes y me gustaría tomar refrescos.*

## 12 Y tú, ¿qué dices?

**Escribir • Hablar**

1. ¿Qué actividades te gusta hacer en tus clases? ¿Cuáles no te gusta hacer?

2. ¿Qué proyectos haces en tus clases?

3. Piensa en las reglas de tus clases. ¿Qué regla(s) no te gusta(n)? ¿Por qué?

4. ¿Cuál es tu clase favorita este año? ¿Qué tienes que hacer en esta clase? ¿Qué se prohíbe?

5. ¿Siempre entiendes todo en tus clases? ¿Qué haces si no entiendes algo?

## 13 Citas sobre la educación

**Leer • Escribir**

Lee las citas *(quotes)* sobre la educación. ¿Qué quiere decir cada persona? ¿Piensan que la educación es importante? Escoge dos citas y escribe un párrafo para compararlas. Explica lo que las citas quieren decir y da tu opinión.

"El fundamento verdadero de la felicidad: la educación". —Simón Bolívar (1783–1830), militar y político venezolano

"Según como sea[1] la escuela, así será[2] la nación entera". —Gabriela Mistral (1889–1957), poeta y educadora chilena

"Todos los problemas son problemas de educación". —Domingo Faustino Sarmiento (1811–1888), escritor, educador y político argentino

[1]is [2]shall be

**Modelo**

*Las palabras de Gabriela Mistral quieren decir que hay una conexión importante entre la educación y el país. Yo estoy de acuerdo porque . . .*

# Gramática — Repaso

## Stem-changing verbs

The stem of a verb is the part of the infinitive that is left after you drop the endings -*ar*, -*er*, or -*ir*. For example, the stem of *empezar* is *empez-*. Stem-changing verbs have a spelling change in their stem in all forms of the present tense except the *nosotros(as)* and *vosotros(as)* forms.

There are three kinds of stem-changing verbs that you have learned. To review them, here are the present-tense forms of *poder (o → ue)*, *empezar (e → ie)*, and *pedir (e → i)*.

—Si no **puedes** contestar una pregunta, ¿qué haces?
—Generalmente le **pido** ayuda a otro estudiante o al profesor.

### poder (o → ue)

| (yo) | **puedo** | (nosotros) (nosotras) | **podemos** |
|---|---|---|---|
| (tú) | **puedes** | (vosotros) (vosotras) | **podéis** |
| Ud. (él) (ella) | **puede** | Uds. (ellos) (ellas) | **pueden** |

### empezar (e → ie)

| (yo) | **empiezo** | (nosotros) (nosotras) | **empezamos** |
|---|---|---|---|
| (tú) | **empiezas** | (vosotros) (vosotras) | **empezáis** |
| Ud. (él) (ella) | **empieza** | Uds. (ellos) (ellas) | **empiezan** |

### pedir (e → i)

| (yo) | **pido** | (nosotros) (nosotras) | **pedimos** |
|---|---|---|---|
| (tú) | **pides** | (vosotros) (vosotras) | **pedís** |
| Ud. (él) (ella) | **pide** | Uds. (ellos) (ellas) | **piden** |

### GramActiva VIDEO

To learn more about stem-changing verbs, watch the **GramActiva** video.

### ¿Recuerdas?

Here are more stem-changing verbs that follow the patterns above.

| o → ue | u → ue | e → ie | e → i |
|---|---|---|---|
| almorzar | jugar | entender | servir |
| costar | | pensar | repetir |
| dormir | | preferir | |
| | | querer | |

## 14 Mi clase favorita

**Leer · Escribir**

Completa las frases con la forma correcta del verbo apropiado.

Es increíble pero mi clase favorita __1.__ (*empezar / entender*) a las siete y media de la mañana. El profesor, el Sr. Díaz, es muy simpático y él __2.__ (*pedir / entender*) que todos tenemos mucho sueño en la mañana. Ningún estudiante __3.__ (*dormir / querer*) en esta clase porque siempre estamos muy activos. Yo creo que los estudiantes __4.__ (*preferir / poder*) las clases que tienen más actividades. Generalmente el Sr. Díaz __5.__ (*repetir / querer*) las instrucciones para las actividades dos o tres veces. A veces nosotros no __6.__ (*entender / servir*) los ejercicios en el libro y __7.__ (*pensar / pedir*) ayuda. El Sr. Díaz siempre __8.__ (*jugar / poder*) ayudarnos.

## 15 Juego

**Hablar • GramActiva**

Con otros(as) tres estudiantes, van a hacer dos cubos para su grupo con el modelo que les da su profesor(a).

Escriban un pronombre *(yo, tú, él, ella, nosotros, nosotras, Uds., ellos, ellas)* diferente en cada cara *(side)* del cubo 1. Escriban también un número diferente del 1 al 6 en cada cara.

Escriban un infinitivo diferente en cada cara del cubo 2. Escojan entre los verbos que ves aquí. Escriban también un número diferente del 1 al 6 en cada cara.

| | | |
|---|---|---|
| almorzar | jugar | preferir |
| dormir | pedir | querer |
| empezar | pensar | repetir |
| entender | poder | servir |

Tiren *(Roll)* los dos cubos y, según el resultado, formen una frase. Si la frase es lógica y correcta, reciben los puntos que indican los números en los cubos, pero si la frase no es ni lógica ni correcta, no reciben nada. El grupo con más puntos gana *(wins)*.

**Modelo**

yo (= 6 puntos)   preferir (= 2 puntos)
*Yo prefiero estudiar español y ciencias sociales.* (= 8 puntos)

## 16 Un día típico

**Escribir • Hablar**

¿Puedes describir tu día típico en la escuela? Usa las palabras y expresiones en el recuadro y escribe un párrafo sobre tus clases, tus compañeros, los profesores y lo que haces durante el día.

| | | |
|---|---|---|
| yo | almorzar | durante la clase de . . . |
| mi amigo(a) | empezar | en la cafetería |
| el (la) profesor(a) | (no) dormir | en la clase de . . . |
| nosotros | (no) entender | muy temprano |
| las clases | preferir | sacar buenas / |
| mis amigos | querer | malas notas |

Ahora compara tus descripciones con las de otro(a) estudiante. Hablen de las diferencias y las semejanzas *(similarities)* en el día de cada uno de ustedes.

Estos estudiantes argentinos almuerzan en la cafetería de su escuela.

## 17 Tu proyecto favorito . . .

**Escribir • Hablar**

Contesta las siguientes preguntas. Compara tus respuestas con las de otro(a) estudiante.

1. ¿En qué clases haces muchos proyectos?
2. ¿Prefieres hacer proyectos o tomar exámenes? ¿Por qué?
3. ¿Quieres hacer un proyecto en tu clase de español? ¿Qué tipo de proyecto?
4. ¿Pides ayuda cuando tienes que hacer un proyecto? ¿A quién?
5. Cuando haces un proyecto, ¿qué materiales usas?

Unos estudiantes pintan un mural en el barrio de Pilsen, Chicago, Illinois.

## Pronunciación

### The letters *b*, *v*, and *d*   jdd-0188

The letters *b* and *v* are both pronounced the same. When the *b* or *v* is the first letter of a word or follows an *m* or *n*, it is pronounced like the English letter *b*. Listen to and say these words:

**b**ien   **v**ecinos   tam**b**ién   in**v**ierno

In all other positions, the letters *b* and *v* have a softer "b" sound. To produce it, put your lips close together (but not touching) and push the air through them. Listen to and say these words and sentences:

gusta**b**a   jó**v**enes   ár**b**ol   de**v**olver

**B**enito **V**ásquez era un hom**b**re que **v**iaja**b**a en **B**rasil.

Mi no**v**io **v**i**v**ía en el Cari**b**e pero ahora **v**i**v**e en **B**uenos Aires.

Like the *b* and *v*, the Spanish *d* can have a hard or a soft sound. The *d* is hard at the beginning of a word or after *n* or *l*, like the *d* in the English word *dough*. Listen to and say these words:

**d**onde   **d**esfile   fal**d**a   cuan**d**o   apren**d**er

Otherwise the *d* is soft like the English *th* in the English word *though*. Listen to the soft *d* in these words and repeat them:

ciu**d**ad   mo**d**erno   cuña**d**o   bo**d**a   ayu**d**ar

Repeat the following *refranes*. What do you think they mean?

Un hombre que sabe dos lenguas vale por dos.

Quien mucho vive, mucho ve.

"GOOD MORNING."   "BUENOS DÍAS."

## Más práctica

- **Guided** Gram. Practice pp. 27–28
- **Core** Gram. Practice p. 11
- **Communication** Writing p. 13, Test Prep p. 211
- *Real.* para hispanohablantes pp. 14–17

**realidades.com**

- Audio Activities
- Video Activities
- Speak & Record
- Canción de hip hop
- Animated Verbs
- Tutorial
- Leveled Workbook
- Web Code: jdd-0104

## 18 ¿Sacas buenas notas?

**Leer • Escribir • Hablar**

Mira las notas de Nora, una estudiante de Zacatecas, México. Observa cómo son las notas en la escuela de Nora. Observa también el número de asignaturas *(subjects)* que ella estudia.

1. ¿Cuál es la nota más alta de Nora? ¿Y la más baja?

2. ¿Cuántas asignaturas estudia Nora?

3. ¿Qué asignatura(s) estudia Nora que tú no estudias?

4. ¿Para qué semestre son las calificaciones?

### Fondo cultural
México

**Las notas** El sistema de notas, o calificaciones, en México va del 1 (que es la nota más baja) al 10 (que, lógicamente, es la nota más alta). ¡Pero no todas estas notas son buenas! Para aprobar *(pass)* una asignatura necesitas una nota mínima de 6. Notas de 6 y 7 son equivalentes a una nota de "C" en los Estados Unidos. Notas de 8 son equivalentes a una "B" y las de 9 y 10 son como una "A".

• ¿Cómo son tus notas según el sistema de México?

**Gobierno del Estado de Zacatecas**
Secretaría de Educación y Cultura
Dirección de Educación Media Superior y Superior

La dirección de la escuela preparatoria Ing. _____ *José Rodríguez Elias* _____ con clave _____ 32EBH0007Y _____ certifica que, según constancias¹ que están en el archivo de esta escuela el (la) alumno(a) Nora Ramírez Valenzuela con clave única de registro de población (CURP) _____ RAVN850303MZSMLR _____ cursó las asignaturas del primer semestre del plan de estudios bachillerato del período escolar _____ 2001–2002 _____ que a continuación se detallan.²

| ASIGNATURAS | CLASES POR SEMANA | CALIFICACIÓN FINAL | |
|---|---|---|---|
| | | CIFRA | LETRA |
| Matemáticas | 4 | 8 | OCHO |
| Física I | 4 | 9 | NUEVE |
| Inglés I | 3 | 10 | DIEZ |
| Biología I | 4 | 9 | NUEVE |
| Química I | 4 | 10 | DIEZ |
| Etimologías latinas | 4 | 8 | OCHO |
| Metodología de la ciencia I | 3 | 7 | SIETE |
| Introducción a las ciencias sociales I | 4 | 9 | NUEVE |
| Informática I | 4 | 8 | OCHO |
| Orientación vocacional I | 2 | ACREDITADA | |
| Educación física I | 1 | ACREDITADA | |

**OBSERVACIONES**

1. El plan de estudios está integrado en cursos semestrales.
2. El año escolar comprende³ 40 semanas.
3. La escala⁴ oficial de calificaciones es numérica del 5 al 10.

# Gramática

## Affirmative and negative words

By now you know many affirmative and negative words.

| Affirmative | | Negative | |
|---|---|---|---|
| alguien | someone, anyone | nadie | no one, nobody |
| | | nada | nothing |
| algo | something | | |
| algún, alguno(s), alguna(s) | some, any | ningún, ninguno, ninguna | no, none, not any |
| | | nunca | never |
| siempre | always | tampoco | neither, either |
| también | also, too | | |

### ¿Recuerdas?

To make a sentence negative, you usually put *no* in front of the verb.

- **No** sacamos buenas notas en la clase de álgebra.

Sometimes you can also use a negative word after the verb.

- **No** estudiamos **nunca** el sábado por la noche.

*Alguno, alguna, algunos, algunas,* and *ninguno, ninguna* match the number (singular or plural) and gender (masculine or feminine) of the noun to which they refer.

—¿Uds. van al laboratorio de computadoras en **algunas** clases?

—No, no vamos al laboratorio en **ninguna** clase.

When *alguno* and *ninguno* come before a masculine singular noun, they change to *algún* and *ningún*.

—¿Vas a dar **algún** discurso en la clase de inglés?

—No, no voy a dar **ningún** discurso.

### GramActiva VIDEO

Want to learn more about affirmative and negative words? Watch the **GramActiva** video.

Siempre jugamos.

## 19 Los profesores muy estrictos

**Leer • Escribir**

Los profesores de la escuela de Hugo son muy estrictos. Completa las descripciones con la palabra apropiada.

¡La profesora de álgebra es la más estricta de la escuela! __1.__ *(Ninguno / Ningún)* estudiante quiere estudiar con ella. Hay muchas reglas en la clase __2.__ *(también / tampoco)*. En la clase de historia, tenemos __3.__ *(ninguna / algunas)* reglas, y son muy estrictas. En nuestra escuela __4.__ *(nunca / siempre)* podemos comer __5.__ *(nada / algo)* en clase. __6.__ *(También / Tampoco)* podemos beber. En la clase de ciencias puedo trabajar con __7.__ *(nadie / alguien)* para hacer la tarea. Pero, para la clase de inglés, no podemos trabajar con __8.__ *(nadie / alguien)*. En la clase de español __9.__ *(siempre / nunca)* trabajamos en parejas o en grupos para hacer proyectos. No conozco __10.__ *(ninguna / alguna)* escuela con tantas reglas. ¡Esta escuela tiene __11.__ *(algunos / algunas)* de los profesores más estrictos!

## 20 ¿Qué conoces y a quién conoces?

**Hablar**

Trabaja con otro(a) estudiante y habla de algunas personas y cosas que conoces en tu escuela.

### ¿Recuerdas?

*Conocer* means "to know" or "to be familiar with" a person, place, or thing. It is a regular -er verb except in the *yo* form: *conozco*. When you say that you know a person, use *a* after the verb.

• **Conozco a** Estela, la amiga de Juan.

• **¿Conoces** la escuela Benito Juárez?

When using *conocer* with *alguien* or *nadie*, use *a* after the verb, since both words refer to a person.

• **¿Conoces a** alguien en esta escuela?

• No, no **conozco a** nadie.

**Modelo**

estudiantes trabajadores

**A** —¿Conoces a <u>algunos estudiantes trabajadores</u>?

**B** —No, no conozco a <u>ningún estudiante trabajador</u>.

**o:** Sí, conozco a <u>algunos</u>. Enrique y Sara son muy <u>trabajadores</u>.

1. profesores graciosos
2. estudiantes reservados
3. clase aburrida
4. chica estudiosa
5. libro interesante en la biblioteca
6. buenos lugares para estudiar
7. secretarias de la escuela

## 21 ¿Y en tu escuela?

**Hablar**

Haz las siguientes preguntas a otros(as) dos estudiantes. Comparen sus experiencias en diferentes clases.

1. ¿En qué clases puedes comer? ¿En cuáles puedes beber?
2. ¿Cuándo vienes a clases los fines de semana?
3. ¿Cuándo llegas temprano a la escuela? ¿Cuándo llegas tarde a casa?
4. ¿A veces puedes trabajar con alguien en algún proyecto o alguna tarea? ¿En cuál(es)?
5. ¿Cuáles son algunas de las reglas de tu clase de español? ¿Cuáles son algunas de las reglas de tus otras clases?

### Fondo cultural

**El mundo hispano**

**¿Más estrictos?** En muchos países hispanohablantes *(Spanish-speaking)*, las relaciones entre *(between)* los profesores y los estudiantes son más formales que en los Estados Unidos. En muchas escuelas, los estudiantes se levantan *(stand up)* cuando los profesores llegan a la sala de clases. Los estudiantes usan "usted" cuando hablan con un(a) profesor(a), y muchas veces los llaman "profesor" o "profesora" sin decir el apellido *(last name)*.

• Piensa en cómo te comunicas con tus profesores. ¿En qué sentido *(way)* es similar o diferente a cómo se comunican en los países hispanohablantes? ¿Cómo afecta las relaciones entre los profesores y los estudiantes?

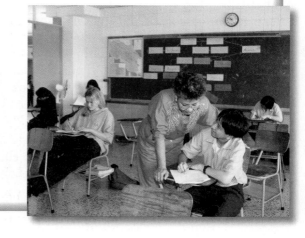

## 22 En la sala de clases

**Escribir • Hablar**

Imagina que tu clase está en un país hispanohablante. Las relaciones entre los estudiantes y los profesores son más formales. En grupos de cuatro, escriban un guión *(script)* sobre diferentes situaciones en la clase. Luego actúen su drama para la clase. Una persona es profesor(a) y los otros son estudiantes.

**Modelo**

*La profesora entra en la sala de clases. Los estudiantes están de pie.*
Clase: *Buenos días, profesora.*
La profesora: *Buenos días.*

## 23 Y tú, ¿qué dices?

**Leer • Escribir**

Lee lo que Joaquín te escribe por correo electrónico desde México. Luego escríbele una carta a Joaquín para contestar sus preguntas.

¡Hola!

¿Cómo estás? Yo estoy bien, pero tengo muchísima tarea. Tengo que escribir un informe para la clase de inglés. Quiero comparar las clases aquí en México con las clases de los Estados Unidos. ¿Me puedes ayudar? ¿Cuáles son las reglas de tus clases? ¿Qué cosas debes hacer? ¿Hay que llevar el carnet de identidad? ¿Qué se prohíbe? ¿Puedes llegar tarde a las clases? ¿Qué es lo que hay que hacer para sacar buenas notas en tus clases? Por favor, contesta mis preguntas. ¡Gracias!

Joaquín

# El español en el mundo del trabajo

El profesor de español, Craig Reubelt, enseña en la *Laboratory Schools* de la Universidad de Chicago. Empezó a estudiar español a los 13 años y vivió en México por dos años. Tiene una maestría *(master's degree)* en Literatura de la Universidad de Chicago. En los veranos, el profesor Reubelt siempre viaja a un país hispanohablante.

• ¿Qué es lo que hay que hacer para ser un(a) buen(a) profesor(a)? ¿Quieres ser profesor(a) de español?

*"Me encanta enseñar español y explicar cosas sobre las culturas hispanas".*

## Más práctica

• **Guided** Gram. Practice pp. 29–30
• **Core** Gram. Practice pp. 12–13
• **Communication** Writing p. 14
• *Real.* para hispanohablantes pp. 18–21

**realidades.com**
• Audio Activities
• Video Activities
• Speak & Record
• Tutorial
• Leveled Workbook
• Web Code: jdd-0105

# Lectura
## Para estudiar mejor...

Para comprender bien tus clases y sacar buenas notas, es importante estudiar bien. Pero hay muchos estudiantes que no saben estudiar. A veces no prestan atención y otras veces no piden ayuda cuando no entienden algo. Lee estos consejos *(advice)* para estudiar mejor de la revista española *Okapi*.

**¡ENTRE NOSOTROS!**

## REGLAS DE ORO[1] para estudiar mejor

Silvia López, fiel lectora[2] de *Okapi*, nos da estas interesantes técnicas de estudio para los exámenes. Queremos repetirlas aquí para todos ustedes.

[1]gold  [2]faithful reader

## ¿Comprendiste?

1. ¿Cierto o falso? No es necesario estudiar a la misma hora todos los días.
2. ¿Según el artículo, es importante ser una persona organizada?
3. ¿Qué consejos del artículo ya *(already)* practicas?
4. ¿Qué piensas de estos consejos? ¿Son fáciles de seguir *(to follow)* en tu casa?
5. ¿Qué otros consejos para estudiar mejor les puedes dar a tus compañeros?

### Más práctica

- **Guided** Reading Support p. 31
- **Communication** Writing p. 15, Test Prep p. 212
- *Real.* **para hispanohablantes** pp. 22–23

**realidades.com** ▼

- Internet Activity
- Leveled Workbook
- Web Code: jdd-0106

## ¿Qué debes hacer a la hora de estudiar?

Para estudiar mejor necesitas una buena organización del trabajo y unos hábitos saludables. Siempre debes ser positivo. Repite frases como "yo puedo hacerlo" o "soy capaz[3]". Cuida[4] tus libros y otros materiales. Generalmente una persona constante, organizada y trabajadora tiene buenos resultados en los estudios.

## ¿Cómo puedes organizarte para estudiar?

Establece un horario fijo para estudiar y planifica tu tiempo. Tienes que pasar suficiente tiempo para llegar al punto de máxima concentración. También debes planear unos pequeños descansos de 5 a 10 minutos. Y si no entiendes algo, pide ayuda: ¡Tus padres o tus hermanos mayores te pueden ayudar!

## ¿Cómo puedes estudiar mejor y sacar buenas notas?

Tienes que cuidarte. Debes comer bien y dormir lo suficiente. Por ejemplo, no es bueno estudiar muy tarde por la noche antes de un examen. Debes estar tranquilo, sin estar ni nervioso ni ansioso. La tranquilidad emocional te ayuda a pensar mejor. También tienes que cuidar tu vista:[5] cuando lees, el libro debe estar a 35–40 cm de distancia de tus ojos y siempre debes usar una buena lámpara.

[3]capable    [4]Take care of    [5]vision

# La cultura en vivo
## Un nuevo escudo de armas

Los escudos de armas[1] son una manera antigua de identificar a las familias importantes o a los reyes[2]. Los escudos tienen símbolos, animales y colores que representan a la familia. Hoy, muchas familias continúan usando los escudos de armas. Muchas compañías, universidades y escuelas también usan escudos de armas que son una versión moderna de esta manera de identificación.

**¡Compruébalo!** ¿Tiene tu escuela un escudo de armas? Investiga si tu escuela tiene uno y cuál es su significado.

### Objetivo

Haz un escudo de armas para tu escuela. Si tu escuela tiene uno, haz otro nuevo.

### Materiales

- hojas grandes de papel
- lápices de colores

### Instrucciones

Trabaja con un grupo de tres o cuatro estudiantes.

1 Piensen en los símbolos de su escuela. ¿Cómo pueden usar estos símbolos en su nuevo escudo?

2 Dibujen la forma de un escudo o hagan una copia del escudo en la Figura 2.

3 Escojan tres o más símbolos.

4 Escojan tres o más colores.

5 Escojan un lema[3] en español para la escuela, por ejemplo, *Siempre listos* o *Salud, trabajo y bienestar*.

6 Dibujen el escudo y preséntenlo a la clase.

[1]coats of arms   [2]kings   [3]slogan

**Figura 1** Éste es el escudo del Reino de España. En la parte de arriba está la corona *(crown)* de los reyes.

**Figura 2**

# Presentación oral
## Director(a) por un día

### Task
You have been invited to be principal for a day. Your first task is to create some new school rules and display them on a poster. Be creative! After you complete the poster, present it to the class.

**1** **Prepare** Make a list of six new school rules. Include three things students must do and three that are not allowed. You want to create a very supportive environment where people will learn better. Then make a poster to illustrate your rules.

**2** **Practice** Using the illustrations on your poster, go through your presentation several times. You can use your notes when you practice, but not when you present. Be sure to:

- include three things that students must do and three things that are not allowed
- use complete sentences
- speak clearly

### Estrategia

**Brainstorming**
Before you prepare a presentation, think of all the possible ideas for your project. List *all* your ideas, without judging whether they are good or bad. Then go back and review your list. Pick the best ones for your presentation.

- Speak & Record

### Modelo

*Éstas son mis reglas nuevas: Todos los estudiantes deben hacer preguntas si no entienden algo. Y hay que . . . ¡Se prohíbe hablar inglés en la clase de español! Y tampoco deben . . .*

**3** **Present** Tell your classmates your new school rules, using the visuals on your poster.

**4** **Evaluation** Your teacher may give you a rubric for how the presentation will be graded. You probably will be graded on:

- how complete your presentation is
- how easy it is to understand you
- how clearly the visuals on your poster illustrate your rules

# Preparación para . . .

## En busca de la verdad

### Guanajuato

Bienvenidos a Guanajuato, lugar principal del *Videomisterio*. A unos 450 kilómetros al noroeste de la Ciudad de México, Guanajuato tiene una población de más de 141,000 habitantes y es una ciudad con mucha historia. En los dos primeros Temas, van a conocer algunos lugares que tienen importancia en el video *En busca de la verdad*. Van a empezar a ver el video con el Tema 3.

Esta bella ciudad tiene una hermosa arquitectura del período colonial (siglos[1] XVI a XVIII). Esto fue posible gracias a la riqueza[2] de sus minas durante la colonización española de México. Estas minas hicieron de Guanajuato una ciudad muy importante, con costumbres y tradiciones españolas.

Hoy en día, Guanajuato todavía es una de las ciudades mexicanas más importantes en la producción de plata[3]. Sus minas, tal como la *Bocamina de la Valenciana,* son lugares de mucho valor histórico y cultural. ▶

Guanajuato es famosa por sus grandes héroes y batallas de la independencia mexicana (1810–1821). "El Pípila" es un monumento en homenaje al minero Juan José Martines de los Reyes. En 1810 él se convirtió en héroe cuando le prendió fuego[4] a la puerta de la fortificación española, llamada *Alhóndiga de Granaditas.* ▶

[1]centuries   [2]riches   [3]silver   [4]set fire

Las *estudiantinas* de Guanajuato son grupos de jóvenes que pasean cantando y caminando por las calles. Llevan trajes de diferentes colores y tocan instrumentos musicales. ▼

Guanajuato es famosa por sus estrechas y empedradas[5] calles, llamadas *callejones*. También es un gran centro artístico, intelectual y cultural. Aquí nació el muralista Diego Rivera. Hay una respetada universidad en el centro. También hay una gran cantidad de museos, algunos artísticos, como el *Museo Iconográfico del Quixote,* y otros raros[6], como el *Museo de las Momias.* ▶

Guanajuato celebra cada octubre el *Festival Cervantino*. Es en honor al escritor español Miguel de Cervantes y llegan personas de todo el mundo. ▼

## ¿Sabes que . . . ?

Guanajuato tiene muchas calles subterráneas. Las calles son productos de las viejas minas y antiguos ríos. Éstas permiten que los coches pasen por la ciudad sin afectar la arquitectura colonial y el estilo de vida guanajuatense.

## Para pensar

La belleza colonial y la vida cultural de Guanajuato atrae a visitantes de todo el mundo. ¿Qué ciudad estadounidense conoces que hace lo mismo?

[5]narrow and cobblestoned    [6]strange

# Repaso del capítulo

## Vocabulario y gramática

jdd-0189

🔊

**Chapter Review**

To prepare for the test, check to see if you . . .

- know the new vocabulary and grammar
- can perform the tasks on p. 41

## to talk about what you do in class

| | |
|---|---|
| aprender de memoria | to memorize |
| contestar | to answer |
| dar un discurso | to give a speech |
| discutir | to discuss |
| explicar | to explain |
| hacer una pregunta | to ask a question |
| el informe | report |
| el laboratorio | laboratory |
| la palabra | word |
| pedir ayuda | to ask for help |
| el proyecto | project |
| sacar una buena nota | to get a good grade |

## to talk about classroom rules

| | |
|---|---|
| a tiempo | on time |
| entregar | to turn in |
| llegar tarde | to arrive late |
| prestar atención | to pay attention |
| la regla | rule |
| respetar | to respect |
| se prohíbe . . . | it's forbidden . . . |

## to name school objects

| | |
|---|---|
| el armario | locker |
| el asiento | seat |
| el carnet de identidad | I.D. card |
| la cinta adhesiva | transparent tape |
| la grapadora | stapler |
| los materiales | supplies, materials |
| las tijeras | scissors |

For *Vocabulario adicional,* see pp. 498–499.

## negative and affirmative words

| | |
|---|---|
| alguien | someone, anyone |
| algún, alguna, algunos, -as | some, any |
| nadie | no one, nobody |
| ningún, ninguno, -a | no, none, not any |

*(See p. 31 for a complete chart.)*

## other useful words

| | |
|---|---|
| conocer | to know |
| lo que | what |
| sobre | on, about |

**almorzar (o → ue)** *to have lunch*

| | |
|---|---|
| almuerzo | almorzamos |
| almuerzas | almorzáis |
| almuerza | almuerzan |

**empezar (e → ie)** *to start, to begin*

| | |
|---|---|
| empiezo | empezamos |
| empiezas | empezáis |
| empieza | empiezan |

**entender (e → ie)** *to understand*

| | |
|---|---|
| entiendo | entendemos |
| entiendes | entendéis |
| entiende | entienden |

**repetir (e → i)** *to repeat*

| | |
|---|---|
| repito | repetimos |
| repites | repetís |
| repite | repiten |

**Más práctica**

● **Core** Puzzle p. 14, Organizer p. 15
● **Communication** Integrated Performance Assessment p. 213

**realidades.com**

• Tutorial
• Flashcards
• Puzzles
• Self-test
• Web Code: jdd-0107

# Preparación para el examen

| On the exam you will be asked to . . . | Here are practice tasks similar to those you will find on the exam . . . | If you need review . . . |
|---|---|---|

## Interpretive

jdd-0189

**1 Escuchar** Listen to and understand how students describe what they must do and what they cannot do in class

Listen as two students compare their Spanish classes. (a) What are two things that students do in both classes? (b) What are two things that are different? (c) Which class would you prefer? Why?

**pp. 18–21** *Vocabulario en contexto*

## Interpersonal

**2 Hablar** Ask and respond to statements made about classroom activities

Your teacher has asked you and a partner to see which classroom activities are the most common. Each of you will make a chart with a list of your classes across the top. Then think of five or six classroom activities and write them down the side of your chart. Write an *X* next to the activities that you do in each class. Then describe how often you do these activities.

*Doy discursos en las clases de historia, español e inglés. Hablo sólo español en la clase de español todos los días.*

**p. 22** Actividad 4
**p. 23** Actividades 5–6
**p. 24** Actividad 7
**p. 28** Actividades 15–16
**p. 29** Actividad 17
**p. 32** Actividad 21

## Interpretive

**3 Leer** Read and understand a list of typical classroom rules

Read the rules below. Write the numbers 1–5 and then write a *P* for those statements that you think were the idea of *un(a) profesor(a)* or an *E* for those you think were written by *un(a) estudiante*.

1. Se prohíbe hacer la tarea a tiempo.
2. Hay que pedir ayuda si no entiendes.
3. Hay que prestar atención.
4. Se prohíbe traer libros a la clase de literatura.
5. Hay que dormir en las clases.

**p. 31** Actividad 19
**p. 33** Actividad 23
**p. 37** *Presentación oral*

## Presentational

**4 Escribir** Write a paragraph about your favorite class

In a short paragraph, describe your favorite class. Include: (a) what you do in the class; (b) the kind of homework you have.

**p. 26** Actividad 12
**p. 27** Actividad 14
**p. 29** Actividad 17

## Cultures

**5 Pensar** Demonstrate an understanding of coats of arms

You are researching *los escudos* before creating one for an assignment. A list of Web sites gives historical examples from Spanish-speaking countries. Based on what you have learned, what types of decoration would you expect to find on them? Where would they be displayed?

**p. 36** *La cultura en vivo*

# Vocabulario Repaso

### los lugares

el café
el centro comercial
el cine
el gimnasio
el parque
el restaurante
el trabajo
la biblioteca
la casa
la iglesia, la mezquita,
   el templo, la sinagoga
la piscina

### las actividades

caminar
dormir
escuchar música
hablar por teléfono
ir a la lección de
   (piano)
ir de compras
jugar videojuegos
leer
pasar tiempo con
   amigos
tocar (la guitarra)
trabajar
trabajar como
   voluntario, -a
usar la computadora

### los deportes

correr
hacer ejercicio
ir al partido
jugar al (básquetbol,
   béisbol, fútbol, golf,
   tenis, vóleibol)
levantar pesas

## 1 ¿Qué haces?

**Escribir • Hablar**

**1** En una hoja de papel, dibuja una tabla como la que está aquí. Escoge cinco lugares de la lista de vocabulario y escríbelos en la primera columna de la tabla. Entrevista a dos compañeros(as) de clase. Pregúntales si van a los lugares de la tabla. Ellos deben contestar según el modelo, usando *todos los días, a veces* o *nunca*. Después pregúntales qué hacen en los lugares.

**2** Ahora completa la tabla con información personal. Después de hacerlo, compara tu tabla con las de tus compañeros. Guarda *(Keep)* tu tabla para la Actividad 2.

| nombre: | | | |
|---|---|---|---|
| lugares | todos los días | a veces | nunca |
| el gimnasio | | | |

#### Modelo

**A** —¿Vas al gimnasio después de las clases?
**B** —Sí, a veces voy al gimnasio.
**A** —¿Qué haces allí?
**B** —Levanto pesas y juego al básquetbol.

# Gramática — Repaso

## The verb *ir*

Use *ir* to say where someone is going.

| | | | |
|---|---|---|---|
| (yo) | voy | (nosotros) (nosotras) | vamos |
| (tú) | vas | (vosotros) (vosotras) | vais |
| Ud. (él) (ella) | va | Uds. (ellos) (ellas) | van |

### *ir + a +* infinitive

Use *ir + a +* infinitive to tell what someone is going to do.

**Vamos a hablar** por teléfono después de las clases.

---

## 2 ¿Adónde vamos?

**Escribir**

Usa la información de la Actividad 1 para escribir frases que dicen adónde van tus compañeros y tú y qué hacen allí.

**Modelo**

otro(a) estudiante y tú
*Después de las clases Lisa y yo vamos a casa.*
*Usamos la computadora todos los días.*

1. otros dos estudiantes
2. un(a) estudiante y tú
3. un(a) estudiante
4. otros dos estudiantes y tú
5. tú

### Más práctica

• Guided p. 33
• Core pp. 16–17
• *Real.* para hispanohablantes p. 30

**realidades.com**

• Leveled Workbook
• Web Code: jdd-0111

## 3 ¿Qué vas a hacer?

**Escribir**

Di qué va a hacer cada una de estas personas. Usa los verbos en el recuadro para contestar las preguntas.

**Modelo**

¿Qué va a hacer Jorge en el gimnasio?
*Él va a jugar al vóleibol.*

| | | |
|---|---|---|
| beber | estudiar | leer |
| comprar | jugar | nadar |

1. ¿Qué van a hacer Uds. en el centro comercial?
2. ¿Qué van a hacer tus hermanos en la piscina?
3. ¿Qué va a hacer Mario en el parque?
4. ¿Qué va a hacer Verónica en la biblioteca?
5. ¿Qué voy a hacer en casa?

**Fondo cultural**

Argentina

"Club Atlético Nueva Chicago" (1937), Antonio Berni

Oil on canvas, 6'³⁄₄ x 9' 10¹⁄₄". Inter-American fund (645.1942). The Museum of Modern Art/Licensed by Scala-Art Resource, NY. Digital Image © 2004 Museum of Modern Art, New York.

**Antonio Berni** (1905–1981) nació en Rosario, Argentina, y fue uno de los artistas más importantes de Argentina y de América Latina. A veces Berni pintó *(painted)* cuadros con temas populares como éste que muestra *(shows)* el equipo de fútbol del barrio. Este cuadro es un buen ejemplo del estilo realista de Berni y vemos cómo pintó a cada uno de los jugadores como individuo.

• ¿Qué importancia tiene el fútbol en la cultura latinoamericana? ¿Qué actividades extracurriculares tienen importancia en tu comunidad? ¿Por qué?

# ¿Qué haces después de las clases?

## Chapter Objectives

- Talk about extracurricular activities
- Compare people and things
- Say what people know or what they know how to do
- Say with whom or what people are familiar
- Ask and tell how long something has been going on
- Understand cultural perspectives on extracurricular activities

### Video Highlights

**Videocultura:** *Tu día escolar*

**A primera vista:** *Después de las clases*

**GramActiva Videos:** making comparisons; the verbs *saber* and *conocer*

### Country Connection

As you learn to talk about what you and your friends do after school, you will make connections to:

Cuba
República Dominicana
Texas
Puerto Rico
México
Venezuela
Nicaragua
Colombia

Argentina

### Más práctica

- *Real.* para hispanohablantes pp. 30–31

**realidades.com**
- Fondo cultural Activity
- Video Activities
- Online Atlas
- Web Code: jde-0002

Una escuela de toreros en España

# Vocabulario en contexto

jdd-0197 🔊

**Objectives**

Read, listen to, and understand information about
• extracurricular activities

—En mi escuela los estudiantes **participan** en muchas **actividades extracurriculares.** Les gusta practicar deportes o son **miembros** de algún **club,** como el club de computadoras. Éstas son algunas de las actividades más populares **entre los jóvenes.**

—¿Tienes tú **la oportunidad** de participar en muchas actividades? ¿Tiene tu escuela **tantas** actividades **como** mi escuela? **¿Cuánto tiempo hace que** participas?

**el ajedrez**

**jugar a los bolos**

**el animador**

**la animadora**

**el músico**

**la música**

**la banda**

**el equipo**

Tienes que ir a **los ensayos** de la banda o a **las prácticas** del equipo de básquetbol para participar.

**grabar una canción**

**la orquesta**

**la cantante**

**el coro**

**el cantante**

El coro y la orquesta están grabando una canción.

**el bailarín**

**la bailarina**

**la fotógrafa**

**el fotógrafo**

Los dos fotógrafos son miembros del club de **fotografía. Hace dos años que son** miembros del club.

**¡Bienvenidos!**
NAVEGADOR DE INTERNET

CINE
Las películas más populares.

JUEGOS
Juega solo o con amigos

COMPRAS
Libros, ropa y más.

MUSICA
Todo tipo de música

DEPORTES
Béisbol, fútbol, tenis

TECNOLOGIA
Información tecnológica.

**66** **Conozco** a varios miembros del club de computadoras. Creo que este club es **tan** interesante **como** los otros clubes. En el club puedo . . .

. . . **navegar en la Red.**

**BIENVENIDOS**
*a la página de Ramón*

Amigos

Familia

Fotos

NAVEGADOR DE INTERNET

**¡Encuéntralo aquí!**

BUSCAR: _____ IR

búsqueda avanzada

. . . **hacer una búsqueda.**

Juan: ¡Hola, amigos! ¿Qué tal?
Ramón: ¡Hola, Juan!
¿Cómo te va?
Juan: Bien. ¿Cómo van las clases?

. . . **crear una página Web 99**.

**Ramón está en línea.** Le gusta **visitar salones de chat.**

**66** Me gusta ir al **club atlético 99**.

**las artes marciales**

**hacer gimnasia**

**la natación**

**el hockey**

CLUB ATLÉTICO

---

**1** **Unos estudiantes muy ocupados** 🔊

jdd-0197

**Escuchar**

Escucha a un estudiante que describe las actividades en su escuela. Señala cada actividad que él describe.

**Más práctica**

- **Guided** Vocab. Flash Cards pp. 34–40
- **Core** Vocab. Practice pp. 18–19
- **Communication** Writing p. 21
- *Real.* para hispanohablantes p. 32

**realidades.com** ✓

- Audio Activities
- Leveled Workbook
- Flashcards
- Web Code: jdd-0112

**2** **¿Sí o no?** 🔊

jdd-0197

**Escuchar**

Escucha las frases. Si lo que escuchas es lógico, señala con el pulgar hacia arriba *(thumbs-up).* Si la respuesta no es lógica, señala con el pulgar hacia abajo *(thumbs-down).*

**Más vocabulario**
**ganar** to win, to earn
**el pasatiempo** pastime

# Después de las clases

¿En qué actividades extracurriculares participan Esteban y sus amigos? Vamos a ver.

**Estrategia**

**Using visuals**
Using the photographs that accompany the dialogue can help you understand what is being said.

**Pedro** **Lisa** **Angélica** **Esteban**

**1** **Angélica:** Hola, todos. Otro año nuevo. ¡Me encanta el primer día de clases! Hola, Lisa.

**Lisa:** Hola, Angélica. Esteban, ¿cómo estás?

**Esteban:** Estoy cansado. No dormí bien anoche.

**Lisa:** Lo siento. Siéntense.

**5** **Angélica:** Prefiero los deportes. Voy a ser miembro* del equipo de fútbol en la primavera. También soy animadora.

**6** **Pedro:** Yo prefiero trabajar porque me gusta ganar dinero. También **tomo lecciones** de artes marciales en un club atlético. Me gusta mucho el karate.

**7** **Angélica:** ¿Practicas mucho las artes marciales?

**Pedro:** Participo en algunas competiciones.

**Lisa:** ¿Ganas a veces?

**Esteban:** Pedro gana más que "a veces". Él tiene el cinturón negro. ¿Qué piensas de él ahora?

*The word *miembro* is used for both male and female students.

**2** **Lisa:** ¿Tienen **interés** en participar en actividades extracurriculares este año?

**3** **Esteban:** Hace dos años que soy miembro del club de computadoras. ¿A alguien le interesa **asistir a la reunión** conmigo esta tarde?

**4** **Lisa:** Soy miembro de la banda y de la orquesta.

**Angélica:** ¿Vas a cantar en el coro también? Tienes **una voz** bonita.

**Lisa:** Sí, gracias. ¿Y tú? ¿Por qué no cantas en el coro? Vamos a **ensayar** hoy.

**8** **Angélica:** Pedro, eres muy talentoso.

**Pedro:** Gracias.

**Lisa:** Pedro, ¡Eres tan misterioso! ¿Tienes más secretos?

**Angélica:** Bueno, hay que **volver** a clases. ¡Hasta luego!

## ③ ¿Comprendiste?

**Escribir • Hablar**

1. ¿Dónde están los estudiantes? ¿De qué hablan?

2. ¿En qué actividad participa Esteban? ¿Cuánto tiempo hace que es miembro?

3. ¿Cuáles son las actividades extracurriculares de Lisa?

4. ¿Qué prefiere hacer Angélica?

5. ¿Por qué trabaja Pedro?

6. ¿Qué lecciones toma Pedro? ¿Dónde? ¿Es bueno?

### Más práctica

- **Guided** Vocab. Check pp. 41–44
- **Core** Vocab. Practice pp. 20–21
- **Communication** Video pp. 16–17
- *Real.* **para hispanohablantes** p. 33

**realidades.com** ✓

- Audio Activities
- Video Activities
- Leveled Workbook
- Flashcards
- Web Code: jdd-0113

# Vocabulario en uso

**Objectives**

- Communicate about extracurricular activities
- Compare people or things
- Learn uses of the verbs *saber* and *conocer*
- Talk about how long people have been doing things

## 4 Las actividades de mis amigos

Leer • Escribir

Completa las frases con la palabra apropiada.

Mis amigos y yo __1.__ *(participamos / volvemos)* en muchas actividades extracurriculares. Mi amiga Raquel tiene una buena __2.__ *(voz / reunión)*. Por eso, canta en __3.__ *(el coro / el ensayo)*. A mi amiga Gloria le encanta el español. Ella es __4.__ *(miembro / reunión)* del club de español. Raquel y Gloria también tocan un instrumento en la orquesta. Tienen __5.__ *(un ensayo / el interés)* todas las tardes. María es muy deportista. __6.__ *(Hace gimnasia / Estudia)* en el gimnasio y también es __7.__ *(animadora / bailarina)* para el equipo de fútbol de la escuela. A mí me gustan los deportes. Por la tarde __8.__ *(practico / asisto)* las artes marciales. Tengo el cinturón amarillo. También me gustan las computadoras. Con mi amigo Pedro, visitamos __9.__ *(salones de chat / la práctica)*. Somos __10.__ *(miembros / jóvenes)* del club de computadoras. Cuando no estamos ocupados con nuestras actividades, nos gusta ir al cine o tomar un refresco en un café.

> **También se dice . . .**
>
> **el animador, la animadora** = el/la porrista *(México, Colombia)*
>
> **jugar a los bolos** = jugar al boliche *(Costa Rica, México)*

## 5 ¿Quién es?

Leer • Escribir

Lee estas descripciones. Para cada una, escribe la palabra que corresponde a la descripción. Después escribe una frase sobre alguien que tú conoces (una persona de tu comunidad o una persona famosa) usando la palabra.

Rubén Blades es un cantante y actor panameño muy popular.

### Modelo

Enseña a los estudiantes a crear páginas Web y a hacer búsquedas en la Red.
*Es una profesora de la clase de tecnología. La Sra. Ramos es una profesora de tecnología fantástica.*

1. Saca fotos como pasatiempo o para su trabajo.

2. Toca un instrumento en la orquesta o en la banda.

3. Canta en un coro o en otro grupo musical. A veces graba canciones también.

4. Baila en programas de la escuela o de la comunidad.

5. Apoya *(He / She supports)* a los equipos deportivos. A veces baila y hace gimnasia también.

## 6 En tu escuela

**Hablar**

¿A quién conoces en tu escuela que participa en actividades extracurriculares? Habla con otro(a) estudiante de estas personas.

### Modelo

**A** —¿*Conoces a un miembro de <u>la banda</u>?*

**B** —*Sí, conozco a Ryan Johnston. Es un miembro de la banda. Asiste a <u>los ensayos todos los días</u>.*

**o:** *No, no conozco a ningún miembro de la banda.*

**o:** *No tenemos banda.*

**Estudiante A**

**Estudiante B**

1. el club de
2. el equipo de
3.
4. el equipo de
5. el club de
6.

las reuniones    todos los días
las prácticas    a menudo
los ensayos    a veces

**¡Respuesta personal!**

## 7 Escucha y escribe

jdd-0198

**Escuchar • Escribir**

Escucha lo que dice una estudiante de Managua, Nicaragua, sobre las actividades extracurriculares allí. Escribe los números del 1 al 5 en una hoja de papel y escribe lo que escuchas. Después indica si estas actividades son populares entre los jóvenes de tu comunidad también.

### Fondo cultural

**El mundo hispano**

**Las actividades extracurriculares** En América Latina, generalmente no hay oportunidades en las escuelas para participar en un coro, equipo deportivo, lecciones de artes marciales u otras actividades después de las clases. Los estudiantes que tienen interés en aprender algún pasatiempo como la fotografía, la música o el baile, van a centros culturales o talleres *(workshops)* en su comunidad.

• ¿Hay centros culturales en tu comunidad? ¿Qué actividades hay allí?

## 8 Las actividades populares

Escribir · Hablar

| las artes marciales | la orquesta |
| el hockey | el béisbol |
| la natación | la música |
| la fotografía | los videojuegos |
| la banda | el ajedrez |
| el coro | |

**1** Escribe tres frases para describir qué actividades haces después de las clases. Usa las actividades del recuadro.

**Modelo**

*Después de las clases yo voy a casa y navego en la Red. También tomo lecciones de piano. A veces voy a un club atlético.*

**2** Habla con tres estudiantes para saber qué hacen después de las clases. Escribe los nombres de los estudiantes y las actividades que hacen ellos.

**Modelo**

A —*¿En qué actividades extracurriculares participas después de las clases?*
B —*Ensayo con la orquesta y después voy al club atlético. También tomo clases de artes marciales.*

**3** Escribe cinco frases sobre las actividades que hacen tus compañeros y tú.

**Modelo**

*Pablo ensaya con la orquesta. Marisa va a casa y navega en la Red.*

En Costa Rica

## 9 Y tú, ¿qué dices?

Escribir · Hablar

1. ¿Qué te gusta más, ser miembro de un club o participar en un deporte? ¿Por qué?

2. ¿Usas la computadora mucho o poco en tu tiempo libre? ¿Para qué usas más la computadora? ¿Cuánto tiempo pasas en línea cada día?

3. ¿Cuáles son las actividades más populares en tu escuela? Describe por qué son populares.

4. ¿Hay suficientes actividades para jóvenes en tu comunidad? ¿Qué otras actividades debe ofrecer *(offer)*?

En Guadalajara, México

# Gramática

## Making comparisons

To compare people or things that are equal to one another, you use:

| | |
|---|---|
| tan + *adjective* + como | *as + adjective + as* |

En mi club, levantar pesas es **tan** popular **como** correr.

To say that things are *not* equal, you can use the negative.

En el club atlético, levantar pesas **no** es **tan** popular **como** correr.

To say "as much as" or "as many as," you use:

| | |
|---|---|
| tanto, -a + *noun* + como | *as much + noun + as* |
| tantos, -as + *noun* + como | *as many + noun + as* |

Note that *tanto* agrees in gender and number with what is being compared.

Hay **tantas** actrices en el ensayo **como** actores.

### ¿Recuerdas?

You already know several ways to compare things and people.

**más** + *adjective* + **que**

**menos** + *adjective* + **que**

**mayor que / menor que**

**mejor que / peor que**

You also know how to say that someone or something is "the most" or "the least":

**el / la / los / las** + *noun* + **más / menos** + *adjective* + **de**

**el / la / los / las** + **mejor(es) / peor(es)** + *noun* + **de**

• Cecilia cree que hacer gimnasia es **la actividad más divertida de** la escuela.

**GramActiva** VIDEO

To learn more about making comparisons, watch the **GramActiva** video.

Mejor . . . que

---

 **Comparaciones**

**Leer • Escribir**

Estás hablando de personas en tu escuela. Completa las siguientes frases con la palabra apropiada.

1. La canción de Mercedes es ____ (tan / tanta) buena como la de Enrique.

2. Elena no es ____ (tanta / tan) deportista como Angélica.

3. La voz de Catalina es ____ (tan / tanto) bonita como la voz de Victoria.

4. En la banda no hay ____ (tantos / tan) músicos como en la orquesta.

**11 En la escuela**

**Leer • Escribir**

Todos hacemos comparaciones. Ahora es tu turno. Completa las siguientes frases y usa la forma apropiada de *tanto*.

1. yo / (no) tener / amigos(as) / como Luz

2. este año nosotros / (no) tener / profesores interesantes / como el año pasado

3. el equipo de fútbol americano / (no) tener / partidos / como el equipo de básquetbol

4. los chicos / (no) tener / oportunidades para hacer gimnasia / como las chicas

5. (no) hay / interés en el club de ajedrez / como en el club de ciencias

## 12 ¿Qué piensas de . . . ?

**Hablar**

Habla con otro(a) estudiante sobre lo que Uds. piensan de los siguientes temas. Usen la expresión *tan . . . como* y un adjetivo apropiado. Si prefieren, pueden usar también expresiones como *más . . . que* y *menos . . . que* para expresar sus opiniones.

**Modelo**

A —¿Qué piensas de *la clase de matemáticas y la clase de ciencias?*

B —*Pienso que la clase de matemáticas es tan difícil como la clase de ciencias. ¿Y tú?*

A —*Pienso que la clase de matemáticas es más interesante que la clase de ciencias.*

### Estudiante A

1. la música clásica / la música rock
2. el fútbol americano / el fútbol
3. jugar a los bolos / jugar al ajedrez
4. los deportes de verano / los deportes de invierno
5. hacer gimnasia / practicar las artes marciales
6. practicar la fotografía / crear una página Web

### Estudiante B

| | |
|---|---|
| bonito, -a | fácil |
| emocionante | interesante |
| difícil | aburrido, -a |

**¡Respuesta personal!**

## 13 Las actividades más populares

**Escribir • Hablar**

**1** Trabaja con otro(a) estudiante. Escriban tres preguntas que pueden hacerles a los otros estudiantes de la clase sobre diferentes categorías de actividades, pasatiempos, deportes y personas.

**Modelo**

*Para ti, ¿cuál es la actividad extracurricular más importante?*
*En tu opinión, ¿quién es el (la) cantante más talentoso(a) de la escuela?*

**2** Cada estudiante debe hablar con otros(as) dos compañeros(as) y hacerles las preguntas. Escribe sus respuestas. Con tu compañero(a), comparen las respuestas a sus preguntas.

**3** Hagan una presentación sobre las opiniones de sus compañeros de clase.

**Modelo**

*Muchos estudiantes piensan que la actividad extracurricular más importante es el deporte en equipos. Otros estudiantes dicen que el coro y la banda son tan importantes como los deportes.*

### Fondo cultural

**El mundo hispano**

**Los deportes más populares** El fútbol es el deporte preferido entre muchos jóvenes hispanohablantes. En la República Dominicana, Puerto Rico, Cuba, Venezuela y otros países, el béisbol es tan popular como el fútbol y muchas veces es el deporte más popular.

• ¿Cuáles son los deportes más populares en tu ciudad? Compara estos deportes con los de los jóvenes hispanohablantes. En tu opinión, ¿qué deporte es el mejor? ¿Por qué?

**Los músicos**

**Escribir • Hablar**

Mira estos dos cuadros del gran artista colombiano Fernando Botero. ¿En qué sentido *(way)* son similares? ¿En qué sentido son diferentes?

"Los músicos" (1979), Fernando Botero
Oil on canvas, 74(1).75 x 85.5 in. © Fernando Botero courtesy of the Marlborough Gallery, NY.

"Tres músicos" (1983), Fernando Botero
Oil on canvas, 64.5 x 48.5 in. © Fernando Botero courtesy of the Marlborough Gallery, NY.

**1** Copia el diagrama de Venn y escribe Cuadro 1 y Cuadro 2 encima de los círculos según el modelo. Escribe las características diferentes de cada cuadro en el círculo apropiado y las características similares en la intersección de los círculos. Luego escribe tres frases comparando los cuadros.

**2** Trabaja con un grupo de tres. Lee una de tus frases. En grupo, escriban una comparación de los dos cuadros. Usen las ideas de todos los miembros del grupo. Presenten su comparación a la clase.

**Modelo**

Cuadro 1   Los dos   Cuadro 2

nueve músicos | músicos grandes | tres músicos

*Los músicos en el primer cuadro son tan grandes como los músicos en el segundo cuadro.*

**Modelo**

*Hay más músicos en el primer cuadro que en el segundo cuadro.*

**Más práctica**

- **Guided** Gram. Practice pp. 45–46
- **Core** Gram. Practice p. 22
- **Communication** Writing p. 22
- *Real.* **para hispanohablantes** pp. 34–37

**realidades.com**

- Audio Activities
- Video Activities
- Speak & Record
- Tutorial
- Leveled Workbook
- Web Code: jdd-0114

**Fondo cultural**

Colombia

**Fernando Botero** es conocido por su estilo de arte único *(unique)*. Es famoso tanto por sus cuadros como por sus esculturas. Esta escultura de un pájaro sufrió daños *(was damaged)* durante una explosión en 1995. Con el material dañado, Botero hizo una nueva escultura y la dedicó a la paz.

- Compara esta escultura con los cuadros de Botero. También compara la escultura con las esculturas en tu comunidad. ¿En qué sentido son similares y en qué sentido son diferentes?

"El Pájaro" (Little Bird or The Sparrow) (1988), Fernando Botero. Medium series, bronze sculpture. Courtesy of Jeremy Horner. © 2003 Corbis.

# Gramática Repaso

## The verbs *saber* and *conocer*

You already know the present-tense forms of *saber* and *conocer*. *Saber* and *conocer* both follow the pattern of regular -er verbs in the present tense, but each has an irregular *yo* form.

**¿Recuerdas?**

Use the *a personal* when you use *conocer* to say you know a person.

• Guillermo **conoce a** mi primo Tomás.

| (yo) | sé | (nosotros) (nosotras) | sabemos |
|------|------|------|------|
| (tú) | sabes | (vosotros) (vosotras) | sabéis |
| Ud. (él) (ella) | sabe | Uds. (ellos) (ellas) | saben |

| (yo) | conozco | (nosotros) (nosotras) | conocemos |
|------|------|------|------|
| (tú) | conoces | (vosotros) (vosotras) | conocéis |
| Ud. (él) (ella) | conoce | Uds. (ellos) (ellas) | conocen |

• *Saber* means to know facts and information. You can also use *saber* with the infinitive of another verb to say that you know how to do something.

> **¿Sabes** si tenemos tarea para mañana?
>
> **¿Sabes** quién es el director de la banda?
>
> **Sé jugar** al ajedrez.

• *Conocer* means to know a person or to be familiar with a place or thing.

> **¿Conoces** al profesor de esta clase?
> No, no lo **conozco.**
>
> **¿Conoces** el club atlético de la calle Ocho?

**GramActiva** VIDEO

To learn more about *saber* and *conocer*, watch the **GramActiva** video.

Sé mucho.

## 15 Tu profesor(a) quiere saber

**Escuchar • GramActiva**

En una hoja de papel, escribe *No lo conozco* por un lado y *No lo sé* por el otro. Tu profesor(a) quiere saber lo que sabes y lo que conoces. Escucha sus frases y contesta cada una en el negativo. Muestra el lado apropiado del papel según lo que dice.

No lo conozco.

No lo sé.

##  16 ¡Qué emocionante!

**Leer • Escribir**

**1** Imagina que un estudiante de intercambio *(exchange student)* viene a tu escuela. Completa las frases de su correo electrónico con las formas apropiadas de los verbos *saber* y *conocer*.

**2** Escríbele una carta por correo electrónico a este estudiante y contesta sus preguntas.

---

¡Hola!

Voy a ser un nuevo estudiante en tu escuela y tengo muchas preguntas. ¿Puedes ayudarme? Yo no __1.__ nada de tu escuela. ¿Es grande? ¿ __2.__ tú cuántos estudiantes hay? ¿ __3.__ tú a muchos estudiantes? ¿Cómo son? ¿ __4.__ al director de la escuela? ¿Es muy estricto? ¿ __5.__ si tiene muchas reglas? ¿ __6.__ qué tipo de actividades extracurriculares hay en la escuela o comunidad? Soy miembro de una banda en mi comunidad. Toco la trompeta. ¿ __7.__ tocar algún instrumento musical? Me gusta salir con mis amigos después de las clases. ¿ __8.__ muchos lugares bonitos adónde ir? Quiero __9.__ toda la ciudad donde vives.

Escríbeme pronto.

Rogelio

---

## 17 ¿Conoces a tu compañero(a)?

**Hablar • Escribir**

**1** Habla con otro(a) estudiante para conocerlo(la) mejor. Usa el verbo *saber* o *conocer* y hazle preguntas. Escribe sus respuestas.

**Modelo**

A — ¿Conoces *la música de Rubén Blades?*
B — *Sí, la conozco.*
A — ¿Sabes *jugar al vóleibol?*
B — *No, no sé jugar al vóleibol, pero sé jugar al fútbol.*

**Estudiante A**

muchos estudiantes en esta escuela
un buen club atlético
un buen salón de chat para visitar
navegar en la Red

otras ciudades
crear una página Web

¡Respuesta personal!

**Estudiante B**

¡Respuesta personal!

**2** Usa las respuestas de tu compañero(a) y escribe un párrafo sobre él (ella).

**Modelo**

*Mario es un chico muy talentoso. Sabe jugar al fútbol y al béisbol y sabe usar la computadora. Sabe crear páginas Web y conoce muchos salones de chat . . .*

En el club de computadoras

### Más práctica

- **Guided** Gram. Practice pp. 47–48
- **Core** Gram. Practice p. 23
- **Communication** Writing p. 23
- *Real.* **para hispanohablantes** pp. 38–39

**realidades.com** ⓥ

- Audio Activities
- Video Activities
- Speak & Record
- Canción de hip hop
- Animated Verbs
- Tutorial
- Leveled Workbook
- Web Code: jdd-0115

# Gramática

## Hace + time expressions

To ask how long something has been going on, use:

¿Cuánto tiempo + hace que + present-tense verb?

¿Cuánto tiempo hace que eres miembro del club atlético?

*How long have you been a member of the athletic club?*

¿Cuánto tiempo hace que Uds. practican con el equipo de básquetbol?

*How long have you been practicing with the basketball team?*

To tell how long something has been going on, use:

Hace + period of time + que + present-tense verb

Hace más de dos años que soy miembro del club atlético.

*I've been a member of the athletic club for more than two years.*

Hace tres semanas que practicamos con el equipo de básquetbol.

*We've been practicing with the basketball team for three weeks.*

### 18 Hace mucho tiempo que . . .

**Escribir · Hablar**

**1** Escribe seis frases para decir cuánto tiempo hace que estos estudiantes hacen diferentes actividades.

**Modelo**

dos años / Esteban / ser miembro del club
*Hace dos años que Esteban es miembro del club de computadoras.*

**1.** diez meses / Pedro / tomar lecciones

**2.** muchos años / Lisa / hacer

**3.** un año y medio / Juan y Alberto / participar

**4.** dos años / yo / ser miembro del club

**5.** un año / Marta / ser

**6.** seis años / tú y yo / jugar

**2** Trabaja con otro(a) estudiante. Pregunta y contesta sobre las actividades de los estudiantes.

**Modelo**

A —¿Cuánto tiempo hace que Esteban es miembro del club de computadoras?
B —Hace dos años que es miembro del club.

## 19 Una entrevista

**Escribir • Hablar**

**1** Escribe cinco frases sobre tus actividades favoritas y tus pasatiempos.

**2** Entrevista a otro(a) estudiante para saber en qué actividades participa y cuándo empezó a practicarlas. Escribe las respuestas de tu compañero(a).

**Modelo**

**A** —*¿En qué actividades participas?*
**B** —*Me encanta esquiar en el invierno.*
**A** —*¿Cuánto tiempo hace que esquías?*
**B** —*Hace diez años que esquío.*

## 20 Juego

**Escribir • Leer • Escuchar**

Usa la información de la Actividad 19 y escribe una descripción de tu compañero(a). No debes incluir el nombre de tu compañero(a) en la descripción. Pon la descripción en una bolsa. Otro(a) estudiante toma una descripción y la lee delante de la clase. La clase tiene que identificar a quién describe.

**Modelo**

*A esta persona le gusta practicar deportes. Hace diez años que . . .*

## 21 Una cantante famosa

**Leer • Hablar**

Lee esta descripción de una cantante famosa. Después trabaja con otro(a) estudiante para contestar las preguntas.

### Celia Cruz

**Reina¹ de la salsa**

Hace más de 50 años que el mundo² conoce y admira a Celia Cruz. Esta cantante y actriz cubana vivió en los Estados Unidos desde³ los años 60 hasta⁴ su muerte, en 2003. Todos la conocen por su música de "salsa". Celia grabó⁵ más de 70 discos y recibió 18 nominaciones al Grammy. Recibió su primer Grammy en el año 1989. También conocemos a Celia por sus películas, como *The Mambo Kings,* una película con Antonio Banderas y Armand Assante. Ella es tan famosa que hay una estrella⁶ en el Boulevard de Hollywood con su nombre. Otra cantante famosa, Gloria Estefan, dice que "Celia ejemplifica la energía y el espíritu de la música cubana y latina".

¹Queen  ²world  ³since  ⁴until  ⁵recorded  ⁶star

**1.** ¿Por qué conoce el mundo a Celia Cruz?

**2.** ¿Hace cuántos años el mundo conoce a Celia Cruz?

**3.** ¿De dónde es Celia? ¿Cuánto tiempo hace que ella recibió su primer Grammy?

**4.** ¿Cómo sabemos que Celia es muy famosa?

### Más práctica

- **Guided** Gram. Practice pp. 49–50
- **Core** Gram. Practice p. 24
- **Communication** Test Prep p. 214
- *Real.* **para hispanohablantes** p. 40

**realidades.com** ✓

- Audio Activities
- Video Activities
- Speak & Record
- Tutorial
- Leveled Workbook
- Web Code: jdd-0116

## 22 Dibuja una página Web

Leer • Hablar • Escribir • Dibujar

Trabaja con otro(a) estudiante y dibujen una página Web sobre una actividad extracurricular favorita.

### Conexiones | La computación

Para crear una página Web, pueden empezar a trabajar sin usar una computadora. Dibujen un tablero (storyboard) para la página principal. Decidan cómo van a ilustrar la página y qué enlaces (links) van a tener. Preparen una presentación de su página Web. Usen la página Web del Club de fotografía de la Escuela Secundaria Vallejo como modelo.

Club de fotografía
Escuela Secundaria Vallejo

○ Horario de reuniones
○ Lugar
○ Exposición de trabajos
○ Equipo* necesario

*Equipment

Trabaja con tu compañero(a) y comparen la página Web que Uds. dibujaron con una verdadera página Web de deportes. Luego contesta las siguientes preguntas.

1. ¿Qué información tienen las dos páginas? ¿Qué otra información tiene la verdadera página Web?

2. ¿Qué información no tiene tu página Web?

3. ¿Qué puedes cambiar para dibujar una página Web mejor?

### Exploración del lenguaje

#### Nouns and verbs

In Spanish, you can turn some verbs into nouns by dropping the final *r* of the infinitive and adding *-ción*. The *-ción* ending is equivalent to the *-tion* ending in English. The nouns formed in this way are feminine:

decorar → la decoración

preparar → la preparación

**¡Compruébalo!** What are the corresponding nouns for each of the following verbs?

celebrar   explicar   observar   participar

And what are the corresponding verbs for these nouns?

comunicación     presentación

graduación       repetición

**Refrán**

**Primero la obligación y entonces la celebración.**

## 23 Un anuncio

**Leer • Escribir • Hablar**

Lee el folleto *(brochure)* del Club Deportivo Acuasol. Luego contesta las preguntas con otro(a) estudiante.

# Bienvenidos

¡Club Deportivo Acuasol!

Deporte

## Un estilo de vida

En el Club Deportivo Acuasol, tenemos una misión: dar a nuestra comunidad un lugar agradable para el ejercicio personal y la integración de la familia, a través del* deporte, la recreación y la cultura, con el fin de ofrecer bienestar y calidad de vida. En el Club Deportivo Acuasol hay una variedad de cursos tanto culturales como deportivos, en diferentes horarios y días de la semana.

La mayor parte de nuestras actividades se ofrece sin costo adicional. También tenemos **parqueadero, cafetería** y **servicio médico.**

Por eso, empieza desde hoy a cuidar tu salud y a ampliar tus horizontes culturales y sociales aquí en el . . .

¡Club Deportivo Acuasol!

# Ofrecemos:

Aeróbicos

Ballet        Cultura

Básquetbol

Danza regional

Jazz

Gimnasia reductiva

Natación

Tae Kwon Do

Tai Chi Chuan

Tenis        Recreación

Yoga

Taller de teatro

Squash

Coro

*through

1. ¿Para qué es este folleto?
2. ¿Qué servicios hay en el Club Deportivo Acuasol?
3. ¿Te gustaría ser miembro de este club? ¿Por qué?
4. ¿Conoces un club atlético en tu comunidad? ¿Tiene ese club tantos servicios diferentes como el Club Deportivo Acuasol? Compara los dos clubes.
5. ¿Eres miembro de algún club? ¿Cómo se llama? ¿Cuánto tiempo hace que eres miembro del club?

## El español en la comunidad

La salsa es uno de los bailes más populares entre los hispanohablantes. Hoy en día, muchas veces uno puede encontrar *(find)* clases que enseñan este baile en varios lugares dentro de la comunidad. Busca en el periódico o en tu comunidad o en una comunidad cerca lugares que ofrecen clases de salsa.

• ¿Te gustaría aprender a bailar salsa como actividad extracurricular? ¿Por qué?

# Lectura

# ¡A bailar!

¿Te gusta bailar pero eres un poco tímida? ¿Piensas que bailas muy mal? ¿Necesitas aprender a bailar en seguida? ¡Haz tus sueños realidad hoy mismo! Lee la página Web de la Escuela Internacional de Baile.

## Estrategia

**Predicting**
You are going to read a page from the Web site of a dance school. What kind of information do you expect to see on the page?

## La Escuela Internacional de Baile

- ● TANGO
- ● MERENGUE
- ● FLAMENCO
- ● SWING

te ofrece una gran variedad de clases de bailes tradicionales y contemporáneos.

Razones para hacerse[1] miembro hoy mismo:
- Puedes participar en una actividad sana y deportiva que te ayuda a entender las ricas tradiciones y costumbres de varios países hispanohablantes.
- Si no tienes pareja para bailar, ¡no te preocupes! Puedes conocer a otros jóvenes simpáticos de varias escuelas que vienen a aprender estos bailes.
- Puedes ir a competiciones internacionales en Francia, los Estados Unidos y el Japón, y hasta ganar muchos premios.

[1]Reasons to become

## La Escuela Internacional de Baile

● TANGO   ● MERENGUE   ● FLAMENCO   ● SWING

| Cursos | Día y hora | Inicio |
|---|---|---|
| **Tango** <br> Ven a aprender este baile romántico de Argentina que se hizo famoso por las composiciones musicales de Gardel y de Piazzola.[2] | lunes <br> 17.30 a 18.30h | 30/09 |
| **Merengue** <br> Impresiona a tus amigos moviendo las caderas[3] al ritmo del merengue, baile tradicional del Caribe. | martes <br> 17.00 a 18.00h | 01/10 |

| Cursos | Día y hora | Inicio |
|---|---|---|
| **Flamenco** <br> Aprende los pasos importantes de este misterioso baile de Andalucía. | miércoles <br> 16.00 a 17.00h | 09/10 |
| **Swing** <br> Baila toda la noche con tu pareja este baile muy popular de los Estados Unidos. | jueves <br> 17.00 a 18.00h | 10/10 |

[2]Gardel y Piazzola son músicos muy famosos en Argentina, conocidos por sus tangos.

[3]moving your hips

## ¿Comprendiste?

1. ¿Qué clases puedes tomar en la Escuela Internacional de Baile?

2. ¿Qué razones da la página Web para ser miembro de la escuela?

3. ¿Cuál de los bailes te interesa más? ¿Por qué?

4. ¿Te gustaría tomar una clase en esta escuela? ¿Por qué?

### Más práctica

- **Guided** Reading Support p. 51
- **Communication** Writing p. 24, Test Prep p. 215
- *Real.* **para hispanohablantes** pp. 42–43

**realidades.com** ▼
- Internet Activity
- Leveled Workbook
- Web Code: jdd-0117

### Fondo cultural

México

**El ballet** El ballet clásico y el ballet folklórico tienen una larga historia en varios países hispanohablantes. Muchos países tienen un ballet nacional, como el Ballet Nacional de España o el Ballet Folklórico de México. El ballet folklórico se inspira en el folklore, la danza popular y los bailes tradicionales de un país, e interpreta estas tradiciones con técnicas de la danza clásica y moderna. Muchas compañías de ballet también tienen escuelas de baile.

Ballet Folklórico de México

- ¿El ballet es popular donde vives? ¿Hay algún baile folklórico en tu región? ¿Hay una compañía de ballet en tu ciudad?

# Perspectivas del mundo hispano

## ¡Cuántos libros y cuadernos!

**Marcos, un estudiante mexicano, está en una escuela estadounidense.**

 "Vivo con mi familia en Estados Unidos y veo que en las escuelas estadounidenses hay menos materias que en las escuelas de mi país. Aquí tenemos menos clases, pero hay más actividades extracurriculares. No usamos tantos libros y cuadernos, pero necesitamos muchas cosas para los deportes, las clases de música y las visitas a lugares interesantes. Siempre les pregunto a mis amigos: "¿Quién me ayuda con todas estas cosas?".

**Latifa, una estudiante norteamericana, está en una escuela española.**

 "Aquí en España todos los estudiantes tienen muchas clases, 11 ó 12 cada curso. Todos los días hay que llevar a la escuela muchos libros y muchos cuadernos, y también el almuerzo. A veces, ¡no puedo poner todos los libros en la mochila!".

En los países hispanohablantes, los planes de estudio de la educación secundaria y el bachillerato tienen muchas asignaturas[1]. Cada plan de estudio tiene de 10 a 12 asignaturas. En los primeros años, las materias son obligatorias. En los últimos años, puedes escoger[2] algunas de las materias.

**¡Compruébalo!** Compara tus asignaturas con la lista de asignaturas de la escuela secundaria de España. ¿Qué clases tienes en común con las de este país? ¿Hay clases en España que no tiene tu escuela?

**¿Qué te parece?** ¿Tienes que llevar muchos libros y cuadernos a clase? ¿Qué otras cosas tienes que llevar? ¿Qué prefieres: tener más asignaturas y menos actividades extracurriculares o menos asignaturas y más actividades?

[1]courses [2]choose

## Asignaturas de la escuela secundaria

### España

Lengua y literatura castellana

Lengua y literatura de las comunidades autónomas

Lengua extranjera

Matemáticas

Ciencias sociales, Geografía e Historia

Educación física

Ciencias de la naturaleza

Educación plástica y visual

Tecnología

Música

# Presentación escrita
## Mis actividades extracurriculares

**Task**

Your school offers many extracurricular activities so that students can explore different interests. Your teacher wants to learn more about you and has asked you to write about your activities and tell why you chose them.

**1** **Prewrite** List your activities and tell why you find them interesting or challenging. Also note how long you have been involved in doing them.

**2** **Draft** Use your list and notes to write a first draft of your paragraph. Try to personalize it as much as possible by telling how you feel about these activities and why you do them.

**3** **Revise** Read through your paragraph and check:

- spelling
- use of *hace* + time expressions
- verb forms

Share your paragraph with a partner. Your partner should check the following:

- Is your paragraph easy to understand?
- Does it give information about you and your activities?
- Is there anything you should add or change?
- Are there any errors?

Rewrite your paragraph, making any necessary changes. You may want to add a photo of you participating in one of the activities or some drawings that illustrate the activities.

**4** **Publish** Make a final copy of your paragraph to give to your teacher or to add to your portfolio.

**5** **Evaluation** Your teacher may give you a rubric for how the paragraph will be graded. You will probably be graded on:

- how much information you provide about yourself
- use of vocabulary
- accuracy and use of the writing process

**Estrategia**

**Personalizing**
To personalize your writing, think about why you enjoy certain activities and what attracts you to them.

# Preparación para . . .

En busca de la verdad

## San Miguel de Allende

Bienvenidos a San Miguel de Allende, una ciudad visitada en el videomisterio. San Miguel de Allende está a unos 92 kilómetros al sudeste de Guanajuato y tiene una población de más de 134,000 habitantes. Fue fundada por Fray Juan de San Miguel en 1542, y a él debe parte de su nombre.

El clima primaveral[1] de San Miguel de Allende la hace una de las ciudades de México más populares para visitar. La ciudad tiene un ambiente[2] cultural y artístico de muchísima variedad. Es famosa por sus restaurantes. También es un refugio para artistas y artesanos. ▶

Según la historia, San Miguel de Allende creció alrededor de un manantial[3] de agua llamado El Chorro. Este famoso manantial que da agua todo el año puede verse en el Paseo del Chorro, un parque popular al sur de la ciudad.

La Plaza Allende es el corazón de la ciudad y uno de los sitios más visitados, especialmente los domingos. Tiene un quiosco y muchos jardines con flores, principalmente rosas. Desde este jardín también puedes ver la Presidencia Municipal[4], casas históricas e iglesias importantes.

[1]spring-like    [2]atmosphere    [3]spring

[4]Town Hall

En esta casa nació Ignacio Allende, uno de los líderes de la independencia mexicana. La estatua es una representación de este gran hombre. ▶

## ¿Sabes que . . . ?

Ignacio Allende estudió en el colegio de San Francisco de Sales, en San Miguel de Allende. Fue aquí donde recibió la educación que lo inspiró para luchar contra[5] los españoles por la independencia. Después la ciudad tomó el apellido de este héroe.

## Para pensar

San Miguel de Allende, igual que Guanajuato, se ha convertido[6] en un centro cultural e intelectual internacional sin perder su ambiente de pueblo tranquilo. ¿En Estados Unidos hay ciudades con las mismas características de San Miguel de Allende? ¿Cuáles son?

[5]to fight against  [6]has been changed

# Repaso del capítulo

## Vocabulario y gramática

jdd-0199 🔊

**Chapter Review**

To prepare for the test, check to see if you . . .

- know the new vocabulary and grammar
- can perform the tasks on p. 69

### to talk about extracurricular activities

| | |
|---|---|
| las actividades extracurriculares | extracurricular activities |
| el ajedrez | chess |
| el club, pl. los clubes | club |
| el club atlético | athletic club |
| el equipo | team |
| la fotografía | photography |
| el fotógrafo, la fotógrafa | photographer |
| los jóvenes | young people |
| el miembro | member |
| ser miembro | to be a member |
| el pasatiempo | pastime |
| la práctica | practice |
| la reunión, pl. las reuniones | meeting |

### to talk about athletic activities

| | |
|---|---|
| el animador, la animadora | cheerleader |
| las artes marciales | martial arts |
| hacer gimnasia | to do gymnastics |
| el hockey | hockey |
| jugar a los bolos | to bowl |
| la natación | swimming |

### to talk about music and drama

| | |
|---|---|
| la banda | band |
| el bailarín, la bailarina | dancer |
| la canción, pl. las canciones | song |
| el (la) cantante | singer |
| el coro | chorus, choir |
| ensayar | to rehearse |
| el ensayo | rehearsal |
| el músico, la música | musician |
| la orquesta | orchestra |
| la voz, pl. las voces | voice |

### to talk about actions with activities

| | |
|---|---|
| asistir a | to attend |
| ganar | to win, to earn |
| grabar | to record |
| participar (en) | to participate (in) |
| tomar lecciones | to take lessons |
| volver (o → ue) | to return |

### to talk about and describe Internet activities

| | |
|---|---|
| crear una página Web | to create a Web page |
| estar en línea | to be online |
| hacer una búsqueda | to do a search |
| navegar en la Red | to surf the Web |
| visitar salones de chat | to visit chat rooms |

### other useful words

| | |
|---|---|
| entre | among, between |
| el interés | interest |
| la oportunidad, pl. las oportunidades | opportunity |

### to tell how long something has been going on

| | |
|---|---|
| ¿Cuánto tiempo hace que . . . ? | How long . . . ? |
| Hace + time + que . . . | It has been . . . |

### to make comparisons

| | |
|---|---|
| tan + adj. + como | as + adj. + as |
| tantos(as) + noun + como | as much / many + noun + as |

**saber** *to know (how)*

| | |
|---|---|
| sé | sabemos |
| sabes | sabéis |
| sabe | saben |

**conocer** *to know, to be acquainted with*

| | |
|---|---|
| conozco | conocemos |
| conoces | conocéis |
| conoce | conocen |

For *Vocabulario adicional,* see pp. 498–499.

**Más práctica**

- **Core** Puzzle p. 25, Organizer p. 26
- **Communication** Practice
  Test pp. 217–219, Integrated
  Performance Assessment p. 216

**realidades.com** ✔
- Tutorial
- Flashcards
- Puzzles
- Self-test
- Web Code: jdd-0118

# Preparación para el examen

| On the exam you will be asked to . . . | Here are practice tasks similar to those you will find on the exam . . . | If you need review . . . |
|---|---|---|

## Interpretive

jdd-0199

🔊 **1 Escuchar** Listen and understand as teenagers talk about what they do after school

Listen as two teenagers describe what they do after school. See if you can understand: (a) what they like to do; (b) why they like to do it; (c) how long they have been participating in that particular activity.

**pp. 46–49** *Vocabulario en contexto*
**p. 51** Actividad 7
**p. 57** Actividad 17
**p. 59** Actividad 20

## Interpersonal

**2 Hablar** Talk about the extracurricular activities that you are interested in doing after school and how long you have been doing these activities

Imagine that you meet a new classmate from Venezuela who is going to your school. Since you both seem to like the same types of things: (a) tell him about some of the things you do after school that you think would interest him; (b) ask him to go with you to one of your activities.

**p. 51** Actividad 6
**p. 52** Actividad 8
**p. 54** Actividad 13
**p. 58** Actividad 18
**pp. 59** Actividades 19–20

## Interpretive

📖 **3 Leer** Read and understand a letter making comparisons

Read the following letter to an advice columnist. What problem is the writer describing? How does he compare himself to his brother?

*Mi hermano mayor es muy estudioso y deportista. Pero yo . . . ¡no! A mí me interesa visitar a mis amigos en los salones de chat en la Red. Según mis amigos, soy increíble con mi computadora. ¡El problema es que todos mis profesores piensan que soy tan estudioso y deportista como mi hermano! Mis padres dicen que debo ser como mi hermano. No me gusta.*

—Frustrado

**p. 53** Actividad 11
**p. 57** Actividad 16
**pp. 62–63** *Lectura*

## Presentational

✏️ **4 Escribir** Write briefly about your extracurricular activities

You're trying to get an after-school job. Most of the applications you have picked up ask the same questions: *¿En qué actividades extracurriculares participas? ¿Cómo te van a ayudar estas actividades en este trabajo?* Write a brief paragraph describing your extracurricular activities and mention why you like these activities.

**p. 50** Actividad 4
**p. 52** Actividades 8–9
**p. 57** Actividad 16
**p. 59** Actividad 19
**p. 65** *Presentación escrita*

## Cultures

🌐 **5 Pensar** Demonstrate an understanding of the differences between schools in the United States and Spain

Your friend's father is being transferred to Spain for one year, so your friend will be attending school in Madrid. Based on this chapter, what could you tell him about the differences that he will probably find in his new school there?

**p. 64** *Perspectivas del mundo hispano*

# Vocabulario  Repaso

**Parte superior del cuerpo**

el abrigo
los anteojos de sol
la blusa
la camisa
la camiseta
la chaqueta
la corbata
la gorra
los guantes
la sudadera
el suéter
el traje
el traje be baño
el vestido

**Parte inferior del cuerpo**

las botas
los calcetines
la falda
los jeans
los pantalones
los pantalones cortos
los zapatos

**1** ¿Qué llevas?

**Escribir • Hablar**

Completa las frases con la ropa que llevas en las siguientes ocasiones. Después compara tus respuestas con las de otro(a) estudiante. Habla de la ropa que los dos usan.

| Modelo |

Cuando hace frío, *llevo un suéter y guantes.*

1. Cuando voy a la piscina, . . .
2. Cuando voy a un partido de fútbol, . . .
3. Cuando estoy en casa, . . .
4. Cuando voy al cine, . . .
5. Cuando voy a un baile elegante, . . .
6. Cuando llueve, . . .

**2** Juego

**Escuchar**

Tu profesor(a) va a ser Simón y te va a decir que toques *(touch)* una parte de tu cuerpo. Por ejemplo, si escuchas, "Simón dice . . . 'tócate la cabeza'", tienes que tocarte la cabeza. Si no escuchas "Simón dice . . ." y te tocas esa parte del cuerpo, ¡pierdes *(you lose)*!

# Gramática Repaso

## Verbs and expressions that use the infinitive

When you use two verbs together in Spanish, the second one is usually the infinitive.

Óscar **prefiere llevar** jeans los fines de semana.
¿**Vas a llevar** un suéter esta noche?

• Here are some verbs and expressions that you have used that are often followed by an infinitive:

| | | | |
|---|---|---|---|
| me gusta / gustaría | I like / would like | querer (e → ie) | to want |
| me encanta | I love | pensar (e → ie) | to plan |
| poder (o → ue) | to be able | necesitar | to need |
| deber | ought to, should | tener que | to have to |
| preferir (e → ie) | to prefer | ir a | to be going to |

You can use the present tense of the verb *acabar* followed by *de* + the infinitive to indicate that something has just happened:

Nosotros **acabamos de escuchar** esa canción.

We **just listened to** that song.

### 3 Un mensaje electrónico

**Leer • Escribir**

Recibes este mensaje por correo electrónico. Lee las actividades que recomienda Carlos y contéstale. Usa una combinación de dos verbos para decirle lo que te interesa hacer y lo que no te interesa hacer.

¡Hola!

¿Qué quieres hacer este fin de semana? ¿Comer en un restaurante? Todos dicen que el restaurante Las Pampas tiene comida argentina fabulosa. ¿Prefieres ir a un concierto? Hay una banda que toca música de los Andes en la plaza. ¿Jugar al tenis? Dicen que va a hacer buen tiempo todo el fin de semana. Escríbeme.

Carlos

### 4 ¿Qué quieres hacer?

**Hablar**

Pregúntale a otro(a) estudiante si quiere hacer algo este fin de semana.

**Modelo**

A —¿Quieres *ir al parque conmigo*?
B —Sí, me gustaría *ir al parque* pero *acabo de caminar con mi amiga*.
o: —No, gracias. No puedo ir porque *mi primo acaba de llegar*.

1. ir al cine
2. estudiar español
3. tomar un refresco
4. jugar al béisbol
5. venir a mi casa
6. escuchar música
7. ¡Respuesta personal!

**Más práctica**

• Guided pp. 53–54
• Core pp. 27–28
• *Real.* para hispanohablantes p. 50

realidades.com
• Leveled Workbook
• Web Code: jdd-0201

### Fondo cultural

**México**

**Bailes tradicionales** En "Baile en Tehuantepec" vemos la ropa típica de los bailes de esta región de México. Las mujeres se visten con blusas y faldas tradicionales. El uso del sombrero es tradicional para los hombres del campo, no sólo en México, sino en otros países hispanohablantes como el Perú y el Ecuador.

• Compara a las personas de este cuadro con los jóvenes de la foto. ¿Qué ropa llevas cuando vas a un baile especial?

"Baile en Tehuantepec" (1935), Diego Rivera ▶

Charcoal and watercolor, 18 15/16 x 23 7/8 inches. Los Angeles County Museum of Art, gift of Mr. and Mrs. Milton W. Lipper, from the Milton W. Lipper Estate. © 2009 Banco de México Diego Rivera & Frida Kahlo Museums Trust, México, D.F./Artists Rights Society (ARS), New York. Photo: © Museum Associates/LACMA.

# ¿Cómo te preparas?

## Chapter Objectives

- Describe getting ready for a special event
- Talk about daily routines
- Describe people and things
- Express possession
- Understand cultural perspectives on clothing

### Video Highlights

**Videocultura:** *Un evento especial*

**A primera vista:** *¿Más maquillaje?*

**GramActiva Videos:** reflexive verbs; the verbs *ser* and *estar*

### Country Connection

As you learn to talk about special events, you will make connections to these countries and places:

Arizona
Nueva York
La Florida
México
Costa Rica
Perú
Bolivia
Argentina

### Más práctica

- *Real.* para hispanohablantes pp. 50–51

**realidades.com**

- Fondo cultural Activity
- Video Activities
- Online Atlas
- Web Code: jde-0002

Jóvenes con ropa elegante durante una quinceañera en Yuma, Arizona

# Vocabulario en contexto

jdd-0287

" ¡Hola! Me llamo Antonio. ¿Qué hago yo **antes de** ir a **un evento especial?** Siempre **me despierto** temprano y **me levanto** de la cama. Primero **me ducho lentamente.** Generalmente estoy en la ducha unos 20 minutos.

**despertarse**

**la ducha**

**ducharse**

**la toalla**

**el desodorante**

**el agua de colonia**

**el cepillo**

**el peine**

**afeitarse**

Después de ducharme, **me afeito . . .**

**cepillarse los dientes**

. . . y **me cepillo** los dientes.

**arreglarse el pelo**

**secarse**

**el secador**

**Luego me seco** el pelo con el secador y **me arreglo** el pelo con el peine.

**ponerse**

**vestirse**

Después **me pongo** el desodorante y el agua de colonia y **me visto.** "

**Más vocabulario**

la **audición** audition
la **boda** wedding
el **concurso** contest
**por ejemplo** for example

—Tengo **una cita** con Rafael. ¡Vamos a un baile **elegante!**

—Debes estar muy **entusiasmada.** ¿Qué vas a hacer para **prepararte?**

—Primero **me baño,** . . .

**pintarse las uñas**

. . . luego **me pinto** las uñas.

**cortarse el pelo**

No puedo **cortarme** el pelo. Por eso quiero ir al **salón de belleza.**

**el cinturón**

**las joyas**

**de oro**

**de plata**

**bañarse**

—¿Puedo **pedirte prestados** tus aretes?
—¿De oro o de plata?
—**Depende** . . . prefiero los aretes de plata.

**lavarse la cara**

Después del baile . . .
" Ahora tengo mucho sueño. Voy a **lavarme** la cara y **acostarme.** ¡Hasta mañana! "

**1** **¿Qué haces por la mañana?**   jdd-0287

**Escuchar**

Vas a escuchar siete frases que describen qué hace alguien por la mañana. Representa *(Act out)* cada una de estas acciones sin hablar.

**2** **¿Lógica o no?**   jdd-0287

**Escuchar**

Vas a escuchar siete frases. Algunas son lógicas y otras no. Señala con el pulgar hacia arriba si la frase es lógica y con el pulgar hacia abajo si no es lógica.

### Más práctica

- **Guided** Vocab. Flash Cards pp. 55–60
- **Core** Vocab. Practice pp. 29–30
- **Communication** Writing p. 31
- *Real.* **para hispanohablantes** p. 52

**realidades.com**
- Audio Activities
- Leveled Workbook
- Flashcards
- Web Code: jdd-0202

# ¿Más maquillaje?

¿Qué emergencia tiene Gloria? ¿Cómo se arreglan Raúl y Tomás? Lee la historia para saber.

### Estrategia

**Relating to your own experience**
Making a connection between your own life and what you are reading will help you to understand a story better. Think about the following:

• Have you ever done a favor for someone, only to regret it later?

**Gloria**

**Tomás**

**Raúl**

**1** **Raúl:** No dan nada interesante hoy.

**Tomás:** Tienes razón. ¿Por qué no tomamos un refresco?

**Gloria:** *(al teléfono)* ¡Ay, no! ¿Estás seguro? ¿Qué podemos hacer? Un momento, tengo una idea.

**5** **Raúl:** ¡Qué idea! Mira dónde estamos.

**Gloria:** Primero, no es idea **mía . . . ¡Tranquilos!** No deben estar tan **nerviosos.**

**Raúl:** No estamos nerviosos. Pero no me gusta vestirme a lo ridículo.

**6** **Tomás:** ¿Es necesario pintarse **los labios?**

**Raúl:** ¿Tanto **gel?** ¿Por qué tiene que ponerme tanto **maquillaje?** Dos horas así. No va a ser muy **cómodo.**

**7** **Tomás:** Tienes razón. Pero te ves muy bien.

**Raúl:** ¿Tú crees? Y mira tus zapatos. ¡Qué grandes son!

**2** **Gloria:** ¿Les gustaría participar en una obra de teatro? Es una emergencia. Necesitamos a dos personas y tienen que venir **rápidamente.**

**Raúl:** ¿En qué? ¡No!

**3** **Tomás:** Pero, ¿por qué no? Puede ser interesante.

**Gloria:** ¡Fantástico! Les va a gustar mucho.

**4** **Tomás:** ¿Cómo me preparo? ¿Me arreglo el pelo?

**Gloria:** Tomás, **te ves** bien. Pero Raúl . . .

**Raúl:** Sí, voy a cepillarme los dientes, lavarme el pelo . . .

**Gloria:** Tienen 30 minutos.

**8** **Raúl:** ¡Esto va a ser un desastre!

### 3 ¿Comprendiste?

**Leer • Escribir**

Indica si las siguientes frases son *(C)* ciertas o *(F)* falsas. Si la frase es falsa, escribe la información correcta.

1. Tomás y Raúl miran un programa de televisión muy interesante.
2. Tomás quiere ayudar a Gloria con una obra de teatro.
3. Raúl no quiere ayudar a Gloria.
4. Raúl va a cepillarse los dientes y lavarse el pelo.
5. A Raúl le gusta vestirse a lo ridículo.
6. A Raúl no le gusta el maquillaje porque no es cómodo.
7. Tomás se pone zapatos muy grandes para la obra de teatro.
8. Raúl cree que todo va a ser muy divertido.

### Más práctica

- **Guided** Vocab. Check pp. 61–64
- **Core** Vocab. Practice pp. 31–32
- **Communication** Video pp. 25–27
- *Real.* **para hispanohablantes** p. 53

**realidades.com** ⓥ

- Audio Activities
- Video Activities
- Leveled Workbook
- Flashcards
- Web Code: jdd-0203

# Vocabulario en uso

### Objectives

- Talk about your daily routine
- Describe yourself and others
- Learn to use reflexive verbs
- Review differences between *ser* and *estar*
- Express possession

## 4 ¿Cómo se prepara Margarita?

**Escribir**

Hoy Margarita va a la boda de su prima. Mira el dibujo y escribe una lista de las cosas que necesita para prepararse. Si puedes, también escribe para qué se usa cada cosa.

| Modelo |
| --- |

un peine
*Margarita necesita un peine para arreglarse el pelo.*

## 5 ¿Ropa elegante o ropa cómoda?

**Escribir · Hablar**

**1** ¿Qué clase de ropa llevas en estas ocasiones? Haz una tabla como la que ves aquí. Escribe los eventos de la lista en la primera columna. Decide si llevas ropa elegante o ropa cómoda en esta ocasión y escribe qué llevas en la columna apropiada.

1. una boda
2. un baile elegante
3. un concurso
4. una cita para ir al cine
5. un partido de hockey
6. una fiesta en la casa de un(a) amigo(a)
7. una audición
8. ¡Respuesta personal!

| Ocasión | Ropa elegante | Ropa cómoda |
| --- | --- | --- |
| la escuela | | unos jeans y una camiseta |
| el cumpleaños de mi abuela | un traje o un vestido elegante | |

**2** Con otro(a) estudiante, habla de la ropa que Uds. llevan en las ocasiones del Paso 1.

| Modelo |
| --- |

A —*¿Qué llevas para el cumpleaños de tu abuela?*
B —*Para el cumpleaños de mi abuela llevo ropa elegante. Llevo una falda elegante y una blusa blanca.*

# 6 ¿Por la mañana o por la noche?

**Escribir**

Copia el diagrama de Venn. Luego mira los dibujos y decide si haces la actividad por la mañana o por la noche. Escribe la acción en el círculo apropiado del diagrama. Si haces la actividad por la mañana *y* por la noche, escribe tu respuesta en la intersección de los círculos.

**Modelo**

por la mañana        por la noche
por la mañana y
por la noche

Me ducho.

1.

2.

3.

4.

5.   6.   7.   8.

# 7 ¿Rápidamente o lentamente?

**Hablar**

¿Te preparas rápidamente para ir a la escuela? Habla con otro(a) estudiante sobre cuánto tiempo crees que es necesario para hacer las cosas de la Actividad 6.

**Modelo**

A —¿*Cuánto tiempo necesitas para ducharte?*
B —*Me ducho rápidamente. Necesito sólo dos minutos.*
o: —*Me ducho lentamente. Necesito 20 minutos.*

**¿Recuerdas?**

You use adverbs to tell how you do an action. In English they often end in -*ly*. To form adverbs in Spanish, you can often add -*mente* to the feminine form of the adjective.

general → generalmente
rápida → rápidamente

## Fondo cultural

El mundo hispano

**La ropa de fiesta** En los países hispanohablantes, los jóvenes llevan ropa cómoda pero elegante a las fiestas entre amigos o para citas con amigos. Los jeans son muy populares, pero llevan jeans con camisas o blusas buenas, nunca con camisetas viejas o rotas *(torn)*. Muchos jóvenes prefieren llevar pantalones o vestidos de moda en vez de *(instead of)* jeans.

• ¿Qué llevas cuando asistes a una fiesta entre amigos?

Manos a la obra

# Gramática

## Reflexive verbs

To say that people do something to or for themselves, you use reflexive verbs. For example, washing one's hands and brushing one's hair are reflexive actions because the person doing the action also receives the action.

> Antes de una cita, (yo) **me ducho** y **me arreglo** el pelo.

You know that a verb is reflexive if its infinitive form ends with the letters *se*.

> **ducharse**

The reflexive pronouns in Spanish are *me, te, se, nos,* and *os*. Each pronoun corresponds to a different subject. Here are the present-tense forms of the reflexive verb *secarse:*

| (yo) | me seco | (nosotros) (nosotras) | nos secamos |
|------|---------|-----------------------|-------------|
| (tú) | te secas | (vosotros) (vosotras) | os secáis |
| Ud. (él) (ella) | se seca | Uds. (ellos) (ellas) | se secan |

Some verbs have both reflexive and non-reflexive forms and usages. A verb is used in its non-reflexive form if the action is being done to someone or something else.

| **Lavo** el coche a menudo. | *I wash the car often.* |
| **Me lavo** el pelo todos los días. | *I wash my hair everyday.* |

When you use a reflexive verb with parts of the body or clothing, use the definite article.

| ¿Siempre te pintas las uñas? | *Do you always polish your nails?* |
| Felipe se pone **los** zapatos. | *Felipe puts on his shoes.* |

You can put reflexive pronouns before the conjugated verb or you can attach them to the infinitive.

**Me** voy a duchar.
Voy a duchar**me**.
**Te** tienes que vestir para la fiesta.
Tienes que vestir**te** para la fiesta.

---

**GramActiva** VIDEO

Need more help with reflexive verbs? Watch the **GramActiva** video.

Me ducho.

---

## 8 Nos preparamos para la fiesta

**Leer • Escribir**

Isabel y Elena se preparan para ir a una fiesta de quinceañera. En una hoja de papel, escribe el pronombre reflexivo correcto para cada número para completar la historia.

Isabel y Elena son dos hermanas que __1.__ preparan para una fiesta de quinceañera. "Debemos acostar __2.__ temprano esta noche," dice Isabel. "Sí, y mañana yo __3.__ baño primero. Después __4.__ maquillo y __5.__ pinto las uñas. Me gusta preparar __6.__ lentamente," dice Elena. "Es verdad," dice Isabel. "Siempre __7.__ preparas más lentamente que yo." La noche de la fiesta Elena __8.__ arregla el pelo primero y luego ayuda a Isabel. Las dos __9.__ visten y salen para la fiesta a las seis y media.

**80** ochenta
Tema 2 • Un evento especial

## 9 Una rutina lógica

**Escribir • Hablar**

¿Eres una persona lógica? Usa *antes de* o *después de* para escribir frases lógicas.

1. lavarse las manos / comer
2. despertarse / levantarse
3. vestirse / ponerse desodorante
4. acostarse / bañarse
5. ducharse / vestirse
6. cepillarse los dientes / comer

**Modelo**

lavarse la cara / acostarse
*Me lavo la cara antes de acostarme.*

**Nota**

Note that in Spanish you use the infinitive after a preposition even if an infinitive is not used in English.

• Generalmente me pongo loción en la cara **después de afeitarme.**
*I usually put lotion on my face after shaving.*

## 10 Preparaciones

**Escribir • Hablar**

Imagina que tú y tu hermanito están preparándose para un evento especial y tienes que ayudarlo. Describe tu día según los dibujos. Usa la forma reflexiva del verbo en tu descripción si es necesario.

**Modelo**

*Me despierto a las siete de la mañana.*

**Modelo**

*Despierto a mi hermanito a las siete y cinco.*

1.

2.

3.

4.

5.

6.

## 11 Tu horario

**Escribir**

¿Cómo es tu horario típico? Piensa en tu horario para un día de escuela. En general, ¿a qué hora haces las siguientes acciones? Usa una tabla para organizar tus respuestas.

1. levantarse
2. bañarse o ducharse
3. cepillarse los dientes
4. arreglarse el pelo
5. vestirse
6. acostarse temprano / tarde

| Mi rutina | La hora |
|-----------|---------|
| me despierto | a las 6:30 |

## 12 Compara horarios

**Hablar**

Ahora compara tu horario de la Actividad 11 con el de otro(a) estudiante. Hablen de las diferencias en sus rutinas.

. . . a la(s) (siete) . . .
Primero . . .
Luego . . .
. . . después de . . .
. . . antes de . . .

**Modelo**

**A** —¿A qué hora te despiertas por la mañana?
**B** —Me despierto a las seis y media. ¿Y tú?
**A** —Yo me despierto a las siete. ¿Qué haces después de levantarte?
**B** —Siempre me ducho primero y me lavo el pelo. Y tú, ¿qué haces luego?

## 13 Mi día ideal

**Escribir • Hablar**

**1** Describe tu día ideal en cinco frases. Usa expresiones que necesitan un infinitivo en cada frase. También usa los verbos reflexivos.

**2** Ahora compara tu día ideal con el de tres estudiantes. De todas las frases que tienen, escojan (choose) cinco frases que describen el día ideal para todo el grupo.

**3** Cada grupo debe compartir con la clase su descripción del día ideal. La clase debe votar por la mejor descripción del día ideal.

**Modelo**

*En mi día ideal puedo levantarme muy tarde.*
*En mi día ideal no tengo que ir a la escuela.*

## 14 ¡Quiero dormir más!

**Leer • Pensar • Escribir • Hablar**

¿Es difícil despertarte temprano todas las mañanas? ¿Te gustaría dormir más? Lee el siguiente informe sobre la cantidad *(amount)* de sueño que necesita cada joven. Luego contesta las preguntas.

### Conexiones | La salud

#### ¿Necesitas dormir más?

Muchos jóvenes no pueden levantarse temprano a la hora de ir a la escuela y el 20 por ciento de ellos se duermen[1] en las clases. Nuevos estudios revelan que los jóvenes de 13 a 18 años de edad necesitan dormir 9.25 horas cada noche. Esto es 1.25 horas más que un adulto. La realidad es que muchos jóvenes duermen sólo seis o siete horas cada noche. Si un joven no duerme suficiente, puede tener problemas de concentración y de control de sus emociones.

¿Cuál es la respuesta a este problema? Pues, acuéstate temprano y sigue una rutina cada noche. Otros consejos para dormir mejor son:

➤ Toma sólo bebidas sin cafeína después de las cinco de la tarde.

➤ Evita[2] programas de televisión o películas violentas antes de acostarte. También evita usar la computadora o jugar videojuegos antes de dormir.

➤ Un baño o una ducha antes de acostarte puede ayudarte a dormir.

➤ Haz ejercicio todos los días pero no antes de acostarte.

➤ Debes acostarte y levantarte cada día a la misma hora. Si quieres acostarte tarde durante el fin de semana, es mejor no hacerlo dos noches seguidas.

[1]fall asleep  [2]Avoid

1. ¿Cuántas horas duermes cada noche?
2. ¿Cuántas horas crees que debes dormir cada noche?
3. ¿Crees que estos consejos son buenos? ¿Por qué?

## 15 ¡Un día loco!

**Escribir • Hablar**

Con otro(a) estudiante, van a crear una rutina loca. Usen las ideas de abajo o piensen en otras. Luego lean su rutina a la clase. ¡La pareja con la rutina más loca gana!

### Modelo

**A**—*Primero nos levantamos a las tres de la mañana.*

**B**—*Después nos ponemos una camisa elegante y unos pantalones cortos.*

**Estudiante A**

| | |
|---|---|
| acostarse | afeitarse |
| cepillarse los dientes | vestirse |
| peinarse | despertarse |
| arreglarse el pelo | lavarse |

¡Respuesta personal!

**Estudiante B**

¡Respuesta personal!

## 16 Juego

**Escribir • Hablar**

¿Cómo te preparas para la escuela o para una fiesta? Vas a presentar tu rutina sin hablar.

**1** Primero cada estudiante va a escribir una lista corta de lo que hace alguien cuando se prepara para salir.

**2** En grupos o equipos, cada persona tiene que representar sus acciones sin hablar. Cuando "el actor" está actuando, cada miembro del grupo debe adivinar cuáles son las actividades y debe escribirlas en una hoja de papel. Después cada estudiante lee su lista. El actor o la actriz decide si la lista tiene las acciones correctas y si están en orden.

### Modelo

*Primero, Marta se levanta. Luego, ella . . . Después . . .*

## Los resultados:

| 3 puntos | en orden con todos los verbos correctos |
|----------|------------------------------------------|
| 2 puntos | en orden con la mitad *(half)* de los verbos correctos |
| 0 puntos | ni en orden ni con todos los verbos correctos |

## 17 Y tú, ¿qué dices?

**Escribir • Hablar**

1. ¿Te gusta levantarte temprano o tarde? ¿A qué hora te acuestas generalmente? ¿A qué hora te levantas? ¿Siempre te cepillas los dientes después de comer o sólo antes de acostarte?

2. ¿Cómo te preparas para un evento especial? ¿Qué haces primero? ¿Vas al salón de belleza o te arreglas el pelo? ¿Cuánto tiempo necesitas para prepararte?

3. ¿Qué ropa u otros accesorios te pones para ir a una fiesta o un baile?

### Más práctica

- **Guided** Gram. Practice pp. 65–66
- **Core** Gram. Practice p. 33
- **Communication** Writing p. 32, Test Prep p. 220
- **_Real._ para hispanohablantes** pp. 54–57

**realidades.com** V

- Audio Activities
- Video Activities
- Speak & Record
- Canción de hip hop
- Animated Verbs
- Tutorial
- Leveled Workbook
- Web Code: jdd-0204

## Fondo cultural
### El mundo hispano

**La familia y los eventos especiales** En los países hispanohablantes, los primeros invitados a un evento especial generalmente son los miembros de la familia. Los cumpleaños, el día del santo y otros días especiales se celebran con la familia y los amigos.

- ¿Invitas a tíos y a primos a todos tus cumpleaños? ¿A quiénes invitas a tus fiestas? ¿Por qué?

Una familia de San Miguel de Allende, México, celebra un cumpleaños.

## 18 Corte de pelo con estilo

**Leer • Escribir • Hablar**

Lee el anuncio sobre la máquina para cortar el pelo "Cortapelo" que tú puedes usar en casa. Luego contesta las preguntas.

1. ¿Por qué da un buen corte el "Cortapelo"?

2. ¿Por qué puedes crear estilos diferentes?

3. ¿Crees que es bueno pagar dinero por un corte de pelo?

4. ¿Vas a un salón de belleza o te cortas el pelo en casa? ¿Por qué?

**También se dice . . .**

**el salón de belleza** = la peluquería *(muchos países)*

**el pelo** = el cabello *(muchos países)*

Con el revolucionario **Cortapelo**

**puedes cortarte el pelo sin salir de casa**

La profesionalidad de un buen corte de pelo

Con su exclusivo sistema puedes cortarte el pelo sin errores ya que* su peine pivotante se adapta perfectamente a la forma de tu cabeza. Su sistema de dos peines corta con precisión el corte que deseas.

Quedas siempre perfecto y con un corte de pelo verdaderamente profesional.

**Cortapelo**

**¡Es muy fácil y muy cómodo!**

*since

# El español en la comunidad

En muchas regiones de los Estados Unidos donde hay una concentración de personas hispanohablantes, hay eventos especiales para la comunidad hispana. Estas comunidades se preparan durante meses para las celebraciones. Preparan comida típica, música, bailes y desfiles. La celebración puede ser internacional o de un solo país, como el festival puertorriqueño en Nueva York. Lo que estos eventos tienen en común es que siempre participan personas de todos los grupos hispanos.

• Busca un calendario de los eventos especiales de tu comunidad para saber si hay un evento hispano o internacional. Estos eventos se celebran generalmente en el verano, cuando es posible organizarlos en parques.

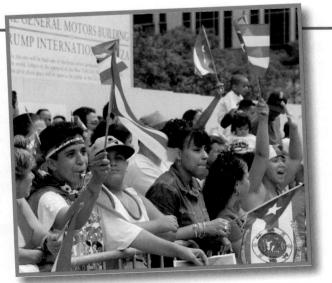

El Desfile *(Parade)* Nacional Puertorriqueño en Nueva York

Festival de la calle Ocho, Miami, la Florida

# Gramática · Repaso

## The verbs *ser* and *estar*

You know that both *ser* and *estar* mean "to be." You have seen that their uses, however, are different.

| (yo) | soy | (nosotros) (nosotras) | somos |
|---|---|---|---|
| (tú) | eres | (vosotros) (vosotras) | sois |
| Ud. (él) (ella) | es | Uds. (ellos) (ellas) | son |

| (yo) | estoy | (nosotros) (nosotras) | estamos |
|---|---|---|---|
| (tú) | estás | (vosotros) (vosotras) | estáis |
| Ud. (él) (ella) | está | Uds. (ellos) (ellas) | están |

Use *ser* to talk about:
- what a person or thing is
- what a person or thing is like
- where a person or thing is from
- what a thing is made of
- to whom something belongs

Ricardo y Lola **son** actores.
**Son** muy simpáticos.
**Son** de Nicaragua.
Este anillo **es** de plata.
**Es** el anillo de Juana.

Use *estar* to talk about:
- how a person or thing is at the moment
- how someone feels
- where a person or thing is located

Mi hermana **está** muy cansada.
Alicia y Carlos **están** entusiasmados.
Alonso **está** en el baño.

**GramActiva** VIDEO

Need more help with *ser* and *estar*? Watch the **GramActiva** video.

soy ≠ estoy

---

**19** **Ellos quieren ser músicos**

Leer · Escribir

Alfredo y Juan tocan en la banda y van a entrar en un concurso. Escoge el verbo correcto para completar su conversación.

Alfredo y Juan __1.__ *(son/están)* chicos talentosos. __2.__ *(Son/Están)* miembros de la banda de su escuela. Ahora los chicos __3.__ *(son/están)* en casa de Juan y se preparan para ir a un concurso de la banda.

—¿ __4.__ *(Eres/Estás)* nervioso, Juan?

—Sí, un poco. Todo mi familia va a __5.__ *(ser/estar)* allí. Mis padres, mis abuelos . . .

—¿Tu novia?

—No, hombre. Ella __6.__ *(es/está)* enferma y no puede ir. ¿Y tú, Alfredo?

—Nervioso no. Yo __7.__ *(soy/estoy)* entusiasmado. Yo sé que __8.__ *(somos/estamos)* los mejores.

## 20 ¿Cómo estás?

**Leer · Escribir**

¿Cómo están tú y las otras personas en estas situaciones? Usa adjetivos de la lista para formar frases.

1. Elena y María van a participar en un concurso.

2. Vas a un baile con el (la) chico(a) más popular de la escuela.

3. Tienes mucha tarea y también tienes que lavar el coche, cortar el césped y limpiar tu dormitorio.

4. Tu hermano va a un concierto para escuchar una banda nueva.

5. Uds. están en una clase que no les interesa y la profesora habla lentamente.

6. Tu mejor amigo(a) tiene que dar un discurso para los padres de los estudiantes de tu escuela.

**Modelo**

Carlos toma el sol en la playa.
*Carlos está muy contento.*

| | |
|---|---|
| aburrido, -a | nervioso, -a |
| cansado, -a | ocupado, -a |
| contento, -a | tranquilo, -a |
| entusiasmado, -a | |

## 21 El dormitorio de Ramona

**Hablar · Escribir**

**1** Ramona tiene muchas cosas en su dormitorio. ¿Es el dormitorio típico de una chica de 16 años? Mira el dibujo y habla de Ramona y su dormitorio con otro(a) estudiante.

**Modelo**

**A** —*¿Dónde están las joyas de Ramona?*
**B** —*Están encima del escritorio.*
**A** —*¿De qué son las joyas?*
**B** —*Son de oro.*

**2** Ahora piensa en tu dormitorio. ¿Es como el dormitorio de Ramona? Describe dónde están y cómo son las cosas en tu dormitorio.

### Más práctica

- **Guided** Gram. Practice p. 67
- **Core** Gram. Practice p. 34
- **Communication** Writing p. 33
- *Real.* para hispanohablantes pp. 58–59

**realidades.com** ✔

- Audio Activities
- Video Activities
- Speak & Record
- Tutorial
- Leveled Workbook
- Web Code: jdd-0205

# Gramática

## Possessive adjectives

Spanish possessive adjectives have a long form that comes after the noun. These forms are often used for emphasis.

| | |
|---|---|
| mío / mía<br>míos / mías | nuestro / nuestra<br>nuestros / nuestras |
| tuyo / tuya<br>tuyos / tuyas | vuestro / vuestra<br>vuestros / vuestras |
| suyo / suya<br>suyos / suyas | suyo / suya<br>suyos / suyas |

Voy al partido con un amigo **mío**.
*I'm going to the game with a friend **of mine**.*

¿Vas al baile con unas amigas **tuyas**?
*Are you going to the dance with some friends **of yours**?*

### ¿Recuerdas?

You already know a different form of possessive adjectives. They agree in gender and number with the nouns they describe and always go in front of the noun. They include *mi(s), tu(s), su(s), nuestro(a), nuestros(as), vuestro(a)* and *vuestros(as)*.

• **Tus** joyas de plata son muy bonitas.

• Voy a pedirle prestado **su** cinturón.

These possessive adjectives may be used without the noun.

¿Estas chaquetas son **suyas**?
*Are these jackets **yours**?*

Sí, son **nuestras**.
*Yes, they are **ours**.*

To clarify or emphasize possession, you can use *de* + a noun or pronoun instead of a form of *suyo*.

Aquí está un collar **suyo**.
= un collar **de Ud. / él / ella / Uds. / ellos / ellas**.
*Here is a necklace of **yours / his / hers / theirs**.*

---

## 22 ¿Son suyos?

**Leer • Escribir**

¿De quiénes son estas cosas? Escoge la mejor respuesta.

1. ¿De quién son esos zapatos elegantes? ¿De Ud.?
   **a.** Sí, son míos.      **b.** Sí, son mías.

2. ¿De quiénes son esos globos? ¿De los niños?
   **a.** Sí, son suyas.      **b.** Sí, son suyos.

3. ¿De quién es esa toalla? ¿De Uds.?
   **a.** Sí, es nuestra.      **b.** Sí, es mía.

4. ¿De quién son estas joyas? ¿De tu prima?
   **a.** Sí, son suyas.      **b.** Sí, son tuyas.

5. ¿De quién es este secador? ¿De Laura?
   **a.** Sí, es tuyo.      **b.** Sí, es suyo.

6. ¿De quién es esta corbata? ¿De tu hermano?
   **a.** Sí, es suya.      **b.** Sí, es mía.

## 23 Escucha y escribe

jdd-0288

**Escuchar • Escribir**

Hoy muchos clientes están en el salón de belleza. Escucha y escribe lo que dice Felipe mientras organiza el salón.

Un salón de belleza en la Argentina

## 24 ¿De quién es?

**Leer • Hablar**

Tu hermana está arreglando su cuarto y preguntando de quién son las cosas que ella encuentra *(finds)*. Contesta sus preguntas, diciendo de quién es cada cosa.

**Modelo**

A —¿Es tu agua de colonia?
B —*Sí, el agua de colonia es mía.*
o: —*No, el agua de colonia no es mía.*

1. ¿Son sus toallas? (de ellos)
2. ¿Es mi peine?
3. ¿Es su gel? (de ella)
4. ¿Son nuestras joyas?
5. ¿Es tu maquillaje?
6. ¿Es su desodorante? (de él)

## 25 ¿Es tuyo?

**Hablar**

¿A quién le gusta pedir prestada la ropa? Pregúntale a otro(a) estudiante sobre la ropa y los accesorios que lleva. ¿Todo es de él/ella?

**Modelo**

A —*Me gustan las joyas que llevas. ¿Son tuyas?*
B —*Sí, son mías.*
o: —*No, son de mi hermana, pero me gustan mucho.*

### Más práctica

- **Guided** Gram. Practice p. 68
- **Core** Gram. Practice p. 35
- *Real.* **para hispanohablantes** p. 57

**realidades.com** ⓥ

- Audio Activities
- Video Activities
- Speak & Record
- Tutorial
- Leveled Workbook
- Web Code: jdd-0206

---

## Pronunciación

### Consonants that change their sounds 🔊

jdd-0288

In Spanish, when the letter *c* combines with *a, o,* or *u* ("strong" vowels) it makes the sound of the letter *k*. Listen to and say these words:

expli**ca** bus**co** **cu**chillo ¿**Có**mo? ¿**Cu**ándo?

When *c* combines with *e* or *i* ("weak" vowels) it makes the sound of the letter *s*. Listen to and say these words:*

**ce**pillo **ci**encias cono**ce**s **ce**ntro de re**ci**claje

Practice saying these sentences:

Para mi cita con Carmen, voy a ponerme una corbata y un cinturón.

A Celia le gusta comer cacahuates cuando va al cine.

In Spanish, the letter *g* combined with *a, o,* or *u* ("strong" vowels) makes a hard *g* sound. Listen to and say these words:

**ga**nga lue**go** al**gún** al**go**dón yo**gur**

In words with the letters *e* or *i* ("weak" vowels), you need to add a *u* after the *g* to keep the hard *g* sound.

Listen to and say these words:

espa**gue**tis pa**gué** **gui**sante hambur**gue**sa

Practice saying these sentences:

Gasté mucho dinero en las gangas y pagué con cheque.

Compré un regalo para Guillermo: unos guantes de algodón.

Can you figure out the meaning of the following *refranes?*

Lo barato es caro
cuando no es necesario.

Peseta guardada,
dos veces ganada.

---

*In some parts of Spain, *c* before *e* and *i* is pronounced like the *th* in *think.*

This is discussed further in *Tema 6, Capítulo 6A, Pronunciación.*

# Lectura

Asistir al teatro siempre es un evento especial. Y estar en una producción puede ser aun más especial. Vamos a ver lo que dice un joven cantante.

## Estrategia

**Identifying the writer's attitude**
As you read the *Lectura*, look for phrases that help you understand how the writer feels about the event.

# El Teatro Colón: Entre bambalinas[1]

Pasar una noche en el Teatro Colón de Buenos Aires siempre es un evento especial y hoy es muy especial para mí. Vamos a presentar la ópera "La Traviata" y voy a cantar en el coro por primera vez. ¡Estoy muy nervioso! Pero, ¿qué me dices? ¿No conoces el Teatro Colón? Pues, es el teatro más importante de toda Argentina, quizás de toda América del Sur. Lleva más de 150 años ofreciendo espectáculos de ópera al público argentino y "La Traviata" fue la ópera que se presentó en la inauguración del teatro el 27 de abril de 1857. Por eso estamos todos muy entusiasmados.

[1]Behind the scenes

# AUDICIONES

**para jóvenes de 15 a 25 años de edad.**

Si quieres ser músico, cantante o bailarín, tienes talento, eres joven y vives en Buenos Aires, tienes la oportunidad de hacer tus sueños realidad. Preséntate en el Teatro Colón para la siguiente audición.

Los interesados pueden presentarse el jueves, 22 de agosto a las 10:00 de la mañana.

**Bajo el auspicio del Gobierno de la Ciudad de Buenos Aires**

¿Te gustaría saber cómo ser miembro de los grupos que se presentan aquí? La mejor manera es presentarte a una audición para la escuela del teatro. Se llama el Instituto Superior de Arte y funciona dentro del teatro. En el Instituto puedes estudiar canto, danza, dirección de orquesta y otras especialidades para la ópera. Si estudias en el Instituto, puedes llegar a ser miembro del coro o del cuerpo de baile. Para músicos con talento también está la Orquesta Académica del Teatro Colón. Esta orquesta está formada por jóvenes entre 15 y 25 años de edad. La orquesta hace sus presentaciones en el teatro o en las principales ciudades del país. Aquí en el teatro siempre buscan jóvenes con talento.

Si no te gusta actuar ni cantar, pero te encanta el teatro, puedes estudiar otra especialidad. Por ejemplo, si te gusta el arte, puedes aprender a hacer los escenarios. O si te interesa la tecnología, puedes estudiar la grabación o el video. En el teatro hay talleres[2] para todos los elementos de una presentación. Hay talleres para los decorados,[3] la ropa, los efectos especiales electromecánicos, la grabación y el video. Bueno, tengo que irme. ¡Ahora mismo empieza el "show" y tengo que ponerme el maquillaje! ¡Nos vemos!

[2]workshops   [3]scenery

## Fondo cultural

**El mundo hispano**

**Los grandes teatros** son parte de la cultura de muchas ciudades hispanohablantes: el Teatro Real de Madrid (1850), el Palacio de Bellas Artes de México, D.F. (1934), el Teatro Municipal de Santiago, Chile (1857), el Teatro Nacional de San José, Costa Rica (1897). Como el Teatro Colón de Buenos Aires, ofrecen al público conciertos, óperas, ballet y otros programas culturales.

• ¿Hay un teatro o institución en tu comunidad que da programas culturales? ¿Qué tipo de programas dan?

## ¿Comprendiste?

1. Según la información, ¿qué talento debes tener para participar en las audiciones? ¿Cuántos años debes tener?

2. ¿Por qué es importante el Teatro Colón?

3. Si tocas la trompeta, ¿en qué puedes participar en el Instituto?

4. Si no te gusta ni bailar ni cantar, ¿qué otras actividades puedes hacer en el teatro?

5. ¿Te gustaría ver una ópera? ¿Por qué?

6. ¿Hay presentaciones de teatro o de orquesta en tu escuela? ¿Participas en las presentaciones o te gusta verlas? ¿Por qué?

## Más práctica

- **Guided** Reading Support p. 69
- **Communication** Writing p. 34, Test Prep p. 221
- *Real.* **para hispanohablantes** pp. 62–63

**realidades.com**

- Internet Activity
- Leveled Workbook
- Web Code: jdd-0207

# La cultura en vivo
## Cómo hacer un poncho

El poncho es ropa típica del altiplano, una zona elevada y fría, situada entre Bolivia y el Perú. El poncho también se usa en la Argentina, Chile, Colombia, el Ecuador, Guatemala y México. Estos países tienen regiones montañosas y frías. El poncho protege[1] contra el frío y está hecho de materiales como lana de llama o de oveja que son animales de estos países.

En general hay dos clases de ponchos: los ponchos de trabajo que se llevan todos los días, y los ponchos de fiesta, que se llevan en las fiestas, celebraciones y eventos especiales. Los ponchos de fiesta tienen diseños[2] más complejos y, a veces, son de colores.

Dos indígenas peruanos del Cuzco con ponchos

Un indígena boliviano en un festival de agricultores

### Objetivo

Hacer un poncho

### Materiales

- una tela[3] como cobija[4] de aproximadamente 90 cm* por 120 cm
- tijeras
- hilo[5] y aguja de coser[6]
- pintura[7] para tela
- un pincel[8]

### Instrucciones

1 Para hacer la parte principal del poncho, dobla la tela en diagonal como en el dibujo para hacer un cuadrado. Corta la tela que no necesitas y guárdala. *(Figura 1)*

**Figura 1**

2 Haz un corte de unos 30 cm de largo para la cabeza. *(Figura 2)*

3 Corta un pedazo de la tela que no usaste, y cósela al poncho para hacer un bolsillo.[9] *(Figura 3)*

**Figura 2**

4 Decora el poncho con los colores, la mascota o el escudo de tu escuela. Si necesitas ideas, busca ejemplos de ponchos que usan los habitantes de los Andes.

*2.54 cm = 1 in

[1] protects   [2] designs   [3] cloth   [4] blanket   [5] thread   [6] sewing needle   [7] paint
[8] paintbrush   [9] pocket

**Figura 3**

# Presentación oral
## Un evento especial

### Task
You are an exchange student in Mexico. Your host family wants to know about special events in which you participate in your community. Show them photos of a typical special event you or your friends might attend.

**1 Prepare** Bring a photo from home or a picture from a magazine of a special event that high school students might attend. Think about the process of getting ready for this event. Answer the following questions for yourself or for others:

- ¿Qué tipo de evento es? ¿Qué ropa llevas?
- ¿Qué haces para prepararte?
- ¿Cómo estás? ¿Entusiasmado(a)? ¿Nervioso(a)? ¿Contento(a)?

You might want to take notes to help you remember what you want to say.

**2 Practice** Go through your presentation several times. Try to:

- provide as much information as you can about each point
- use complete sentences
- speak clearly

### Estrategia

**Taking notes**
When preparing for a presentation, it is often helpful to take notes. These notes can help you organize your thoughts. Using index cards with your notes can help keep you on track while giving your presentation.

#### Modelo

*Cuando voy a un concierto llevo ropa nueva pero no me gusta ponerme zapatos nuevos. Prefiero zapatos cómodos. Para prepararme me ducho, me peino, me pongo agua de colonia y me visto. Mis amigos y yo siempre estamos entusiasmados porque nos encanta escuchar música.*

**3 Present** Show your photo and give the information about the event.

**4 Evaluation** Your teacher may give you a rubric for how the presentation will be graded. You will probably be graded on:

- how complete your preparation is
- how much information you communicate
- how easy it is to understand you

realidades.com
- Speak & Record

# Preparación para . . .

**En busca de la verdad**

## Dolores Hidalgo

Bienvenidos a Dolores Hidalgo, otra ciudad visitada en el videomisterio. Está a unos 22 kilómetros al noreste de Guanajuato y tiene una población de 129,000 habitantes. Es una ciudad prominente porque allí, en la medianoche del 15 de septiembre del año 1810, el padre[1] Miguel Hidalgo y Costilla gritó:[2] "¡Viva México!". Con este histórico "Grito de la independencia", o "Grito de Dolores", empezó la independencia de México.

El Jardín de la Independencia es un lugar de gran atractivo en la ciudad de Dolores Hidalgo. El monumento principal de esta plaza es la estatua del famoso padre Hidalgo. En el jardín puedes disfrutar de[3] un agradable descanso. Si quieres, puedes probar[4] los helados tradicionales que se venden en el jardín, helados de variados y exóticos sabores como queso, aguacate, maíz y más.

◀ Este monumento honra a los héroes de la Guerra de la Independencia (1810–1821). Aproximadamente 600,000 personas murieron durante los 11 años de lucha contra España.

[1]priest  [2]shouted

[3]enjoy  [4]taste

△ La cerámica de Talavera es típica de Dolores Hidalgo. Muchas personas llegan a la ciudad para comprar esta cerámica de diseños originales y colores diferentes. En muchas casas de Dolores Hidalgo puedes ver a los artesanos trabajando con la cerámica en sus talleres[5].

## ¿Sabes que . . . ?

Cada año, el 15 y 16 de septiembre, los mexicanos celebran su independencia. En memoria del primer grito de Dolores, el presidente del país se para en el balcón del Palacio Nacional en la ciudad de México y grita tres veces "¡Viva México!".

## Para pensar

Generalmente hay ciudades, como Dolores Hidalgo, que tienen una importancia histórica por los hechos que pasaron allí. ¿Qué ciudad o ciudades de los Estados Unidos tienen importancia histórica por su participación en la independencia? ¿Qué pasó en estas ciudades?

[5] workshops

# Repaso del capítulo

## Vocabulario y gramática

jdd-0289

To prepare for the test, check to see if you . . .
- **know the new vocabulary and grammar**
- **can perform the tasks on p. 97**

### to talk about getting ready

| | |
|---|---|
| acostarse (o → ue) | to go to bed |
| afeitarse | to shave |
| arreglarse (el pelo) | to fix (one's hair) |
| bañarse | to take a bath |
| cepillarse (los dientes) | to brush (one's teeth) |
| cortarse el pelo | to cut one's hair |
| despertarse (e → ie) | to wake up |
| ducharse | to take a shower |
| levantarse | to get up |
| lavarse (la cara) | to wash (one's face) |
| pedir prestado, -a (a) | to borrow (from) |
| pintarse (las uñas) | to paint, to polish (one's nails) |
| ponerse | to put on |
| prepararse | to get ready |
| secarse | to dry |
| vestirse (e → i) | to get dressed |

### to talk about things you need to get ready

| | |
|---|---|
| el agua de colonia | cologne |
| el cepillo | brush |
| el cinturón, pl. los cinturones | belt |
| el desodorante | deodorant |
| la ducha | shower |
| el gel | gel |
| las joyas (de oro, de plata) | (gold, silver) jewelry |
| los labios | lips |
| el maquillaje | make-up |
| el peine | comb |
| el pelo | hair |
| el salón de belleza, pl. los salones de belleza | beauty salon |
| el secador | blow dryer |
| la toalla | towel |
| las uñas | nails |

For *Vocabulario adicional,* see pp. 498–499.

### to talk about a special event

| | |
|---|---|
| la audición, pl. las audiciones | audition |
| la boda | wedding |
| la cita | date |
| el concurso | contest |
| un evento especial | special event |

### to talk about how you feel

| | |
|---|---|
| entusiasmado, -a | excited |
| nervioso, -a | nervous |
| tranquilo, -a | calm |

### other useful words and expressions

| | |
|---|---|
| antes de | before |
| cómodo, -a | comfortable |
| depende | it depends |
| elegante | elegant |
| lentamente | slowly |
| luego | then |
| por ejemplo | for example |
| rápidamente | quickly |
| te ves (bien) | you look (good) |

### reflexive verbs

| me acuesto | nos acostamos |
|---|---|
| te acuestas | os acostáis |
| se acuesta | se acuestan |

### ser *to be*

| soy | somos |
|---|---|
| eres | sois |
| es | son |

### estar *to be*

| estoy | estamos |
|---|---|
| estás | estáis |
| está | están |

### possessive adjectives

| mío, -a, -os, -as | nuestro, -a, -os, -as |
|---|---|
| tuyo, -a, -os, -as | vuestro, -a, -os, -as |
| suyo, -a, -os, -as | suyo, -a, -os, -as |

## Más práctica

- **Core** Puzzle p. 36, Organizer p. 37
- **Communication** Integrated Performance Assessment p. 222

**realidades.com** ▼
- Tutorial
- Flashcards
- Puzzles
- Self-test
- Web Code: jdd-0208

# Preparación para el examen

| On the exam you will be asked to . . . | Here are practice tasks similar to those you will find on the exam . . . | If you need review . . . |
|---|---|---|

## Interpretive

jdd-0289

**1 Escuchar** Listen and understand as teenagers talk about what they do on the weekend versus during the school week

Everyone does things a little differently on the weekend. Most people sleep later, dress more casually, and do things they don't have time to do during the week. As you listen to each person, decide whether you think they are talking about the weekend or a weekday. Be prepared to explain why you made your choice.

**pp. 74–77** *Vocabulario en contexto*
**p. 78** Actividad 5
**p. 82** Actividad 12

## Interpersonal

**2 Hablar** Talk about your daily routine

Your parents have given you permission to go on the Spanish Club trip to Mexico this summer in which the boys share rooms and the girls share rooms. You want to share a room with a friend who wants to know if you have the same morning routine. Describe your typical routine to your friend.

**p. 78** Actividad 5
**p. 79** Actividad 7
**p. 82** Actividades 12–13
**p. 83** Actividad 15
**p. 84** Actividades 16–17

## Interpretive

**3 Leer** Read and understand statements people make about typical and "not-so-typical" daily routines

Read the following statements from an online survey about people's morning routines. In your opinion, which ones would describe a typical daily routine? Which ones would be very unusual?

(a) Antes de bañarme, me pongo el maquillaje.
(b) Después de ponerme el desodorante, me ducho.
(c) Antes de lavarme el pelo, me seco con una toalla.
(d) Antes de arreglarme el pelo, me ducho.

**pp. 74–77** *Vocabulario en contexto*
**p. 80** Actividad 8
**p. 83** Actividad 14
**p. 85** Actividad 18
**pp. 90–91** *Lectura*

## Presentational

**4 Escribir** Write briefly about a special event that you look forward to each year

Everyone looks forward to special events during the year. Your teacher asks you to write about one of them. After writing a brief description, exchange your paragraph with a partner to see if he or she can guess what type of event it is. You might include: (a) the time of year that the event occurs; (b) how you usually feel the days before the event; (c) how you usually dress for the event. Give as many clues as you can.

**p. 78** Actividades 4–5
**p. 84** Actividad 17
**p. 86** Actividad 19

## Cultures

**5 Pensar** Demonstrate an understanding of the living conditions of the indigenous people of the *altiplano* in the Andes

You may have worn a *poncho* during a rainy football game or while camping. Explain where *ponchos* originated, how they are made, and why they are necessary for the people of that region.

**p. 92** *La cultura en vivo*

# Vocabulario `Repaso`

**¿Qué vas a hacer?**

buscar
comprar
ir de compras
pagar
vender

**¿Adónde vas?**

el almacén,
   *pl.* los almacenes
el centro comercial
la joyería
la librería
la tienda de descuentos
la tienda de
   electrodomésticos
la tienda de ropa
la zapatería

**¿Qué vas a
comprar?**

unos anteojos de sol
un bolso
una cartera
un disco compacto
un llavero
un regalo
el software
un videojuego

**¿De qué color es?**

amarillo, -a
anaranjado, -a
azul
blanco, -a
gris
marrón, *pl.* marrones
morado, -a
negro, -a
rojo, -a
rosado, -a
verde

**¿Cómo es?**

barato, -a
bonito, -a
caro, -a
feo, -a
grande
nuevo, -a
pequeño, -a
viejo, -a

---

**1** ¿Qué compras?

**Escribir • Hablar**

**1** Escribe tres frases para decir a qué tienda vas y qué compras. Incluye dos adjetivos para describir las cosas que compras.

| Modelo |
| --- |

*Voy a la joyería para comprar unos aretes rojos muy elegantes.*

**2** Usa las frases del Paso 1. Habla con otro(a) estudiante y trata de adivinar *(try to guess)* qué va a comprar.

| Modelo |
| --- |

**A** —*¿Adónde vas de compras?*
**B** —*Voy a la joyería.*
**A** —*¿Qué vas a comprar?*
**B** —*Algo rojo y elegante.*
**A** —*¿Compras un collar?*
**B** —*No, compro unos aretes.*

# Gramática (Repaso)

## Cardinal numbers

| | | |
|---|---|---|
| 10 diez | 90 noventa | 800 ochocientos, -as |
| 20 veinte | 100 ciento (cien) | 900 novecientos, -as |
| 30 treinta | 200 doscientos, -as | 1,000 mil |
| 40 cuarenta | 300 trescientos, -as | 2,000 dos mil |
| 50 cincuenta | 400 cuatrocientos, -as | 100,000 cien mil |
| 60 sesenta | 500 quinientos, -as | 200,000 doscientos, -as mil |
| 70 setenta | 600 seiscientos, -as | |
| 80 ochenta | 700 setecientos, -as | |

*Un* is not used before *cien*, *ciento*, and *mil*.

| **cien** personas | *a hundred* people |
|---|---|
| **mil** pesos | *one thousand* pesos |

*Un/una* and numbers ending in *-cientos /-cientas* agree in gender with the nouns that follow them.

Hay **treinta y un** videojuegos en la mesa.
Esta librería tiene más de **quinientas** revistas.

- To give the date in Spanish, use:

  **el** + *cardinal number* + **de** + *month*

  **el** veinte **de** enero

- The year is always given using complete numbers:

  mil novecientos ochenta y cuatro

## 2 ¿Cuánto cuestan?

**Hablar**

Tienes que hacer un proyecto para tu clase de economía. Con otro(a) estudiante, habla de cuántos pesos cuesta cada producto en un centro comercial en la Ciudad de México.

1. un bolso de cuero (515)
2. una cartera (325)
3. unos pantalones (250)
4. un disco compacto (179)
5. una camisa de seda (399)
6. un collar de oro (1,200)
7. una revista (35)

## Más práctica

- Guided p. 71
- Core pp. 38–39
- *Real.* para hispanohablantes p. 70

- Leveled Workbook
- Web Code: jdd-0211

## 3 ¿Cuándo fue?

**Hablar**

Pregunta a otro(a) estudiante cuándo ocurrieron los siguientes eventos importantes.

**Modelo**

el Día de la Independencia en los Estados Unidos
A —¿*Cuándo fue el Día de la Independencia en los Estados Unidos?*
B — *Fue el cuatro de julio de mil setecientos setenta y seis.*

1. el primer día de clases este año
2. el año del primer viaje de Cristóbal Colón
3. el año del viaje de los peregrinos *(Pilgrims)*
4. el año del primer viaje a la Luna
5. el fin de la Segunda Guerra Mundial

## Fondo cultural

España

**La Infanta Margarita de Austria** Los reyes de España prometieron en matrimonio *(promised in marriage)* a su hija, Margarita, a su primo Leopoldo, quien luego fue emperador de Austria. Como *(Since)* Margarita y su primo no vivían *(lived)* en la misma ciudad, los reyes mandaron muchos cuadros de ella a la corte de Viena para que la familia real pudiera verla *(could see her).* En este cuadro, Margarita tiene aproximadamente nueve años.

• ¿Qué tipo de ropa llevas tú para fotos importantes? ¿Y a quién envías estas fotos?

"La Infanta Margarita Teresa" (1659), Diego Velázquez ▶

Oil on canvas, 120.5 x 94.5. Kunsthistorisches Museum, Vienna, Austria. Courtesy The Bridgeman Art Library International Ltd.

De compras en Barcelona, España

# ¿Qué ropa compraste?

## Chapter Objectives

- Describe clothing and fashion
- Talk about going shopping
- Describe events in the past
- Point out specific objects
- Avoid repetition when comparing similar things
- Understand cultural perspectives on parties

### Video Highlights

**Videocultura:** *Un evento especial*
**A primera vista:** *Buscando una ganga*
**GramActiva Videos:** preterite of regular verbs; demonstrative adjectives

### Country Connection

As you learn to talk about shopping for clothing, you will make connections to these countries and places:

### Más práctica

- *Real.* para hispanohablantes pp. 70–71

**realidades.com** ✔

- Fondo cultural Activity
- Video Activities
- Online Atlas
- Web Code: jde-0002

# Vocabulario en contexto

jdd-0297

la entrada

la salida

ENTRADA

ZAPATOS

SALIDA

LIQUIDACIÓN de verano ¡Descuento del 70%!

LIQUIDACIÓN de verano ¡Descuento del 50%!

los colores **vivos**

los colores **pastel**

azul **oscuro**

azul **claro**

—Mira, Lupita. **Aquellas** blusas tienen un descuento del 50 por ciento. ¡Me encanta ir de compras cuando hay **una liquidación!**

—¡Es **una ganga!** Pero no me gustan los colores **tan** vivos.

—¡No importa! **Están de moda.** Con **precios** tan **bajos,** voy a **probarme** dos o tres.

—Y mira **aquellos** bolsos en la mesa. **El letrero anuncia** un descuento del 70 por ciento. ¡Vamos!

## Más vocabulario

**el cheque de viajero** traveler's check
**el cupón de regalo** gift certificate
**la lana** wool
**el número** shoe size
**la seda** silk

la caja

la cajera

—Es una buena **marca.** Y **encontré** mi **talla, mediana.**

—**En realidad,** no necesito estos bolsos. Pero me gusta **el estilo** y no cuestan mucho.

—Tienes razón. Y pueden ser regalos para tus amigas. Vamos a la caja para pagar.

—¿Por qué siempre pagas **en efectivo?**

—Porque no me gusta usar ni mi **tarjeta de crédito** ni **un cheque personal.**

—Yo estoy contenta. No **gasté** mucho. Con esta liquidación los precios no están muy **altos.** Compré esta blusa pero, ¿no piensas que es un poco **exagerada? ¿Qué te parece?**

—**Me parece** muy bien. Y pagaste muy poco por todas las blusas.

**1 ¿Dónde está?** 🔊 jdd-0297

**Escuchar**

Imagina que estás en la tienda de las páginas 102–103. Mira los dibujos y escucha las siguientes frases. Señala lo que escuchas.

**2 ¿Cierto o falso?** 🔊 jdd-0297

**Escuchar**

Escucha las siguientes frases que describen a Lupita y a su amiga. Si la frase es cierta, señala con el pulgar hacia arriba y si la frase es falsa, señala con el pulgar hacia abajo.

### Más práctica

- **Guided** Vocab. Flash Cards pp. 72–78
- **Core** Vocab. Practice pp. 40–41
- **Communication** Writing p. 42
- *Real.* **para hispanohablantes** p. 72

**realidades.com** ✓

- Audio Activities
- Leveled Workbook
- Flashcards
- Web Code: jdd-0212

# Buscando una ganga

¿Qué pasó cuando Gloria
fue de compras con Raúl
y Tomás?

### Estrategia

**Scanning**
By scanning the photos from the
*Videohistoria* and the accompanying
text, can you figure out who buys
what?

**1** **Gloria:** ¡Mira **aquel** letrero!

**Tomás:** A ver . . . ¿qué
anuncia?

**Gloria:** ¡Una liquidación
fabulosa! ¿Qué les parece?
¿Vamos a ver qué tienen?

**Raúl:** No **me importa,** pero
creo que los precios aquí
siempre son altos.

**5** **Gloria:** Aquí, encontré mi
talla.

**Tomás:** ¿Usas mediana? Es
bonita. **¿De qué está
hecha?**

**Gloria:** **Está hecha de
algodón.** ¿Qué te parece?

**Raúl:** No me parece mal. Y
el algodón es mejor que **las
telas sintéticas.**

**6** **Gloria:** ¿Cuál **escojo?**
¿Ésta o la blusa **de sólo
un color?**

**Raúl:** No me importa.
Compra algo
**inmediatamente** y ¡vamos!

**Gloria:** ¡Qué impaciente
eres! ¿Por qué no van a
mirar otras cosas mientras
yo me pruebo las blusas?

**7** **Gloria:** Quiero comprarme
esta blusa.

**La dependienta:** Muy
bien, señorita. ¿Cómo va a
pagar?

**Gloria:** En efectivo. Aquí
está.

**2 Gloria:** Compré esta blusa aquí **recientemente.** Me gusta porque me queda un poco **floja.** No me gusta la ropa **apretada.**

**Raúl:** Mira, no tengo dinero. ¿Cuánto tiempo pasamos aquí?

**Gloria:** No importa. Yo tengo dinero.

**Tomás:** ¿Hay **un mercado** cerca de aquí? Me gustaría visitar uno.

**3 Raúl:** Siempre hay buenas gangas aquí en el mercado.

**Tomás:** Sí, hay mucho que puedes comprar aquí. Por eso me gusta ir de compras en el mercado.

**4 Gloria:** ¡Mira aquellas blusas! ¡Qué estilo tan bonito tienen! ¡Y los colores son tan vivos!

**Raúl:** Gloria, por favor, ¿otra blusa?

**8 Raúl:** Estas chaquetas **de cuero** son fabulosas. ¿Cuál te gusta más?

**Tomás:** Te ves muy bien.

**Gloria:** ¿Y no tienes dinero?

**3 ¿Comprendiste?**

**Escribir • Hablar**

1. ¿Qué anuncia el letrero que ve Gloria?
2. ¿Por qué no quiere Raúl pasar mucho tiempo en la tienda?
3. ¿Adónde van los tres jóvenes para buscar gangas?
4. ¿Qué encuentra Gloria en el mercado?
5. ¿Cómo es la ropa que compra Gloria?
6. ¿Cómo paga Gloria?
7. ¿Qué tipo de ropa se prueba Raúl?

**Más práctica**

- **Guided** Vocab. Check pp. 79–82
- **Core** Vocab. Practice pp. 42–43
- **Communication** Video pp. 35–37
- *Real.* **para hispanohablantes** p. 73

**realidades.com** ▼

- Audio Activities
- Video Activities
- Leveled Workbook
- Flashcards
- Web Code: jdd-0213

# Vocabulario en uso

## 4 ¿Quién es?  jdd-0298

**Escuchar • Escribir • Hablar**

**1** En una hoja de papel, escribe los números del 1 al 5. Después escucha los comentarios sobre la ropa y la moda. Escribe las frases que oyes.

**2** Ahora lee los comentarios que escribiste y, según el dibujo, decide si habla Santiago o Timoteo. Escribe *Santiago* o *Timoteo* en tu papel.

**3** Lee otra vez las frases sobre Timoteo y Santiago. Escoge tres y da tus opiniones. Explica por qué estás de acuerdo o no. Lee tus frases a otro(a) estudiante.

### Modelo

No me importan los precios altos si la ropa está de moda.
*Estoy de acuerdo. Para mí, la marca de la ropa es más importante que el precio.*

## 5 ¿Cierta o falsa?

**Escribir • Hablar**

Escribe seis frases para describir lo que hacen Santiago y Timoteo. Usa las palabras del recuadro. Algunas frases deben ser ciertas y otras, falsas. Lee tus frases a otro(a) estudiante. Tu compañero(a) va a decir si la frase es cierta o falsa y cambiarla si es falsa para dar la información correcta.

### Modelo

A —*Timoteo lleva ropa a la caja.*
B —*Falso. Santiago lleva ropa a la caja.*

| | |
|---|---|
| color oscuro | el cajero |
| color claro | la talla |
| la salida | el descuento |
| la caja | la entrada |

## 6 Muchos descuentos

**Leer • Escribir**

Lee el mensaje electrónico que
Dolores le escribe a su amiga Marta
sobre una oportunidad fantástica.
Escribe la palabra apropiada para
completar cada frase.

---

Marta:

Acabo de ver un letrero en la __1.__ *(marca / entrada)* del almacén
Gutiérrez que __2.__ *(anuncia / se prueba)* una __3.__ *(salida / liquidación)*
de toda su ropa de verano. ¿Quieres ir conmigo mañana? Vamos a
__4.__ *(encontrar / gastar)* muchas gangas porque todo está __5.__ *(en
liquidación / de moda):* los pantalones cortos, las camisetas, los trajes de
baño, ¡todo! Y, con precios tan __6.__ *(altos / bajos),* podemos comprar
muchas cosas sin __7.__ *(escoger / gastar)* mucho dinero. Escríbeme
__8.__ *(inmediatamente / recientemente)* si puedes ir conmigo.

Dolores

---

## 7 ¿Qué compran y cómo pagan?

**Escribir • Hablar**

**1** Copia y completa la tabla para indicar qué
compran las diferentes personas que
conoces y cómo pagan.

| ¿Quién? | ¿Qué? | ¿Cómo? |
|---|---|---|
| mis hermanos | discos compactos | tarjeta de crédito |
| mi mamá (o papá) | | |
| yo | | |
| mis amigos | | |
| (nombre) y yo | | |
| mi mejor amigo(a) | | |

**2** Trabaja con otro(a) estudiante y describe
lo que compra alguien de tu tabla. Tu
compañero(a) debe tratar de adivinar
*(try to guess)* cómo paga la persona.

**Modelo**

**A** —*Mis hermanos compran discos
compactos.*

**B** —*¿Pagan ellos en efectivo?*

**A** —*No, pagan con una tarjeta de crédito.*

## 8 Muchos detalles

**Dibujar · Escribir · Hablar**

**1** Dibuja una persona completa con diferentes prendas *(articles)* de ropa. Usa diferentes colores en tu dibujo. En una hoja de papel, escribe una descripción de la ropa de la persona. Puedes incluir información sobre:

- los colores
- el estilo
- la talla y el número
- de qué está hecha la ropa
- dónde lo compró

Tu descripción debe tener un mínimo de cuatro frases.

| Modelo |

*Esta persona usa ropa bastante exagerada. Sus pantalones son flojos y su camiseta de seda es de un color verde vivo. Su gorra roja está hecha de lana. Lleva zapatos rojos del número 11.*

**2** Trabaja con un grupo de tres estudiantes. Lee tu descripción dos veces en voz alta *(aloud)*. Tus compañeros tienen que dibujar una persona según tu descripción. Deben recordar los detalles *(remember the details)* de tu descripción sin escribir lo que dices. Después van a repetir la descripción completa.

## 9 La moda

**Hablar**

Con otro(a) estudiante, habla de las chaquetas de la foto.

1. ¿Cómo es el estilo de estas chaquetas? ¿De qué color son las chaquetas? ¿Son de color oscuro, claro o vivo?

2. ¿De qué están hechas las chaquetas? ¿Cuánto cuestan? ¿Es un buen precio?

3. ¿Crees que las chaquetas son para llevar a eventos especiales o para todos los días? Imagina que compraste una de estas chaquetas. ¿Adónde y cuándo vas a llevarla?

ÚLTIMA MODA

Chaquetas para hombre y mujer

**Visítenos** $199

de lunes a viernes, 9 A.M.–6 P.M.

Sobre Rt. 28 (al lado del Videocentro) Lawrence, MA

## Fondo cultural

**El mundo hispano**

**¡No sé qué talla uso!** Si algún día vas de compras en un país hispanohablante, debes saber que tanto la ropa como los zapatos tienen diferentes tallas. Un vestido de la talla 12, por ejemplo, puede ser 46 en España. Además, entre países, a veces las tallas son diferentes. Por ejemplo, un zapato de hombres de $9\frac{1}{2}$ es aproximadamente el 43 en España y el 27 en México. Hay sitios Web que dan las conversiones y algunas tiendas también ofrecen tablas de conversión. En España, para calcular el número de zapatos de mujer, generalmente añades *(you add)* 30, y para los de hombres añades 33.5.

• ¿Aproximadamente, qué número de zapato calzas *(do you wear)* en España?

---

**10** ¿En qué puedo servirle?

**Hablar**

Estás de compras en una zapatería en España. Necesitas comprar un par de zapatos para llevar a un evento especial y otro para usar todos los días. Pídale al dependiente (a la dependienta) lo que prefieres, indicando tu número y el color de los zapatos. Trabaja con otro(a) estudiante.

**Modelo**

A —*¿En qué puedo servirle?*
B —*Necesito comprar un par de zapatos para una fiesta.*
A —*¿De qué número y color?*
B —*Soy del número . . . y prefiero zapatos de color . . .*

---

**11** Juego

**Hablar**

Describe a otro(a) estudiante la ropa de cinco estudiantes de tu clase sin decir los nombres. Menciona el color, el estilo y de qué material está hecha toda la ropa que llevan los chicos. Tu compañero(a) tiene que adivinar *(guess)* a quién describes. Por cada persona que tu compañero(a) adivina correctamente, tú recibes un punto.

**Modelo**

*Lleva una camisa azul de tela sintética y unos pantalones cortos blancos de algodón. ¿Quién es?*

**12** Y tú, ¿qué dices?

**Escribir • Hablar**

1. ¿Qué colores de ropa te gusta usar? ¿Prefieres los colores claros o los oscuros? ¿Generalmente usas ropa de colores pastel o colores vivos?

2. ¿Qué ropa está de moda ahora? ¿Los estilos que están de moda te parecen exagerados o sencillos? ¿Qué marcas son más populares entre los jóvenes?

3. ¿En qué almacén o tienda puedes encontrar gangas? ¿Los precios allí siempre son bajos o sólo cuando hay una liquidación?

4. ¿Vas mucho de compras? ¿Qué compras? ¿Cómo pagas generalmente?

# Gramática Repaso

## Preterite of regular verbs

To talk about actions that were completed in the past, use the preterite tense. To form the preterite tense of a regular verb, add the preterite endings to the stem of the verb.

| (yo) | miré aprendí escribí | (nosotros) (nosotras) | miramos aprendimos escribimos |
|------|------|------|------|
| (tú) | miraste aprendiste escribiste | (vosotros) (vosotras) | mirasteis aprendisteis escribisteis |
| Ud. (él) (ella) | miró aprendió escribió | Uds. (ellos) (ellas) | miraron aprendieron escribieron |

Note that -ar and -er verbs that have a stem change in the present tense do not have a stem change in the preterite.

Generalmente **me pruebo** la ropa antes de comprarla, pero ayer no **me probé** los pantalones que compré.

Ver has regular preterite endings, but unlike those of other verbs, they have no written accent marks.

Anoche, David **vio** una camisa que le gustó mucho.

• Verbs that end in -car, -gar, and -zar have a spelling change in the yo form of the preterite.

| buscar | c → qu | yo busqué |
|--------|--------|-----------|
| pagar | g → gu | yo pagué |
| almorzar | z → c | yo almorcé |

¿**Pagaste** mucho por tu suéter nuevo?

No, no **pagué** mucho. Lo encontré en una liquidación.

### GramActiva VIDEO

Want more help with the preterite of regular verbs? Watch the **GramActiva** video.

aprendí

---

## 13 ¡Gracias por el regalo!

**Leer • Escribir**

Elena está escribiendo una carta a su abuela. Escribe la forma apropiada del pretérito del verbo entre paréntesis para cada frase.

Querida abuelita:

Hace tres días, yo __1.__ (recibir) el cupón de regalo que tú me __2.__ (enviar). ¡Muchas gracias! Yo __3.__ (decidir) comprarme ropa nueva. Fui de compras con mis amigas al centro comercial, pero nosotras no __4.__ (encontrar) buenas gangas. Por eso, __5.__ (tomar) el autobús al mercado. Allí, yo __6.__ (escoger) unos pantalones de cuero. ¡Están muy de moda! Mi amiga Sonia __7.__ (comprar) unos aretes que __8.__ (ver) porque le __9.__ (gustar) mucho. Cuando yo __10.__ (llegar) a casa, me __11.__ (probar) los pantalones. Son perfectos. ¡Muchísimas gracias, abuelita!

Besitos,

Elena

## 14 ¿Qué compraron?

**Hablar**

Habla con otro(a) estudiante de lo que hicieron estas personas en el almacén.

**Modelo**

tú / encontrar
**A** —*¿Qué encontraste en el almacén?*
**B** —*Encontré un suéter de color oscuro.*

**Estudiante A**

1. las chicas / probarse
2. tú / comprar
3. Uds. / ver
4. Felipe / buscar
5. la madre de la novia / mirar
6. Marta / usar para pagar
7. Pedro y Félix / escoger

**Estudiante B**

## 15 La última vez

**Escribir • Hablar**

**1** ¿Cuándo fue la última vez *(last time)* que alguien que tú conoces hizo estas actividades? Puede ser tú, alguien de tu familia, un(a) amigo(a) o tú y tus amigos. Usa las expresiones del recuadro para contestar. Escribe tus respuestas.

| esta mañana | el mes pasado |
|---|---|
| anoche | el año pasado |
| ayer | hace + dos semanas, |
| la semana pasada | un mes . . . |

**Modelo**

comer en un restaurante
*Anoche mis amigos y yo comimos en un restaurante.*

1. comprar un regalo
2. preparar la comida
3. ver una película a las dos de la tarde
4. escribir una carta por correo electrónico
5. decorar para una fiesta
6. beber un refresco
7. salir para una fiesta
8. despertarse a las diez de la mañana

**2** Ahora habla con otro(a) estudiante para comparar tu lista con su lista.

**3** Escribe cuatro frases para comparar lo que dijeron *(said)* los (las) dos.

**Modelo**

*Anoche comí en un restaurante, pero Jorge comió en casa.*

## 16 Muchas actividades

**Escribir • Hablar**

Escribe una frase para indicar si hiciste o no cada una de las actividades de la lista. Después habla con otro(a) estudiante para saber si hizo estas actividades recientemente.

**Modelo**

practicar deportes

**A** —¿Practicaste deportes hoy?
**B** —Sí, practiqué deportes hoy.
**o:** —No, no practiqué deportes hoy.

1. llegar temprano a la escuela
2. tocar un instrumento musical
3. empezar a leer una novela
4. almorzar con tu mejor amigo(a)
5. jugar al ajedrez o practicar un deporte
6. navegar en la Red
7. buscar un regalo para alguien

## 17 ¿Qué llevaste?

**Hablar**

Trae una foto en que estás vestido(a) para un evento especial, o una foto de un(a) modelo de una revista. Con otro(a) estudiante, describe la ropa de la foto. Incluye el color, la tela y el estilo. Explica cuándo y dónde compraste la ropa, cómo pagaste y adónde fuiste vestido(a) así. Si traes una foto de una revista, usa tu imaginación para contestar las preguntas.

**Modelo**

**A** —Estoy vestido(a) para una fiesta. Llevo una camisa amarilla y pantalones marrones. La camisa está hecha de algodón y los pantalones están hechos de lana.
**B** —¿Dónde compraste la ropa?
**A** —La compré en . . . y pagué con . . .

## 18 Los textiles y el cuero

**Leer • Pensar • Escribir • Hablar**

La lana, el algodón y el cuero son productos que los indígenas de las Américas usaban *(used)* antes de la llegada de los españoles. Lee la línea cronológica *(timeline)* sobre estos productos y contesta las preguntas.

**Conexiones | La historia**

**1000**
En las Américas, los indígenas precolombinos usan el telar[1]. Usan algodón y otras fibras para hacer sus telas y vestidos.

**1500**
Los españoles traen caballos a las Américas. Luego traen ovejas[2] y vacas[3]. Los indígenas incorporan la lana de oveja en sus telas tradicionales.

**1638**
Se establece la primera fábrica[4] de tela en Lowell, Massachusetts.

[1]loom  [2]sheep  [3]cows  [4]factory

## Exploración del lenguaje

### Origins of words from Arabic

In Spanish, words that came from Arabic often begin with the letters *al.* In Arabic, *al* means "the." Translate the following sentences, noting the words in bold borrowed from Arabic.

1. Cuando voy al **almacén** voy a comprar una **alfombra** de **algodón**.

2. También voy a comprar **azúcar**, **naranjas** y **aceitunas**.

El Patio de los Leones de La Alhambra, en Granada, España

### Más práctica

- **Guided** Gram. Practice pp. 83–84
- **Core** Gram. Practice p. 44
- **Communication** Writing p. 43, Test Prep p. 223
- *Real.* para hispanohablantes pp. 74–75

**realidades.com**

- Audio Activities
- Video Activities
- Speak & Record
- Canción de hip hop
- Tutorial
- Leveled Workbook
- Web Code: jdd-0214

**1793**
Eli Whitney inventa la desmotadora de algodón[6] y revoluciona la industria del algodón en los Estados Unidos.

**Siglo XX**
Los métodos científicos, la electrónica y las computadoras permiten el desarrollo[8] de las telas sintéticas.

**1760–1815**
Los avances mecánicos e inventos de la Revolución Industrial aumentan[5] la producción y bajan los precios.

**1900**
Argentina y Brasil son grandes productores mundiales[7] de textiles y cuero.

1. ¿Qué cosa usaron los indígenas precolombinos para hacer sus telas? ¿De qué estaban *(were)* hechas?

2. ¿Cuándo empezaron a usar los indígenas la lana de oveja en sus telas tradicionales? ¿De dónde vino esta lana?

3. ¿Quién inventó la desmotadora de algodón? ¿Cómo cambió *(changed)* esta invención la industria del algodón?

[5]increase  [6]cotton gin  [7]worldwide  [8]development

# Gramática

### ¿Recuerdas?

Do you remember this rhyme about the two demonstrative adjectives *este* and *ese*?

*This* and *these* both have *t's*. *That* and *those* don't.

## Demonstrative adjectives

To point out something or someone that is far from both you and the person you are speaking to, you use a form of *aquel,* which means "that one over there."

Here's a chart that compares the three demonstrative adjectives and their meanings.

| Singular | | Plural | |
|---|---|---|---|
| este, esta | *this* | estos, estas | *these* |
| ese, esa | *that* | esos, esas | *those* |
| aquel, aquella | *that one over there* | aquellos, aquellas | *those over there* |

All demonstrative adjectives come before the noun and agree with the noun in gender (masculine or feminine) and number (singular or plural).

**GramActiva** VIDEO

Want more help with demonstrative adjectives? Watch the **GramActiva** video.

aquel, aquella

---

### 19 ¿Esta corbata o aquella corbata?

**Leer • Escribir**

Marta y su hermano, Asís, necesitan comprar un regalo para su padre, pero nunca están de acuerdo. Completa su conversación con la forma apropiada de *aquel.*

**Marta:** A mí me gusta __1.__ gorra roja.

**Asís:** A mí no. Prefiero comprarle __2.__ disco compacto de Shakira.

**Marta:** ¡Asís! ¡El regalo es para papá! ¿Qué te parece __3.__ camisa azul?

**Asís:** Quizás, pero me gusta más __4.__ camisa roja.

**Marta:** ¿Qué piensas de __5.__ pantalones amarillos?

**Asís:** ¿Estás loca? Nuestro padre no juega al golf.

**Marta:** Bueno, ¿y __6.__ corbatas? Desde aquí veo dos que combinan con la camisa roja.

**Asís:** ¡Perfecto! Las compramos.

### 20 Escucha y escribe 🔊

jdd-0298

**Escuchar • Escribir**

En una hoja de papel, escribe los números del 1 al 8. Escucha y escribe las frases. Luego indica si el objeto de la frase está al lado de, cerca de o lejos de la persona que habla.

---

**21**  **¿Qué te parece?**

**Hablar**

Imagina que estás en el mercado Ipiales en Quito. Habla con otro(a) estudiante de la ropa que venden. ¿Qué te gustaría comprar?

El mercado Ipiales en Quito, Ecuador

| Modelo |

**A** —¿Qué te parece aquel suéter de colores vivos?
**B** —Aquel suéter es muy feo. No me gusta.
**o:**
**A** —¿Te gustan estas camisas blancas?
**B** —No, prefiero aquellas camisas de colores.

**22**  **Juego**

**Hablar**

**1** Busca cinco objetos en la sala de clases. Unos deben estar cerca de ti, otros deben estar más lejos. Piensa en cómo puedes describirlos sin mencionar su nombre.

**2** Ahora, con un grupo de tres o cuatro, describe tus objetos. Las otras personas del grupo tienen que adivinar el objeto que estás describiendo. La primera persona que identifica correctamente el objeto, y que usa el adjetivo demostrativo apropiado, recibe un punto.

| Modelo |

**A** —Es azul y negro. Es muy importante llevarlo a la clase. Lo usas para escribir.
**B** —Este bolígrafo.
**A** —No. Casi. Está lejos de mí.
**B** —Es aquel bolígrafo de Laura.
**A** —Sí. Recibes un punto.

## El español en el mundo del trabajo

Hoy en día, los negocios (businesses) quieren atraer (attract) a más clientes hispanohablantes, porque es el sector más creciente (growing) de la población. Para los hispanohablantes es importante poder comunicarse en español cuando hacen compras o abren cuentas en un banco. Por eso, las tiendas, los bancos y otros negocios emplean a personas bilingües que hablan español e inglés.

- ¿Cuáles son las tiendas o negocios en tu comunidad con empleados bilingües? ¿Por qué es importante tener empleados bilingües?

### Más práctica

- **Guided** Gram. Practice pp. 85–86
- **Core** Gram. Practice p. 45
- **Communication** Writing p. 44
- **Real. para hispanohablantes** pp. 78–79

**realidades.com** ✓
- Audio Activities
- Video Activities
- Speak & Record
- Tutorial
- Leveled Workbook
- Web Code: jdd-0215

# Gramática

## Using adjectives as nouns

When you are comparing two similar things, you can avoid repetition by dropping the noun and using an article with an adjective:

¿Cuál prefieres, la sudadera apretada o **la floja?**

Which do you prefer, the tight sweatshirt or **the loose one?**

Prefiero **la floja.**

I prefer **the loose one.**

You can also do this with expressions that use *de:*

¿Compraste una chaqueta de lana o **una de cuero?**

Did you buy a wool jacket or **a leather one?**

¿Prefieres el abrigo de Paco o **el de Juan?**

Do you prefer Paco's coat or **Juan's?**

---

**23** **¿Qué te parece?**

**Hablar**

Vas de compras con tu mejor amigo(a) que siempre tiene una opinión. Él / Ella te dice lo que prefiere.

### Nota

*Me parece(n)* functions like *me gusta(n)* with singular and plural objects.

• **El** roj**o** me parece bonit**o.**

• **Los** azul**es** me parec**en** fe**os.**

### Modelo

A —*¿Prefieres el vestido rojo o el azul?*
B —*El rojo me parece feo. Prefiero el azul.*

**Estudiante A**

**Estudiante B**

Me parece(n) . . .
Prefiero . . .

**¡Respuesta personal!**

## 24 Un desfile de modas

**Pensar • Hablar • Escribir**

**1** Vas a participar en un desfile de moda *(fashion show)* en tu clase. Con un grupo, tienen que decidir qué ropa va a llevar cada persona. Escriban una lista de posibilidades. Usen una tabla como ésta para organizar sus ideas:

| Para un evento especial | Para todos los días |
|---|---|
| un vestido o traje elegante, color blanco | unos jeans con una sudadera roja |

Un conjunto del diseñador Narciso Rodríguez

**2** Usen la tabla y escriban una descripción de la ropa que va a presentar cada "modelo" en su grupo. Pueden incluir el lugar donde venden la ropa y los precios. Mientras los modelos desfilan *(model)* la ropa, un miembro del grupo va a describirla a la clase.

### Modelo

*Hoy Elena lleva una camisa elegante y una falda de cuero. Esta ropa es perfecta para un evento muy especial. Los colores negro y blanco siempre están de moda. Ustedes pueden comprar esta camisa por sólo 75 dólares.*

**3** Después del desfile de moda, vas a tener la oportunidad de "comprar" uno de los conjuntos *(outfits)* que viste. Describe el conjunto a la clase y di cómo vas a pagar.

### Modelo

*Yo quiero comprar la ropa de Enrique. Me gustó mucho porque es perfecta para llevar a un partido de fútbol. Él llevó unos jeans con una camiseta azul y una sudadera roja. Puedo pagar en efectivo porque no cuesta mucho: sólo 60 dólares.*

### Fondo cultural

**Estados Unidos**

**Narciso Rodríguez** nació en Nueva Jersey, de padres cubanos y abuelos españoles. Estudió en la *Parsons School of Design* en Nueva York, y ha trabajado *(has worked)* para los diseñadores Anne Klein, Donna Karan y Calvin Klein. Presentó su primera colección independiente en 1997. Ese año también ganó el premio *(won the award)* para el mejor diseñador nuevo en los *VH1 Fashion Awards*. Diseña vestidos para muchas actrices y otras mujeres famosas.

• ¿Te gustaría ser diseñador(a)? ¿Por qué? ¿Qué talentos necesitas para este trabajo y qué debes estudiar?

### Más práctica

- **Guided** Gram. Practice p. 87
- **Core** Gram. Practice p. 46

**realidades.com**
- Audio Activities
- Video Activities
- Speak & Record
- Leveled Workbook
- Web Code: jdd-0216

# Lectura

**Objectives**

- Read about the history of jeans and some Spanish variations of the word
- Understand cultural perspectives on parties
- Write a letter explaining your clothing purchases
- Read about Mexican involvement in World War II

# LOS JEANS:
## LOS PANTALONES MÁS POPULARES DEL MUNDO

Posiblemente tienes jeans en tu armario. Muchas personas, desde la Argentina hasta el Canadá y desde el Japón hasta España, llevan estos cómodos y prácticos pantalones. Se llevan en el trabajo, en la escuela y para salir de noche. Dicen que los jeans son ropa democrática porque los lleva gente de todas las clases sociales.

## Estrategia

**Tolerating ambiguity**
Often when you read, you will find unfamiliar words. Don't stop, but keep on reading, since the meaning may become clear in context, or you may decide the words might not be necessary to understand the reading.

**EL REMACHE**

**LA ESQUINA DEL BOLSILLO**

**EL BOLSILLO**

## UN POCO DE HISTORIA

Levi Strauss, un joven alemán, llegó a los Estados Unidos con su familia en 1847 a la edad de 18 años. Después de trabajar algunos años con su familia, Strauss viajó a California para abrir una tienda de ropa y accesorios. Esta tienda se convirtió en un negocio[1] próspero durante los siguientes 20 años, y Strauss se hizo rico.

En el año 1872, recibió una carta de Jacob Davis, un sastre[2] de Reno, Nevada, en la que le explicó el proceso que él inventó para poner remaches en las esquinas

[1]business   [2]tailor

de los bolsillos de los pantalones de hombres. El uso de los remaches resultó en unos pantalones bastante fuertes para aguantar[3] los rigores de un trabajo difícil y en unos bolsillos más resistentes al peso[4] del oro.

Con el dinero de Strauss y la invención de Davis, los dos decidieron pedir la patente para el proceso. En 1873 recibieron la patente para poner los remaches en los pantalones y empezaron a fabricar "overalls a la cintura" o *waist overalls* (el antiguo nombre en inglés de los jeans) en San Francisco. Como dicen, "el resto es historia".

### YO DIGO "MAHONES" Y TÚ, ¿QUÉ DICES?

Si tienes amigos que hablan español debes saber que hay varias palabras que se usan para decir "jeans." Por ejemplo, se les llaman "vaqueros"[5] porque los vaqueros del oeste de los Estados Unidos usan este tipo de pantalón. En Cuba les dicen "pitusa" mientras en México les llaman "pantalones de mezclilla." Algunas personas usan las palabras "tejanos" y "mecánicos", pero la palabra más común sigue siendo simplemente "jeans".

[3]stand up to   [4]weight   [5]cowboys

## ¿Comprendiste?

1. Haz una línea cronológica *(timeline)* con las fechas mencionadas en esta lectura. Incluye las tres fechas y describe lo que pasó en cada una.

2. ¿Por qué escribió Jacob Davis una carta a Levi Strauss en 1872? ¿Qué dijo Davis en la carta?

3. Jacob Davis y Levi Strauss empezaron un nuevo negocio. ¿Qué contribuyó Davis? ¿Y Strauss?

## Y tú, ¿qué dices?

1. ¿Estás de acuerdo con la expresión "los jeans son ropa democrática"? ¿Por qué?

2. ¿Llevas jeans? ¿Por qué?

3. Entre tus amigos, ¿qué ropa y colores están de moda hoy en día?

### Más práctica

- **Guided** Reading Support p. 88
- **Communication** Writing p. 45, Test Prep p. 224
- *Real.* para hispanohablantes pp. 82–83

- Internet Activity
- Leveled Workbook
- Web Code: jdd-0217

# Perspectivas del mundo hispano

## La parranda

Un amigo te invita a su casa. Cuando llegas, encuentras a gente de todas las edades, niños y adultos. Se oye música. Alguien te saluda. Otra persona empieza a hablar contigo. Hay varias personas bailando en pareja[1]. No ves a tu amigo. Luego alguien te invita a bailar. ¿Qué está ocurriendo aquí?

Es una parranda. Una *parranda* es una fiesta con comida, refrescos, música y baile. En las casas hispanas se celebran parrandas cuando hay algún evento especial, como una boda o alguna fiesta nacional. En estas fiestas participan los miembros de la familia y los amigos. Todos comen, bailan y se divierten. A veces, hay parranda todo el día.

En general, las casas hispanas tienen un patio y una sala grande. La sala es el cuarto que usa la familia para las grandes ocasiones. Durante las fiestas normalmente hay espacio para bailar. Frecuentemente en vez de[2] discos compactos, hay una orquesta. Muchas veces los miembros de la familia o los amigos componen[3] la orquesta y tocan música para bailar.

**¡Compruébalo!** Pregúntales a tus compañeros de clase si les gusta hacer fiestas con su familia. Pregúntales si bailan en pareja frecuentemente. Pregúntales cómo debe ser una buena fiesta. Según los resultados, completa las siguientes oraciones.

### Modelo

*Mis compañeros de clase creen que hacer una fiesta con su familia es buena idea.*

1. Mis compañeros de clase creen que hacer una fiesta con su familia es . . .

2. Mis compañeros de clase bailan en pareja . . .

3. Mis compañeros de clase creen que una buena fiesta debe ser . . .

**¿Qué te parece?** ¿Qué indican las respuestas de tus compañeros sobre las fiestas familiares? En tu opinión, ¿qué debe ocurrir en una buena fiesta? Considera los diferentes tipos de fiestas. ¿Qué hay de bueno en cada una?

[1]in pairs  [2]instead of  [3]make up

# Presentación escrita
## Encontré unas gangas

**Task**
You received $200 for your birthday ($100 in cash and $100 in gift certificates) and just purchased several articles of clothing with the money. Write an e-mail to a friend describing your shopping trip.

**1 Prewrite** Think about what you bought. Copy and fill in the following chart.

| ¿Qué compraste? | ¿Dónde...? | ¿Cuánto pagaste? | ¿Por qué te gusta(n)? |
|---|---|---|---|
| | | | |

**Estrategia**

**Using a chart**
When writing, it is helpful to have a way to organize your thoughts. A chart or a graphic organizer is a good way to do this.

**2 Draft** Use your answers to the questions above to write a first draft. You may want to begin your e-mail with: *¡Hola! Para mi cumpleaños recibí $200 para comprar ropa nueva. Decidí ir al centro comercial porque ... Encontré ... Compré ...*

**3 Revise** Read through your e-mail. Check for spelling, accents, forms of the preterite, and agreement. Share the e-mail with a partner. Your partner should check the following:

• Is the e-mail easy to understand?

• Does it include all the information from your chart?

• Is there anything you should add or change?

• Are there any errors?

**4 Publish** Rewrite the e-mail making any necessary changes or corrections. Send it to your teacher or your friend, or print it out and add it to your portfolio.

**5 Evaluation** Your teacher may give you a rubric for how the e-mail will be graded. You will probably be graded on:

• how easy the message is to understand

• clearness and completeness of the information

• accuracy of verb forms, spelling, and agreement

• use of vocabulary

# Preparación para ...

## En busca de la verdad

### La participación hispana en la Segunda Guerra Mundial

La Segunda Guerra Mundial (1939–1945) cambió el destino de los hispanohablantes en los Estados Unidos. A partir de[1] diciembre de 1941, muchos estadounidenses dejaron sus trabajos para ir a luchar[2] en la guerra. Por eso, muchos mexicanos llegaron a trabajar en los Estados Unidos. En el videomisterio vas a ver algo relacionado con este tema.

En 1942, los gobiernos[3] de los Estados Unidos y de México firmaron el acuerdo[4] del programa de "braceros", que les permitió a trabajadores agrícolas mexicanos trabajar en los Estados Unidos. La mayoría de los mexicanos llegaron a trabajar en el campo y usaron sus brazos (por eso se llamaron "braceros").

Algunos braceros se enlistaron[5] en el ejército[6] de los Estados Unidos. Después de su servicio militar, ganaban la ciudadanía[7] norteamericana.

Se estima que entre 250,000 y 500,000 hispanoamericanos sirvieron en las fuerzas armadas[8] durante la Segunda Guerra Mundial. Esto representa entre el 2.5 por ciento y el 5 por ciento de todas las personas que participaron en la guerra. ▼

COMO UN SOLO HOMBRE

▲ Braceros mostrando el signo para la victoria en 1944

[1]From   [2]to fight   [3]governments
[4]pact, agreement   [5]enlisted   [6]army   [7]citizenship

[8]armed forces

Este monumento en Los Ángeles, California, conmemora a todos los soldados del ejército de los Estados Unidos que han sido condecorados[9] por el Congreso con la Medalla de Honor.[10] Está especialmente dedicado a los 39 hispanoamericanos que han ganado ese honor. En la Segunda Guerra Mundial, doce mexicoamericanos y un cubano recibieron la medalla. ▼

▲ Algunos países hispanohablantes también participaron en la Segunda Guerra Mundial. Por ejemplo, México envió un escuadrón[11] aéreo mexicano llamado la Unidad de Caza 201. El escuadrón, llamado "Águilas Aztecas", luchó en las Filipinas y tuvo la reputación de ser feroz[12].

## ¿Sabes que . . . ?

La Medalla de Honor del Congreso es una condecoración que les dan a los soldados del ejército norteamericano por su admirable participación en la guerra. Es el honor más prestigioso que puede recibir un soldado. Más de 3,400 medallas han sido entregadas a lo largo de la historia de los Estados Unidos.

## Para pensar

Aunque en las guerras siempre necesitan la colaboración de muchas personas, éstas no sólo tienen que ser soldados. ¿Qué otras personas crees que son necesarias en tiempo de guerra? ¿Para qué crees que pueden ser necesarias?

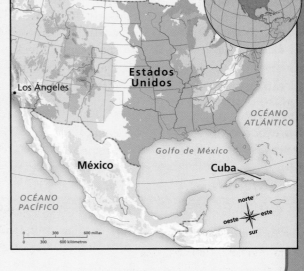

[9]decorated with honors  [10]Congressional Medal of Honor  [11]squadron
[12]had the reputation of being ferocious

# Repaso del capítulo

## Vocabulario y gramática  jdd-0299 🔊

**Chapter Review**

To prepare for the test, check to see if you . . .
- **know the new vocabulary and grammar**
- **can perform the tasks on p. 125**

### to talk about shopping

| | |
|---|---|
| la entrada | entrance |
| la ganga | bargain |
| el letrero | sign |
| la liquidación, *pl.* las liquidaciones | sale |
| el mercado | market |
| la salida | exit |

### to talk about colors

| | |
|---|---|
| claro, -a | light |
| de sólo un color | solid-colored |
| oscuro, -a | dark |
| pastel | pastel |
| vivo, -a | bright |

### to describe what clothing is made of

| | |
|---|---|
| ¿De qué está hecho, -a? | What is it made of? |
| Está hecho, -a de ... | It is made of ... |
| algodón | cotton |
| cuero | leather |
| lana | wool |
| seda | silk |
| tela sintética | synthetic fabric |

### to discuss paying for purchases

| | |
|---|---|
| alto, -a | high |
| bajo, -a | low |
| la caja | cash register |
| el cajero, la cajera | cashier |
| el cheque (personal) | (personal) check |
| el cheque de viajero | traveler's check |
| el cupón de regalo, *pl.* los cupones de regalo | gift certificate |
| en efectivo | cash |
| gastar | to spend |
| el precio | price |
| tan + *adjective* | so |
| la tarjeta de crédito | credit card |

For *Vocabulario adicional,* see pp. 498–499.

### to discuss clothing purchases

| | |
|---|---|
| apretado, -a | tight |
| escoger | to choose |
| estar de moda | to be in fashion |
| el estilo | style |
| exagerado, -a | outrageous |
| flojo, -a | loose |
| la marca | brand |
| mediano, -a | medium |
| el número | shoe size |
| probarse *(o → ue)* | to try on |
| la talla | size |

### other useful words and expressions

| | |
|---|---|
| anunciar | to announce |
| encontrar *(o → ue)* | to find |
| en realidad | really |
| me / te importa(n) | it matters (it's important) / they matter to me / to you |
| inmediatamente | immediately |
| me parece que | it seems to me that |
| ¿Qué te parece? | What do you think? / How does it seem to you? |
| recientemente | recently |

### preterite of regular verbs

| | |
|---|---|
| miré aprendí escribí | miramos aprendimos escribimos |
| miraste aprendiste escribiste | mirasteis aprendisteis escribisteis |
| miró aprendió escribió | miraron aprendieron escribieron |

### demonstrative adjectives

| Singular | | Plural | |
|---|---|---|---|
| este, esta | this | estos, estas | these |
| ese, esa | that | esos, esas | those |
| aquel, aquella that one over there | | aquellos, aquellas those over there | |

**Más práctica**

- **Core** Puzzle p. 47, Organizer p. 48
- **Communication** Practice Test pp. 226–228, Integrated Performance Assessment p. 225

**realidades.com** ⊙
- Tutorial
- Flashcards
- Puzzles
- Self-test
- Web Code: jdd-0218

# Preparación para el examen

| On the exam you will be asked to . . . | Here are practice tasks similar to those you will find on the exam . . . | If you need review . . . |
| --- | --- | --- |

## Interpretive

jdd-0299

**1 Escuchar** Listen and understand as people talk about why they purchased a clothing item

Listen as María explains why she bought her outfit. Was it because: (a) it was a bargain; (b) it was a good brand name; (c) it fit well; or (d) it was very "in style."

**pp. 102–105** *Vocabulario en contexto*
**p. 103** Actividad 2
**p. 106** Actividad 4

## Interpersonal

**2 Hablar** Talk about when and where you bought the clothing you are wearing today

Your partner really likes your outfit. Tell him or her: (a) where you bought it; (b) how long ago you bought it; (c) if it was very expensive or a bargain; (d) the brand, if you know it. Then reverse roles.

**p. 107** Actividad 7
**p. 108** Actividades 8–9
**p. 109** Actividades 10–11
**p. 111** Actividad 14
**p. 112** Actividad 17
**p. 115** Actividad 21
**p. 116** Actividad 23
**p. 117** Actividad 24

## Interpretive

**3 Leer** Read and understand a thank-you note for a recently received gift certificate

Your Spanish class recently sent last year's exchange student from Argentina a gift certificate for her birthday. Read her note about what she bought and what she thought about her purchases.

**p. 107** Actividad 6
**p. 110** Actividad 13
**p. 114** Actividad 19
**pp. 118–119** *Lectura*

> ¡Hola! Muchas gracias por el cupón de regalo para el Almacén Palete. Compré una blusa de colores pastel que me gusta mucho y está muy de moda. También encontré un cinturón de cuero muy bonito para llevar con mis pantalones favoritos. Aquí tienen mi foto. ¿Qué les parece mi nuevo estilo?
>
> Besos, Susi

## Presentational

**4 Escribir** Write a short description of your most recent shopping trip for clothes, including what you bought, the brand, and how you paid for the items

Your grandmother sent you a check for your birthday and wants to know what you bought. Describe the vacation clothes that you bought and where you bought them. Include as many details as possible. You might begin by writing:

> Querida abuelita:
> Muchas gracias por el cheque que me enviaste para mi cumpleaños. Decidí comprarme ropa para las vacaciones . . .

**p. 107** Actividades 6–7
**p. 109** Actividades 10–11
**p. 110** Actividad 13
**p. 112** Actividad 16
**p. 121** *Presentación escrita*

## Cultures

**5 Pensar** Demonstrate an understanding of *la parranda* in Spanish-speaking countries

When you ask your parents if you can go to a *parranda* at the home of a Spanish-speaking friend, they have no idea what you are talking about. Explain it to them. What would you compare it to?

**p. 120** *Perspectivas del mundo hispano*

# Vocabulario Repaso

### en el dormitorio
arreglar el cuarto
hacer la cama

### en la cocina
cocinar
dar de comer al
   perro/gato
lavar los platos
poner la mesa
separar (botellas,
   latas, vidrio,
   periódicos, cartón)

### en otros cuartos
ayudar
lavar la ropa
limpiar el baño
pasar la aspiradora
quitar el polvo

### fuera de la casa
cortar el césped
lavar el coche
sacar la basura
trabajar en el jardín

For additional
vocabulary for
the city, see *A
ver si recuerdas*
1B, p. 42.

### los lugares
el barrio
la calle
el cine
la comunidad
el estadio
el hospital
el monumento
el museo
el teatro

---

## 1 Los quehaceres

**Escribir • Hablar**

¿Quién en tu familia hizo estos quehaceres?
¿Cuándo los hizo?

### Modelo

cortar el césped
*El verano pasado mi hermano y yo cortamos el
césped cada semana.*

1. lavar los platos
2. arreglar el cuarto
3. cocinar pollo
4. limpiar el baño
5. sacar la basura
6. pasar la aspiradora
7. lavar la ropa

## 2 ¿Qué hay en tu comunidad?

**Escribir**

Imagina que alguien visita tu comunidad por
primera vez. Escríbele una breve descripción.
Incluye los lugares de interés y cómo son.

### Modelo

*Si visitas mi comunidad vas a ver muchas
casas con jardines y césped. En el centro hay
tiendas y restaurantes, pero no hay un cine . . .*

# Gramática (Repaso)

## Telling time

To ask about and tell the time of day, you usually say:

¿Qué hora es?  **Es** la una.
**Son** las cinco.

When you tell at what time something happens, you use *a*.

¿**A** qué hora es el concierto? **A** las ocho.

When talking about time after the hour, use *y* to express the time.

| | |
|---|---|
| 1:10 | Es la una **y** diez. |
| 3:15 | Son las tres **y** cuarto. |
| | o: Son las tres **y** quince. |
| 6:25 | La clase empieza a las seis **y** veinticinco. |
| 10:30 | Generalmente me acuesto a las diez **y** media. |

When talking about time before the hour, there are several expressions commonly used.

Son las diez **menos** veinte.
Son las nueve **y** cuarenta.  — *It's 9:40.*
**Faltan** veinte **para** las diez.

You know several words and expressions for talking about the time of day.

| | |
|---|---|
| **de la mañana** | *in the morning, A.M.* |
| **de la tarde** | *in the afternoon, P.M.* |
| **de la noche** | *in the evening, P.M.* |
| **temprano** | *early* |
| **tarde** | *late* |
| **a tiempo** | *on time* |

---

### 3 ¿A qué hora?

**Escribir**

Escribe frases para decir a qué hora . . .

**Modelo**

. . . te levantas durante la semana.
*Me levanto a las seis.*

1. . . . te acuestas los fines de semana.
2. . . . te despiertas los fines de semana.
3. . . . almuerzas durante la semana.
4. . . . regresas a casa después de las clases.
5. . . . empieza tu clase favorita.
6. . . . empieza tu programa de televisión favorito.

### Más práctica

- **Guided** p. 90
- **Core** pp. 49–50
- *Real.* para hispanohablantes p. 90

**realidades.com**

- Leveled Workbook
- Web Code: jdd-0301

### 4 ¿Quién lo hace?

**Hablar**

Trabajen en grupos de cuatro y hagan preguntas a sus compañeros para saber quiénes del grupo hacen las siguientes actividades.

**Modelo**

. . . se levanta temprano todos los días
A —*Ariana, ¿te levantas temprano todos los días?*
B —*Sí, me levanto muy temprano. Me levanto a las seis de la mañana.*

¿Quién en el grupo . . .

. . . se levanta temprano los fines de semana?
. . . se levanta tarde los fines de semana?
. . . siempre llega a tiempo a la escuela?
. . . siempre llega temprano para ver a sus amigos?
. . . hace la cama antes de ir a la escuela?
. . . se acuesta antes de las diez de la noche?
. . . almuerza después de las dos de la tarde?

**Fondo cultural**

**Argentina • Uruguay**

**Buenos Aires** Esta imagen moderna de Buenos Aires es del pintor uruguayo Julio Alpuy. Nació en 1919 y su pintura y escultura son del estilo constructivo, un estilo que se basa en las formas geométricas y el espacio. Buenos Aires es una ciudad muy "internacional". Entre los años 1850 y 1945 muchos inmigrantes de Europa (Italia, Alemania, España, Francia y otros países) llegaron a vivir en Buenos Aires.

• En el cuadro, ¿cómo es Buenos Aires? Compara este cuadro con la foto de Cartagena. ¿En qué sentido (*way*) son similares? ¿En qué sentido son diferentes?

◄ "Buenos Aires" (1957), Julio Alpuy
Courtesy of Cecilia de Torres, Ltd.

# ¿Qué hiciste ayer?

## Chapter Objectives

- Talk about things you did and where you did them
- Explain why you couldn't do certain things
- Describe things you bought and where you bought them
- Understand cultural perspectives on shopping

### Video Highlights

**Videocultura:** *Tú y tu comunidad*

**A primera vista:** *¿Qué hiciste esta mañana?*

**GramActiva Videos:** direct object pronouns: *lo, la, los, las;* irregular preterite verbs: *ir, ser, hacer, tener, estar, poder*

**Videomisterio:** *En busca de la verdad,* Episodio 1

### Country Connection

As you learn to talk about places in your community, you will make connections to these countries and places:

Texas
España
México
Colombia
República Dominicana
Ecuador
Bolivia
Argentina
Chile

## Más práctica

- *Real.* para hispanohablantes pp. 90–91

realidades.com

- Fondo cultural Activity
- Video Activities
- Online Atlas
- Web Code: jde-0002

Puerta del Reloj,
Cartagena, Colombia

# Vocabulario en contexto

jdd-0387

Objectives

Read, listen to, and understand information about
- running errands around town
- where people go and what they buy

el centro

el champú

el jabón

la farmacia

el cepillo de dientes

la pasta dental

LIQUIDACIÓN de equipo deportivo

EQUIPO DEPORTIVO

DR. VICEN ROJA CAMAC DENTI

el supermercado

Supermercado Carranza

tomates 2X10

EL CORREO

la tienda de equipo deportivo

el correo

la raqueta de tenis

los patines

la pelota

echar una carta

el buzón

el palo de golf

—¿A qué hora **se abre** el correo en el centro? Quiero comprar unos sellos y **enviar*** una carta.

—Se abre a las nueve de la mañana y **se cierra** a las ocho de la noche.

el sello

la tarjeta

la carta

## 1 ¿Lógica o no? jdd-0387

**Escuchar**

Escucha las frases y señala con el pulgar hacia arriba si la frase es lógica y con el pulgar hacia abajo si no es lógica.

*Enviar has an accent mark on the i in all present-tense forms except nosotros and vosotros.

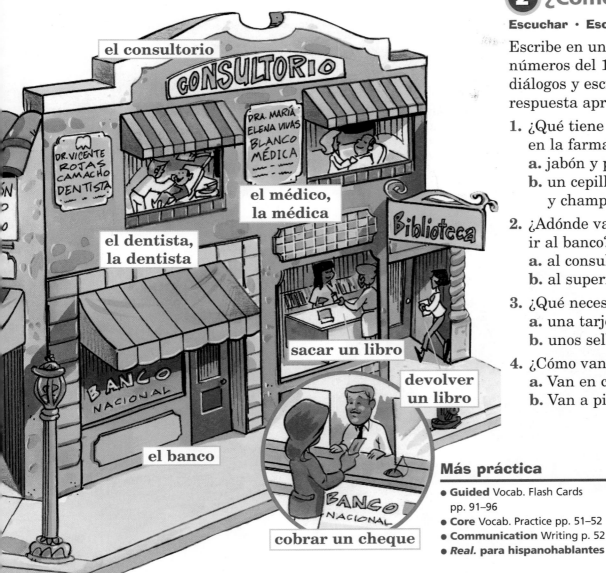

el consultorio

CONSULTORIO

DR. VICENTE ROJAS CAMACHO DENTISTA

DRA. MARÍA ELENA VIVAS BLANCO MÉDICA

el médico, la médica

el dentista, la dentista

Biblioteca

sacar un libro

devolver un libro

el banco

BANCO NACIONAL

cobrar un cheque

BANCO NACIONAL

**2** **¿Cómo van?**  jdd-0387

**Escuchar • Escribir**

Escribe en una hoja de papel los números del 1 al 4. Escucha los diálogos y escribe la letra de la respuesta apropiada.

**1.** ¿Qué tiene que comprar en la farmacia?
  **a.** jabón y pasta dental
  **b.** un cepillo de dientes y champú

**2.** ¿Adónde va después de ir al banco?
  **a.** al consultorio
  **b.** al supermercado

**3.** ¿Qué necesita comprar?
  **a.** una tarjeta
  **b.** unos sellos

**4.** ¿Cómo van a la biblioteca?
  **a.** Van en coche.
  **b.** Van a pie.

**Más práctica**

- **Guided** Vocab. Flash Cards pp. 91–96
- **Core** Vocab. Practice pp. 51–52
- **Communication** Writing p. 52
- *Real.* para hispanohablantes p. 92

**realidades.com** **V**

- Audio Activities
- Leveled Workbook
- Flashcards
- Web Code: jdd-0302

cuidar a los niños

ZOOLÓGICO

❝ Ayer cuidé a Carlota y a Paco **por** cinco horas. **Fuimos a pie** al zoológico.

**Nos quedamos** allí **hasta** la una. Fue muy divertido.

Luego regresamos a casa. Sus padres me pagaron por cuidarlos. Me gusta cuidar niños porque puedo ganar dinero. Es importante tener mi propio dinero ❞.

# ¿Qué hiciste esta mañana?

Ramón  Manolo  Claudia  Teresa

**1**

**Teresa:** Hola, Claudia. ¿Cómo estás?

**Claudia:** Bien, Teresa. ¿Y tú? Oye, tenemos que darnos prisa.[1] Manolo y Ramón nos esperan[2] a las dos para ir al cine, ¿verdad?

**Teresa:** Sí, pero tengo que comprar **varias** cosas aquí en la farmacia. ¿Vamos a entrar?

[1]to hurry   [2]are expecting

**5** **Ramón:** Primero fuimos a una tienda de equipo deportivo. Me compré una camiseta del Cruz Azul.

**Claudia:** ¡Genial! Es uno de mis equipos favoritos. Y después, ¿qué hicieron?

**6** **Ramón:** Fuimos a **la estación de servicio** a comprar **gasolina.**

**Manolo:** Buenos días, señor. ¿Puede **llenar el tanque,** por favor?

**Asistente:** Sí señor. **En seguida.**

**7** **Teresa:** ¡Ay, **caramba,** se me olvidó!

**Claudia:** ¿Ahora qué, Teresa?

**Teresa:** Mañana es el cumpleaños de mi abuela. Tengo que comprarle algo.

**Claudia:** Estamos cerca del Bazar San Ángel. ¿Por qué no vamos allí?

**2** **Claudia:** ¿Por qué no fuiste a la farmacia ayer?

**Teresa:** No **pude. Tuve** que ir a la biblioteca a devolver un libro. No **estuve** allí por mucho tiempo pero tuve que hacer otras cosas también.

**3** **Teresa:** Ay, **casi se me olvidó.** Tengo que enviar esta carta. Pero necesito comprar sellos . . .

**Claudia:** Vamos, vamos. Ramón y Manolo ya deben estar en el cine. La película empieza a las dos y media.

**Teresa:** Tranquila, Claudia. **Todavía** tenemos tiempo. Regreso en un momento.

**4** **Claudia:** Hola, Ramón. Aquí Claudia.

**Ramón:** Hola, Claudia. ¿Qué tal?

**Claudia:** Muy bien. **Tuvimos** que ir a varios sitios, pero **pronto** vamos a ir al cine. Ya casi terminamos. Y Uds., ¿qué hicieron esta mañana?

**8** **Claudia:** Ramón, vamos al Bazar San Ángel. Tenemos que comprar un regalo. ¿Por qué no nos vemos allí? Vamos al cine después.

**Ramón:** ¡**Cómo no!** Nos vemos allí.

**Claudia:** Adiós. **Hasta pronto.**

**③ ¿Comprendiste?**

**Hablar • Escribir**

1. Los cuatro jóvenes tienen planes para la tarde. ¿Adónde piensan ir?

2. Antes de ver a Ramón y Manolo, ¿cuáles son las tres cosas que Teresa tuvo que hacer?

3. ¿Por qué entró Teresa en el correo?

4. ¿Qué se le olvidó a Teresa?

5. ¿Adónde fueron Ramón y Manolo por la mañana?

6. ¿Adónde decidieron ir antes de ir al cine?

### Más práctica

- **Guided** Vocab. Check pp. 97–100
- **Core** Vocab. Practice pp. 53–54
- **Communication** Video pp. 46–48
- **Real. para hispanohablantes** p. 93

**realidades.com** ▼

- Audio Activities
- Video Activities
- Leveled Workbook
- Flashcards
- Web Code: jdd-0303

# Vocabulario en uso

**4** **Muchas cosas que hacer** ♻

**Escribir**

En una hoja de papel, escribe los lugares que ves en los dibujos. Escribe una cosa que tienes que hacer en cada lugar. Vas a usar la información para la Actividad 5.

| Lugares | Tengo que... |
|---|---|
| el supermercado | comprar leche |

**5** **¿A qué hora se abre?**  ♻

**Hablar**

Trabaja con otro(a) estudiante. Explícale lo que tienes que hacer y hablen de los horarios de cada lugar. Usen la información de la tabla de la Actividad 4.

**Modelo**

A —*Tengo que comprar cereal. ¿A qué hora se abre el supermercado?*
B —*Se abre a las ocho de la mañana.*
A —*¿Y a qué hora se cierra?*
B —*Creo que se cierra a las once de la noche.*

## 6 Escucha y escribe  jdd-0388

**Escuchar • Escribir • Hablar**

1 Tu mamá necesita tu ayuda para hacer todos los quehaceres. Escucha lo que ella dice y escribe las seis frases.

2 Escoge una expresión del recuadro y escribe respuestas a las preguntas de tu mamá. Después trabaja con otro(a) estudiante y lee las conversaciones entre ustedes.

| | |
|---|---|
| ¡Caramba! | lo siento |
| casi | no puedo |
| ¡Cómo no! | pronto |
| en seguida | se me olvidó |
| ir a pie | todavía |

## 7 ¿Adónde fuiste?

**Hablar**

El fin de semana pasado tus padres te dieron varios mandados *(errands)* que hacer. Ahora quieren saber si los hiciste. Diles adónde fuiste y cuándo hiciste todo.

**Modelo**

A —¿*Compraste los sellos?*
B —*Sí, fui al correo esta mañana.*

**Estudiante A**

1. 2. 3. 4.
5. 6. 7. 8.

**Estudiante B**

esta mañana
ayer
anoche
hace . . . días
**¡Respuesta personal!**

### Fondo cultural

**México**

**El Palacio de Correos** de la Ciudad de México, fue construido entre 1902 y 1907. Diseñado por el arquitecto italiano Adamo Boari, el Palacio de Correos es uno de los edificios *(buildings)* más famosos de la ciudad.

• El Palacio de Correos es un edificio muy conocido en México. ¿Cuáles son algunos edificios famosos de los Estados Unidos? ¿Por qué son famosos?

Interior del Palacio de Correos, Ciudad de México

## 8 Un fin de semana muy aburrido

**Hablar**

No pudiste hacer muchas cosas divertidas el fin de semana pasado. Trabaja con otro(a) estudiante y habla de las cosas que tuviste que hacer.

| Modelo |
|---|
| **A** —¿Fuiste al centro el fin de semana pasado? |
| **B** —No, no pude. Tuve que cuidar a mis hermanitos. |

### Estudiante A

1.
2.
3.
4.
5.
6.

### Estudiante B

No, no pude.

Tuve que . . .

Estuve en . . . por . . . horas.

Estuve en . . . hasta las . . .

Tuve que esperar . . .

Me quedé en . . .

**¡Respuesta personal!**

### También se dice . . .

**la pasta dental** = la pasta dentífrica, la pasta de dientes *(España)*

**el sello** = la estampilla, el timbre *(muchos países)*

**la farmacia** = la botica, la droguería

**la estación de servicio** = la bomba de gasolina, la gasolinera *(muchos países)*

## 9 Para unos dientes más blancos . . .

**Leer • Escribir**

Lee el anuncio del periódico y contesta las preguntas.

1. ¿Cómo se llama el producto del anuncio? ¿Para qué puedes usarlo?

2. ¿Con qué frecuencia debes usar el producto, todos los días o una vez a la semana?

3. ¿Qué garantiza el producto? ¿Por qué?

4. ¿Dónde puedes comprar el producto?

**¡SONRÍE!** para tener los dientes más blancos

**Dentabrit**

PESO NETO 170g

DIENTES BLANCOS
ENCÍAS SANAS

**Dentabrit** pasta dental de uso diario[1] devuelve la blancura a los dientes. La nueva fórmula de **Dentabrit** blanqueador garantiza los dientes más blancos, más limpios y protegidos[2]. **Dentabrit** blanqueador aporta[3] el máximo nivel[4] de limpieza y eficacia blanqueadora.

*¡Dentabrit blanqueador! Lo mejor en higiene, salud y belleza para los dientes.*

**DE VENTA EN FARMACIAS** Producto de Lab. Suárez, Avda. de Loja 42 Ibarra, Ecuador

[1]daily   [2]protected   [3]adds   [4]level

## Fondo cultural

**El mundo hispano**

**Las farmacias** en los países hispanohablantes frecuentemente venden antibióticos y otras medicinas sin necesidad de receta *(prescription)* y es común consultar a un farmacéutico, y no al médico. Los horarios de servicio varían. En España, hay *Farmacias de guardia* que están abiertas las 24 horas. En otros países, se pueden encontrar *Farmacias de turno* que también dan servicio las 24 horas al día. En las farmacias uno también puede comprar productos de belleza, como perfumes y maquillaje, y de higiene personal, como champú y pasta dental.

• ¿Hay farmacias abiertas las 24 horas al día en tu comunidad? ¿Cómo son y qué productos venden?

Una farmacia en Barcelona, España

## 10 Juego

**Escribir • Hablar**

❶ Vas a jugar con otro(a) estudiante. Tu profesor(a) va a decirles a todos un lugar en la ciudad. Escriban las personas, acciones u otras cosas que se asocian con este lugar. Tu profesor(a) va a indicar cuándo termina el tiempo.

**Modelo**

restaurante
*camarero, mesa, comida, comer, servir, decoraciones, tenedor, cuchillo, . . .*

❷ Uds. van a trabajar con otras tres parejas. Lean la lista de palabras para un lugar. Si las otras parejas tienen una de estas palabras, ninguna pareja recibe puntos por ella. Pero si hay palabras que las otras parejas no tienen, Uds. reciben un punto por cada una.

## 11 Y tú, ¿qué dices?

**Escribir • Hablar**

1. ¿Qué tipo de tiendas y servicios hay en el centro de tu comunidad? ¿A qué hora se abren? ¿A qué hora se cierran? ¿Se cierran antes o después de las seis de la tarde?

2. Cuando tu familia compra equipo deportivo, ¿dónde lo compra? ¿Y dónde compra cosas como jabón o pasta dental?

3. ¿Te gusta caminar? ¿A qué lugares puedes ir a pie fácilmente en tu comunidad?

4. ¿Qué haces para ganar dinero? ¿Te gusta cuidar a los niños? ¿Por qué?

## El español en la comunidad

Hoy en día, en los Estados Unidos, muchas etiquetas *(labels)* de medicinas e instrucciones para otros productos están escritas *(written)* en inglés y en español. Para muchas personas que hablan y leen español, es más fácil y seguro *(safe)* leer las instrucciones en español.

**Nodolor**

Sinus pain relief without drowsiness

Calma el dolor de la sinusitis sin dar sueño

• Busca en tu casa etiquetas con instrucciones en español. ¿Qué parte de las instrucciones entiendes?

# Gramática Repaso

## Direct object pronouns

A direct object tells who or what receives the action of the verb.

> Devolví **el libro.** *I returned **the book.** (book is the direct object)*

To avoid repeating a direct object noun, you can replace it with a direct object pronoun. In English, *him, her,* and *it* are examples of direct object pronouns. You have already used the following direct object pronouns in Spanish:

| Singular | Plural |
|---|---|
| **lo** *it, him, you (masc. formal)* | **los** *them, you (masc.)* |
| **la** *it, her, you (fem. formal)* | **las** *them, you (fem.)* |

Direct object pronouns have the same gender (masculine or feminine) and number (singular or plural) as the nouns they replace. They come right before the conjugated verb.

> ¿Devolviste **los libros** a la biblioteca? No, no **los** devolví.

> ¿Ayudaste a **tu mamá** en casa? Sí, **la** ayudé.

When an infinitive follows a verb, the direct object pronoun can be placed before the conjugated verb or attached to the infinitive.

> ¿Sacaste **el libro** sobre Simón Bolívar? No, no **lo** pude sacar. o: No, no pude sacar**lo.**

**GramActiva** VIDEO

Want more help with direct object pronouns? Watch the **GramActiva** video.

Lo veo.

## 12 ¡A lavar!

**Leer • Escribir**

Cuando Teresa regresa a casa por la tarde, tiene esta conversación con su madre. Léela, y escribe el pronombre apropiado: *lo, la, los* o *las.*

**Mamá:** ¿Qué tal la película, Teresa?

**Teresa:** Bien, mamá. Me gustó mucho. Tú **1.** viste anoche, ¿no?

**Mamá:** Sí, pero no me gustó. Oye, ¿dónde están las cosas que compraste en la farmacia? No **2.** veo.

**Teresa:** El champú está sobre la mesa. ¿No **3.** ves?

**Mamá:** Ah, sí, aquí está. ¿Y la pasta dental?

**Teresa:** Creo que **4.** dejé *(I left)* en el baño.

**Mamá:** Muy bien. ¿Y enviaste las cartas?

**Teresa:** Sí, mamá, **5.** envié después de ir a la farmacia.

**Mamá:** Gracias, hija. Ah, ¿compraste un regalo para tu abuela?

**Teresa:** ¡Sí, mamá! Le compré un collar muy bonito. ¿ **6.** quieres ver?

**Mamá:** Sí, pero más tarde. Ahora tenemos que limpiar la cocina. Tú puedes lavar los platos.

**Teresa:** ¡Ay! No puedo lavar **7.** , mamá . . . ¡Se me olvidó comprar el detergente!

**Mamá:** No importa, Teresa. ¡Yo **8.** compré ayer! Y ahora, ¡a lavar!

**13 De compras**

**Hablar**

Tu compañero(a) quiere saber por qué tienes varias cosas contigo. Explícale por qué las tienes.

**Modelo**

A —¿Por qué tienes los palos de golf?
B —Los tengo porque quiero jugar al golf esta tarde.

**Estudiante A**

1.
2.
3.
4.
5.
6.

**Estudiante B**

quiero . . .
necesito . . .
voy a . . .
tengo que . . .
**¡Respuesta personal!**

**14 ¿Todavía lo usas?**

**Escribir • Hablar**

A veces compramos o recibimos algo y después no lo usamos mucho.

**1** Escribe cinco frases para decir qué cosas compraste tú o qué cosas te compraron otras personas.

**2** Lee tus frases a tu compañero(a). Tu compañero(a) te va a preguntar si todavía tienes, usas o llevas esa cosa.

**Modelo**

A —Hace dos años mis padres me compraron unos palos de golf.
B —¿Todavía los usas?
A —Sí, los uso porque juego al golf mucho.
o: —No, no los uso porque no tengo tiempo para jugar al golf.

**Estudiante A**

Hace . . . me compraron . . .    Un día compré . . .
Hace . . . compré               **¡Respuesta personal!**

**Estudiante B**

¿ . . . llevas?
¿ . . . tienes?
¿ . . . usas?
**¡Respuesta personal!**

**Más práctica**

- **Guided** Gram. Practice pp. 101–102
- **Core** Gram. Practice p. 55
- **Communication** Writing p. 53
- *Real.* para hispanohablantes
  pp. 94–97, 101

**realidades.com**

- Audio Activities
- Video Activities
- Speak & Record
- Tutorial
- Leveled Workbook
- Web Code: jdd-0304

# Gramática

## Irregular preterite verbs: *ir, ser*

In the preterite, the forms of *ser* are the same as the forms of *ir*. The context makes the meaning clear.

El cantante Jon Secada **fue** a vivir a Miami, Florida, en 1970.
*The singer Jon Secada **went** to live in Miami, Florida, in 1970.*

Después **fue** estudiante en la Universidad de Miami.
*Later he **was** a student at the University of Miami.*

| (yo) | fui | (nosotros) (nosotras) | fuimos |
|------|-----|----------------------|--------|
| (tú) | fuiste | (vosotros) (vosotras) | fuisteis |
| Ud. (él) (ella) | fue | Uds. (ellos) (ellas) | fueron |

- Notice that these irregular preterite forms do not have any accents.

### ¿Recuerdas?

You already know the verb *ir* in the preterite.

- ¿Adónde **fueron** Uds. el verano pasado? **Fuimos** a Puerto Rico.

### Estrategia

**Using memory clues**
To remember the subjects of *fui* and *fue*, remember that *fui*, the *yo* form, ends in *i*, while *fue*, the *él / ella* form, ends in *e*.

## 15 El día de Simón y sus amigos

**Leer • Escribir**

Lee lo que hicieron Simón y sus amigos ayer. Escribe la forma correcta del verbo *ir* o *ser*. Luego contesta la pregunta sobre el día que ellos pasaron.

Ayer __1.__ un día bastante bueno para nosotros. Primero yo __2.__ a la estación de servicio para llenar el tanque con gasolina. Luego Fernando y yo __3.__ a la tienda de equipo deportivo para mirar patines. Nuestras amigas Teresa y Patricia __4.__ al almacén. Después Teresa __5.__ al correo y Patricia __6.__ al banco. En la noche todos nosotros __7.__ al cine. La película __8.__ muy cómica pero no sé quiénes __9.__ los actores principales.

En tu opinión, ¿el día de Simón y sus amigos __10.__ divertido? ¿Por qué?

Un día divertido entre amigos

## 16 Un poema de amor

**Leer • Escribir**

Pablo Neruda (1904–1973) fue poeta chileno y ganador del Premio Nobel de Literatura en 1971. En muchos de sus poemas, Neruda escribió sobre el amor.[1] Estos versos son de su primer libro de poemas *Crepusculario,* que él publicó a los 19 años de edad. Lee los versos.

**Conexiones** **La literatura**

*Fui tuyo, fuiste mía. ¿Qué más? Juntos[2] hicimos un recodo[3] en la ruta donde el amor pasó.*

1. ¿Está el poeta todavía con "su amor"? ¿Cómo lo sabes?
2. En tu opinión, ¿qué quiere decir el poeta en estos versos?

[1]love  [2]together  [3]turn

## 17 Juego

**Escribir • Hablar • GramActiva**

**1** Trabaja con un grupo de tres para escribir preguntas sobre quiénes fueron personas famosas del pasado. Pueden usar las ideas del recuadro o sus propias ideas. También tienen que escribir las respuestas a sus preguntas.

> el presidente en el año . . .
>
> los cantantes de la canción . . .
>
> los actores en la película . . .
>
> la persona que escribió el poema / libro . . .
>
> los campeones *(champions)* . . .
>
> **¡Respuesta personal!**

**2** Su profesor(a) va a formar dos grupos grandes en la clase. Un grupo lee una pregunta. Si el otro grupo contesta correctamente, recibe un punto. El grupo con más puntos al final gana.

**Modelo**

**A** —*¿Quién fue el poeta que escribió* Crepusculario?

**B** —*El poeta fue Pablo Neruda.*

## 18 Y tú, ¿qué dices? ♻

**Escribir • Hablar**

1. ¿Cuál fue tu día más divertido del mes pasado? ¿Por qué? ¿Adónde fuiste? ¿Con quiénes?
2. ¿Cuál fue tu viaje más interesante? ¿Adónde y con quiénes fuiste? ¿Cuáles fueron algunos de los lugares que visitaron o las actividades que hicieron?
3. ¿Cuál fue tu mejor o peor cumpleaños? ¿Por qué fue tan bueno o malo?

### Más práctica

- **Guided** Gram. Practice pp. 103–104
- **Core** Gram. Practice p. 56
- **Communication** Writing p. 54, Test Prep p. 229
- *Real.* **para hispanohablantes** pp. 97–99, 101

**realidades.com** ✔
- Audio Activities
- Video Activities
- Speak & Record
- Tutorial
- Leveled Workbook
- Web Code: jdd-0305

# Gramática

## Irregular preterite verbs: *hacer, tener, estar, poder*

The preterite forms of *tener, estar,* and *poder* follow a pattern similar to that of the verb *hacer.* Like *hacer,* these verbs do not have any accent marks in the preterite.

| (yo) | hice<br>tuve<br>estuve<br>pude | (nosotros)<br>(nosotras) | hicimos<br>tuvimos<br>estuvimos<br>pudimos |
|---|---|---|---|
| (tú) | hiciste<br>tuviste<br>estuviste<br>pudiste | (vosotros)<br>(vosotras) | hicisteis<br>tuvisteis<br>estuvisteis<br>pudisteis |
| Ud.<br>(él)<br>(ella) | hizo<br>tuvo<br>estuvo<br>pudo | Uds.<br>(ellos)<br>(ellas) | hicieron<br>tuvieron<br>estuvieron<br>pudieron |

### ¿Recuerdas?

*Dar* is also irregular in the preterite tense: *di, diste, dio, dimos, disteis, dieron.*

### GramActiva VIDEO

Want more help with irregular preterite verbs *ir, ser, hacer, tener, estar,* and *poder?* Watch the **GramActiva** video.

hice / fui

## 19 ¡Nadie pudo venir!

**Leer • Escribir**

Rosalinda invitó a varios amigos a ver una película en su casa a las cinco, pero nadie llegó. Completa cada frase con la forma apropiada del verbo *estar, tener* o *poder* para explicar por qué no llegaron.

Fernando __1.__ en la biblioteca por tres horas. __2.__ que escribir un informe muy largo. Jorge y Pati no __3.__ venir porque __4.__ en el banco donde trabajan hasta las ocho. Yo no __5.__ ir a su casa tampoco porque __6.__ que cuidar a mi hermanito. ¡Pobre Rosalinda! Todos nosotros __7.__ que hacer otras cosas y no __8.__ ir a su casa y ella __9.__ allí sola toda la tarde.

**20** **¿Por qué no hicieron sus quehaceres?**

**Hablar**

Cuando tus padres vuelven a casa después de un viaje, no entienden por qué tus hermanos y tú no hicieron los quehaceres. Trabaja con otro(a) estudiante para preguntar y contestar.

**Modelo**

no comprar pan
A —*¿Por qué no compraron pan?*
B —*Porque no pudimos ir al supermercado.*

**Estudiante A**

1. no dar de comer al perro
2. no hacer las camas
3. no ir a la farmacia para comprar champú y jabón
4. no devolver los libros a la biblioteca
5. no enviar las cartas
6. no ir al dentista

**Estudiante B**

tener que quedarnos en casa con el perro
no poder ir al supermercado
no tener tiempo por la mañana
no poder encontrar su comida
tener que leerlos otra vez
tener que hacer tantos quehaceres
no poder encontrar el buzón

**21** **Una raqueta de tenis nueva**  jdd-0388

**Leer • Escuchar • Escribir**

Santiago acaba de comprar una raqueta de tenis. Primero lee las preguntas. Después escucha la descripción dos veces y escribe respuestas a las preguntas.

1. ¿Cómo pudo tener Santiago suficiente dinero para comprar una raqueta de tenis?
2. ¿Cuándo fueron a la tienda de equipo deportivo Santiago y Héctor?
3. Para Santiago, ¿cómo fue la experiencia de buscar una raqueta nueva?
4. ¿Miraron sólo una raqueta o varias?
5. ¿Estuvieron en la tienda por mucho o por poco tiempo?
6. ¿Cuándo escogió Santiago su raqueta nueva?

**22** **Y tú, ¿qué dices?**

**Escribir**

Escribe un párrafo en que describes cuándo tú fuiste de compras. Usa las ideas de la experiencia de Santiago en la Actividad 21 como modelo. Puedes incluir:
• cómo conseguiste *(you obtained)* dinero para comprar algo
• si fuiste solo(a) o con otra persona
• adónde fuiste
• si tuviste que ir a diferentes tiendas
• si pudiste decidir inmediatamente
• por cuánto tiempo estuviste en la tienda
• si te gusta lo que compraste

**Más práctica**

• **Guided** Gram. Practice pp. 104–105
• **Core** Gram. Practice p. 57
• *Real.* **para hispanohablantes** pp. 98–100

 realidades.com

• Audio Activities
• Video Activities
• Speak & Record
• Canción de hip hop
• Animated Verbs
• Tutorial
• Leveled Workbook
• Web Code: jdd-0306

## The written accent

jdd-0388

You already know the standard rules for stress and accent in Spanish.

• When words end in a vowel, *n*, or *s*, the stress is on the next-to-last syllable.

• When words end in a consonant (except *n* or *s*), the stress is on the last syllable.

• Words that do not follow these patterns must have a written accent (called *acento ortográfico* or *tilde*). The accent indicates that you should place the stress on this syllable as you pronounce the word.

Listen to and say these examples:

| | | | |
|---|---|---|---|
| champú | olvidó | cómodo | médico |
| película | patín | jabón | adiós |
| demás | césped | fútbol | lápiz |

**¡Compruébalo!** Here are some new words that all require accent marks. Copy the words and, as you hear them pronounced, write the accent mark over the correct vowel.

| | | | | |
|---|---|---|---|---|
| antropologo | cajon | carcel | ejercito | fosforo |
| lucho | nilon | util | tipico | lider |

Listen to and say the following *refrán:*

**Del árbol caído, todos hacen leña.**

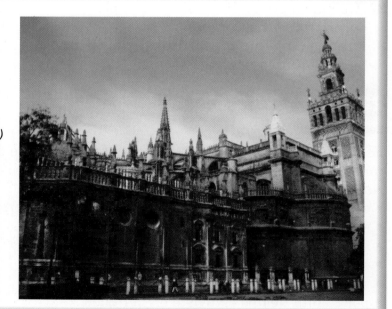

---

### Fondo cultural

España

**Los barrios** Hay barrios *(neighborhoods)* famosos en las ciudades grandes de España y América Latina que tienen su propia identidad. Por ejemplo, el Barrio de Santa Cruz, en Sevilla, España, es el más antiguo de la ciudad y originalmente fue un barrio judío *(Jewish)*. En este barrio, las calles son muy estrechas *(narrow)* y hay monumentos históricos, como la Catedral. Las personas que viven allí se sienten muy orgullosas *(proud)* de las tradiciones, la arquitectura y la historia que existen en su barrio.

• ¿Cuáles son las características de los barrios en general? ¿Hay algún barrio famoso en tu ciudad? ¿Cómo es?

El Barrio de Santa Cruz, en Sevilla, España

## 23 ¿Por cuánto tiempo?

**Pensar • Hablar • Escribir**

Es difícil encontrar el tiempo suficiente para hacer todos los quehaceres necesarios. A veces es necesario estar muy consciente del tiempo que requiere cada actividad que vas a hacer. Con otro(a) estudiante, lee y resuelve *(solve)* este problema matemático.

**Conexiones Las matemáticas**

1. Ayer Ángela salió de la escuela y fue a la farmacia para comprar champú y jabón. Estuvo allí por 13 minutos.

2. Después caminó al correo en diez minutos. Se quedó allí por 45 minutos mirando y comprando unos sellos bonitos e interesantes.

3. Caminó del correo a su casa en 15 minutos. Llegó a su casa a las 4:40 de la tarde.

la escuela

FARMACIA

la farmacia

el correo

la casa

4. Si la farmacia está a dos minutos de la escuela, ¿a qué hora salió Ángela de la escuela?

5. Escribe una frase para indicar a qué hora llegó y salió Ángela de cada lugar.

## 24 Te toca a ti

**Hablar • Escribir**

Con otro(a) estudiante, escriban un problema original similar al problema matemático de la Actividad 23. Pueden incluir una ilustración. Después cambien *(exchange)* su problema con otro grupo e intenten *(try)* resolverlo.

**Fondo cultural**

España

**Los sellos, la tradición y la comunidad** El tema de esta antigua serie de sellos de España son los trajes tradicionales de las comunidades españolas. Durante los festivales anuales de un pueblo o ciudad, los bailadores llevan trajes tradicionales. Los bailes, o danzas, y los trajes de cada comunidad son diferentes.

• ¿Conoces alguna serie de sellos que recuerda tradiciones regionales en los Estados Unidos? ¿Qué otros tipos de series de sellos tenemos en los Estados Unidos?

Trajes tradicionales de las regiones de España: Coruña, Córdoba, Granada, Huelva y Sevilla

# Lectura

## La unidad en la comunidad internacional

### Estrategia

**Using the structure of a text**
Sometimes the way the text is structured will help you understand the main idea. Look at this brochure and read only the headings. What do you think it is about?

## Ciudades Hermanas Internacional

**E**l programa de "Ciudades Hermanas Internacional" fue creado por el presidente de los Estados Unidos, Dwight D. Eisenhower, en el año 1956. La misión de este programa es promover[1] el intercambio y la cooperación entre los habitantes de ciudades en diferentes países. Hoy en día, más de 1,200 ciudades en los Estados Unidos tienen una ciudad hermana en casi 137 países. A través de[2] la cooperación económica, cultural y educativa, el programa de Ciudades Hermanas construye puentes[3] entre las personas y ayuda a la comprensión entre diferentes culturas.

### ¡Quiero tener una ciudad hermana!

Cualquier[4] ciudad de los Estados Unidos puede tener una ciudad hermana. Primero es necesario encontrar otra ciudad extranjera.[5] Esta ciudad puede tener alguna relación con la ciudad original. Por ejemplo, ciudades que tienen el mismo nombre, como Toledo, Ohio, y Toledo, España, pueden asociarse. También las ciudades que celebran el mismo festival pueden formar relaciones de hermandad. Para tener una relación oficial, hay que llenar un formulario en la comisión del programa para las Ciudades Hermanas. La organización tiene que aprobar[6] la petición.

### Intercambio económico

El programa de Ciudades Hermanas ayuda a establecer una cooperación económica entre los países. Por ejemplo, varios productos de Toledo, España, se venden en algunas tiendas en Toledo, Ohio. Las ciudades de Atlanta, Georgia, y de Salcedo, República Dominicana, también exploran varias posibilidades para intercambiar productos. El intercambio profesional y técnico es importante, como aprendieron los bomberos[7] y policías de la ciudad de Phoenix, Arizona, cuando tomaron clases de español en Sonora, México.

[1] to promote [2] Through [3] bridges [4] Any [5] foreign [6] approve [7] firefighters

## •REGLAS•
### para los jóvenes embajadores

Los jóvenes embajadores tienen que:

- obedecer las leyes[8] del país de la ciudad hermana

- respetar las costumbres del país

- ayudar a la familia con las tareas domésticas

- participar en muchas actividades para aprender sobre la cultura del país

- tratar de[9] hablar un poco en el idioma[10] del país

### Intercambio cultural

Hay diferentes posibilidades para un intercambio cultural. Los proyectos posibles incluyen:

- un festival con bailes y comida en honor a su ciudad hermana.

- una exposición de arte. Por ejemplo, la ciudad de Phoenix, Arizona, dio una exposición de arte en Sonora, México.

- el intercambio de música, grabaciones o dramas.

Toledo, España

Toledo, Ohio

### Intercambio educativo

En programas de intercambio educativo, los jóvenes son embajadores[11] en ciudades hermanas. Representan a los Estados Unidos en su viaje a otra ciudad. Se quedan con familias y así aprenden mucho sobre la cultura de ese país. Luego un embajador del país extranjero viene a los Estados Unidos y se queda con la familia del estudiante estadounidense.

A primera vista, las ciudades hermanas de Toledo, España y Toledo, Ohio no tienen mucho en común. En una ciudad se habla español, en la otra inglés; un lugar es antiguo y el otro, moderno. Pero en verdad lo que une a las dos Toledos es el gran intercambio artístico, cultural y económico.

[8] laws   [9] try to   [10] language   [11] ambassadors

## ¿Comprendiste?

1. ¿Por qué es importante el programa de las Ciudades Hermanas Internacional?

2. ¿Qué es necesario para tener una ciudad hermana?

3. ¿Por qué es importante el intercambio económico? ¿El intercambio cultural?

4. Si tu ciudad tiene una ciudad hermana, ¿qué puedes hacer como joven embajador?

5. ¿Cuál es la ciudad hermana de Phoenix, Arizona? ¿De Atlanta, Georgia? ¿De Toledo, Ohio?

6. En tu opinión, ¿cuál es la regla más importante para los jóvenes embajadores?

## Y tú, ¿qué dices?

Imagina que los estudiantes de una clase de tu ciudad hermana vienen a tu escuela. Prepara un horario de lo que pueden hacer y ver en tu escuela y en tu comunidad.

### Más práctica

- **Guided** Reading Support p. 106
- **Communication** Writing p. 55, Test Prep p. 230
- **Real. para hispanohablantes** pp. 102–103

**realidades.com**

- Internet Activity
- Leveled Workbook
- Web Code: jdd-0307

# La cultura en vivo
## Los mercados al aire libre

En los países hispanohablantes, los mercados al aire libre son muy populares. Son lugares para comprar y vender toda clase de cosas, como comida, productos del campo, artesanías y ropa. Los vendedores ponen sus tiendas en la calle y la gente mira los productos. Estos mercados son buenos lugares para ver a los amigos, comer algo o pasear.

En México, estos mercados se llaman *tianguis,* una palabra que en náhuatl significa "el lugar del mercado". El *tianguis,* o mercado al aire libre, es una tradición antigua que viene de los aztecas.

Pero no hay mercados sólo en México. En Ecuador, el mercado de Otavalo es muy conocido por sus artesanías. En La Paz, Bolivia, un mercado popular es el mercado de las Brujas. En Madrid, España, los domingos se abre el mercado de El Rastro. Cuando los compradores pasan por las calles, los vendedores los invitan a comprar y les preguntan, *¿Qué va a llevar?*

### Objetivo

Preparar un día de mercado en tu clase

### Procedimiento

Los estudiantes deben formar dos grupos. Los estudiantes en Grupo 1 (los vendedores) deben traer algo a la clase para vender y decidir el precio del objeto o producto. Los estudiantes en Grupo 2 (los compradores) deben visitar a los vendedores y, si quieren, comprar su mercancía. Pueden regatear (bargain) para bajar el precio. ¡Buena suerte!

El Rastro, en Madrid, España

Mercado en Zumbagua, Ecuador

### Expresiones y frases útiles

**Comprador**
¿Cuánto cuesta(n) . . . ?
¿Cuál es el precio de . . . ?
¡Uf! Es mucho . . .
¿No me lo puede dar por . . . ?
¿Me vende esto por . . . ?
Es un buen precio. Muy bien.

**Vendedor**
¿Qué va a llevar?
¿Qué desea Ud.?
¡Cómprame algo!
Cuesta . . . / El precio es . . .
¡Lo siento!

# Presentación oral
## Preparándose para un viaje

### Task
You are going to visit your best friend from Mexico for a week during summer vacation. Your friend lives in Mérida, Mexico, where it is very hot and humid during the summer. Your friend has already told you some plans: visit Mayan ruins nearby, spend time with friends, and go to the beach in Cancún for two days. Are you prepared to go? Explain what you did to prepare for the trip.

Una bella playa de Cancún, México

**1 Prepare** Make a list of ten items you need to bring for the week. Do you already have them at home? Do you need to buy them? Where do you need to go to get them? Use a chart like this one to organize your thoughts.

| Cosas que necesito | ¿Ya lo / la compré? | ¿Dónde? |
|---|---|---|
| sombrero para el sol | sí, lo compré | el almacén |

**2 Practice** Go through your presentation several times. You can use your notes in practice, but not when you present. Try to:
- talk about everything you did to get ready for the trip
- use complete sentences
- speak clearly

### Estrategia

**Using charts**
Create a chart to help you think through the key information you will want to talk about. This will help you speak more effectively.

**Modelo**

*Para visitar a mi amigo en Mérida necesito un sombrero para el sol, pasta dental y un cepillo de dientes. No tuve que comprar la pasta dental ni el cepillo. Pero tuve que comprar un sombrero para el sol. También tuve que ir al banco para cobrar un cheque que mi mamá me dio.*

- Speak & Record

**3 Present** Talk about your preparation for the trip. You might want to bring in props to show some of your preparations.

**4 Evaluation** Your teacher may give you a rubric for how the presentation will be graded. You will probably be graded on:
- completion of task
- how you related information about things needed for the trip
- how well you were understood

# En busca de la verdad

## Episodio 1

## Antes de ver el video

"Esa noche, mi mamá, mi papá, mi hermano y yo nos reunimos y hablamos sobre el viaje".

> **Nota cultural** En Guanajuato, muchas haciendas* antiguas ahora son hoteles para turistas. También hay hoteles nuevos que conservan el estilo colonial de México. Casi todos tienen verdes jardines con árboles y flores, fuentes de agua y patios con pisos de piedra. ¡Es como volver 300 años atrás en el tiempo!
>
> *ranches

"Hay una escuela en Guanajuato muy interesada en un intercambio".

## Resumen del episodio

La historia empieza en San Antonio, Texas. Allí vive y estudia en una escuela bilingüe Linda Toledo. Carmen, la mamá de Linda, es maestra en la misma escuela y quiere establecer un programa de intercambio con una escuela mexicana. Carmen decide visitar una escuela en Guanajuato y va con Linda a una agencia de viajes para hacer los planes del viaje. Al final del episodio Linda recuerda a su abuelo en el hospital.

> **Palabras para comprender**
> **intercambio** exchange
> **próximo** next
> **Segunda Guerra Mundial** World War II
> **soldado** soldier
> **ciudadano** citizen
> **querido, -a** dear

"¿En qué puedo servirles?"

"¿Cómo estás, abuelito?"

# Después de ver el video

## ¿Comprendiste?

**A.** Lee las siguientes frases y escribe quién dijo cada una: Linda, Carmen, el Sr. Balzar, el director, Berta o el abuelo.

1. "Hay una escuela en Guanajuato muy interesada en un intercambio".

2. "¿Qué le parece si me acompaña mi hija Linda?"

3. "Hay un vuelo que sale a las diez de la mañana y otro, a las seis de la tarde".

4. "Así llegamos un poco más temprano".

5. "¿Y ya tienen reservaciones de hotel en Guanajuato?"

6. "Voy a reservarles un buen hotel".

7. "Pero, ¿qué familia, abuelo?"

8. "Siempre recuerdo a mi querida familia mexicana".

**B.** Termina las siguientes frases explicando lo que sucede en el videomisterio:

1. El Sr. Balzar es _____.

2. Carmen y Linda quieren _____.

3. El Sr. Balzar llama a Berta Toledo en Guanajuato para _____.

4. Linda recuerda a su abuelo cuando _____.

5. El abuelo de Linda le dice que hablen otro día porque _____.

**C.** Mira la escena de la primera foto en la página anterior. Son el director y Carmen. Escribe un resumen de lo que hablaron.

realidades.com

• Web Code: jdd-0209

# Repaso del capítulo

## Vocabulario y gramática

jdd-0389

🔊

**Chapter Review**

To prepare for the test, check to see if you . . .
- **know the new vocabulary and grammar**
- **can perform the tasks on p. 153**

## to talk about places in a community

| | |
|---|---|
| el banco | bank |
| el centro | downtown |
| el consultorio | doctor's / dentist's office |
| la estación de servicio, *pl.* las estaciones de servicio | service station |
| la farmacia | pharmacy |
| el supermercado | supermarket |

## to talk about mail

| | |
|---|---|
| el buzón, *pl.* los buzones | mailbox |
| la carta | letter |
| echar una carta | to mail a letter |
| el correo | post office |
| enviar *(i → i)* | to send |
| el sello | stamp |
| la tarjeta | card |

## to talk about items in a sporting-goods store

| | |
|---|---|
| el equipo deportivo | sports equipment |
| el palo de golf | golf club |
| los patines | skates |
| la pelota | ball |
| la raqueta de tenis | tennis racket |

## to talk about pharmacy products

| | |
|---|---|
| el cepillo de dientes | toothbrush |
| el champú | shampoo |
| el jabón | soap |
| la pasta dental | toothpaste |

## to make excuses

| | |
|---|---|
| se me olvidó | I forgot |

For *Vocabulario adicional,* see pp. 498–499.

## to talk about errands

| | |
|---|---|
| cerrar *(e → ie)* | to close |
| cobrar un cheque | to cash a check |
| cuidar a | to take care of |
| el dentista, la dentista | dentist |
| devolver *(o → ue)* (un libro) | to return (a book) |
| la gasolina | gasoline |
| ir a pie | to go on foot |
| llenar (el tanque) | to fill (the tank) |
| el médico, la médica | doctor |
| sacar (un libro) | to take out, to check out (a book) |
| se abre | opens |
| se cierra | closes |

## other useful words and expressions

| | |
|---|---|
| caramba | good gracious |
| casi | almost |
| ¡Cómo no! | Of course! |
| en seguida | right away |
| hasta | until |
| por | for (how long) |
| pronto Hasta pronto. | soon See you soon. |
| quedarse | to stay |
| todavía | still |
| varios, -as | various, several |

## preterite of *ir (to go)* and *ser (to be)*

| | |
|---|---|
| fui | fuimos |
| fuiste | fuisteis |
| fue | fueron |

## preterite of *tener, estar,* and *poder*

| | |
|---|---|
| tuve estuve pude | tuvimos estuvimos pudimos |
| tuviste estuviste pudiste | tuvisteis estuvisteis pudisteis |
| tuvo estuvo pudo | tuvieron estuvieron pudieron |

**direct object pronouns: *lo, la, los, las***

## Más práctica

- **Core** Puzzle p. 58, Organizer p. 59
- **Communication** Integrated
  Performance Assessment p. 231

**realidades.com** Ⓥ

- Tutorial
- Flashcards
- Puzzles
- Self-test
- Web Code: jdd-0308

# Preparación para el examen

| On the exam you will be asked to . . . | Here are practice tasks similar to those you will find on the exam . . . | If you need review . . . |
|---|---|---|

## Interpretive

jdd-0389 🔊 **① Escuchar** Listen and understand as people tell where they went and what they did there

As sponsor for the school's summer trip to Mexico, the Spanish teacher has heard many excuses about why students don't return to the bus in time to depart for the next stop. Listen to the excuses to determine where the students went and why they were late.

**pp. 130–133** *Vocabulario en contexto*

**p. 135** Actividad 6

**p. 136** Actividad 8

**p. 143** Actividad 21

## Interpersonal

**② Hablar** Ask and respond to questions about whether you did certain things that you had to do

To avoid any delays for the next day's tour, the sponsor for the Mexico City summer trip asked each student if he or she prepared the night before. She wants you to help her next time. How would you ask someone if he or she did the following: (a) cashed a check; (b) bought stamps; (c) sent postcards to friends; (d) went to the pharmacy to buy soap and toothpaste? With a partner, practice asking and answering these questions.

**p. 134** Actividad 5

**p. 135** Actividad 7

**p. 136** Actividad 8

**p. 143** Actividad 20

**p. 149** *Presentación oral*

## Interpretive

**③ Leer** Read and understand what people say they received as gifts in the past

You're helping your classmate read the answers to a survey he is conducting for his Spanish project. The survey question was: *¿Cuál es el regalo más loco que recibiste este año?* Look at the first response. Can you identify what the gift was and why the person thought it was silly?

*Recibí un cupón (coupon) para llenar el tanque de mi coche, pero no tengo coche. Tuve que venderlo el año pasado.*

**p. 132–133** *Videohistoria*

**p. 146–147** *Lectura*

## Presentational

**④ Escribir** Write responses to questions about things you have bought in the past

You decided to answer some of the other questions on your friend's survey. What would you write for the following question: *¿Qué hiciste para ganar dinero el verano pasado y qué compraste con el dinero?*

**p. 137** Actividad 11

**p. 139** Actividad 14

**p. 143** Actividad 22

## Cultures

**⑤ Pensar** Demonstrate an understanding of the popularity of outdoor markets in Spanish-speaking countries

Vendors and buyers enjoy the open-air markets so popular in Spanish-speaking countries. How would both of them spend their day at the market? What might they sell and buy?

**p. 148** *La cultura en vivo*

# Vocabulario [Repaso]

### las preposiciones

a la derecha de
a la izquierda de
al lado de
cerca de
debajo de
delante de
detrás de
encima de
entre
lejos de

### los medios de transporte

el autobús, *pl.* los autobuses
el avión, *pl.* los aviones
el barco
la bicicleta
el coche
el taxi
el tren

## 1 ¿Dónde está?

**Escribir • Hablar**

Escribe cinco frases para describir la ciudad del dibujo. Incluye cinco preposiciones y cinco medios de transporte en tu descripción. Escribe tres frases ciertas y dos falsas según el dibujo. Luego lee tus frases a otro(a) estudiante que va a repetir las frases ciertas y cambiar las frases falsas.

### Modelo

A —*Hay una chica en bicicleta. Ella está a la derecha del monumento.*

B —*Sí, hay una chica en bicicleta, pero ella no está a la derecha del monumento, está a la izquierda.*

## 2 Completa la frase

**Dibujar • Hablar**

**1** Trabaja con un grupo de tres o cuatro estudiantes. Cada grupo necesita siete tarjetas. En cada tarjeta dibujen uno de los medios de transporte de la lista. Un(a) estudiante escoge una tarjeta y empieza a decir una frase.

### Modelo

*Muchas personas van en autobús . . .*

**2** El estudiante le da la tarjeta a la persona a su izquierda, que repite la frase y la completa. Si el grupo cree que la frase es correcta, el (la) estudiante que la completó escoge otra tarjeta para empezar una frase nueva.

### Modelo

*Muchas personas van en autobús al partido.*

# Gramática Repaso

## The verbs *salir*, *decir*, and *venir*

*Salir* "to leave, to go out," *decir* "to say, to tell," and *venir* "to come" are irregular *-ir* verbs. They also have a *yo* form that ends in *-go*.

| (yo) | salgo<br>digo<br>vengo | (nosotros)<br>(nosotras) | salimos<br>decimos<br>venimos |
|---|---|---|---|
| (tú) | sales<br>dices<br>vienes | (vosotros)<br>(vosotras) | salís<br>decís<br>venís |
| Ud.<br>(él)<br>(ella) | sale<br>dice<br>viene | Uds.<br>(ellos)<br>(ellas) | salen<br>dicen<br>vienen |

### ¿Recuerdas?

You already know four *-er* verbs that have a *yo* form that ends in *-go*.

**tener:** yo tengo    **poner:** yo pongo

**hacer:** yo hago    **traer:** yo traigo

Note that *salir* is irregular only in the *yo* form; *decir* follows a pattern similar to that of *e → i* stem-changing verbs; and *venir* follows a pattern similar to that of *e → ie* stem-changing verbs.

## ③ En la ciudad

**Leer · Escribir**

Enrique describe lo que pasa en la ciudad. Escribe la forma apropiada del verbo correcto para completar las frases.

Muchas personas __1.__ *(poner / venir)* a la ciudad en autobús o en tren. Ellos __2.__ *(decir / salir)* que es mejor que ir en coche. Mi primo es muy deportista. Él siempre __3.__ *(decir / venir)* a la ciudad en bicicleta y __4.__ *(traer / salir)* todas sus cosas en una mochila. __5.__ *(Salir / Hacer)* de casa muy temprano porque vive bastante lejos de la ciudad. Él __6.__ *(decir / traer)* que es mejor montar en bicicleta porque __7.__ *(salir / hacer)* ejercicio al mismo tiempo. Mis hermanos y yo __8.__ *(hacer / venir)* en autobús o a veces en el coche de papá. __9.__ *(Poner / Traer)* el almuerzo porque no regresamos a casa para almorzar.

### Más práctica

● **Guided** p. 108
● **Core** pp. 60–61
● *Real.* **para hispanohablantes** p. 110

**realidades.com**
• Leveled Workbook
• Web Code: jdd-0311

## ④ ¿Con qué frecuencia?

**Escribir · Hablar**

Escribe seis frases para decir con qué frecuencia haces las actividades del recuadro. Luego lee tus frases a otro(a) estudiante para ver si hace las mismas cosas que tú.

> venir a la escuela en autobús
> decir la verdad
> traer un cuaderno a clase
> salir de casa antes de las siete de la mañana
> poner los libros en una mochila
> hacer la tarea en casa

### Modelo

salir con los amigos

**A** —*Siempre salgo con mis amigos los fines de semana. ¿Y tú?*

**B** —*Pues, salgo con ellos a veces.*

## Fondo cultural

**Estados Unidos • México**

**Diego Rivera** (1886–1957) pintó este mural en el Instituto de Arte de San Francisco en sólo cinco semanas. El artista está sentado en el centro, con sus asistentes alrededor. El mural representa la construcción de una moderna ciudad industrial e indica el entusiasmo de Rivera por el desarrollo industrial de la década de 1930.

• Compara el entusiasmo de Rivera por el desarrollo industrial con el interés que tiene la gente hoy en día en la tecnología.

"La elaboración de un fresco" (1931), Diego Rivera ▶

271 x 357 inches, The San Francisco Art Institute, California. © 2009 Banco de México Diego Rivera & Frida Kahlo Museums Trust, México, D.F./Artists Rights Society (ARS), New York. Photo: Museum Associates/ LACMA.

# Capítulo 3B

# ¿Cómo se va . . . ?

## Chapter Objectives

- Give directions for getting to places
- Give a friend directions for a task
- Discuss driving and good driving habits
- Understand cultural perspectives on neighborhoods

## Video Highlights

**Videocultura:** *Tú y tu comunided*

**A primera vista:** *¿Cómo llegamos a la plaza?*

**GramActiva Videos:** irregular affirmative *tú* commands; present progressive: irregular forms

**Videomisterio:** *En busca de la verdad,* Episodio 2

## Country Connection

As you learn to talk about modes of transportation and giving directions, you will make connections to these countries and places:

## Más práctica

- *Real.* para hispanohablantes pp. 110–111

**realidades.com** ✓

- Fondo cultural Activity
- Video Activities
- Online Atlas
- Web Code: jde-0002

Una vista de Buenos Aires

# Vocabulario en contexto

jdd-0397

**Objectives**

Read, listen to, and understand information about
• places in a city or town
• driving and transportation

66 Hola, me llamo Miguel. Hoy estoy en el centro y necesito ir al Banco Nacional. Voy a preguntarle a este policía **cómo se va** al banco 99.

el camión

la avenida

el semáforo

la fuente

la plaza

el policía

la esquina

una cuadra

—Señor policía, ¿cómo se va al Banco Nacional?

—Es muy fácil.

—**Cruza** esta calle y **sigue derecho** hasta llegar a la señal de parada.

. . . Allí, **dobla** a la izquierda.

. . . Después de **manejar por** una cuadra, dobla a la derecha. El banco **queda** a mano izquierda **en medio de** la Avenida Juárez.

**Más vocabulario**

hasta *as far as, up to*

el cruce de calles

el tráfico

la estatua

la señal de
parada

el peatón

el puente

estrecho, -a

ancho, -a

la carretera

—Miguel, **ten cuidado.** Es un poco
**peligroso** por aquí. La carretera es
ancha pero vamos a **pasar por** un
puente que es bastante estrecho.

—**¡Basta! Ya** sé manejar.

el permiso
de manejar

poner una
multa

el conductor

—¡Hombre! **Ve** más **despacio.** La policía
te va a poner una multa y a veces te
**quitan** el permiso de manejar.

—**Me estás poniendo nervioso.
Déjame en paz** por un momento.

**1** **¿Qué es y dónde queda?** 🔊 jdd-0397

**Escuchar**

Escucha las descripciones y busca la palabra
o expresión apropiada del vocabulario en
el mapa de las páginas 158–159. Señala la
palabra o expresión y dila en voz alta *(say it
aloud)* para indicar que la encontraste.

**Más práctica**

● **Guided** Vocab. Flash Cards
pp. 109–114
● **Core** Vocab. Practice pp. 62–63
● **Communication** Writing p. 63
● *Real.* **para hispanohablantes**
p. 112

**realidades.com** ✔

• Audio Activities
• Leveled Workbook
• Flashcards
• Web Code: jdd-0312

**2** **¿Dónde estoy ahora?** 🔊 jdd-0397

**Escuchar**

Escucha las direcciones y síguelas en el mapa
de las páginas 158–159. Empieza cada vez en
las palabras *Estás aquí*. Indica adónde llegas y
contesta con *Estoy delante de . . .*

# ¿Cómo llegamos a la plaza?

¿Cómo van los cuatro amigos al Bazar San Ángel? Lee la historia.

**Estrategia**

**Reading for key information**
Reading the questions at the end of the *Videohistoria* will help you focus on key information.

**1 Teresa:** ¿Y cómo llegamos al Bazar San Ángel?

**Claudia:** Vamos a tomar **el metro desde** aquí.

**Teresa:** Está bien. Vamos.

**5 Ramón:** Ahora, ¿adónde?
**Manolo:** Espera. Esto es **complicado.** Vamos a doblar a la derecha. No, mejor, vamos a seguir por aquí.

**Ramón:** ¿Estás seguro?

**Manolo:** Sí, sí. Yo sé por dónde vamos. Me estás poniendo nervioso.

**6 Teresa:** Ya son las dos y cuarto. ¿Dónde están Ramón y Manolo?

**Claudia:** Estoy segura que no saben dónde está . . .

**7 Ramón:** ¡Basta! Vamos a preguntarle a alguien. Señor, ¿cómo se va al Bazar San Ángel?

**Señor:** Pues, miren. En este cruce de calles van a doblar a la izquierda.

**Ramón:** Gracias. Vamos, rápido.

**2** **Ramón:** Claudia y Teresa nos van a **esperar** en el Bazar San Ángel. Mira, aquí hay un banco. **¿Tienes prisa?**

**Manolo:** No, no tengo prisa. Tenemos tiempo. ¿Por qué?

**Ramón:** ¿Puedes **parar** por un momento, por favor? Tengo que sacar dinero.

**3** **Ramón:** Doscientos pesos. Ahora, vamos a ver a Claudia y a Teresa.

**Manolo:** Sí. Pero no vamos a manejar el coche. Vamos a **dejarlo** en casa para ir a pie. El Bazar San Ángel queda **aproximadamente** a veinte minutos de mi casa.

**Ramón:** Vamos.

**Manolo:** **De acuerdo.**

**4** **Ramón:** ¿Y cómo es el Bazar?

**Manolo:** Hace mucho tiempo que no voy por allí. Pero te va a gustar. Es muy popular.

**Ramón:** ¿Y **estás seguro** que sabes cómo llegar allí?

**Manolo:** Sí, claro. Está a* unas siete cuadras de aquí.

*Estar a* is used to indicate distance.

**8** **Manolo:** ¡Claudia, Teresa, aquí estamos!

**3** **¿Comprendiste?**

**Escribir • Hablar**

1. ¿Cómo van a ir Claudia y Teresa al Bazar San Ángel?
2. Antes de ir al Bazar, ¿qué tiene que hacer Ramón?
3. ¿Cómo van a llegar Ramón y Manolo a San Ángel? ¿Por qué?
4. ¿Sabe Manolo llegar al Bazar? Según Manolo, ¿por qué?
5. ¿Tienen problemas los dos chicos en llegar al Bazar San Ángel? ¿Qué les pasa?
6. ¿Quiénes están esperándolos cuando llegan al Bazar?

**Más práctica**

- **Guided** Vocab. Check pp. 115–118
- **Core** Vocab. Practice pp. 64–65
- **Communication** Video pp. 56–58
- *Real.* **para hispanohablantes** p. 113

**realidades.com**

- Audio Activities
- Video Activities
- Leveled Workbook
- Flashcards
- Web Code: jdd-0313

# Vocabulario en uso

**Objectives**

- Talk about getting to places in town and types of transportation
- Give directions
- Talk about good driving habits
- Give commands to other people
- Talk about what is happening now
- Use the direct object pronouns *me, te,* and *nos*

## 4 Las glorietas

**Leer • Escribir**

Lee este párrafo sobre las glorietas *(traffic circles)* y escribe las palabras correctas para completarlo.

Hace muchos años, en Europa y en América Latina, encontraron una solución al problema de accidentes en los __1.__ *(cruces de calles / peatones):* la glorieta. Las glorietas reducen el número de accidentes porque los conductores no pueden __2.__ *(tener prisa / doblar)* a la izquierda. En muchos casos, los cruces de calles con glorietas son menos __3.__ *(anchos / peligrosos)* que los que tienen semáforos. En muchas ciudades, las glorietas también son lugares de mucho interés turístico, porque hay grandes __4.__ *(fuentes / esquinas),* monumentos o __5.__ *(carreteras / estatuas)* en el centro. Frecuentemente hay muchos coches, taxis, __6.__ *(camiones / avenidas)* y autobuses que pasan por estas glorietas y es necesario tener un __7.__ *(puente / policía)* allí para ayudar a controlar el __8.__ *(tráfico / metro).* En algunas partes de los Estados Unidos, como en Nueva Jersey, también es común ver glorietas en las calles.

Glorieta de Atocha, Madrid

## 5 Y tú, ¿qué dices?

**Escribir • Hablar**

1. ¿Hay una glorieta en una comunidad que tú conoces? ¿Cómo es? ¿Hay una fuente, estatua o monumento allí?

2. Para algunos conductores las glorietas parecen complicadas. ¿Qué piensas? ¿Las glorietas te parecen más o menos peligrosas que los cruces de calles con semáforos o señales de parada? ¿Por qué?

3. ¿Cómo manejan los conductores en las glorietas, despacio o con mucha prisa?

4. En tu comunidad, ¿hay mucho tráfico en los cruces de calles? ¿Los policías ayudan a controlar el tráfico? ¿Qué hacen los policías si alguien no respeta las reglas de tráfico?

### También se dice . . .

**el cruce de calles** = la intersección *(Colombia, Ecuador)*

**manejar** = conducir *(España, Puerto Rico)*

**doblar** = dar la vuelta *(Colombia)*

**la carretera** = la autopista *(Colombia)*

**la cuadra** = la manzana *(España, Colombia)*

**el permiso de manejar** = la licencia de conducir *(México);* el carnet de conducir *(España)*

**derecho** = recto *(Ecuador, Guatemala)*

**el tráfico** = la circulación *(España, Uruguay, Venezuela, México);* el tránsito *(España)*

## 6 ¿Qué hay en el mapa?

**Escribir • Hablar**

Haz una lista de ocho cosas que puedes ver en el centro de una ciudad. Trabaja con otro(a) estudiante y pregúntale si ve estas cosas en el mapa de las páginas 158–159. Si necesitas ayuda con las preposiciones ve *A ver si recuerdas* en la página 154.

páginas 158–159 / página 154

**Modelo**

**A** —*¿Hay una fuente?*
**B** —*Sí. Está en medio de la plaza.*

## 7 Escucha y escribe 🔊

jdd-0398

**Escuchar • Escribir**

Tus parientes *(relatives)* saben que estás aprendiendo a manejar y todos tienen consejos *(advice)*. Pero algunas de sus ideas no son muy lógicas. Escucha lo que dicen y escribe las frases. Después escribe *L* si es una idea lógica o *I* si es una idea ilógica.

## 8 ¡Me estás poniendo nervioso!

**Leer • Hablar**

Tu compañero(a) y tú están en el coche. Tú estás manejando, pero tu compañero(a) ve las señales de tráfico y te está poniendo nervioso(a) con todo lo que te dice. Hagan una conversación lógica usando las señales y frases de abajo. Las señales indican el orden de las frases que debes usar en la conversación.

**Modelo**

**A** —*Ten cuidado. Hay una zona de construcción por aquí.*
**B** —*Por favor. ¡Ya sé manejar!*

1. 
2. 
3. 80 km/h
4. 

5. ALTO
6. 
7. 
8. 

**Estudiante A**

¡Espera! Se prohíbe entrar. No puedes seguir derecho.

Debes parar en la señal de parada.

Cuidado. Este cruce de trenes es bastante peligroso.

Si no respetas la velocidad máxima *(speed limit)*, el policía te pone una multa.

¿Estás seguro(a) que podemos cruzar este puente estrecho?

Ve más despacio. Hay muchos peatones en el cruce de calles.

En esta avenida no puedes doblar a la derecha.

Ve despacio en esta zona escolar.

**Estudiante B**

De acuerdo. Voy a . . .

Déjame en paz.

Ya sé manejar.

Me estás poniendo nervioso(a).

¡Basta!

Gracias, pero no necesito tu ayuda.

**Escuchar**

Estás de vacaciones con tu familia en el Viejo San Juan, Puerto Rico. Empiezas tu excursión hoy en el Parque de las Palomas. (Mira ✪ en el mapa.) Escucha las direcciones que te dan tres personas y síguelas en el mapa. Escribe el nombre de cada lugar adonde llegas.

Empezaron a construir el sistema de defensas para la ciudad de San Juan en el siglo *(century)* XVI con murallas *(walls)* grandes como ésta y el famoso Castillo El Morro.

La Puerta de San Juan es la entrada a la antigua ciudad del mar.

El Parque de las Palomas lleva ese nombre por la cantidad *(number)* de palomas que viven allí; es un lugar popular para visitar.

**Leyenda**

| | |
|---|---|
| 1. La Fortaleza | 6. la Alcadía |
| 2. el Museo de las Américas | 7. la Iglesia de Santa Ana |
| 3. el Castillo El Morro | 8. la Plaza de Armas |
| 4. la Plaza Quinto Centenario | 9. la Puerta de San Juan |
| 5. la Casa Blanca | 10. la Capilla del Cristo |

## 10 Puntos de interés

**Hablar**

Hoy quieres visitar otros puntos de interés en el Viejo San Juan. Empiezas tu excursión otra vez en el Parque de las Palomas. Con otro(a) estudiante, habla de cómo se va a los lugares que ven en el mapa de la página 164.

**Modelo**

**A** —*Por favor, ayúdame. ¿Cómo se va del Parque de las Palomas a la Catedral?*

**B** —*Camina dos cuadras por la Calle del Cristo. Queda a la derecha.*

**Estudiante A**

1. La Fortaleza
2. el Museo de las Américas
3. el Castillo El Morro
4. la Plaza Quinto Centenario
5. la Casa Blanca
6. la Alcadía

**Estudiante B**

Camina (por) . . .
Toma . . .
Ve . . .
Sigue (derecho) . . .

Cruza . . .
Pasa (por) . . .
Dobla . . .
Para . . .

## 11 Y tú, ¿qué dices?

**Escribir • Hablar**

1. En tu comunidad, ¿cómo son las calles? ¿Es fácil o es complicado ir de un lugar a otro?

2. ¿Ya tienes tu permiso de manejar? Si no, ¿cuándo lo vas a obtener? ¿Qué haces (hiciste) para aprender las reglas y señales de tráfico?

3. En una encuesta *(survey)*, les preguntaron a unos jóvenes españoles con qué frecuencia usan su coche para salir de la ciudad. Los jóvenes contestaron:

| | |
|---|---|
| Casi todos los días | 48% |
| Sólo el fin de semana | 7% |
| Tres o cuatro veces a la semana | 5% |
| Casi nunca | 11% |
| No tengo coche | 29% |

¿Crees que contestarían *(would answer)* los jóvenes de tu comunidad estas preguntas de una forma similar? ¿Por qué?

**Fondo cultural**

El mundo hispano

**La Plaza Mayor** En las antiguas ciudades de España y las ciudades coloniales de América Latina, la plaza era *(was)* el centro de la ciudad. Hoy las plazas son lugares populares para pasar tiempo con los amigos. La Plaza Mayor de Madrid es una de las más bonitas de España. El Zócalo, en la Ciudad de México, es una de las más grandes del mundo.

• ¿Hay algo similar a una plaza mayor en tu comunidad? ¿Qué es? ¿Adónde vas tú para pasar tiempo con amigos?

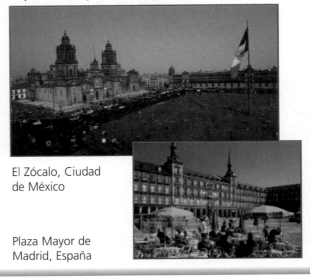

El Zócalo, Ciudad de México

Plaza Mayor de Madrid, España

# Gramática (Repaso)

## Direct object pronouns: *me, te, nos*

You know that direct object pronouns replace direct object nouns. The direct object pronouns *lo, la, los,* and *las* can refer to both objects and people. The pronouns *me, te, nos,* and *os* refer only to people. Here are all the direct object pronouns:

| Singular | | Plural | |
|---|---|---|---|
| me | me | nos | us |
| te | you (*familiar*) | os | you (*familiar*) |
| lo | him, it, you (*formal*) | los | them, you |
| la | her, it, you (*formal*) | las | |

Remember that in Spanish the subject and the verb ending tell who does the action and the direct object pronoun indicates who receives the action.

¿**Me** ayudas, por favor?

*Can you help me please?*

Direct object pronouns usually come right before the conjugated verb. When an infinitive follows a conjugated verb, the direct object pronoun can be placed before the first verb or attached to the infinitive.

¡No **te** entiendo!

Quieren llevar**nos** al centro.

---

 **12** **Tarde otra vez**

**Leer • Escribir**

Hoy Manolo llegó tarde a la escuela. Completa la conversación entre él y Ramón con *me, te* o *nos.*

**Ramón:** Oye, Manolo, ¿por qué no tomaste el autobús a la escuela esta mañana? __1.__ esperamos en la esquina de tu calle por diez minutos.

**Manolo:** Lo siento. Mi padre no __2.__ despertó a tiempo.

**Ramón:** ¿Y cómo llegaste a la escuela? ¿Tu hermana __3.__ llevó en su coche?

**Manolo:** Sí, ella __4.__ llevó a la escuela.

**Ramón:** ¿Ya sabes que repasamos en la primera hora para el examen de mañana?

**Manolo:** Sí, lo sé y no entiendo la materia. ¿__5.__ ayudas a estudiar esta noche?

**Ramón:** Lo siento, amigo, pero no __6.__ puedo ayudar. Mi familia y yo vamos a la casa de mis tíos. Ellos __7.__ invitaron a cenar esta noche.

**Manolo:** Pues, entonces __8.__ veo mañana. Tengo que hablar con Claudia y Teresa. Estoy seguro que ellas __9.__ pueden ayudar.

"Perdón, señora. Nos puede decir cómo llegar a . . . ?"

## ⓭ Una foto y una voz

**Leer • Hablar**

Lee el anuncio a la derecha y, con otro(a) estudiante, contesta las preguntas.

1. ¿Qué hace el navegador GPS de este teléfono?

2. Si tienes este nuevo teléfono celular, ¿cuál es la ventaja (advantage) para tus amigos?

3. ¿Te gustaría tener un teléfono celular como éste? ¿Por qué?

### SI NO SABES DONDE ESTÁS

Con el nuevo teléfono celular MX P-45, puedes salir tranquilo de tu casa. El navegador GPS integrado en este celular te dice dónde estás y cómo llegar a tu tienda o restaurante favorito. También, te informa sobre el tráfico, y así puedes llamar a tus amigos si vas a llegar tarde.

### ¡TU TELÉFONO TE ENCUENTRA!

## ⓮ Una fiesta en el centro ♻

**Escribir**

Hoy es la fiesta de cumpleaños de la abuela de Teresa. La familia decidió celebrar en un restaurante del centro. Escribe lo que hicieron Teresa, su familia y los invitados (guests).

### Modelo

Teresa / invitar a la fiesta de su abuela: a nosotros
*Teresa nos invitó a la fiesta de su abuela.*

1. Teresa / hablar por teléfono anoche: a ti

2. mis padres / ayudar a comprar un regalo: a mí

3. mi padre / llevar en su coche a la fiesta: a mí

4. Teresa y su madre / ver: a nosotros

5. la abuela de Teresa / conocer: a ti

6. mis padres / llevar a casa a las diez: a nosotros

## ⓯ Tus relaciones con otras personas

**Hablar**

Habla con otro(a) estudiante sobre las relaciones que tienes con otras personas.

### Modelo

llevar a la escuela por la mañana
A —*¿Quién te lleva a la escuela por la mañana?*
B —*Mis padres me llevan a la escuela.*
o:—*Nadie me lleva a la escuela. Voy a pie.*

**Estudiante A**

1. invitar a su casa a menudo
2. comprender casi siempre
3. ayudar con las tareas
4. recoger de la escuela por la tarde
5. esperar mucho
6. despertar por la mañana

**Estudiante B**

mi mamá (papá)
mis padres
mi hermano(a)
mi mejor amigo(a)

mis amigos

**¡Respuesta personal!**

### Más práctica

- **Guided** Gram. Practice pp. 119–120
- **Core** Gram. Practice p. 66
- **Communication** Writing p. 64
- *Real.* para hispanohablantes pp. 114–117

**realidades.com** ✔

- Audio Activities
- Video Activities
- Speak & Record
- Tutorial
- Leveled Workbook
- Web Code: jdd-0314

# Gramática

## Irregular affirmative *tú* commands

Some verbs have irregular affirmative *tú* commands. To form many of these commands, take the *yo* form of the present tense and drop the *-go*:

| Infinitive | *yo* form | command |
|---|---|---|
| poner | pongo | pon |
| tener | tengo | ten |
| decir | digo | di |
| salir | salgo | sal |
| venir | vengo | ven |

*Hacer, ser,* and *ir* have irregular *tú* command forms that must be memorized.

| hacer | haz |
|---|---|
| ser | sé |
| ir | ve |

—¿Cómo se va a la carretera?

—**Sal** de aquí y sigue derecho hasta el tercer semáforo.

### ¿Recuerdas?

To give someone an affirmative *tú* command, use the *Ud. / él / ella* form of the verb.

• Elena, ¡**maneja** con cuidado!

If you use a direct object pronoun with an affirmative command, attach the pronoun to the command. When a pronoun is added to a command of two or more syllables, a written accent mark is needed over the stressed vowel.

Josefina, ¡**hazlo** ahora mismo!

Martín, **ayúdame**.

**GramActiva** VIDEO

Need more help with irregular affirmative *tú* commands? Watch the **GramActiva** video.

Sal del coche.

## 16 Los consejos de una amiga

**Leer • Escribir**

Joaquín visita por primera vez Caracas, Venezuela, y quiere manejar al centro. Lee los consejos que le da una amiga venezolana. Empareja *(Match)* la información de las dos columnas y escribe los mandatos apropiados que ella le dice.

**Modelo**
(ir) al banco primero
*Ve al banco primero si no tienes mucho dinero.*

1. *(poner)* el permiso de manejar
2. *(salir)* temprano para no encontrar
3. *(ser)* un(a) buen(a) conductor(a) para
4. *(tener)* cuidado cuando pasas por
5. *(ir)* despacio por
6. *(hacer)* una pregunta
7. *(decir)* la verdad (¡que no sabes!)
8. *(venir)* directamente a casa

a. una zona de construcción
b. si no sabes dónde queda algo
c. en tu cartera antes de salir
d. a las cuatro de la tarde
e. no recibir multas de la policía
f. si alguien te pregunta cómo se va a algún lugar
g. las calles estrechas
h. mucho tráfico

##  ¡Toma el metro!

**Hablar**

Mira el mapa del metro de la Ciudad de México. Habla con otro(a) estudiante sobre la mejor forma de ir de un lugar a otro usando el metro.

> **Para decir más . . .**
>
> **bajar**   to get off
>
> **cambiar**   to change
>
> **hacia**   toward

**Modelo**

**A** —¿Cómo se va en el metro del Hospital General al Zócalo?

**B** —Pues, desde el Hospital General toma la línea 3 y ve hacia Indios Verdes. Baja en Hidalgo y cambia a la línea 2. Ten cuidado. Ve hacia Villa de Cortés y baja en la estación Zócalo. Sal del metro y estás en el Zócalo.

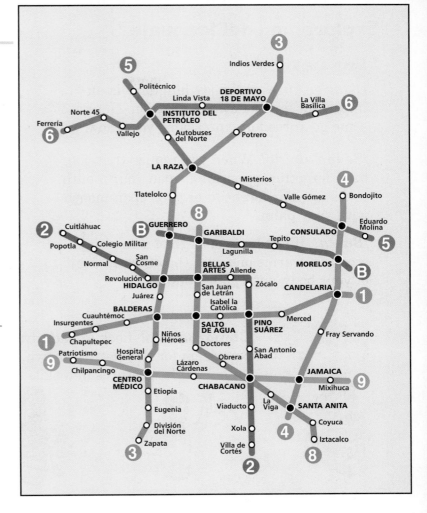

**¿Cómo se va . . .**

1. . . . del parque Chapultepec al Zócalo?
2. . . . de Santa Anita a Lázaro Cárdenas?
3. . . . del Palacio de Bellas Artes a la estación Autobuses del Norte?
4. . . . de Chabacano a San Juan de Letrán?
5. . . . de Tlatelolco a Garibaldi?
6. . . . del Colegio Militar a Insurgentes?

## Fondo cultural

**México**

**El Metro de la Ciudad de México** 4.7 millones de personas usan diariamente las diez líneas del metro en la Ciudad de México. Es económico viajar por metro. Un viaje cuesta $2.00 pesos. Si usas mucho el metro, puedes comprar boletos con descuento. Durante las horas pico *(rush hour)* hay tantas personas que hay unos vagones *(subway cars)* sólo para hombres y otros vagones para mujeres y niños.

• ¿Por qué crees que el metro es un sistema de transporte tan popular en la ciudad?

La estación de metro Chapultepec, Ciudad de México

## Exploración del lenguaje

### Los gestos

Using gestures and body language is an important form of communication. Here are some gestures for expressions you know.

***¡Se me olvidó!*** When you realize that you have forgotten something, open your mouth and slap your forehead or your open mouth with your palm.

***¡Basta!*** If you have enough of something, cross your arms one over the other, in front of your body, with palms down.

***¡Vete!*** If you want someone to go away, extend one arm toward the person with the palm of the open hand, as if to make a stop sign. Move the hand near and far, as if pushing something.

***¡Ven aquí!*** If you want someone to come closer, turn the palm of your hand up and fold your fingers toward you, into your palm.

***¡Sigue derecho!*** To help a person find the way, extend your arm ahead. Move your arm forward and back, indicating the way to go with your hand.

**¡Compruébalo!** Look at each drawing and write the appropriate expression for the gesture shown. Then work with a partner and use one of the gestures in a skit.

### 18 Ayúdame, por favor

**Leer • Escribir • Hablar**

Anita está en casa con su hermano mayor y quiere ir al centro comercial. Primero escribe los mandatos que completan la conversación entre ellos. ¡Ojo! Si añades un pronombre a un verbo que tiene más de una sílaba, tienes que escribir un acento. Después lee la conversación con otro(a) estudiante.

| | | | |
|---|---|---|---|
| ayudarme | escucharme | llevarme | ser |
| decirme | esperarme | preguntarme | venir |

**Más práctica**

- **Guided** Gram. Practice pp. 121–122
- **Core** Gram. Practice p. 67
- **Communication** Writing p. 65
- ***Real.* para hispanohablantes** pp. 118, 120

**realidades.com**
- Audio Activities
- Video Activities
- Speak & Record
- Canción de hip hop
- Tutorial
- Leveled Workbook
- Web Code: jdd-0315

**Anita:** Roberto, quiero ir al centro comercial pero queda bastante lejos. __1.__ muy simpático y __2.__ en tu coche, por favor.

**Roberto:** No puedo. Tengo mucho que hacer. Pero __3.__ aquí un minuto. Tengo un mapa en mi coche. Estoy seguro que lo puedes encontrar. Si no entiendes algo, __4.__ .

**Anita:** Todavía parece complicado. __5.__ con el mapa, Roberto. O mejor, __6.__ conmigo.

**Roberto:** Yo sé que lo puedes hacer sola. __7.__ con atención y te explico las direcciones otra vez.

**Anita:** Pues, __8.__ , ¿no hay una tienda cerca de nuestra casa? Prefiero quedarme por aquí.

# Gramática

## Present progressive: Irregular forms

Some verbs have irregular present participle forms.

To form the present participle of *-ir* stem-changing verbs, the *e* in the infinitive form changes to *i*, and the *o* in the infinitive form changes to *u:*

decir: **diciendo**          servir: **sirviendo**

pedir: **pidiendo**          vestir: **vistiendo**

repetir: **repitiendo**      dormir: **durmiendo**

seguir: **siguiendo**

In the following *-er* verbs, the *i* of *-iendo* changes to *y.*

creer: **creyendo**

leer: **leyendo**

traer: **trayendo**

When you use object pronouns with the present progressive, you can put them before the conjugated form of *estar* or attach them to the present participle.

Notice that if a pronoun is attached to the present participle, an accent mark is needed. Write the accent mark over the vowel that is normally stressed in the present participle.

—¿Están Uds. esperando el autobús?

—Sí, **lo** estamos esperando.

　o: Sí, estamos esperándo**lo**.

### ¿Recuerdas?

To say that an action is happening right now, use the present progressive. To form the present progressive, use the present tense of *estar* + the present participle *(-ando* or *-iendo).*

doblar → doblando
• Ella **está doblando** a la izquierda.

aprender → aprendiendo
• **Estamos aprendiendo** a manejar.

escribir → escribiendo
• **Están escribiendo** una carta.

**GramActiva** VIDEO

Need more help with the present progressive? Watch the **GramActiva** video.

---

**19** **En la calle**

**Escribir · Hablar**

Examina el cuadro del pintor español Juan Ferrer y Miró. Escribe cinco frases para decir lo que están haciendo las personas que ves. Después trabaja con otro(a) estudiante y pregúntale qué están haciendo las diferentes personas.

**Modelo**

A —¿*Qué está haciendo el perro?*

B —*El perro está esperando al niño.*

"Exposición de pintura" (siglo XIX), Juan Ferrer y Miró

## 20 Un(a) instructor(a) nervioso(a)

**Hablar**

Imagina que eres un(a) estudiante que está aprendiendo a manejar. Estás poniendo nervioso(a) a tu instructor(a) porque estás mirando a la gente en vez de *(instead of)* mirar la calle. Con otro(a) estudiante que hace el papel *(plays the role)* del (de la) instructor(a), hagan una conversación.

**Modelo**

esa señora / pedirle ayuda al policía
mirar / el semáforo / cambiar de verde a amarillo

**A** —*Esa señora está pidiéndole ayuda al policía.*

**B** —*Mira, Catalina. El semáforo está cambiando de verde a amarillo.*

**Estudiante A**

1. ese señor / leer un mapa de la ciudad
2. esos niños / decirle algo a su mamá
3. esos jóvenes / dormir debajo de un árbol
4. ese perro / seguir a los niños
5. esa camarera / servirles bebidas a los clientes
6. esa policía / ponerle una multa a ese conductor

**Estudiante B**

a. parar / esos peatones / cruzar la calle
b. mirar / ese camión / parar
c. ir más despacio / nosotros / entrar en la plaza
d. tener cuidado / los niños / correr hacia la calle
e. esperar / ese conductor / doblar a la izquierda
f. volver a la escuela / tú / ponerme muy nervioso(a)

### Fondo cultural

**El mundo hispano**

**Permiso de manejar** En los países hispanohablantes hay diferentes requisitos *(requirements)* para conseguir el permiso de manejar. En todos los países hay que presentar documentos de identidad y un certificado médico que declara que tienes buena salud física y mental. También hay que aprobar un examen. En muchos países los exámenes son de teoría (escrito) y de práctica (manejo). En Argentina puedes manejar un ciclomotor *(moped)* a los 16 años y un coche a los 17. En España puedes manejar un ciclomotor sin llevar pasajeros a los 14 años, llevar pasajeros a los 16 y manejar un coche a los 18.

• ¿Cuáles son los requisitos en tu estado para conseguir el permiso de manejar? ¿Son más fáciles o más difíciles que en los países hispanohablantes?

Una escuela para aprender a manejar en Argentina

**Más práctica**

• **Guided** Gram. Practice pp. 123–124
• **Core** Gram. Practice p. 68
• **Communication** Test Prep p. 232
• *Real.* **para hispanohablantes** pp. 119, 121

**realidades.com**
• Audio Activities
• Video Activities
• Speak & Record
• Animated Verbs
• Leveled Workbook
• Web Code: jdd-0316

**21** **El camión**

**Observar · Hablar**

La artista mexicana Frida Kahlo pintó muchos autorretratos, pero también pintó imágenes que representan la cultura popular de su país. Pintó una colorida imagen de un autobús mexicano en *El camión* (1929), que es la palabra que se usa en México para decir *el autobús*. En los viejos tiempos, los autobuses en la Ciudad de México estaban hechos de caoba *(mahogany)* por adentro. Hoy en día este estilo ya no existe.

**Conexiones** | **El arte**

"El camión" (1929), Frida Kahlo.

1. Con otro(a) estudiante, describe a las personas que viajan en el autobús del cuadro. ¿Qué tienen en común? ¿En qué sentido son diferentes? ¿Qué están haciendo?

2. ¿Las personas en el cuadro parecen ser realistas? ¿Por qué?

3. Digan cinco mandatos que la madre puede decirle al niño o al bebé.

**22** **En mi comunidad**

**Dibujar · Escribir · Hablar**

Tienes un(a) amigo(a) que acaba de llegar a tu comunidad y quiere saber adónde ir para hacer sus quehaceres. Dibuja un mapa de tu comunidad con ocho lugares importantes. Marca dónde debe empezar con *Estás aquí*. Escribe tres series de instrucciones para ir de un lugar a otro. Muestra *(Show)* tu mapa a otro(a) estudiante y dile cómo se va a los diferentes lugares. Luego mira el mapa de tu compañero(a) y sigue sus instrucciones para ir de un lugar a otro en su comunidad.

## El español en el mundo del trabajo

Para atraer a los turistas hispanohablantes en los Estados Unidos, es importante tener empleados *(employees)* hispanohablantes en los centros de información turística. Así pueden contestar preguntas o dar información o instrucciones a las personas hispanohablantes.

• ¿Vives en una comunidad donde llegan muchos turistas? ¿Cuáles son los lugares de interés turístico populares en tu comunidad?

# Lectura

## Objectives

- **Read about defensive driving**
- **Learn about neighborhoods in Spanish-speaking countries**
- **Make a poster on safe driving practices**
- **Watch *En busca de la verdad*, Episodio 2**

Lee este artículo que viene de un informe de Costa Rica sobre manejar a la defensiva. La información del artículo te puede ayudar a ser un(a) buen(a) conductor(a).

## Estrategia

**Context clues**
In this reading you may come across words you don't know. Use the context in which they are found to help you guess their meanings.

## ¿QUÉ ES MANEJAR A LA DEFENSIVA?

Manejar a la defensiva quiere decir practicar buenos hábitos para no tener colisiones u otra clase de accidentes. También consiste en tener cuidado con todos los peligros. Se debe tener cuidado con:

- acciones peligrosas de otros conductores
- conductores que manejan muy rápido sin cuidado o sin luces en la noche
- malas condiciones del tiempo
- malas condiciones de la carretera

### Distracciones al manejar

Un buen conductor siempre maneja con atención y se concentra en la carretera, sin pensar en otras cosas que pueden ser distracciones. Algunas distracciones comunes son:

- pensar en problemas personales
- leer algo en el coche o en la calle
- escuchar la radio
- conversar con amigos
- hablar por teléfono celular

Éstas son las reglas para estar atento:[1]

- Cuando el vehículo se está moviendo, los ojos siempre deben estar en movimiento, pasando por los instrumentos, los espejos y especialmente la carretera.
- En la ciudad se debe mirar 100 metros adelante,[2] y en la carretera, 300 metros adelante.
- Es necesario tener buena visibilidad de los coches que vienen detrás y a los lados. Para hacerlo, deben usarse el espejo retrovisor y los espejos laterales.

### Manejar de noche

Menos personas manejan de noche, pero durante la noche ocurren más accidentes que durante el día. Durante la noche ocurren aproximadamente el 80% de los accidentes registrados en un día. Para manejar a la defensiva de noche es importante pensar en lo siguiente:

- La velocidad: Debe reducirse en un 50% de la velocidad que se usa de día, y si está lloviendo debe reducirse más.

[1] attentive    [2] ahead

Tráfico en Caracas, Venezuela

- La visibilidad: En la noche se ve el 50% menos de lo que puede verse de día. Los peatones se ven menos en la noche, especialmente si llevan ropa oscura.
- La iluminación: La iluminación del vehículo es importante. El coche siempre debe indicar su presencia en la carretera.

### Manejar en carretera

Las condiciones de las carreteras no siempre son buenas, y es necesario estar muy alerta al manejar. También los conductores manejan más rápidamente en las carreteras. Se debe estar alerta a:

- La iluminación: Si la carretera no está iluminada, debe reducirse la velocidad.

10

- Obstrucciones en la carretera: Las obstrucciones pueden ser rocas,[3] tierra[4] u otras cosas.
- Carreteras estrechas: Muchas carreteras son estrechas, con sólo dos carriles.[5]

Recuerda . . . manejar a la defensiva hace las carreteras mejores para todos.

Carretera estrecha

11

[3] rocks    [4] soil    [5] lanes

## ¿Comprendiste?

1. Para manejar a la defensiva, ¿cuáles son tres peligros que debes comprender?
2. ¿Cuáles son algunas distracciones que ocurren mientras *(while)* alguien maneja? En tu opinión, ¿cuál es la distracción más común de tus amigos y familia?
3. ¿Por qué puede ser peligroso manejar de noche?
4. ¿Por qué puede ser peligroso manejar en la carretera?
5. Escribe dos cosas que aprendiste después de leer este artículo.

## Y tú, ¿qué dices?

1. ¿Tienes que tomar un curso para obtener el permiso de manejar donde vives? ¿También es necesario tomar un curso de manejar a la defensiva?
2. ¿Crees que es buena idea tomar un curso de manejar? ¿Por qué?

### Fondo cultural
**El mundo hispano**

**La Carretera Panamericana** es una carretera que une *(links)* a los países de América del Norte, América Central y América del Sur. La idea para la carretera se originó en una conferencia de la Organización de Estados Americanos en 1923. La construcción de la carretera empezó en 1936, y hoy en día tiene aproximadamente 16,000 millas (25,750 km) de extensión.

- ¿Por dónde pasa la Carretera Panamericana en los Estados Unidos? ¿Por qué es importante esta carretera en la economía del hemisferio occidental?

### Más práctica

- **Guided** Reading Support p. 125
- **Communication** Writing p. 66, Test Prep p. 233
- *Real.* **para hispanohablantes** pp. 122–123

**realidades.com**
- Internet Activity
- Leveled Workbook
- Web Code: jdd-0317

# Perspectivas del mundo hispano

## El barrio

Imagina que llegas a casa y no puedes abrir la puerta. No hay nadie en casa y no puedes entrar. Mañana tienes un examen y los libros están en la casa. No tienes dinero. No puedes llamar por teléfono. Tienes hambre y no puedes comprar comida. ¿Qué puedes hacer?

Un barrio típico de Guanajuato, México

Esto no es un gran problema si vives en un barrio de un país hispanohablante. Aquí los vecinos[1] se conocen[2] bien. Son simpáticos y se ayudan. Cuando te olvidas las llaves puedes ir a casa de tus vecinos. Si pueden, ellos te ayudan a entrar en tu casa. Si tienes hambre, te dan algo de comer. Te dejan llamar por teléfono.

El Museo del Barrio en la ciudad de Nueva York. En él se pueden ver trabajos artísticos de la comunidad hispanohablante.

En los países hispanohablantes, el barrio es una institución. Las casas del barrio están cerca unas de otras y frecuentemente están cerca de una plaza. Normalmente en el barrio hay un mercado, un cine y pequeñas tiendas para comprar comida, ropa o materiales para la escuela. El barrio es como una extensión del hogar[3]—un buen lugar para la familia, donde los niños y los mayores pueden jugar y pasear.

**¡Compruébalo!** Compara las calles que hay cerca de tu casa con los barrios de los países hispanohablantes. ¿Conoces a los vecinos de tu comunidad? ¿Hay pequeñas tiendas familiares?[4] ¿Hay una plaza?

**¿Qué te parece?** ¿Cuáles son los aspectos de la organización de un barrio que más te interesan? ¿Crees que el barrio es una buena manera de organizar una comunidad? ¿Por qué?

[1]neighbors  [2]know one another  [3]home  [4]family-run

Uno de los muchos barrios que se encuentran en Sevilla, España

# Presentación escrita
## Maneja con cuidado

**Task**
You and many of your classmates have recently received or will soon receive your first driver's license. Make a poster that can be displayed in the classroom that reminds everyone of safe driving practices and special traffic signs you need to recognize.

**1 Prewrite** Write down what you should know about driving in your state. The answers to the following questions will help you organize your information.
- ¿Qué señales son importantes y qué información dan? ¿Qué forma tienen? (cuadrados, rectángulos, triángulos, círculos, octágonos o diamantes)? ¿De qué color son? Dibújalas.
- ¿Cuáles son algunas de las zonas especiales en tu comunidad? ¿Cuál es la velocidad máxima en estas zonas?
- ¿Cómo maneja un(a) buen(a) conductor(a)? ¿Qué debes recordar *(remember)* cuando manejas un coche?

### Estrategia

**Using illustrations**
Photographs, designs, and colors help to draw the eye to important information.

**2 Draft** Read through your answers to the questions in Step 1. Decide what information you want to stress in your poster. Use this information to draw a first draft of your poster.

**3 Revise** Reread the information on your first draft. Is it arranged in a clear and logical manner? Check spelling, verb forms, and agreement. Share the poster with a partner, who will check the following:
- Does the poster present important and accurate information?
- Is the visual presentation clear and easy to understand?
- Is there anything you should add, change, or correct?

**4 Publish** Prepare a final copy of your poster. Make any necessary changes or additions. Add designs or illustrations to make the poster attractive and pleasing to the eye. Display it in your classroom, the school library, or add it to your portfolio.

**5 Evaluation** Your teacher may give you a rubric for how the poster will be graded. You will probably be graded on:
- how complete and accurate the information is
- how clear and attractive the visuals are
- how easy it is to understand the information you present

# En busca de la verdad

## Episodio 2

## Antes de ver el video

"Volveremos en una hora, Sra. Toledo".

"Sra. Toledo . . . , y Srta. Toledo . . .
Nosotros también somos Toledo".

### Resumen del episodio

Carmen y Linda llegan a Guanajuato y van directo a la agencia de viajes "Ultramar". Allí conocen a Berta Toledo, Roberto, Daniela y Julio. Al día siguiente Daniela lleva a Carmen y a Linda a la escuela.

**Nota cultural** En México, una *escuela* también es un "colegio" o un "instituto". A veces las escuelas tienen el nombre de personas importantes como, por ejemplo, Escuela Josefa Ortiz, Colegio Benito Juárez o Instituto Miguel Hidalgo. Los mexicanos también demuestran su admiración por personas de otros países. Algunas escuelas tienen nombres como Escuela Winston Churchill, Escuela John F. Kennedy o Escuela Abraham Lincoln.

**Palabras para comprender**
**para nada** not at all
**apellido** last name
**acompañar** to go with
**mostrar** to show
**el idioma** language

# Después de ver el video

## ¿Comprendiste?

**A.** Decide cuáles de las siguientes frases son ciertas y cuáles son falsas:

1. Carmen y Linda llegan en avión a San Antonio.
2. Berta Toledo trabaja en una agencia de viajes.
3. La escuela Benito Juárez está muy lejos del hotel de Carmen y Linda.
4. Julio le dice a Carmen: "Mamá, necesito usar el coche".
5. Carmen y Linda van al hotel San Diego.
6. El apellido de Julio es Lobero.
7. Roberto lleva la maleta de Linda.
8. Daniela le muestra la escuela a Linda.
9. A Julio le gusta jugar al fútbol.

**B.** Las siguientes frases del videomisterio están incompletas. Complétalas con la palabra o palabras correctas de la lista.

ir allí             San Antonio
servirles          acompañar
aquí en Guanajuato   escuela
en común          la escuela

1. Buenas tardes. ¿En qué puedo _____?
2. Mañana tengo que _____.
3. Las señoras son de _____.
4. ¿Es el apellido de todos _____?
5. Mañana van a visitar tu _____.
6. Discúlpenme, pero no los puedo _____.
7. Daniela va a mostrarme _____.
8. Nuestras escuelas tienen mucho _____.

"Mira, allí está Julio".

• Web Code: jdd-0209

# Repaso del capítulo

## Vocabulario y gramática

jdd-0399

### to talk about driving

| | |
|---|---|
| la avenida | avenue |
| el camión, *pl.* los camiones | truck |
| la carretera | highway |
| el conductor, la conductora | driver |
| el cruce de calles | intersection |
| la cuadra | block |
| la esquina | corner |
| la estatua | statue |
| la fuente | fountain |
| el peatón, *pl.* los peatones | pedestrian |
| el permiso de manejar | driver's license |
| la plaza | plaza |
| el policía, la policía | police officer |
| poner una multa | to give a ticket |
| el puente | bridge |
| el semáforo | stoplight |
| la señal de parada | stop sign |
| el tráfico | traffic |

### to give and receive driving advice

| | |
|---|---|
| ancho, -a | wide |
| ¡Basta! | Enough! |
| De acuerdo. | OK. Agreed. |
| dejar | to leave, to let |
| Déjame en paz. | Leave me alone. |
| despacio | slowly |
| esperar | to wait |
| estar seguro, -a | to be sure |
| estrecho, -a | narrow |
| Me estás poniendo nervioso, -a. | You are making me nervous. |
| peligroso, -a | dangerous |
| quitar | to take away, to remove |
| tener cuidado | to be careful |
| ya | already |

For *Vocabulario adicional,* see pp. 498–499.

### to ask for and give directions

| | |
|---|---|
| aproximadamente | approximately |
| ¿Cómo se va . . . ? | How do you go to . . . ? |
| complicado, -a | complicated |
| cruzar | to cross |
| derecho | straight |
| desde | from, since |
| doblar | to turn |
| en medio de | in the middle of |
| hasta | as far as, up to |
| manejar | to drive |
| el metro | subway |
| parar | to stop |
| pasar | to pass, to go |
| por | for, by, around, along, through |
| quedar | to be located |
| seguir *(e → i)* | to follow, to continue |
| tener prisa | to be in a hurry |

### present progressive: irregular forms

| | | | |
|---|---|---|---|
| decir: | diciendo | vestir: | vistiendo |
| pedir: | pidiendo | dormir: | durmiendo |
| repetir: | repitiendo | creer: | creyendo |
| seguir: | siguiendo | leer: | leyendo |
| servir: | sirviendo | traer: | trayendo |

### irregular affirmative *tú* commands

| | |
|---|---|
| hacer: | haz |
| ir: | ve |
| ser: | sé |

*See p. 168 for a more complete chart.*

### direct object pronouns

| Singular | | Plural | |
|---|---|---|---|
| me | me | nos | us |
| te | you (fam.) | os | you (fam.) |
| lo, la | him, her, it, you | los, las | them, you |

**Más práctica**

- **Core** Puzzle p. 69, Organizer p. 70
- **Communication** Practice Test
  pp. 235–237, Integrated
  Performance Assessment p. 234

**realidades.com** ✓

- Tutorial
- Flashcards
- Puzzles
- Self-test
- Web Code: jdd-0318

# Preparación para el examen

| On the exam you will be asked to . . . | Here are practice tasks similar to those you will find on the exam . . . | If you need review . . . |
|---|---|---|

## Interpretive

jdd-0399

**1 Escuchar** Listen to and understand driving advice

Gabriel's father is teaching him to drive. Listen as he cautions Gabriel about what to do. (a) Do you think they're driving on a highway or just around town? (b) Give at least two reasons why you think so.

**pp. 158–161** *Vocabulario en contexto*
**p. 163** Actividades 7–8

## Interpersonal

**2 Hablar** Tell someone how to get from your school to a particular location near your school

You volunteered to host a student from Costa Rica who wants to see what's near your school. Can you explain to him how to get to several places? Practice by giving your partner the directions. You could begin by saying: *Sal de la escuela y toma la calle _____.*

**pp. 158–161** *Vocabulario en contexto*
**p. 165** Actividad 10
**p. 169** Actividad 17
**p. 173** Actividad 22

## Interpretive

**3 Leer** Read and understand advice for establishing good driving habits

Take a look at some driving rules on a Web site from Mexico:

1. Ve muy despacio en una zona escolar.
2. Sigue detrás de otro coche aproximadamente el largo (length) de dos coches.
3. Entra con precaución a un cruce de calles con un semáforo amarillo.

Which of the following was NOT mentioned: (a) driving through a red light; (b) driving in a school zone; or (c) being cautious at a yellow light?

**pp. 158–161** *Vocabulario en contexto*
**p. 168** Actividad 16
**pp. 174–175** *Lectura*

## Presentational

**4 Escribir** Write about things that might happen as you drive that would make you nervous

Everyone occasionally gets nervous about something. What's making you nervous today? Write down at least two things for your journal entry. You could start by writing: *_____ me está poniendo nervioso(a) porque siempre está _____ . . .*

**p. 162** Actividad 5
**p. 163** Actividad 8
**pp. 174–175** *Lectura*

## Cultures

**5 Pensar** Demonstrate an understanding of the importance of one's neighborhood in Spanish-speaking communities

Your friend is going to Mexico City this summer to study Spanish and will be living with a Mexican family. What could you tell her about neighborhoods in Spanish-speaking countries? What might be different from the neighborhood she lives in now? What might be similar?

**p. 176** *Perspectivas del mundo hispano*

# Vocabulario Repaso

**las personas**

los abuelos
la familia
los hermanos
los padres
los primos
los tíos

**la comida**

las bebidas
la galleta
la hamburguesa
el helado
el jamón
la limonada
los pasteles
el perrito caliente
la pizza
el postre
el queso
el refresco
el sándwich

**la mesa**

el azúcar
la cuchara
el cuchillo
la pimienta
el plato
la sal
la servilleta
el tenedor
el vaso

**las decoraciones**

decorar
la flor, *pl.* las flores
el globo
la luz, *pl.* las luces
el papel picado

**las actividades**

abrir los regalos
la celebración, *pl.* las celebraciones
celebrar
compartir
el cumpleaños
la fiesta
hacer un video
preparar
la quinceañera
romper la piñata
sacar fotos

## 1 Voy a dar una fiesta

**Hablar • Escribir • Leer • Escuchar**

**1** Con otro(a) estudiante, hagan planes para dar una fiesta. Escriban una lista de:

**1.** las personas que van a invitar

**2.** la comida

**3.** lo que van a hacer

**4.** lo que van a poner en la mesa

**5.** las decoraciones que van a usar

**2** Usen la lista y escriban una descripción de cómo va a ser la fiesta.

**3** Lean sus descripciones a otros grupos. Deben decir por qué (o por qué no) les gustaría ir a las fiestas de los demás.

### Modelo

*Nos gustaría ir a su fiesta porque Uds. . . .*

## 2 Me gustan las piñatas

**Escribir · Hablar**

Escribe cuatro frases sobre una celebración o fiesta que ya pasó. Tres de las frases deben ser ciertas y una debe ser falsa. Trabaja con un grupo de tres personas. Lee tus frases. Las otras personas del grupo tienen que decir cuál de las frases no es cierta.

**Modelo**

**A** —*Muchas personas fueron a la fiesta en el parque. Rompimos una piñata grande. Mis tíos hicieron un video de la fiesta. Comimos hamburguesas y perritos calientes.*

**B** —*¡No es cierto! Uds. no rompieron una piñata grande.*

**A** —*Correcto. No rompimos una piñata grande.*

**o:** —*Sí, es cierto. Rompimos una piñata grande.*

# Gramática Repaso

> **-ito**
>
> Add the suffix *-ito(-a, -os, -as)* to the end of nouns to mean "small" or "little." It can also be used to show affection.
>
> • Mis primos acaban de comprar un **perrito** nuevo.
>
> **-ísimo**
>
> Add the suffix *-ísimo(-a, -os, -as)* to the end of adjectives to say that someone or something is "very . . ." or "extremely . . .".
>
> • Esta película es **interesantísima.**
>
> Here are a few patterns you already know:
>
> hermano → hermanito
> poco → poquito
> ricas → riquísimas
> popular → popularísimo

## 3 Nuevas frases

**Escribir**

Escribe otra forma de las palabras subrayadas *(underlined)* usando *-ito(a)* o *-ísimo(a)*. Después escribe una frase usando la nueva palabra.

**Modelo**

Mis tíos tienen una <u>casa pequeña</u> en las montañas.
*casita   Me gusta mucho ir a su casita.*

Mi mamá compró un vestido <u>muy elegante</u> ayer.
*elegantísimo   Va a llevar su vestido elegantísimo a la fiesta.*

1. El sábado es el cumpleaños de mi <u>abuela</u>.
2. Dame un <u>plato pequeño</u>, por favor.
3. Los pasteles en ese café son <u>muy ricos</u>.
4. Quiero comprar <u>un regalo pequeño</u> para mi amiga.
5. Las fotos de la fiesta son <u>muy graciosas</u>.
6. La piñata es <u>muy grande</u>.
7. Mi <u>hermano menor</u> y yo siempre compartimos la comida.

### Más práctica

• **Guided** p. 127
• **Core** pp. 71–72
• *Real.* **para hispanohablantes** p. 130

**realidades.com**
• Leveled Workbook
• Web Code: jdd-0401

## Fondo cultural

**España**

Pablo Picasso (1881–1973) era uno de los mejores artistas españoles del siglo XX. En este cuadro, como en muchas de sus obras, Picasso usó formas abstractas para ilustrar las dos figuras. Pintó la figura de la niña mucho más grande en proporción que la figura de la mujer y pintó las caras muy serias.

• ¿Por qué crees que pintó Picasso la figura de la niña tan grande? ¿Cómo captas tú los momentos más importantes de tu familia?

"Primeros pasos" (1943), Pablo Picasso ▶

Oil on canvas 130.2 x 97.1 cm (51 1/4 x 38 1/4 in.) Yale University Art Gallery, gift of Stephen Carlton Clark, B.A. 1903 © 2009 Estate of Pablo Picasso/Artists Rights Society (ARS), New York.

# Cuando éramos niños

Caption (photo): Una familia en el parque, Ciudad de México

## Chapter Objectives

- Discuss childhood toys and games
- Describe what you were like as a child
- Talk about activities that you used to do as a child
- Discuss to or for whom something is done
- Understand cultural perspectives on childhood songs

## Video Highlights

**Videocultura:** *Recuerdos del pasado*

**A primera vista:** *¿Cómo era de niña?*

**GramActiva Videos:** the imperfect tense; indirect object pronouns

**Videomisterio:** *En busca de la verdad,* Episodio 3

## Country Connection

As you learn to talk about what you were like as a child and what you used to do, you will make connections to these countries and places:

Illinois
España
República Dominicana
México
Puerto Rico
Ecuador
Argentina

## Más práctica

- *Real.* para hispanohablantes pp. 130–131

**realidades.com**
- Fondo cultural Activity
- Video Activities
- Online Atlas
- Web Code: jde-0002

# Vocabulario en contexto

jdd-0487

🔊

**Objectives**

Read, listen to, and understand information about
- toys
- playing with other children

**EL MUNDO de Juguetes**

San Andrés, 18
San Juan
Horas: de 10:00 A.M. a 8:00 P.M.
318-43-72

Descuentos del **10%** este sábado

| | | |
|---|---|---|
| $27.00 | $18.00 | $37.00 |
| el tren eléctrico | la muñeca | el triciclo |
| $15.00 | $9.00 | $7.00 |
| el oso de peluche | los bloques | el dinosaurio |
| $3.00 | $6.00 | $9.00 |
| el pez | los peces | la tortuga |

Llámanos o visita nuestro sitio Web:
**www.mundodejuguetes.com**

—¿Con qué **jugabas de pequeña?**

—**Tenía** una muñeca favorita que se llamaba Pepita. **Era** muy bonita y rubia. ¿Y tú?

—Me gustaba montar en triciclo y **coleccionar** osos de peluche. Tenía más de 30 en mi **colección.**

**Más vocabulario**

**la moneda** coin

**el mundo** world

**el vecino, la vecina** neighbor

la guardería infantil

Los Angelitos

el muñeco

—¡Raúl! ¡Miguelito! ¡Basta! Los muñecos no deben **pelearse** así.

el patio de recreo

la cuerda

saltar a la cuerda

—Inés, ¿por qué no les **ofreces**\* a los otros un poco de tu pastel? Debes ser **generosa** y compartir con **todo el mundo.**

—Margarita, no debes **molestar** a Juanito. ¡Estás muy **traviesa** hoy! No **permitimos** esto aquí.

\*The verbs *ofrecer* and *obedecer* have an irregular *yo* form in the present tense: *ofrezco, obedezco.*

**1** **Los juguetes favoritos**  jdd-0487

**Escuchar**

Escucha mientras *(while)* unos chicos describen sus juguetes favoritos. Señala con tu dedo el juguete apropiado en la página 186.

**Más práctica**

● **Guided** Vocab. Flash Cards
  pp. 128–132
● **Core** Vocab. Practice pp. 73–74
● **Communication** Writing p. 74
● *Real.* **para hispanohablantes**
  p. 132

realidades.com

● Audio Activities
● Leveled Workbook
● Flashcards
● Web Code: jdd-0402

**2** **¿Cierta o falsa?**  jdd-0487

**Escuchar**

Divide una hoja de papel en dos columnas. Escribe *Cierta* en una columna y *Falsa* en la otra. Escucha las siete descripciones de los niños en la guardería infantil y compáralas con el dibujo de arriba. Escribe el número de cada descripción en la columna apropiada para indicar si es cierta o falsa.

# ¿Cómo era de niña?

¿Cómo se portaba Ana de niña? ¿Qué le gustaba a ella?

### Estrategia

**Looking ahead**
It is often helpful to look ahead to the questions at the end of a reading. This helps you to focus on the key information you will need to understand the reading.

**Elena**  **Ana**  **Mamá**  **Ignacio**

**1** **Ignacio:** Hola. ¿Qué hacéis?*

**Elena:** Hacemos árboles genealógicos para una clase.

**Ana:** Mira. Ésta soy yo, **de niña.**

**Ignacio:** ¿Cómo eras? **¿Obediente o desobediente?**

**Ana:** **Por lo general,** muy obediente y muy **tímida.**

**5** **Ana:** Mamá tiene razón. Me encantaba mi oso de peluche. Era mi juguete favorito.

**6** **Ignacio:** ¿También jugabas con muñecas?

**Ana:** Sí, y también tenía una colección de animales de peluche.

**7** **Ignacio:** ¡**Tenías** tantos juguetes! Eras muy **consentida.**

**Ana:** Sí, un poco. ¿Y tú? ¿Cómo eras?

**Ignacio:** Yo era muy **bien educado** y siempre obedecía.

**Elena:** ¿Tú? Nunca.

* Remember that in Spain, the *vosotros(as)* form of verbs is used when speaking to a group of people you would address individually with *tú.*

**2** **Mamá:** Aquí tenéis* algo para comer.

**Ana:** Gracias, mamá. ¿No es verdad que siempre **obedecía?**

**Mamá: De vez en cuando.** ¿Siempre? ¡No!

**Ignacio:** ¿Y quién es?

**Ana:** Es mi abuela. Siempre **iba** a visitarla en su casa.

**3** **Mamá:** Aquí tengo el video de cuando eras pequeña.

**Ana:** ¡Ay, no, mamá!

**Ignacio:** ¡Vamos a verlo!

**Elena:** Sí. Ana, tienes que **portarte** muy **bien** mientras vemos el video. Ni una palabra.

**4** **Mamá:** Ana era un poco tímida. Y en sus pijamas, era preciosa. Le gustaba dormir con su oso de peluche y se levantaba muy temprano.

**Ignacio:** Y ahora siempre llegas tarde a clase.

**Ana:** ¡Ignacio, **mientes!** Nunca dices **la verdad.** Yo llego a tiempo.

**Ignacio:** De vez en cuando.

**Ana:** ¡Siempre!

**8** **Ana:** ¡No! No podemos ver más.

**Ignacio:** ¿Por qué no?

**Ana:** Nadie va a ver esto nunca.

**③ ¿Comprendiste?**

**Escribir • Hablar**

1. ¿Qué hacen Elena y Ana para una de sus clases?
2. En la opinión de Ana, ¿cómo era ella de niña?
3. ¿Qué deciden ver los jóvenes?
4. Según su mamá, ¿cómo era Ana de niña?
5. Según Ignacio, ¿llega Ana a clase a tiempo o tarde?
6. ¿Cuáles eran los juguetes favoritos de Ana?
7. ¿Qué coleccionaba Ana?
8. ¿Cómo era Ignacio de niño?

### Más práctica

- **Guided** Vocab. Check pp. 133–136
- **Core** Vocab. Practice pp. 75–76
- **Communication** Video pp. 67–69
- *Real.* **para hispanohablantes** p. 133

**realidades.com** ✓

- Audio Activities
- Video Activities
- Leveled Workbook
- Flashcards
- Web Code: jdd-0403

# Vocabulario en uso

## 4 ¿Qué juguetes tenías?

**Escribir**

Escribe frases para decir qué juguetes y animales tenías cuando eras niño(a).

**Modelo**

*Tenía un gato cuando era niño(a).*
**o:** *Tenía muchos gatos cuando era niño(a).*
**o:** *No tenía un gato cuando era niño(a),
pero sí tenía un perro.*

**También se dice . . .**

**los bloques** = los cubos *(muchos países)*

**consentido, -a** = mimado, -a *(muchos países)*

**montar en triciclo** = andar en triciclo *(España)*

**saltar** = brincar *(muchos países)*

1.

2.

3.

4.

5.

6. 

## 5 ¿Tenías lo mismo?

**Hablar**

Lee tus frases de la Actividad 4 a otro(a) estudiante para ver si Uds. tenían las mismas cosas cuando eran niños.

**Modelo**

**A** —*Yo tenía un gato cuando era niño(a).
Y tú, ¿tenías un gato?*
**B** —*Sí, yo tenía un gato también.*
**o:** —*No, yo no tenía un gato.*

## 6 Escucha y escribe

jdd-0488

**Escuchar · Escribir**

Víctor describe un animal que tenía cuando era niño. Escucha las cinco frases y escríbelas en una hoja de papel.

## Fondo cultural

**El mundo hispano**

**Las mascotas** Generalmente en los países hispanohablantes el papel *(role)* de las mascotas *(pets)* es más que sólo ser "otro miembro de la familia". Por ejemplo, un perro protege *(protects)* la casa en la ciudad o ayuda en el campo. Por lo general, los conejillos de Indias *(Guinea pigs)* o los ratoncitos no son mascotas comunes.

• Compara el papel de las mascotas en los Estados Unidos con su papel en los países hispanohablantes.

El perro ayuda mucho a este gaucho argentino.

### 7 ¿Con qué jugabas de niño(a)?

**Hablar**

Pregunta a otro(a) estudiante con qué juguetes jugaba de niño(a).

**Modelo**

**A** —¿Jugabas con <u>muñecas</u> de niño(a)?

**B** —Sí, por lo general jugaba con <u>muñecas</u> de niño(a).

**o:** —No, <u>nunca</u> jugaba con <u>muñecas</u> de niño(a).

**Estudiante A**

**Estudiante B**

| | |
|---|---|
| nunca | a menudo |
| a veces | por lo general |
| siempre | de vez en cuando |

### 8 ¿Qué te gustaba hacer de pequeño(a)?

**Escribir • Hablar**

Escribe una lista de seis actividades que son populares entre los niños. Después pregunta a otro(a) estudiante si le gustaba hacer estas actividades de pequeño(a).

**Modelo**

coleccionar tarjetas de *Star Wars*

**A** —De pequeño(a), ¿te gustaba <u>coleccionar tarjetas de</u> Star Wars?

**B** —Sí, me gustaba <u>coleccionar tarjetas de</u> Star Wars.

**o:** —No, no me gustaba nada <u>coleccionar tarjetas de</u> Star Wars.

### 9 Las analogías

**Leer • Pensar • Escribir**

Hay pruebas de vocabulario sobre las relaciones entre palabras, o "las analogías". Completa cada analogía según el modelo.

**Modelo**

*los jóvenes : la escuela :: los niños : la guardería infantil*

Se lee: "Los jóvenes son a la escuela como los niños son a la guardería infantil".

1. levantarse : acostarse :: decir la verdad : ____
2. montar : el triciclo :: saltar : ____
3. la piscina : nadar :: el patio de recreo : ____
4. generoso : ofrecer :: travieso : ____
5. el pájaro : el árbol :: el pez : ____
6. obedecer : obediente :: pelearse : ____
7. no : sí :: prohibir : ____
8. la blusa : la ropa :: la moneda : ____

### 10 La guardería infantil

**Leer • Escribir**

Lee las descripciones de los niños en la guardería infantil y luego decide qué adjetivo del recuadro describe a cada uno. Escribe las descripciones de los niños en una hoja de papel.

| | |
|---|---|
| bien educado, -a | generoso, -a |
| desobediente | tímido, -a |
| obediente | travieso, -a |

**Modelo**

Los padres de Carlota le compran cada juguete que pide.
*Carlota es consentida.*

1. Antonio tiene miedo de hablar con otras personas.
2. Julio se porta mal y molesta a todo el mundo.
3. Eugenia no miente porque sus padres dicen que es muy malo mentir.
4. Ricardo siempre dice "gracias" y "por favor" y no se pelea con nadie.
5. Ana comparte sus juguetes con los otros niños.

### 11 Y tú, ¿qué dices?

**Escribir • Hablar**

1. ¿Con qué juguetes te gustaba jugar de pequeño(a)?
2. De niño(a), ¿cómo eras? ¿Bien educado(a) o travieso(a)? ¿Sociable o tímido(a)?
3. De niño(a), ¿qué te gustaba coleccionar? ¿Monedas? ¿Tarjetas de algún deporte? ¿Todavía tienes tu colección?
4. De niño(a), ¿obedecías a tus padres siempre, a menudo o a veces? Y ahora, ¿los obedeces siempre? ¿Obedeces las reglas de tu escuela siempre?

**Fondo cultural**
El mundo hispano

**Las guarderías infantiles** En los países hispanohablantes hay una variedad de opciones de guarderías infantiles. Unas guarderías son del gobierno municipal *(city government)* o provincial *(provincial)*. Algunas compañías ofrecen servicio de guardería infantil para las personas que trabajan allí. También hay guarderías privadas.

• De niño(a), ¿ibas a una guardería infantil? En tu opinión, ¿cuál es la mejor opción para cuidar a los niños? ¿Por qué?

## 12 ¿Cómo cuidar al niño?

**Leer • Escribir • Hablar**

Lee este anuncio de la guardería infantil Rincón del niño en Guadalajara, México, y contesta las preguntas.

**Estrategia**

**Using context**
Use the context of words you don't know to guess their meaning in this reading.

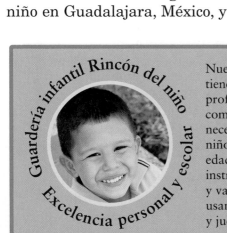

**Guardería infantil Rincón del niño**
**Excelencia personal y escolar**

Nuestros maestros tienen preparación profesional y comprenden las necesidades del niño según su edad. Ofrecemos instrucción bilingüe y varias actividades usando música y juegos.

Recibimos niños desde los 13 meses hasta los cinco años de edad. Tenemos ya 25 años de experiencia.

Cuidar a sus niños es nuestra pasión. Trabajamos todos los días para desarrollar¹ en sus niños la capacidad de:
• trabajar en grupo
• mantener una actitud positiva
• tener éxito² en actividades académicas
• desarrollar hábitos higiénicos y cuidados personales

**Favor de llamarnos al 515-34-98**
**Avenida Guerrero, 48**

1. Lee la lista de características que la guardería infantil quiere desarrollar en los niños. En tu opinión, ¿cuáles son las dos más importantes? ¿Por qué?

2. ¿Esta guardería infantil es similar a las guarderías infantiles donde tú vives? ¿En qué sentido *(way)* es similar? ¿En qué sentido es diferente?

3. ¿Te gustaría trabajar en una guardería infantil como Rincón del niño? ¿Por qué?

4. En tu opinión, ¿cómo debe ser una persona que trabaja en una guardería infantil?

¹develop   ²to be successful

## Pronunciación

### The letters *r* and *rr*

jdd-0488

Except at the beginning of a word or after *l* or *n,* the sound of the letter *r* is made as you raise the tip of your tongue and tap the roof of your mouth. The position of your tongue is similar to the position when you pronounce the *d* in the English word *Daddy.* The sound of the *rr* is made as you raise the tip of your tongue and tap the roof of your mouth several times very quickly. Listen to and say these pairs of words:

| pero  | ahora  | moro  | caro  |
|-------|--------|-------|-------|
| perro | ahorra | morro | carro |

When *r* is the first letter of a word or comes after *l* or *n,* it is pronounced like the *rr.*

**¡Compruébalo!** Listen to these two verses of a popular Spanish lullaby, then try to repeat them.

**A la rorro¹ niño**
**a la rorro ya,**
**duérmete mi niño,**
**duérmete mi amor.**

**Señora Santa Ana,**
**Señor San Joaquín**
**Arrullen² al niño**
**que se va a dormir.**

¹sound to quiet a baby
²Whisper, Lull

# Gramática

## The imperfect tense: regular verbs

Another way to talk about the past is with the imperfect tense. Use the imperfect tense to talk about actions that happened repeatedly in the past.

Rafael **patinaba** y Mónica **corría**.

*Rafael **used to skate** and Monica **used to run**.*

Here are the regular forms of *-ar*, *-er*, and *-ir* verbs in the imperfect tense. Notice the accent mark on the *nosotros* form of *jugar*:

| (yo) | jugaba | (nosotros)<br>(nosotras) | jugábamos |
|---|---|---|---|
| (tú) | jugabas | (vosotros)<br>(vosotras) | jugabais |
| Ud.<br>(él)<br>(ella) | jugaba | Uds.<br>(ellos)<br>(ellas) | jugaban |

Note that *-er* and *-ir* verbs, such as *hacer* and *vivir*, have the same endings:

| (yo) | hacía<br>vivía | (nosotros)<br>(nosotras) | hacíamos<br>vivíamos |
|---|---|---|---|
| (tú) | hacías<br>vivías | (vosotros)<br>(vosotras) | hacíais<br>vivíais |
| Ud.<br>(él)<br>(ella) | hacía<br>vivía | Uds.<br>(ellos)<br>(ellas) | hacían<br>vivían |

Notice the accent mark on each ending.

### ¿Recuerdas?

You have already learned to talk about completed actions in the past using the preterite tense.

• Ayer Rafael **patinó** y Mónica **corrió** en el parque.

• As you know, in Spanish you can often omit the subject of a verb because the subject is made clear in the verb ending:

**Vivo** en Chicago. (The subject, *yo*, is included in the verb ending.)

However, since the *yo* and *Ud./él/ella* forms are the same in the imperfect for *-ar*, *-er*, and *-ir* verbs, speakers often use the subject pronouns to avoid confusion.

Patricia **tenía** un triciclo rojo pero **yo tenía** uno azul.

• Expressions such as *generalmente, por lo general, a menudo, muchas veces, de vez en cuando, todos los días,* and *nunca* can cue you to use the imperfect because they imply that something happened repeatedly in the past.

---

**13** **Escucha y escribe** 🔊 jdd-0488

**Escuchar • Escribir**

Lola y Lulú eran vecinas y muy buenas amigas, pero eran muy diferentes. Lola era muy bien educada, pero Lulú era desobediente. Escucha las seis descripciones de las niñas y escribe las frases. Indica si la descripción es de Lola, de Lulú o de las dos.

Dos amigas de México

## ⑭ En la casa de nuestros abuelos

**Leer • Escribir**

Margarita recuerda cómo, de niña, pasaba tiempo en la casa de sus abuelos. Escribe la forma apropiada del imperfecto de los verbos.

Cuando era niña mis hermanos y yo __1.__ *(pasar/pensar)* tiempo en la casa de nuestros abuelos de vez en cuando. Mi abuela __2.__ *(preparar/participar)* galletas muy ricas y nosotros las __3.__ *(correr/comer)* en el patio. Ella siempre nos __4.__ *(ofrecer/obedecer)* más galletas. Mi abuelo nos __5.__ *(estudiar/leer)* cuentos y a veces él nos __6.__ *(hacer/escribir)* pequeños juguetes de madera *(wood)*. Mis abuelos no __7.__ *(trabajar/limpiar)* y __8.__ *(decir/tener)* mucho tiempo para pasar con nosotros. Mis hermanos y yo siempre __9.__ *(regresar/bailar)* a casa muy contentos después de estar con nuestros abuelos.

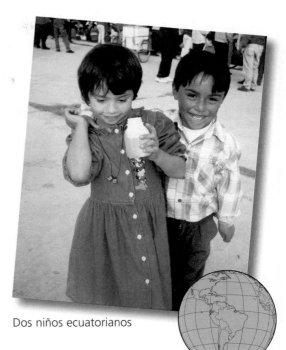

Dos niños ecuatorianos

## ⑮ Tus amigos y tú

**Hablar**

Trabaja con otro(a) estudiante para hablar de lo que hacían tus amigos y tú cuando eran niños.

**Modelo**

jugar con los vecinos
A —¿Jugaban Uds. con los vecinos?
B —No, nunca jugábamos con los vecinos.
o: —Sí, jugábamos con los vecinos de vez en cuando.

**Estudiante A**

1. montar en triciclo
2. saltar a la cuerda
3. correr en el parque
4. escuchar cuentos
5. coleccionar cosas
6. compartir los juguetes

**Estudiante B**

No, nunca . . .
Sí, siempre . . .
De vez en cuando . . .

## Más práctica

- **Guided** Gram. Practice pp. 137–138
- **Core** Gram. Practice p. 77
- **Communication** Writing p. 75, Test Prep p. 238
- *Real.* **para hispanohablantes** pp. 134–137, 140

**realidades.com**
- Audio Activities
- Video Activities
- Speak & Record
- Tutorial
- Leveled Workbook
- Web Code: jdd-0404

# Gramática

## The imperfect tense: irregular verbs

There are only three irregular verbs in the imperfect tense: *ir*, *ser*, and *ver*. Here are all the forms:

**ir**

| (yo) | iba | (nosotros) (nosotras) | íbamos |
|------|-----|-----------------------|--------|
| (tú) | ibas | (vosotros) (vosotras) | ibais |
| Ud. (él) (ella) | iba | Uds. (ellos) (ellas) | iban |

**ser**

| (yo) | era | (nosotros) (nosotras) | éramos |
|------|-----|-----------------------|--------|
| (tú) | eras | (vosotros) (vosotras) | erais |
| Ud. (él) (ella) | era | Uds. (ellos) (ellas) | eran |

• Notice the accent mark on the *nosotros* form for the verbs *ir* and *ser*.

**ver**

| (yo) | veía | (nosotros) (nosotras) | veíamos |
|------|------|-----------------------|---------|
| (tú) | veías | (vosotros) (vosotras) | veíais |
| Ud. (él) (ella) | veía | Uds. (ellos) (ellas) | veían |

• Notice the accent mark on each form of *ver*.

**GramActiva** VIDEO

Want more help with the imperfect tense? Watch the **GramActiva** video.

Eran felices allí.

## 16 Los veranos en Chicago

**Leer • Escribir**

Ana María recuerda los veranos que pasaba en Chicago. Completa su descripción con las formas apropiadas del imperfecto de los verbos *ir, ser* y *ver*.

Cuando __1.__ pequeña, me encantaban los veranos. Vivíamos en Chicago donde mi papá y yo __2.__ al famoso estadio de béisbol de los Chicago Cubs, Wrigley Field. Cada verano nosotros __3.__ a nuestros jugadores favoritos, como Sammy Sosa. Mi papá __4.__ originalmente de la República Dominicana y por eso él __5.__ todos los partidos cuando Sammy jugaba allí. También yo siempre __6.__ al lago Michigan con mi familia. ¿Qué más? También nosotros __7.__ al cine donde comíamos palomitas y __8.__ las películas más populares. Los veranos en Chicago __9.__ fantásticos y los recuerdo muy bien.

Sammy Sosa, cuando jugaba para los Chicago Cubs

## 17 Un niño inteligente ♻

**Leer • Escribir**

Completa esta descripción de Isaac Newton, un famoso científico inglés, con la forma correcta del imperfecto del verbo apropiado.

### Conexiones | Las ciencias

#### De niño

*tener, ser, decir, ir*

Isaac Newton nació en 1642. __1.__ un bebé tan pequeño y débil[1] que los médicos __2.__ que él no __3.__ a tener capacidad mental para hacer cosas importantes durante su vida.

#### En la escuela primaria

*querer, ser, hacer, ver, creer*

__4.__ un estudiante inteligente que nunca __5.__ sus tareas porque no le interesaba mucho lo que los profesores __6.__ enseñarle. Su madre tampoco __7.__ que era muy inteligente.

#### En la universidad

*leer, ir, poder, trabajar*

Como estudiante universitario, Newton siempre __8.__ y estaba muy metido[2] en sus experimentos físicos. No __9.__ a los restaurantes elegantes y tampoco salía con los amigos. __10.__ siempre en alguna investigación y por eso inventó el análisis matemático y descubrió que la luz blanca tiene colores.

#### Su fama

*poder, consistir, estar, ver*

Un día Newton __11.__ en casa de su madre pensando en cómo la Luna[3] __12.__ dar vueltas alrededor de[4] la Tierra,[5] cuando le cayó[6] una manzana en la cabeza. Newton empezó a pensar y recordó un juego de niños que __13.__ en llenar con agua una cubeta[7] y darle vueltas rápidamente por encima de la cabeza sin permitir caer el agua. Así se le ocurrió a Newton la idea de la gravedad y la velocidad.

[1]weak  [2]involved  [3]moon  [4]spin around  [5]Earth  [6]fell  [7]bucket

## 18 Y tú, ¿qué dices?

**Escribir • Hablar**

1. En la escuela primaria, ¿cómo eras? ¿Qué clases te interesaban más? Y ahora, ¿qué clases te interesan?

2. De pequeño(a), ¿te gustaban las ciencias? ¿Qué experimentos hacían tus compañeros de clase y tú en la escuela? Y ahora, ¿qué experimentos hacen en sus clases de ciencias?

3. De niño(a), ¿en qué pensabas más: los estudios, los libros, los deportes o los juguetes? Y ahora, ¿en qué piensas más?

## 19 Cómo era de niño(a)

**Escribir • Hablar**

Escribe frases para hablar de tu niñez *(childhood)* usando las formas apropiadas del imperfecto de los verbos y tus propias ideas. Después trabaja con otro(a) estudiante y lean sus frases. ¿Eran similares o diferentes sus experiencias de niñez?

1. Cuando yo *(ser)* niño(a), *(ser)* muy . . .
2. Mis amigos *(ser)* . . .
3. De vez en cuando mi familia y yo *(ir)* . . .
4. A menudo yo *(ir)* a la casa de . . .
5. Mis hermanos (o amigos) y yo *(jugar)* . . .
6. Por lo general yo *(ver)* a mis primos . . .

## 20 El (La) estudiante modelo

**Escribir • Hablar**

**1** En una hoja de papel, escribe cuatro descripciones de cómo eras y qué hacías en la escuela primaria.

> **Modelo**
>
> *Era muy obediente. Siempre obedecía las reglas de la escuela.*

**2** Trabaja con un grupo de tres. Lean sus descripciones de cómo eran en la escuela primaria. Apunten en una hoja de papel cómo responden los tres. Después escriban un resumen *(summary)* de cómo eran.

> **Modelo**
>
> *María y yo éramos muy buenos estudiantes y siempre escuchábamos a los profesores. Antonio era un poco desobediente y nunca escuchaba a los profesores.*

## 21 Juego

**Escribir • Hablar**

**1** Trabaja con otro(a) estudiante. Escriban una descripción del punto de vista de una persona del pasado que muchos estudiantes conocen. La descripción debe ser de cómo era, de dónde era, qué hacía para ser famoso(a), dónde vivía la persona y más.

**2** Lean su descripción a otras parejas de estudiantes. Si los otros estudiantes identifican a la persona, reciben cinco puntos. Si ellos no pueden identificar a la persona, Uds. reciben cinco puntos.

Frida Kahlo

> **Modelo**
>
> **A** —*Era de México. De niña a menudo estaba enferma. Cuando era mayor, era artista y pintaba mucho. Diego Rivera era mi esposo. Yo no tenía una vida muy sencilla ni feliz. ¿Quién soy yo?*
>
> **B** —*Tú eres Frida Kahlo.* (Correcto. Cinco puntos para la pareja B)

**Más práctica**

- **Guided** Gram. Practice pp. 139–140
- **Core** Gram. Practice p. 78
- **Communication** Writing p. 76
- ***Real.* para hispanohablantes** pp. 138–139, 141

**realidades.com** ✓

- Audio Activities
- Video Activities
- Speak & Record
- Canción de hip hop
- Animated Verbs
- Tutorial
- Leveled Workbook
- Web Code: jdd-0405

# Gramática  [ Repaso ]

## Indirect object pronouns

Remember that an indirect object tells to whom or for whom an action is performed. Indirect object pronouns are used to replace or accompany an indirect object noun.

> Nuestros profesores no **nos** permitían beber refrescos en clase.

> Sus abuelos siempre **les** daban regalos a los niños.

| Singular | Plural |
|---|---|
| **me** (to / for) me | **nos** (to / for) us |
| **te** (to / for) you *(familiar)* | **os** (to / for) you *(familiar)* |
| **le** (to / for) him, her, you *(formal)* | **les** (to / for) them, you *(formal)* |

• Because *le* and *les* have more than one meaning, you can make the meaning clear by adding *a* + name, noun, or pronoun.

> Lolita siempre **les** decía la verdad a **sus padres.**

> Lolita siempre **les** decía la verdad **a ellos.**

• Like direct object pronouns and reflexive pronouns, indirect object pronouns are placed right before the verb or attached to the infinitive.

> Siempre **le** quería comprar dulces a su hija.

> Siempre quería comprar**le** dulces a su hija.

**GramActiva** VIDEO

Want more help with indirect object pronouns? Watch the **GramActiva** video.

Le di la pelota.

## 22 Una tía muy generosa

**Escribir**

Mi tía era muy generosa, pero siempre nos compraba los mismos regalos. Escribe frases para decir lo que compraba ella.

mi padre

[ Modelo ]

*Por lo general ella le compraba una corbata a mi padre.*

1.

mi madre

2.

mis hermanitas

3.

yo

4.

su esposo

5.

mis primos

6.

nosotros

## 23 ¿Qué les permitían hacer?

**Hablar**

Trabaja con otro(a) estudiante para hablar de lo que les permitían hacer en la escuela primaria.

1. comer y beber en la sala de clases

2. tener animales en la escuela

3. jugar en el patio de recreo

4. ver películas en clase

**¡Respuesta personal!**

### Modelo

**A** —*¿Les permitían llevar gorras en la escuela primaria?*

**B** —*No, no nos permitían llevar gorras.*

**o:** —*Sí, nos permitían llevar gorras, pero sólo en los días especiales.*

---

### Fondo cultural

**El mundo hispano**

**Juguetes mayas** Los mayas no usaban la rueda (*wheel*) para el trabajo, pero crearon juguetes de niños en forma de animales (reales e inventados), con ruedas. Estos juguetes eran similares al *pull-toy* que se usa hoy.

• ¿Son similares los juguetes de los mayas a los juguetes con los que tú jugabas de niño(a), o son diferentes? ¿En qué sentido?

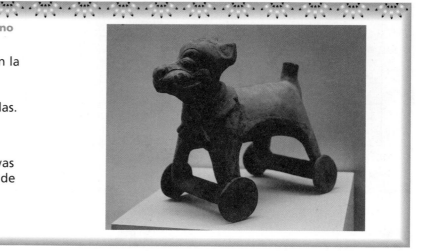

---

## 24 Jugando con los amigos

**Leer • Escribir • Hablar**

Estudia el cuadro, lee el párrafo y luego contesta las preguntas.

1. ¿Quiénes crees que son las personas mayores del cuadro?

2. Con otro(a) estudiante, imaginen que Uds. eran unos niños del cuadro y que ya son mayores. Hablen de los juguetes que tenían cuando eran niños(as).

3. Ahora imaginen que Uds. tienen sesenta años. Piensen en los juguetes que les gustaban de niños(as). Descríbanlos para las personas que no los conocen. ¿Estos juguetes son populares hoy?

"Los niños del futuro" (1998)

© Lorenzo Armendariz/Latin Focus.com.

**Leovigildo Martínez** (1959– ) nació en Oaxaca, México. Este cuadro es parte de un mural que pintó para el hospital que lo atendió *(treated)* cuando era niño. En el cuadro ves los juguetes tradicionales de la región.

## 25 ¿Quiénes te compraban regalos?

**Hablar**

Habla con otro(a) estudiante sobre quiénes hacían estas cosas para ti cuando eras niño(a).

| Modelo |
| --- |

**A** —¿Quiénes te compraban regalos?
**B** —Mis padres me compraban regalos de vez en cuando.

1. leer cuentos
2. preparar galletas
3. enviar tarjetas de cumpleaños
4. dar dinero para comprar cosas
5. prestar (lend) juguetes
6. cantar canciones de cuna (lullabies)

## 26 Los retratos

**Leer • Pensar • Escribir • Hablar**

Mira el retrato (portrait) del niño y lee el párrafo debajo del retrato. Luego contesta las preguntas.

1. ¿Qué mascotas tenías cuando eras niño(a)? ¿Cómo se llamaban?

2. Cuando te sacan fotos, ¿qué ropa te gusta llevar?

3. Hace muchos años, los artistas pintaban retratos porque las personas no tenían cámaras para sacar fotos de su familia. Compara el retrato de este niño con una foto tuya cuando eras niño(a). ¿En qué sentido son similares? ¿En qué sentido son diferentes?

"Don Manuel Osorio Manrique de Zúñiga" (1788)

Oil on canvas, 127 x 101. Metropolitan Museum of Art, New York, USA / Bridgeman Art Library

**Francisco de Goya** (1746–1828) era uno de los pintores más importantes de España. Por la ropa elegante que el niño lleva en este retrato, sabemos que es de una familia aristocrática. Goya pintó al niño con sus mascotas: gatos y unos pájaros.

## El español en la comunidad

Es importante aprender otro idioma (language) a una edad muy joven. Muchas guarderías infantiles, escuelas preescolares y escuelas primarias dan clases en español o en francés. Busca en tu comunidad una guardería o escuela que enseña español. ¡Puedes visitarla para observar o para enseñarles a los niños un poco de español!

• ¿Crees que es fácil o difícil aprender otro idioma de pequeño(a)? ¿Por qué?

### Más práctica

- **Guided** Gram. Practice pp. 141–142
- **Core** Gram. Practice p. 79
- **Communication** Writing p. 77
- **Real. para hispanohablantes** pp. 139, 141

**realidades.com**
- Audio Activities
- Video Activities
- Speak & Record
- Tutorial
- Leveled Workbook
- Web Code: jdd-0406

# Lectura
## El grillo y el jaguar
### Una fábula mexicana

### Objectives
- **Read a fable from Mexico**
- **Learn traditional Spanish songs**
- **Talk about how you were as a child**
- **Watch *En busca de la verdad*, Episodio 3**

### Estrategia

**Using background knowledge**
Think of fables you read as a child. Write down what you think might happen in this encounter between a cricket and a jaguar. When you finish reading, check to see how close your prediction was to the real story.

Hace ya muchísimos años, sólo vivían por el mundo los animales. Y el rey de todos era el jaguar.

Un día el jaguar salió de su casa rugiendo[1] y empezó a correr al lago porque tenía sed. Como todos los animales le tenían miedo,[2] se escondieron.[3] Todos menos el grillo, que no lo oyó[4] porque cantaba muy contento en su jardín.

El jaguar se sorprendió[5] cuando no vio a nadie, pero oyó la canción del grillo.

—¿Quién canta esa canción tan fea? —se preguntó el jaguar.

Cuando el jaguar vio al grillo, le rugió: —¡Qué mal educado eres, grillo! ¿Por qué no me saludas?[6]

—¡Ay, don Jaguar! Lo siento. ¿Me perdona?

—Sólo si eres obediente —le contestó el jaguar.

—¿Y qué tengo que hacer, don Jaguar?

—Vamos a hacer una carrera[7] hasta aquella roca enorme que está por donde empiezan las montañas. Si llegas primero, te perdono todo y puedes seguir cantando, pero si llego primero yo, te prohíbo cantar...

---

[1]roaring   [2]were afraid   [3]they hid   [4]didn't hear him   [5]was surprised   [6]greet me   [7]race

El grillo no contestó inmediatamente, pero por fin dijo:
—Bien. ¿Cuándo corremos?

—¡Ahora mismo! —respondió el jaguar.

Al oír "ahora mismo" el grillo saltó a la cola[8] del jaguar y muy despacito iba saltando hasta llegar a su cabeza. Así llegaron los dos a la roca enorme. Pero en ese momento (y antes de que el jaguar lo viera[9]), el grillo saltó de la cabeza del jaguar a la roca y dijo: —¡Hola, don Jaguar! Estaba esperándolo.

El jaguar no sabía qué decir, pero perdonó al grillo, y el grillo empezó a cantar otra vez.

[8]tail    [9]could see

## ¿Comprendiste?

1. Según esta leyenda, ¿quiénes vivían por el mundo hace muchos años?

2. ¿Por qué se escondieron todos los animales?

3. ¿Por qué el grillo no oyó al jaguar?

4. Según el jaguar, ¿cómo era la canción del grillo?

5. ¿Qué hizo el grillo para llegar primero a la roca?

6. Al fin, ¿quién era más inteligente, el jaguar o el grillo?

### Más práctica

- **Guided** Reading Support p. 143
- **Communication** Test Prep p. 239
- *Real.* **para hispanohablantes** pp. 142–143

**realidades.com** ▾
- Internet Activity
- Leveled Workbook
- Web Code: jdd-0407

## Y tú, ¿qué dices?

Hace muchísimos años que las fábulas son importantes en muchas culturas para enseñarles a los niños y a los adultos lecciones sobre la vida. En muchas fábulas los personajes son animales. Trabaja con otro(a) estudiante. Piensa en unas fábulas y describe a los animales en esas fábulas.

**Modelo**

*La tortuga caminaba muy lentamente y era muy trabajadora.*

**Para decir más . . .**

**el conejo** rabbit

**la gallina, el gallo** hen, rooster

**el león** lion

**el zorro** fox

# La cultura en vivo

jdd-0488

## Canciones infantiles

A todos los niños les encanta cantar. Aquí están dos canciones populares que cantan los niños en algunos países hispanohablantes mientras *(while)* juegan con sus amigos.

### El columpio

Yo tengo un columpio[1]
de suave vaivén[2]
y en él muy contento
me vengo a mecer[3].

En la fuerte rama[4]
de un fuerte laurel[5],
mi buen papacito
lo vino a poner.

Qué suave columpio
qué rico vaivén
¿muchachos, no quieren
venirse a mecer?

[1]swing   [2]swaying motion   [3]to swing
[4]branch   [5]laurel tree

### Los elefantes

Un elefante se balanceaba
sobre la tela de una araña[6]
como veía que resistía
fue a buscar a otro elefante.

Dos elefantes se balanceaban
sobre la tela de una araña
como veían que resistía
fueron a buscar a otro elefante.

Tres elefantes se balanceaban . . .
Cuatro elefantes se balanceaban . . .
Cinco elefantes se balanceaban . . .
Seis elefantes se balanceaban . . .
Siete elefantes se balanceaban . . .
Ocho elefantes se balanceaban . . .
Nueve elefantes se balanceaban . . .

Diez elefantes se balanceaban
sobre la tela de una araña,
como veían que se rompía,
fueron a dejar a un elefante.

Nueve elefantes se balanceaban . . .

[6]spider web

**¡Compruébalo!** En grupos de cuatro, practiquen en voz alta *(aloud)* una de las canciones. Presten atención a la pronunciación y al ritmo de los versos. Presenten su canción a la clase.

# Presentación oral
## ¿Cómo eras de niño(a)?

**Task**
You have a summer job at a *guardería infantil* and several students speak Spanish. They are always asking you what you were like when you were their age. Create a series of pictures that shows when you were young.

**1** **Prepare** Think about your childhood: what you were like, things you used to do, and what you weren't allowed to do. Copy and complete the chart on a sheet of paper, providing at least two pieces of information about yourself in each column.

| ¿Cómo era? | Jugaba con . . . | Me gustaba más . . . | Tenía que . . . | No me permitían . . . |
|---|---|---|---|---|
| tímido(a) | mi oso de peluche | jugar con mis amigos | hacer mi cama | pelearme con mis hermanos |

Create a series of drawings that illustrate all of the information on your chart. You can also bring in photos of yourself to show your childhood. You will use the visuals in your presentation. Be sure they are easy to understand and represent you when you were young!

**2** **Practice** Go through your presentation several times. You can use your chart to practice, but not when you present. Use your drawings and photos when you practice to help you recall what you want to say. Try to:

- provide as much information as possible on each point
- use complete sentences
- speak clearly so that you can be understood

**3** **Present** Talk about what you were like as a child. Be sure to use your drawings during your presentation.

**4** **Evaluation** Your teacher may give you a rubric for how the presentation will be graded. You will probably be graded on:

- amount of information you communicate
- how easy it is to understand you
- quality of visuals

realidades.com
• Speak & Record

# En busca de la verdad

## Episodio 3

"Tu abuelo se llamaba Federico Toledo. Es todo lo que puedo decirte".

## Antes de ver el video

"Vamos a ver . . . ¿Qué hay de nuevo en el correo electrónico?"

**Nota cultural** El mercado es el lugar donde la gente va a comprar comida fresca. En Guanajuato está el famoso mercado Hidalgo, donde venden frutas, verduras, carnes y muchas cosas más.

## Resumen del episodio

En este episodio van a conocer a Nela, la abuela de Roberto. Él hace planes para visitarla al día siguiente. La familia Toledo almuerza en casa. Después de comer, Roberto le pregunta a su papá sobre su abuelo.

**Palabras para comprender**

**catrina** artistic rendering of a skull

**una cosa más** one more thing

**carpintero** carpenter

**conocerse mejor** to know each other better

**a propósito** by the way

# Después de ver el video

## ¿Comprendiste?

**A.** Escoge la palabra correcta de las tres que están entre paréntesis.

1. "Me parece estupendo. Saben que ustedes siempre son (esperados/bienvenidos/queridos) en esta casa".

2. "Su mamá está aquí arreglando un programa de (juegos/televisión/intercambio) con nuestra escuela".

3. "Mañana viene el carpintero a reparar algunas (cosas/plantas/mesas) en mi casa".

4. "Hoy hablé con la maestra Toledo. Ella dice que todo está (caminando/progresando/funcionando) muy bien para el intercambio".

5. "Bueno, tengo que volver a la (escuela/clínica/casa). ¡Mis pacientes me esperan!"

6. "Dani, tengo un (mensaje/regalo/pastel) para la abuela".

7. "Ella sabe más que yo. Ahora, tengo que (vestirme/irme/dormirme)".

**B.** ¿Por qué crees que Roberto empieza a pensar en su abuelo con la llegada de Linda? Escribe lo que piensas.

**C.** Mira las fotos de Roberto y su abuela mientras hablan por teléfono. Escribe un resumen de la conversación.

realidades.com
• Web Code: jdd-0209

# Repaso del capítulo

jcd-0489

## Vocabulario y gramática 🔊

### to name toys

| | |
|---|---|
| los bloques | blocks |
| la colección, pl. las colecciones | collection |
| la cuerda | rope |
| el dinosaurio | dinosaur |
| la muñeca | doll |
| el muñeco | action figure |
| el oso de peluche | teddy bear |
| el tren eléctrico | electric train |
| el triciclo | tricycle |

### to name animals

| | |
|---|---|
| el pez, pl. los peces | fish |
| la tortuga | turtle |

### to discuss things you used to do

| | |
|---|---|
| coleccionar | to collect |
| molestar | to bother |
| pelearse | to fight |
| saltar (a la cuerda) | to jump (rope) |

### to name places

| | |
|---|---|
| la guardería infantil | daycare center |
| el patio de recreo | playground |

### to explain your actions

| | |
|---|---|
| de niño, -a | as a child |
| de pequeño, -a | as a child |
| de vez en cuando | once in a while |
| mentir (e → ie) | to lie |
| obedecer (c → zc) | to obey |
| ofrecer (c → zc) | to offer |
| permitir | to permit, to allow |
| por lo general | in general |
| portarse bien / mal | to behave well / badly |
| todo el mundo | everyone |
| el vecino, la vecina | neighbor |
| la verdad | truth |

### to describe what someone was like

| | |
|---|---|
| bien educado, -a | well-behaved |
| consentido, -a | spoiled |
| desobediente | disobedient |
| generoso, -a | generous |
| obediente | obedient |
| tímido, -a | timid |
| travieso, -a | naughty, mischievous |

### other useful words

| | |
|---|---|
| la moneda | coin |
| el mundo | world |

### imperfect of *ir*

| | |
|---|---|
| iba | íbamos |
| ibas | ibais |
| iba | iban |

### imperfect of *jugar*

| | |
|---|---|
| jugaba | jugábamos |
| jugabas | jugabais |
| jugaba | jugaban |

### imperfect of *ser*

| | |
|---|---|
| era | éramos |
| eras | erais |
| era | eran |

### imperfect of *tener*

| | |
|---|---|
| tenía | teníamos |
| tenías | teníais |
| tenía | tenían |

### indirect object pronouns

| | | | |
|---|---|---|---|
| me | (to / for) me | nos | (to / for) us |
| te | (to / for) you | os | (to / for) you |
| le | (to / for) him, her, you (formal) | les | (to / for) them, you (formal) |

For *Vocabulario adicional*, see pp. 498–499.

**Más práctica**

- **Core** Puzzle p. 80, Organizer p. 81
- **Communication** Integrated
  Performance Assessment p. 240

**realidades.com** ✓

- Tutorial
- Flashcards
- Puzzles
- Self-test
- Web Code: jdd-0408

# Preparación para el examen

**On the exam you will be asked to . . .** | **Here are practice tasks similar to those you will find on the exam . . .** | **If you need review . . .**

## Interpretive

jdd-0489

**1 Escuchar** Listen and understand as people describe their favorite childhood toy

You volunteer after school at the Youth Center. To get to know your kids better, you ask them about their favorite toys when they were younger. See if you can understand: (a) what the toy was; (b) how old the child was when he or she used to play with it; (c) where he or she used to play with it.

**pp. 186–189** *Vocabulario en contexto*
**p. 190** Actividad 6

## Interpersonal

**2 Hablar** Talk about what you were like as a child

Now your group at the Youth Center wants to know what you were like as a child! What could you tell them? You could start by telling them: (a) what you liked to do; (b) what your favorite toy was; (c) how you used to behave.

**pp. 188–189** *Videohistoria*
**p. 190** Actividad 5
**p. 191** Actividades 7–8
**p. 192** Actividad 11
**p. 195** Actividad 15
**p. 200** Actividad 23
**p. 205** *Presentación oral*

## Interpretive

**3 Leer** Read someone's recollections about their elementary school experience

Read an entry in Armando's journal about his elementary school years. As you read, see if you can determine: (a) whether he liked or disliked elementary school and (b) why or why not?

*De vez en cuando yo pienso en mis amigos de la escuela primaria. ¡Ay! Jorge siempre se peleaba conmigo y Carlos me molestaba. Yo era muy tímido y no me levantaba a tiempo para la escuela porque no quería jugar con ellos.*

**p. 195** Actividad 14
**p. 196** Actividad 16
**p. 197** Actividad 17

## Presentational

**4 Escribir** Write about some of your experiences in elementary school

After reading Armando's recollection, you begin to think about your days in elementary school. What are some of the things you remember? Write a few sentences, describing what your best friend was like and what you used to do together at recess.

**p. 190** Actividad 4
**p. 191** Actividad 8
**p. 197** Actividad 18
**p. 198** Actividades 19–20

## Cultures

**5 Pensar** Demonstrate an understanding of favorite nursery rhymes and songs from Spanish-speaking countries

Children around the world love songs that are easy to remember and fun to sing. Think about the songs on p. 204. Which song do you think a child would like best? Why? Does either of them remind you of songs you sang as a child? Which ones?

**p. 193** *Pronunciación*
**p. 204** *La cultura en vivo*

## Fondo cultural
### México

**Antonio M. Ruiz** (1897–1964) pintó en este cuadro la celebración del Día de la Independencia en un pueblo de México. Es el día festivo más importante del país y todo el mundo participa. Aquí ves un desfile de estudiantes. El desfile pasa por la plaza de un pueblo mexicano. Todos los niños llevan en la mano banderas de color verde, rojo y blanco, que son los colores de la bandera mexicana. Estos colores también se ven en el centro de la plaza. Los mayores escuchan a un hombre que les habla.

• ¿Qué piensas que está diciendo el señor del cuadro? Compara este desfile con las celebraciones del Día de la Independencia en tu comunidad.

◀ "Desfile cívico escolar" (1936), Antonio M. Ruiz

# Capítulo 4B

# Celebrando los días festivos

## Chapter Objectives

- Describe holiday celebrations
- Talk about your family and relatives
- Describe people, places, and situations in the past
- Talk about how people interact
- Understand cultural perspectives on holidays and special events

### Video Highlights

**Videocultura:** *Recuerdos del pasado*

**A primera vista:** *La fiesta de San Pedro*

**GramActiva Videos:** the imperfect tense: describing a situation; reciprocal actions

**Videomisterio:** *En busca de la verdad,* Episodio 4.

### Country Connection

As you learn to talk about past events and celebrations, you will make connections to these countries and places:

España
México
República Dominicana
Costa Rica
Venezuela
Colombia
Ecuador
Perú
Bolivia
Uruguay

### Más práctica

- *Real.* para hispanohablantes pp. 150–151

**realidades.com**
- Leveled Workbook
- Web Code: jde-0002

Niñas vestidas para el Festival de primavera, Jerez de la Frontera, España

# Vocabulario en contexto

jdd-0497

**Objectives**

Read, listen to, and understand information about
• common etiquette
• holiday celebrations

## Recuerdos del pasado

### Los buenos modales

sonreír

" Mis papás me enseñaron la importancia de los buenos modales. Es importante ser sociable y sonreír cuando **te reúnes**\* con las personas.

**dar(se) la mano**

Cuando **saludas** o **te despides** es **costumbre** siempre dar la mano.

Para saludar a los amigos, puedes decir '¡Hola!,' '¿Qué tal?' o '¿Cómo estás?'

Debes saludar a los mayores con una expresión como 'Buenos días, señora' o '¿Cómo está Ud.?'

**los mayores**

**besar(se)**

Cuando dos personas se conocen muy bien, generalmente se besan para **saludarse** y despedirse.

Mi papá me dijo que una persona siempre debe saludar a todas las personas en **una reunión** o una **fiesta**. Cuando sales, debes **despedirte** de cada persona también "

\**Reunirse* has an accent on the *u* in all present-tense forms except *nosotros* and *vosotros*: reúne, reúnes, reúne, . . . reúnen.

**abrazar(se)**

Muchos hombres se abrazan cuando se saludan en la calle o cuando se despiden.

# Cómo celebrábamos los días festivos

> **El 10 de agosto fue el cumpleaños de mi papá. Celebramos con una fiesta de sorpresa. Cumplió 46 años. Durante la fiesta, mi abuela habló de cuando él nació y ella empezó a llorar. Dijo que era un bebé grande y guapito. ¡Mi familia y yo le regalamos una cámara digital!**

Mis abuelos celebraron su **aniversario** el 23 de octubre. **Se casaron** hace 50 años. Todos nuestros **parientes** (mis tíos y primos) y muchos amigos asistieron para **felicitarlos**. Todos cantamos: ¡Felicidades! Les regalamos un reloj **antiguo** muy bonito. Durante la fiesta los niños no **se pelearon**; todos **se llevaban bien** porque era un día muy especial.

**¡Felicidades!**

**los fuegos artificiales**

Frecuentemente, durante los veranos, nosotros **íbamos** a un parque **enorme** donde hacíamos un picnic. Mientras los mayores **charlaban**, nosotros jugábamos. Mi tío, que es muy cómico, siempre nos **contaba chistes** y todos **nos reíamos** mucho. Para días muy especiales, como el Día de la Independencia, **había** fuegos artificiales por la noche. Todas las personas **alrededor** del parque **se divertían**

---

## 1 Los buenos modales  jdd-0497

**Escuchar**

Trabaja con otro(a) estudiante. Van a escuchar ocho frases sobre los buenos modales. Tienen que representar *(act out)* en pareja cada una de estas acciones.

### Más práctica

- **Guided** Vocab. Flash Cards pp. 145–148
- **Core** Vocab. Practice pp. 82–83
- **Communication** Writing p. 84
- *Real.* para hispanohablantes p. 152

**realidades.com**
- Fondo cultural Activity
- Video Activities
- Online Atlas
- Web Code: jdd-0411

## 2 Vamos a celebrar  jdd-0497

**Escuchar**

Escribe en una hoja de papel los números del 1 al 8. Vas a escuchar ocho frases. Escribe la letra *a*, *b* o *c* para indicar cuándo ocurrió cada actividad.

**a.** durante la fiesta de cumpleaños

**b.** durante la fiesta de aniversario

**c.** durante la celebración del Día de la Independencia

# La fiesta de San Pedro

¿Por qué es especial la
fiesta de San Pedro?

### Estrategia

**Using visuals**
Ignacio is describing a celebration
in the Basque town of Alsasua that
he visited as a child. Look at the
different visuals in the *Videohistoria*.
For each picture, write what you
think he might say.

**Ignacio**

**Javier**

**1** **Javier:** ¿Adónde vas,
Ignacio?

**Ignacio:** A Alsasua para la
fiesta de San Pedro. Se
celebra el 29 de junio. Es **un
día festivo.** De niño iba allí
con mi familia todos los
veranos.

**5** **Ignacio:** Luego íbamos a la
iglesia. Recuerdo que a
veces hablaban en vasco.

**Javier:** ¿Sabes hablar
vasco?

**Ignacio:** No, yo no. Mis
abuelos lo hablaban.

**6** **Ignacio:** Y la comida era
fantástica. Comíamos
paella y salchichas que se
llaman en vasco *txistorra*.
¡Qué ricas!

**Javier:** ¡Mmm! Ya tengo
hambre.

**7** **Ignacio:** Después de comer,
la gente charlaba, contaba
chistes y se reía.

**Javier:** ¿Y los jóvenes?

**Ignacio:** Los jóvenes
seguían bailando.

**2** **Javier:** ¿Cómo es la fiesta?

**Ignacio:** Muy divertida. **Recuerdo** que empezaba con **un desfile** por la mañana.

**3** **Ignacio:** Había bailes día y noche. Los músicos tocaban instrumentos antiguos como el *txistu* y el tamboril.[1]

**Javier:** ¿El *txistu*? ¿Qué es eso?

[1]El *txistu* es el instrumento característico de la música vasca. Es una flauta de madera y metal. Se usa en procesiones, serenatas y danzas. El tamboril es un tambor pequeño.

**4** **Ignacio:** Éste es un *txistu*. Es una palabra vasca.

**Javier:** ¿Sabes tocarlo?

**Ignacio:** Sí, un poco. Mi abuelo me enseñó hace años. ¡Ay!

**8** **Javier:** Aquí estoy. Son las siete.

**Ignacio:** En Alsasua tenemos que comprarte una boina[2].

**Javier:** Tienes razón.

**Ignacio:** Bueno. Vamos a la estación.

[2]beret

## **③ ¿Comprendiste?**

**Leer • Escribir**

1. ¿Por qué conocía Ignacio este día festivo?
2. ¿Cómo empezaba el día?
3. ¿Qué tipo de instrumentos tocaban los músicos?
4. ¿Adónde iba Ignacio después del desfile?
5. ¿Qué otros idiomas *(languages)* hablan en Alsasua?
6. ¿Qué es la *txistorra?*
7. ¿Qué hacía la gente después de comer?
8. Según las fotos, ¿cómo se viste Ignacio para ir a la celebración?
9. ¿Qué le falta a Javier?

### **Más práctica**

- **Guided** Vocab. Check pp. 149–152
- **Core** Vocab. Practice pp. 84–85
- **Communication** Video pp. 78–80
- *Real.* **para hispanohablantes** p. 153

**realidades.com**
- Audio Activities
- Video Activities
- Leveled Workbook
- Flashcards
- Web Code: jdd-0412

# Vocabulario en uso

## Objectives

- Communicate about social gatherings involving friends and relatives
- Describe situations in the past
- Talk about how people interact
- Describe holiday celebrations

## 4 El intruso

**Leer • Escribir**

Identifica en cada grupo de palabras "el intruso", es decir, la palabra que no va con las otras tres. Luego escribe una frase completa con la forma apropiada del intruso.

**Modelo**

fiesta de sorpresa   regalo   cumplo años   me despido
*Cuando me despido de mis padres, generalmente los abrazo.*

1. saludo   recuerdo   le doy la mano   abrazo

2. contamos chistes   nos divertimos   hacemos un picnic   nos reímos

3. desfile   nací   día festivo   fuegos artificiales

4. los mayores   felicitan   se casan   ¡Felicidades!

5. se llevan mal   se pelean   lloran   sonríen

### Nota

In the present tense, these verbs have stem changes:

**recordar, contar** *(o → ue)*

**divertirse** *(e → ie)*

**despedirse, reírse, sonreír** *(e → i)*

In addition, *reírse* and *sonreír* have accent marks on the *i* in all present-tense forms.

## 5 Escucha y escribe  jdd-0498

**Escuchar • Escribir**

Escucha las descripciones de diferentes personas que están presentes en la boda. Escribe las frases. Después indica si las personas tienen buenos o malos modales. *(Nota:* A las personas que acaban de casarse también se les llama "los novios").

### Fondo cultural
España

**Euskadi** Las diferentes regiones de España tienen su propia identidad, su comida, sus costumbres y a veces su idioma *(language)*. En el País Vasco, situado en el norte de España, se habla euskera (vasco, en español), un idioma que no tiene ninguna relación con el español. En euskera, el nombre de esta región es Euskadi. Una tradición de San Sebastián (o Donostia), una de las ciudades más grandes de Euskadi, es la Tamborrada, que se celebra el 20 de enero. Ese día, hombres tocan el tambor mientras caminan por las calles de la ciudad.

- ¿Qué diferencias de identidad hay entre las regiones de los Estados Unidos?

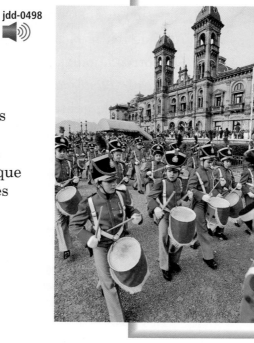

La Tamborrada de San Sebastián

**Una costumbre de mi familia** ♻ _____

**Leer • Escribir**

Lee la historia de lo que hacía la familia de Alejandra cuando ella era niña. Completa la historia con las palabras apropiadas.

| | | | |
|---|---|---|---|
| antigua | costumbre | enorme | reunirse |

| | |
|---|---|
| alrededor de | había |
| contaban chistes | mientras |
| frecuentemente | nos divertíamos |

Recuerdo muy bien los días festivos que celebrábamos cuando era niña. Era nuestra **1.** ir a la casa de nuestros abuelos en el campo. Ellos no vivían en una casa moderna como las casas en la ciudad. Su casa era **2.** pero también **3.** . ¡Todos mis parientes podían **4.** allí al mismo tiempo!

**5.** que los adultos charlaban o **6.** , nosotros jugábamos en el jardín que estaba **7.** la casa. **8.** muchos árboles en el jardín y **9.** hacíamos un picnic debajo de ellos. Siempre **10.** mucho en los días festivos en la casa de nuestros abuelos.

**7 Costumbres sociales**  _____

**Hablar • Escribir**

**1** ¿Cómo saludas y te despides de las personas? Habla con otro(a) estudiante y escriban sus respuestas.

**Modelo**

saludar a tus primos
**A** —*Generalmente, ¿cómo saludas a tus primos?*
**B** —*Por lo general los abrazo. ¿Y tú?*
**A** —*No tengo primos.*

**Estudiante A**

1. saludar a tus profesores
2. despedirse de tus abuelos (o tíos)
3. despedirse de los padres de tus amigos
4. saludar a tu papá (o mamá)
5. despedirse de tu mejor amigo(a)
6. saludar a un(a) amigo(a) que no has visto (*haven't seen*) recientemente

**Estudiante B**

hasta luego

Hola ¿Cómo estás?

**2** Escribe cinco frases para decir si lo que Uds. hacen es similar o es diferente.

**Modelo**

*Por lo general yo abrazo a mis primos cuando los saludo. Enrique no tiene primos, pero siempre abraza a sus abuelos cuando los saluda.*

**8** **¿Qué hacían Uds.?** 🔊👥♻️ _____

**Hablar**

Habla con otro(a) estudiante sobre cómo celebraban diferentes ocasiones sociales cuando eran pequeños(as). Digan dos costumbres que tenían Uds. en cada ocasión.

**Modelo**

celebrar un aniversario

**A** —_¿Qué hacía tu familia cuando alguien celebraba un aniversario?_

**B** —_Hacíamos una fiesta y les regalábamos cosas muy bonitas._

**o:** —_No recuerdo lo que hacíamos._

**Estudiante A**

1. cumplir años
2. hacer un largo viaje
3. comprar un coche nuevo
4. celebrar un día festivo

**Estudiante B**

felicitar a . . .
reunirse en . . .
hacer una fiesta (de sorpresa)
hacer un picnic
comprar . . .

regalarle(s) . . .
invitar a . . .
no hacer nada
hacer una reunión de familia
despedirse

**9** **Y tú, ¿qué dices?** _____

**Escribir • Hablar**

1. Por lo general, ¿qué les dices a los padres de un bebé que nació recientemente? ¿Qué les regalas?

2. En tu comunidad, ¿en qué días festivos hay fuegos artificiales? ¿En qué días hay desfiles?

3. ¿Cuándo te reúnes con tus parientes? ¿Dónde se reúnen Uds. generalmente? ¿Con quién charlas? ¿Se llevan todos bien o a veces se llevan mal?

**Fondo cultural**

Costa Rica

**El Día de la Raza** Muchos jóvenes participan en el desfile del Día de la Raza en Costa Rica. Este día festivo conmemora la llegada de Cristóbal Colón a las Américas. Algunas personas prefieren el nombre "el Día de las Culturas" para celebrar también las contribuciones culturales de los pueblos indígenas, asiáticos y africanos del país.

• ¿Cuál de estos dos nombres prefieres tú? ¿Por qué?

Jóvenes participando en la celebración del Día de la Raza, en Costa Rica

# Gramática

## Preterite and imperfect: describing a situation

In addition to saying what someone used to do, the imperfect tense is used:

- to describe people, places, and situations in the past

  La casa de mis abuelos **era** enorme. **Tenía** cinco dormitorios.

- to talk about a past action or situation when no beginning or end is specified

  **Había** mucha gente en la casa para el aniversario.

- to describe the situation or background information when something else happened or interrupted the ongoing action.

  Todos mis parientes **bailaban** cuando **llegamos.**
  *All my relatives **were dancing** when **we arrived.***

Note that the imperfect tense is used to tell what someone **was doing** when something **happened** (preterite).

> ### ¿Recuerdas?
>
> Use the preterite tense to describe completed actions or events.
>
> - Mis abuelos **se casaron** hace 50 años.
> - **Celebramos** su aniversario el mes pasado.

**GramActiva** VIDEO

Want more help with the imperfect? Watch the **GramActiva** video.

cantaba

## 10 La Semana Santa ♻

**Leer • Escribir**

Patricia, una estudiante norteamericana que está pasando un año en España, les escribe a sus padres sobre una experiencia fantástica que tuvo. Completa su descripción con las formas apropiadas del pretérito o del imperfecto.

> el 30 de abril
> Sevilla, España
>
> Queridos padres:
>
> Acabo de pasar unos días increíbles. Mi familia española **_1._** *(decidir)* ir a Sevilla para celebrar la Semana Santa. Nosotros **_2._** *(llegar)* el martes por la noche y las calles ya **_3._** *(estar)* llenas de personas. Había un desfile que en la Semana Santa se llama procesión. En la procesión, **_4._** *(ver)* pasos[1] muy grandes con flores y estatuas enormes (que se llaman *imágenes*) de las iglesias. Las imágenes **_5._** *(ser)* antiguas y muy impresionantes. Había bandas y otras personas que tocaban música durante las procesiones. Y luego ocurrió algo fantástico. Una mujer **_6._** *(salir)* a un balcón y **_7._** *(empezar)* a cantar una saeta. Una saeta es una canción del estilo flamenco que cantan aquí en Sevilla. Todas las personas en la calle escucharon con atención mientras ella cantaba. Por fin,[2] el paso **_8._** *(llegar)* a la entrada de la catedral y entró, como es la costumbre durante la Semana Santa. ¡Qué experiencia maravillosa!
>
> Besos y abrazos,
> Patricia

¹floats (during Holy Week)   ²At last

## 11 Un pariente favorito

### Hablar

Trabaja con otro(a) estudiante para describir a un pariente favorito que recuerdas de tu niñez. Usen el imperfecto en sus preguntas y respuestas.

**Modelo**

¿Quién (ser) tu pariente favorito?
**A** —¿Quién era tu pariente favorito?
**B** —Mi pariente favorito era mi abuelo.

**Estudiante A**

1. ¿Quién (ser) tu pariente favorito?
2. ¿Cómo (llamarse)?
3. ¿Cómo (ser)?
4. ¿Dónde (vivir)?
5. ¿Qué le (gustar) hacer?
6. ¿Qué (hacer) tu pariente contigo?

**Estudiante B**

Mi pariente favorito era . . .
Se llamaba . . .
Era . . .
Vivía en . . .

### Fondo cultural

México

**El Día de los Muertos** En México y en otros países hispanohablantes celebran el Día de los Muertos *(Day of the Dead)* el 2 de noviembre. Preparan el "pan de muertos", un pan en forma de muñecos, y dulces en forma de esqueletos y calaveras *(skulls).* La gente hace altares en sus casas en honor a los parientes muertos. Los altares tienen fotos de los parientes muertos, flores, frutas, pan y la comida favorita del muerto. Algunas familias hacen un picnic en el cementerio donde están sus parientes muertos. Estas costumbres les permiten a las familias recordar a los parientes que ya no viven.

• Compara lo que hacen en México para recordar a los muertos con lo que hace tu familia.

El pan de muertos

Celebración del Día de los Muertos, en México

## 12 ¿Cuántos años tenías?

**Hablar**

Pregunta a otro(a) estudiante cuántos años tenía cuando hizo estas actividades por primera vez.

**Modelo**

recibir tu propia bicicleta

A —¿Cuántos años tenías cuando recibiste tu propia bicicleta?

B —Yo tenía seis años cuando recibí mi propia bicicleta.

**Estudiante A**

1. aprender a caminar
2. asistir a la escuela por primera vez
3. ir a tu primer baile
4. leer tu primer libro
5. ir al cine sin tus padres
6. ver un desfile por primera vez

**Estudiante B**

Yo tenía . . .

## Exploración del lenguaje

### Prefixes

Think about the meaning of the following Spanish words. What pattern do you notice?

obediente → desobediente
posible → imposible
formal → informal
regular → irregular

Like English, Spanish uses prefixes to extend and change the meanings of words—in this case to create a word with the opposite meaning.

**¡Compruébalo!** Copy the following words on a sheet of paper. Underline the prefix in each word. Then determine which word (with or without the prefix) is needed to complete the sentences about Mariana and Julieta.

desordenado    impaciente    irresponsable
injusto    impráctico

1. A Mariana no le gusta esperar a los demás. Es muy ____.

2. A Julieta le gusta tener su cuarto limpio y ____.

3. Mariana grita mucho. Es ____ llevarla al cine.

4. Julieta cree que es importante conservar agua. Cree que es ____ no hacerlo.

5. Julieta y Mariana piensan que es ____ tener que dormirse temprano.

## 13 Escucha y escribe

**Escuchar • Escribir**

En el cuadro "Tamalada", la niña que
está en la puerta recuerda el día, hace
muchos años, cuando entró en la cocina
con su padre y vio esta escena. ¿Recuerda
ella la escena correctamente? Escucha
las seis descripciones y escríbelas.
Después, si la información es falsa,
escribe la información correcta.

"Tamalada / Making tamales" (1988), Carmen Lomas Garza

Oil on linen mounted on wood, 24" x 32". © 1988 Carmen Lomas Garza. Photo credit: M. Lee Featherree.
Collection of Paula Macie-Benecke and Norbert Benecke, Aptos, CA.

## 14 ¿Qué había en la pared?

**Escribir • Hablar**

Usa el imperfecto y escribe tres preguntas sobre la
escena que recuerda la niña del cuadro "Tamalada".
Después haz tus preguntas a otro(a) estudiante y
contesta las preguntas de él (ella).

### Para decir más . . .

| | |
|---|---|
| **la estufa** | stove |
| **el horno** | oven |
| **las ollas** | pans |
| **el suelo** | floor |

> **Modelo**
>
> A —¿Qué había en la pared?
> B —Había un cuadro de una pareja
>     bailando flamenco en la pared.

> **Nota**
>
> You know that *hay* means "there is,
> there are." In the imperfect tense,
> *había* means "there was, there
> were." *Hay* and *había* are forms of
> *haber.*

## 15 Y tú, ¿qué dices?

**Escribir • Hablar**

1. ¿Siempre has vivido *(have you lived)* en la
   misma casa? Si no, ¿dónde vivías antes?
   ¿Era una casa antigua?

2. Cuando tú eras niño(a), ¿te divertías con
   tus amigos? ¿Charlaban? ¿Hacían picnics?
   ¿Contaban chistes?

3. ¿Cuántos años tenías cuando aprendiste
   a caminar?

4. ¿Qué te regalaban tus abuelos o tus tíos
   cuando eras niño(a)?

### Más práctica

- **Guided** Gram. Practice pp. 153–157
- **Core** Gram. Practice p. 86
- **Communication** Writing p. 85
- *Real.* **para hispanohablantes**
  pp. 154–157, 160

**realidades.com**

- Audio Activities
- Video Activities
- Speak & Record
- Tutorial
- Leveled Workbook
- Web Code: jdd-0413

## 16 El Día de la Independencia

Leer • Escribir

En muchos países del mundo, la gente celebra un día para conmemorar la independencia de su país con desfiles, fuegos artificiales y bailes. Lee esta información sobre los días de la independencia en diferentes países. Luego haz una línea cronológica con las fechas de la independencia de los países mencionados abajo.

### Conexiones | La historia

# Fechas importantes

Firmando la Declaración de la Independencia

*The Declaration of Independence, 4 July 1776,* John Trumbull (American, 1756-1843) 1786-1820. Oil on canvas, 53 x 78.7 cm (20-7/8 x 31 in). © Corbis Bettmann.

### Los Estados Unidos

El 4 de julio es el Día de la Independencia en los Estados Unidos. Es el aniversario de la Declaración de la Independencia, que firmó[1] el Segundo Congreso Continental en 1776, cuando los Estados Unidos obtuvieron[2] su independencia de Gran Bretaña.

### La Revolución Francesa

Los franceses obtuvieron su independencia de la monarquía el 14 de julio de 1789. Pelearon bajo el lema[3] "Libertad, igualdad y fraternidad".

### España

Los franceses invadieron España en el año 1808 y los españoles pelearon contra ellos durante la Guerra[4] de la Independencia. En 1814, los españoles obtuvieron su independencia de los franceses.

"Los fusilamientos del 3 de mayo, 1808 (1814)", Francisco de Goya y Lucientes

### México

La independencia de los Estados Unidos y la de Francia fueron grandes ejemplos para los países de América Latina. Unos años después, el 16 de septiembre de 1810, Miguel Hidalgo comenzó la guerra de la independencia contra los españoles, que ocupaban México.

### Colombia, Venezuela, Perú, Ecuador y Bolivia

Simón Bolívar comenzó el movimiento de independencia de España en muchos países hispanoamericanos. Ayudó a establecer la independencia de cinco países: Colombia (el 20 de julio de 1810), Venezuela (el 5 de julio de 1811), Perú (el 28 de julio de 1821), Ecuador (el 10 de agosto de 1809 y el 13 de mayo de 1830) y Bolivia (el 6 de agosto de 1825).

Simón Bolívar, El Libertador

[1]signed  [2]gained  [3]motto  [4]War

# Gramática

## Reciprocal actions

Sometimes the reflexive pronouns *se* and *nos* are used to express the idea "(to) each other." These are called reciprocal actions.

Los novios **se abrazaban** y **se besaban.**
*The bride and groom **were hugging each other** and **kissing each other.***

Por lo general **nos saludábamos** con un abrazo. También **nos dábamos la mano.**
*We usually **greeted each other** with a hug. We also **would shake hands.***

### ¿Recuerdas?
You already know that *Nos vemos* means "We'll see each other later."

### GramActiva VIDEO

Want more help with reciprocal actions? Watch the **GramActiva** video.

Se abrazan.

## 17 Los buenos amigos

**Hablar**

Habla con otro(a) estudiante sobre lo que hacen tus mejores amigos y tú.

### Modelo

verse frecuentemente
A —¿Uds. se ven frecuentemente?
B —Sí, nos vemos todos los días.
o: —No, no nos vemos frecuentemente.

Unos amigos en Buenos Aires, Argentina

### Estudiante A

1. llevarse bien siempre
2. ayudarse con la tarea de vez en cuando
3. escribirse por correo electrónico a menudo
4. hablarse por teléfono todos los días
5. respetarse mucho
6. comprenderse generalmente

### Estudiante B

Sí, nos . . .

No, no nos . . .

## 18 Durante la boda

**Hablar**

Durante la boda de Carmen y Alfonso algunos de los invitados (*guests*) se portaban mal. Usa el imperfecto para describir lo que hacían todos mientras los novios se casaban.

Pati y Juanito

**A** —*¿Qué hacían Pati y Juanito mientras Carmen y Alfonso se casaban?*

**B** —*Pati y Juanito se peleaban.*

**Roberto y Belita**

**el Sr. Vásquez**

**el Sr. García y el Sr. Ramírez**

**Pati y Juanito**

**Carmen y Alfonso**

**el Sr. Medina**

**las tías**

**la Sra. Fernández y la Sra. Peña**

**los padres de Carmen**

**Estudiante A**

1. las tías
2. el Sr. García y el Sr. Ramírez
3. la Sra. Fernández y la Sra. Peña
4. el Sr. Vásquez y el Sr. Medina
5. Roberto y Belita
6. los padres de Carmen

**Estudiante B**

besar(se)
charlar
contar(se) chistes
pelear(se)

llevarse mal
hablar por teléfono
prestar atención

### Fondo cultural

**México**

**La ceremonia del lazo** En México, la ceremonia del lazo es parte de la boda y simboliza la unión entre los novios. Es cuando dicen sus promesas matrimoniales y luego el sacerdote (*priest*) les pone en el cuello (*neck*) una cuerda en forma de ocho. La expresión "atar el nudo" (*to tie the knot*) viene de esta tradición mexicana.

- ¿Qué piensas que significa el acto de "atar el nudo" durante la ceremonia? ¿Hay tradiciones similares en los Estados Unidos? ¿Cuáles son?

Una boda mexicana

El carnaval es una de las celebraciones más alegres *(happy)* y animadas de América Latina. Por lo general se celebra durante tres días. Casi siempre hay desfiles de carrozas *(floats)*, grupos de personas con máscaras, bailarines y músicos. En los desfiles de la República Dominicana las personas se disfrazan *(wear costumes)* con máscaras que representan a diferentes personajes reales o imaginarios. En el Uruguay los desfiles son con música, sobre todo de tambores, llamada *candombe*. Las personas siguen a los músicos, todos bailan y algunos se disfrazan. En el Ecuador y en Venezuela no hay desfiles. La tradición es tirar *(to throw)* agua a los peatones que pasan por la calle, o entre los vecinos y miembros de la familia.

- En tu comunidad, ¿en qué festividades o celebraciones hay desfiles? ¿Participas en los desfiles? ¿Te gusta ver los desfiles?

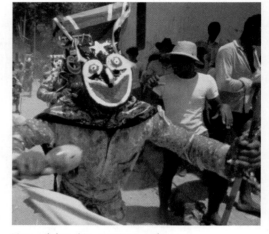

Una celebración en Venezuela

## 19 Una celebración

**Hablar • Escribir**

Habla con otro(a) estudiante sobre cómo celebraba un día festivo cuando era niño(a).

1 Pregunta a tu compañero(a) qué día festivo le gustaba celebrar.

**Modelo**

A —*¿Qué día festivo era tu favorito cuando eras niño(a)?*

B —*Me encantaba Halloween.*

2 Escribe cinco preguntas que puedes hacerle a tu compañero(a) usando el imperfecto. Hazle las preguntas y escribe sus respuestas.

3 Escribe un párrafo de por lo menos *(at least)* cinco frases sobre cómo tu compañero(a) celebraba el día festivo.

**Modelo**

*A Carmen le encantaba Halloween cuando era niña. Siempre se vestía de princesa. Todos decían que ella era muy bonita. Iba a las casas de sus parientes y ellos le daban muchos dulces. Después se comía todos los dulces.*

**Para decir más . . .**
**El Día de San Valentín**   Valentine's Day
**El Día de San Patricio**   St. Patrick's Day
**El Día de Acción de Gracias**   Thanksgiving Day

**Más práctica**

- **Guided** Gram. Practice p. 158
- **Core** Gram. Practice pp. 87–88
- **Communication** Writing p. 86, Test Prep p. 241
- ***Real.* para hispanohablantes** pp. 158–159, 161

**realidades.com**
- Audio Activities
- Video Activities
- Speak & Record
- Canción de hip hop
- Tutorial
- Leveled Workbook
- Web Code: jdd-0414

## 20 Las Fallas de Valencia ♻

**Leer • Escribir**

Lee el artículo sobre Las Fallas de Valencia, una de las fiestas más divertidas de España, y luego contesta las preguntas.

**Las Fallas** tienen origen en la celebración de San José, el santo de los carpinteros, y los valencianos conservan esta tradición tan interesante. En tiempos antiguos, los carpinteros celebraban el día de San José y la llegada de la primavera quemando[1] la madera[2] que ya no necesitaban. Hoy en día, durante unos seis meses, varias organizaciones en Valencia construyen unos 350 **ninots,** grandes estatuas de madera, *papier-mâché* y cartón. Estas estatuas representan los eventos del año o a personas famosas, generalmente de una forma muy cómica. Cada año escogen un ninot por voto popular y lo ponen en el Museo del Ninot. La *Cremá* (el 19 de marzo) es la última noche de la celebración, cuando ponen fuegos artificiales dentro de los otros ninots y a la medianoche los queman todos.

Un ninot en Valencia

[1]burning   [2]wood

1. ¿Cuándo y por qué quemaban la madera en tiempos antiguos?
2. ¿Qué hacen con los ninots que construyen hoy en día?
3. ¿Te gustaría estar en Valencia la noche del 19 de marzo? ¿Por qué?

## 21 El mejor ninot  ♻

**Dibujar • Escribir • Hablar**

Con otro(a) estudiante, dibujen un ninot en color. Describan el ninot en tres o cuatro frases y expliquen por qué lo hicieron. Presenten los ninots a la clase y pongan los dibujos en la pared. Voten por el mejor ninot.

**Modelo**

*Nuestro ninot es un jugador de básquetbol. Tiene las manos muy grandes y las piernas muy largas. Usamos los colores de la escuela en su uniforme. Hicimos este ninot porque nuestro equipo de básquetbol ganó todos los partidos el mes pasado.*

## El español en el mundo del trabajo

En el mercado de decoraciones y ornamentos de los Estados Unidos, los hispanohablantes ocupan un lugar importante. En el pasado se importaban de países hispanohablantes las decoraciones para días festivos pero hoy en día se hacen en los Estados Unidos. Por ejemplo, en Lynn, Massachusetts, se fabrican (*they make*) ornamentos hechos de masa de pan (*dough ornaments*) para la Navidad. En San Antonio, Texas, se hacen *cascarones,* que son las cáscaras de huevos rellenos de confeti (*confetti-filled eggshells*). En la "Fiesta" de abril, las personas rompen los cascarones en las cabezas de sus amigos.

• ¿Se usa en tu comunidad alguna decoración u ornamento en los días festivos? ¿Cómo es? ¿Dónde se fabrica? ¿Es un ornamento que se usa en otro país o región?

# Lectura

# El seis de enero

## Objectives

- Read about los *Reyes Magos*
- Compare different traditional holiday foods
- Write about your favorite celebration
- Watch *En busca de la verdad*, Episodio 4

San Juan, Puerto Rico
4 de enero

Queridos Reyes:

Este año van a venir, ¿no? Yo soy Carolina.
Quiero decirles que me porto bien con mami,
papi, la maestra, mis abuelos y mis abuelas.
Les escribo para pedirles una bicicleta rosada.
También me gustaría una muñeca con ropa
muy bonita. Eso es todo. Muchas felicidades.
Muchas gracias y muchos recuerdos a los
camellos. Feliz año nuevo.

Los quiere,
Carolina
7 años

## Estrategia

**Using background knowledge**
Using your own experience can help you predict the types of information you may find in a reading. Make a list of three types of information you might find in a letter to Santa Claus or some other fictional character. When you have finished the reading, see if what you predicted was mentioned.

Uno de los días más anticipados y felices para los niños del mundo hispano es el seis de enero, el Día de los Reyes Magos. Según la tradición, los tres Reyes Magos: Melchor, Gaspar y Baltasar, vienen montados en sus camellos[1] durante la noche y les traen regalos a todos los niños. La noche del cinco, las familias van al centro de la ciudad para ver un desfile de carrozas[2] con luces y flores y, por supuesto, los Reyes Magos. Después, los niños reúnen hierba o paja[3] para los camellos y la ponen en una caja cerca de sus zapatos. La mañana del seis, los niños se despiertan para ver qué les regalaron los Reyes Magos.

[1]camels  [2]carriages  [3]straw

Queridos Reyes Magos:

Me llamo José Alejandro y les escribo esta carta con mi mamá para decirles los regalos que quiero para mí y para mi hermanito, Jorge Andrés. Nos portamos bien. Yo saco muy buenas notas en la escuela y hago toda mi tarea. Yo quiero un carrito de control remoto y un videojuego de fútbol para mi computadora. Mi hermanito quiere un juguete o cualquier cosa que ustedes puedan. Gracias, y recuerden llevarles juguetes a los niños pobres y traernos paz y amor.

Los quieren,
José Alejandro y Jorge Andrés
7 y 2 años
Argentina

Antes del seis de enero, los niños les escriben cartas a los Reyes Magos pidiendo sus regalos. A veces también visitan a los Reyes Magos en los almacenes de las ciudades grandes. Antes era costumbre poner las cartas al lado de los zapatos, pero luego comenzaron a enviarlas por correo postal y hoy en día las envían por correo electrónico.

Niña con un Rey Mago, Madrid, España

## ¿Comprendiste?

1. ¿Por qué es el Día de los Reyes Magos feliz para los niños?

2. ¿Qué hacen los niños antes del seis de enero?

3. ¿Qué hacen los niños el día del seis?

4. En los Estados Unidos, muchos niños creen en Santa Claus. ¿En qué sentido son similares las tradiciones de Santa Claus y de los Reyes Magos? ¿En qué sentido son diferentes?

## Y tú, ¿qué dices?

Escribe una carta a los Reyes Magos. Usa una de las cartas escritas por niños del mundo hispano como modelo.

Niños vestidos de Reyes Magos, en la República Dominicana

### Más práctica

- **Guided** Reading Support p. 159
- **Communication** Writing p. 87, Test Prep p. 242
- **Real.** para hispanohablantes pp. 162–163

**realidades.com**
- Internet Activity
- Leveled Workbook
- Web Code: jdd-0416

# Perspectivas del mundo hispano
## El Roscón de Reyes

Es el Día de los Reyes Magos, el seis de enero, y mientras los niños juegan con sus regalos, los mayores preparan la merienda[1] de Reyes para sus amigos y familia. Esta merienda incluye un postre especial que se llama el roscón (o en México, la rosca) de Reyes. Cuando es la hora de comer el roscón, todo el mundo se acerca a la mesa y una persona empieza a cortarlo. Cada persona corta una rebanada[2] del roscón. Todos comen su porción cuando una persona grita, "¡Lo tengo!"

¿Qué es lo que tiene? Pues, dentro del roscón hay un muñequito de plástico. Según la tradición la persona que encuentra el muñequito debe pagar por la cena u otro roscón. Según otra tradición, la persona que encuentra el muñequito es el rey o la reina[3] de la fiesta.

El roscón es dulce, parecido a un pan dulce o a una torta, que se hace y se come sólo una vez al año. Está hecho con harina,[4] huevos, azúcar, mantequilla y frutas confitadas.[5] Como toda comida tradicional, la receta puede variar según la familia o la región. En ciertos países, el roscón se acompaña[6] con una taza de chocolate caliente.

**¡Compruébalo!** ¿Hay una tradición o celebración de tu familia en la que comen algo especial? ¿Qué es? ¿Cómo se prepara? ¿Hay algo especial que hacen mientras la preparan?

**¿Qué te parece?** ¿Crees que es importante mantener la tradición de preparar una comida especial? ¿Por qué?

[1]snack   [2]slice   [3]king or queen   [4]flour
[5]candied   [6]is accompanied

Un roscón de Reyes

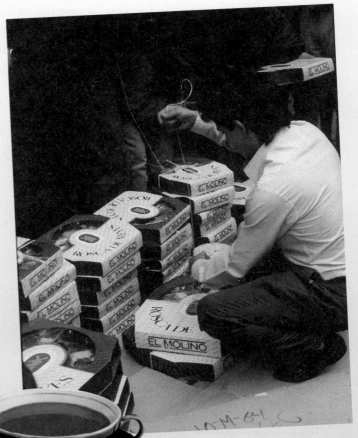
Un vendedor de roscas de Reyes en México

# Presentación escrita
## Mi celebración favorita

### Task

You have an e-mail pal who wants to know about your favorite holiday or celebration. Write an e-mail message describing an event from your childhood.

**1 Prewrite** Think of an event you used to celebrate and want to write about. Copy the chart below on a sheet of paper. Using the questions on the top of each column as a guide, write words or expressions related to your topic.

| ¿Qué hacían? | ¿Dónde se reunían? | ¿Cómo era? | ¿Quiénes estaban? | ¿Por qué te gustaba? |
|---|---|---|---|---|
| | | | | |

**2 Draft** Use the ideas from the chart to write the first draft of your e-mail message.

### Modelo

*Mi celebración favorita era El Día de la Madre. Celebrábamos este día con toda la familia y, claro, con mi mamá. Íbamos a su restaurante favorito, Las Palomas. Siempre le regalábamos algo, como un collar o perfume. Ella siempre lloraba porque estaba muy contenta.*

**3 Revise** Read your e-mail and check for correct spelling and vocabulary use. Be sure that you used the imperfect tense to describe events that used to take place. Share the e-mail with a partner, who should check the following:

- Is the e-mail easy to read and understand?
- Does it provide an interesting description of the event?
- Is there anything you should add?
- Are there any errors?

**4 Publish** Rewrite the e-mail, making necessary changes or corrections. Make a copy for your teacher or add it to your portfolio.

**5 Evaluation** Your teacher may give you a rubric for how the e-mail will be graded. You will probably be graded on:

- amount of information you provide
- accuracy in describing events in the past
- variety of vocabulary

### Estrategia

**Using a chart**
Thinking through categories and writing down key words and expressions will give you more ideas for writing.

*Felicitaciones*

# En busca de la verdad

## Episodio 4

## Antes de ver el video

"¡Federico! Pero, ¿dónde estás?"

"Mira, éste es tu abuelo".

**Nota cultural** El mole es una típica salsa mexicana. Hay muchos tipos de moles, pues en cada región de México se preparan diferentes salsas. Hay algunos moles que se hacen con unos veinte ingredientes distintos . . . ¡y a veces más de veinte! En la Ciudad de México hay una Feria Nacional del Mole todos los años en octubre. Gente de todo el país llega a la capital para participar en esta festividad.

### Resumen del episodio

Linda, Roberto y Daniela van a San Miguel de Allende a visitar a Nela. Ella está contenta de conocer a Linda pero no quiere hablar de su esposo Federico. Roberto le pregunta sobre su abuelo y ella le muestra una foto antigua. Esa foto contiene la primera pista para Roberto. Al final del episodio Nela se queda sola frente a la computadora y se lleva una gran sorpresa.

**Palabras para comprender**

**pista** hint

**¿Será posible?** Is it possible?

**No te preocupes.** Don't worry.

**Cuídate mucho.** Take care of yourself.

**Volveré lo más pronto posible.** I will return as soon as possible.

**No tardes.** Don't be late.

**apellido de soltera** maiden name

# Después de ver el video

## ¿Comprendiste?

**A.** Escribe la respuesta correcta.

1. ¿Quiénes viajan en coche a San Miguel de Allende?
2. ¿Con quién habla Linda por el teléfono celular?
3. ¿Adónde invita Julio a Linda?
4. ¿Qué preparó Nela para el almuerzo?
5. ¿Cuáles fueron las últimas palabras del esposo de Nela antes de irse?

**B.** Contesta las siguientes preguntas.

1. ¿Qué pista obtiene *(obtain)* Roberto en este episodio?
2. ¿Cómo reacciona Roberto cuando Linda habla con Julio por teléfono? ¿Por qué?
3. ¿Por qué Roberto le pregunta a su abuela sobre el apellido de Linda?
4. En 1941, ¿con quién se fue Federico Toledo? ¿Adónde fue?

"Cuando mi esposo y yo llegamos aquí, San Miguel era un pueblo muy pequeño y muy lindo".

"Aquí estamos con la abuela".

realidades.com ✔
• Web Code: jdd-0209

# Repaso del capítulo

## Vocabulario y gramática

jdd-0499

**Chapter Review**

To prepare for the test, check to see if you . . .
- **know the new vocabulary and grammar**
- **can perform the tasks on p. 235**

### to talk about manners and customs

| | |
|---|---|
| abrazar(se) | to hug |
| besar(se) | to kiss |
| dar(se) la mano | to shake hands |
| despedirse *(e → i)*(de) | to say good-bye (to) |
| los modales | manners |
| saludar(se) | to greet |
| sonreír *(e → i)* | to smile |

### to talk about people

| | |
|---|---|
| el bebé, la bebé | baby |
| contar *(o → ue)* (chistes) | to tell (jokes) |
| llevarse bien / mal | to get along well / badly |
| llorar | to cry |
| los mayores | grown-ups |
| los parientes | relatives |
| reírse *(e → i)* | to laugh |
| reunirse *(u → ú)* | to meet |

### to talk about special events

| | |
|---|---|
| alrededor de | around |
| el aniversario | anniversary |
| casarse (con) | to get married (to) |
| charlar | to chat |
| la costumbre | custom |
| cumplir años | to have a birthday |
| el desfile | parade |
| el día festivo | holiday |
| divertirse *(e → ie)* | to have fun |
| enorme | enormous |
| ¡Felicidades! | Congratulations! |
| felicitar | to congratulate |
| la fiesta de sorpresa | surprise party |
| los fuegos artificiales | fireworks |
| hacer un picnic | to have a picnic |
| nacer | to be born |
| regalar | to give (a gift) |
| la reunión, *pl.* las reuniones | gathering |

For *Vocabulario adicional,* see pp. 498–499.

### to discuss the past

| | |
|---|---|
| antiguo, -a | old, antique |
| frecuentemente | frequently |
| había | there was / there were |
| mientras (que) | no, none, not any |
| recordar *(o → ue)* | to remember |

### using the preterite and imperfect to describe a situation

Use the imperfect to describe people, places, and situations:

La casa donde **vivía estaba** al lado de un lago.

Use the imperfect to describe an action or situation with no specific beginning or end:

**Había** mucha gente en la fiesta de sorpresa.

The imperfect tense is used to tell what someone was doing when something happened:

Mis padres me **felicitaban** cuando **llegó** mi tía.

Mis tíos **se saludaban** cuando **empezaron** los fuegos artifciales.

Marta se cayó

Los amigos hablaban …

Los amigos **hablaban** cuando Marta **se cayó** en la piscina.

### reciprocal actions

Los estudiantes **se saludaban** todos los días.

**Nos veíamos** frecuentemente cuando éramos niños.

**Se escribían** por correo electrónico de vez en cuando.

**Más práctica**

● **Core** Puzzle p. 89, Organizer p. 90
● **Communication** Practice Test
pp. 244–246, Integrated
Performance Assessment p. 243

**realidades.com** ✓

• Tutorial
• Flashcards
• Puzzles
• Self-test

# Preparación para el examen

| On the exam you will be asked to . . . | Here are practice tasks similar to those you will find on the exam . . . | If you need review . . . |
| --- | --- | --- |

## Interpretive

jdd-0499

**1 Escuchar** Listen and understand as people talk about their childhood memories of family celebrations

To celebrate "Grandparents' Day," your teacher invited Spanish-speakers from the community to talk about their favorite childhood memories. Listen as one of them describes one of their favorite family celebrations. See if you understand: (a) the reason for the gathering; (b) who was there; (c) what people used to do at the celebration.

**pp. 212–215** *Vocabulario en contexto*

**p. 218** Actividad 8

**p. 222** Actividad 13

## Interpersonal

**2 Hablar** Talk about how your family used to celebrate holidays when you were a child

You have been invited to an elementary Spanish classroom to talk to the children about how you used to celebrate holidays when you were their age. What could you say? Try to include: (a) where you used to celebrate most holidays; (b) what you used to do; (c) who got together to celebrate with you.

**p. 218** Actividad 8

**p. 222** Actividad 14

**p. 226** Actividad 19

## Interpretive

**3 Leer** Read and understand a description of activities at a special event

Read part of the notes that Miguel wrote for the wedding reception video he just finished filming for his friend, Mauricio, the groom, and the bride, Luisa. Can you determine who was having a good time and who was not without seeing the video?

*Cuando Mauricio besó a Luisa, la madre de Luisa lloraba y el padre de ella sonreía. Los sobrinos pequeños se reían y jugaban con sus juguetes.*

**p. 219** Actividad 10

**p. 227** Actividad 20

**pp. 228–229** *Lectura*

## Presentational

**4 Escribir** Write about your last family celebration

A local Spanish-language radio station is asking people to send e-mails or faxes describing their best birthday. You might begin by writing: *Yo recuerdo bien mi cumpleaños de trece años* . . . Describe people who were there, where it was held, and what happened.

**p. 226** Actividad 19

**p. 231** *Presentación escrita*

## Cultures

**5 Pensar** Demonstrate an understanding of how some Hispanic families celebrate special days and holidays

Describe a holiday, such as *Las Fallas* or *Carnaval,* that is of special interest to you. How is this holiday similar to one that you celebrate in your community?

**p. 210** *Fondo cultural*

**p. 214–215** *Videohistoria*

**p. 220** *Fondo cultural*

**p. 226** *Fondo cultural*

**p. 227** Actividad 20

**p. 230** *Perspectivas del mundo hispano*

# Vocabulario <small>Repaso</small>

**¿Qué tiempo hace?**

Hace calor.
Hace frío.
Hace sol.
Hace viento.
Llueve. (llover)*
Nieva. (nevar)*

**los cuartos de la casa**

el baño
la cocina
el comedor
el dormitorio
el garaje
el jardín, *pl.* los jardines
la oficina

el patio
la planta baja
el primer piso
la sala
el segundo piso
el sótano

**en los cuartos**

la alfombra
la cama
la cómoda
las cortinas
el cuadro
el disco compacto
el equipo de sonido
el espejo
el estante
la lámpara
la mesita
la pared
el televisor
el video
la videocasetera

*The verbs *llover* ("to rain") and *nevar* ("to snow") are stem-changing verbs in the present tense. The third-person singular form is the only form used.

## 1 ¿Cómo son las casas?

**Escribir • Hablar**

Un estudiante de intercambio va a vivir con tu familia. Te escribe por correo electrónico con algunas preguntas. Contesta las preguntas.

1. ¿Qué tiempo hace ahora allí?

2. En mi dormitorio hay muchos carteles, unos cuadros y fotos, y un espejo en las paredes. ¿Qué tienes tú?

3. Las casas en mi país generalmente son de un piso. ¿Y allí?

4. Tenemos una cocina bastante grande, pero comemos en el comedor. ¿Y Uds.?

5. Mi familia pasa mucho tiempo en la sala. ¿Dónde pasan tiempo Uds.?

## 2 En mi casa

**Dibujar • Escribir • Hablar**

1 Dibuja una casa. Incluye en la casa algunas de las cosas de la lista "en los cuartos". Escribe cinco frases que describen la casa. Algunas de las frases deben ser ciertas y otras deben ser falsas.

2 Muestra *(Show)* tu dibujo a otro(a) estudiante y lee tus frases. Tu compañero(a) tiene que decir si las frases son ciertas o falsas y escribir la información correcta para las frases falsas.

# Gramática  Repaso

## Expressions using *tener*

In many expressions, *tener* is used to express the verb "to be." See how many of these expressions you remember:

tener . . .

| | |
|---|---|
| . . . años | miedo |
| calor | prisa |
| cuidado | razón |
| frío | sed |
| hambre | sueño |

**Tengo sed** porque hace mucho calor.

Vamos rápido porque **tenemos prisa**.

## The use of *¡Qué . . . !* in exclamations

*Qué* is used in exclamations of emotion or feeling.

Use *¡Qué . . . !* with adverbs and adjectives to mean "How . . . !"

¡Qué **rápido** corren ellos!

¡Qué **triste**!

Use *¡Qué . . . !* with nouns to mean "What (a) . . . !"

No puedo jugar porque me duele el estómago. **¡Qué pena!**

No comí ni el desayuno ni el almuerzo. **¡Qué hambre** tengo!

---

 **¿Qué tiene?**

**Escribir · Hablar**

Completa estas frases con una expresión con *tener*.

Modelo

Si dices que la capital de Nicaragua es San José, *no tienes razón.*

1. Si acabo de correr y necesito agua, ___.
2. Si estás buscando tu suéter, ___.
3. Si vas a acostarte, ___.
4. Si no quieren llegar tarde a la escuela, ___.
5. Si comemos cinco tacos, ___.
6. Si hace muchísimo calor en la clase, ___.
7. Si decimos que Bolivia queda al norte de Argentina, ___.
8. Si tu hermanito dice que no le gustan nada las películas de horror, ___.

---

**4** **¡Qué fiesta!**

**Escribir · Hablar**

Estás en una fiesta y observas las siguientes cosas. Da una exclamación para cada una, usando las palabras entre paréntesis.

Modelo

A todos les encantan las decoraciones. (bonito)
*¡Qué bonitas son las decoraciones!*

1. Todos comen los sándwiches. (sabroso)
2. Ese chico tiene sólo nueve años, pero ya sabe álgebra. (inteligente)
3. María Teresa baila muy bien. (bailarina)
4. ¿Quieres bailar? (buena idea)
5. El pastel es para 100 personas. (grande)

### Más práctica

- **Guided** pp. 161–162
- **Core** pp. 91–92
- ***Real.* para hispanohablantes** p. 170

**realidades.com**
- Leveled Workbook
- Web Code: jdd-0501

## Fondo cultural

**El mundo hispano**

**Zulia Gotay de Anderson** nació en Ponce, Puerto Rico, y ahora vive en Port Aransas, Texas. Este cuadro ilustra un cuento de pescadores *(fishermen)* volviendo a casa durante un huracán. Sus esposas tienen miedo porque piensan que los pescadores no van a poder regresar. En 1998, más de diez mil personas murieron *(died)* en el huracán Mitch. Para reducir los efectos devastadores de los huracanes en el futuro, varios grupos trabajan en Honduras y Guatemala para mejorar los métodos de informar a la gente cuando venga *(comes)* otro huracán.

• Cuando hay un desastre en tu comunidad, por ejemplo un incendio *(fire)* o una inundación *(flood)*, ¿ayudan unas personas a otras? ¿Cómo se ayudan?

◄ "The Storm / La tempestad" (2002), Zulia Gotay de Anderson
Oil on masonite, 24 x 30 in.

# Capítulo 5A

# Un acto heroico

## Chapter Objectives

- Discuss emergencies, crises, rescues, and heroic acts
- Describe past situations and settings
- Describe weather conditions
- Understand cultural perspectives on natural disasters and legends

### Video Highlights

**Videocultura:** *En las noticias*

**A primera vista:** *En el noticiero*

**GramActiva Videos:** the imperfect tense: other uses; the preterite of the verbs *oír*, *leer*, and *creer*

**Videomisterio:** *En busca de la verdad*, Episodio 5

### Country Connection

As you learn about emergencies and disasters, you will make connections to these countries and places:

Colorado
España
México
República Dominicana
Puerto Rico
Guatemala
Honduras
Nicaragua
Costa Rica
Colombia
Ecuador
Chile

### Más práctica

- *Real.* para hispanohablantes pp. 170–171

**realidades.com**
- Fondo cultural Activity
- Video Activities
- Online Atlas
- Web Code: jde-0002

Ayudando a las víctimas del huracán Mitch en Nicaragua

**doscientos treinta y nueve 239**
Capítulo 5A

# Vocabulario en contexto

jdd-0587

" Hoy **hubo** un incendio que **destruyó** unos apartamentos. No sabemos **la causa** del incendio, pero se cree que **comenzó** a causa de **una explosión.** Un vecino **valiente** ayudó a una señora a salir de su apartamento. **Afortunadamente,** no había más gente en el edificio. Llegaron los bomberos y **apagaron** el incendio después de unas horas. En otras noticias . . .

Tele 5

el edificio de apartamentos

quemarse

el noticiero

el incendio

los bomberos

la locutora

la escalera

el humo

Hubo **un terremoto** en el sur de México. Dicen que más de 100 personas **se murieron** en este desastre.

Ayer **el huracán** Gabriel llegó a la costa de Honduras cerca del pueblo de La Ceiba. **Llovió** por 12 horas.

Hubo muchas **inundaciones** en Honduras a causa de **las tormentas** de **lluvia,** pero dicen que todos los habitantes están **vivos.**

En Chile, **nevó** durante tres días y las carreteras están cerradas ".

**Más vocabulario**

a causa de  because of

de prisa  in a hurry

de repente  suddenly

# La Prensa

## Un héroe local

el artículo

Carlos Arroyo Medina es un héroe según sus vecinos porque le salvó la vida a una señora de 82 años. Ayer ocurrió un incendio en su edificio de apartamentos. El Sr. Arroyo le cuenta a nuestra reportera lo que pasó.

**"**Estaba delante del edificio y vi el humo. Pensé inmediatamente en la Sra. Hurtado, que vive en el segundo piso. Tiene 82 años y yo sabía que no podía **escaparse**. Un vecino mío llamó por teléfono para pedir ayuda.

Entré corriendo y **subí** la escalera hasta llegar a su apartamento. **Traté de** abrir la puerta pero no pude. **Creí** que la Sra. Hurtado estaba **dormida** o, peor, **muerta**.

Pero ella **se escondía** entre **los muebles** de su apartamento y **gritaba** '¡Socorro!'. De repente pude abrir la puerta y entré en el apartamento.

**Bajamos** de prisa la escalera y nos escapamos del incendio. Lo que hice no fue un acto heroico. Ayudé a mi vecina, nada más. Ella también es **heroína "**

**1** **¿Quién es?** jdd-0587 🔊

**Escuchar**

Vas a escuchar las noticias. Señala la noticia que se describe en la página 240.

### Más práctica

- **Guided** Vocab. Flash Cards pp. 163–170
- **Core** Vocab. Practice pp. 93–94
- **Communication** Writing p. 94
- *Real.* para hispanohablantes p. 172

**realidades.com** ✓
- Audio Activities
- Leveled Workbook
- Flashcards
- Web Code: jdd-0502

**2** **El noticiero de San José** 🔊 jdd-0587

**Escuchar**

Escucha las noticias y escoge la respuesta correcta.

**Noticia 1**
1. a. muchas personas
   b. nadie
2. a. una escuela
   b. una tienda

**Noticia 2**
1. a. un bombero
   b. un policía
2. a. un incendio
   b. un terremoto

**Noticia 3**
1. a. un incendio
   b. un huracán
2. a. más de 40
   b. más de 50

# En el noticiero

¿Qué hay en las noticias cuando Tomás y Raúl ven la televisión?

**Estrategia**

**Scanning for key information**
News reports provide important facts. Look through the dialogue before reading to find out what event happened and what connection it has with Tomás and Raúl.

el bombero

Tomás

Raúl

la reportera

**1** **Raúl:** ¡Mira! Anoche hubo un incendio en una casa. ¡Caramba!

**Tomás:** ¿Y ahora qué?

**Raúl:** ¡Está a dos calles de aquí! ¡Tenemos que ir a verla! Quiero saber qué pasó.

**Tomás:** ¿Por qué? Yo no quiero salir ahora.

**5** **Bombero:** Un vecino vio humo. Vinieron **los paramédicos.** Afortunadamente, los pudimos **rescatar** a todos.

**6** **Reportera:** Y ustedes, ¿cómo se llaman?

**Raúl:** Pues, Raúl Padilla Salazar.

**Tomás:** Tomás.

**Reportera:** ¿Viven cerca de aquí?

**Raúl:** Más o menos.

**7** **Reportera:** ¿**Oyeron** el incendio? ¿O vieron el humo?

**Tomás:** Pues, estábamos viendo la televisión en casa cuando vimos el noticiero . . .

**Reportera:** Entonces, ¿no saben nada del incendio?

**Raúl:** Pues, la verdad, no.

**2** **Raúl:** Mira, allí está **la reportera.** Está hablando con un bombero.

**Tomás:** ¿Qué ocurrió?

**Raúl:** No sé. Vamos a **investigar.**

**3** **Reportera:** ¿A qué hora comenzó el incendio?

**Bombero:** No estamos seguros. Sobre las dos de la mañana.

**Reportera:** ¿Cómo comenzó?

**Bombero:** Pensamos que hubo una explosión. Estamos investigando la causa.

**4** **Reportera:** ¿Había personas en la casa?

**Bombero:** Sí. Una familia de seis personas.

**Reportera:** ¿Hubo algún **herido?**

**Bombero:** Afortunadamente, no estaban **heridos.** Pero, **sin duda,** estaban un poco **asustados.**

**8** **Reportera:** Esto es todo por ahora. Laura Martínez desde Calle 21 para el canal cinco.

**3** **¿Comprendiste?**

**Escribir • Hablar**

1. ¿Qué ven Tomás y Raúl en la televisión? ¿Qué pasó?

2. ¿Adónde quiere ir Raúl? ¿Quiere ir Tomás también?

3. ¿A quiénes ven Tomás y Raúl cuando llegan a la casa? ¿Qué hacen ellos?

4. ¿A qué hora comenzó el incendio? ¿Qué lo causó?

5. ¿Había gente en la casa? ¿Cómo estaba?

6. ¿Por qué habla la reportera con Tomás y Raúl? ¿Qué le dicen los chicos?

**Más práctica**

● **Guided** Vocab. Check pp. 171–174
● **Core** Vocab. Practice pp. 95–96
● **Communication** Video pp. 88–90
● *Real.* **para hispanohablantes** p. 173

realidades.com

• Audio Activities
• Video Activities
• Leveled Workbook
• Flashcards
• Web Code: jdd-0503

# Vocabulario en uso

**Objectives**

- Communicate about emergencies, crises, rescues, and heroic acts
- Discuss settings in the past
- Discuss weather and time in the past
- Learn the preterite forms of the verbs *oír*, *leer*, *creer*, and *destruir*

## 4 El incendio

**Leer • Escribir**

Escribe frases completas para explicar lo que ocurrió ayer en un barrio de la ciudad.

**Modelo**

sacó fotos del

*El fotógrafo sacó fotos del incendio.*

Una señora vio **1.** _____ y llamó por teléfono a **2.** _____ . **3.** _____ investigó

la causa de **4.** _____ en el apartamento. El incendio destruyó todos **5.** _____ en el

apartamento. **6.** _____ llevó al señor que estaba **7.** _____ a la ambulancia.

**8.** _____ rescató a una perra del **9.** _____ . **10.** _____ valiente subió

**11.** _____ y apagó **12.** _____ .

## 5 Escucha y escribe  jdd-0588

**Escuchar • Escribir • Hablar**

Escucha las seis frases de un locutor que da las noticias del incendio que se describe en la Actividad 4. Escribe las frases. Después, con otro(a) estudiante, pongan en orden estas frases siguiendo el orden de la Actividad 4 para contar lo que ocurrió.

## 6 El artículo de la reportera

**Leer • Escribir**

Una reportera, Alicia Fernández, habló con el Sr. Osorio. Lee otra vez la información del incendio en las Actividades 4 y 5. Escoge las palabras del recuadro y completa las notas de Alicia en preparación para escribir el artículo para el periódico.

El Sr. Osorio estaba __1.__ en su cama cuando, __2.__, su perra Blanca __3.__ a ladrar (bark). El señor salió de su cama muy __4.__ y llamó a los bomberos. __5.__ llegar a la puerta del apartamento pero no pudo.

Afortunadamente el señor y su perra __6.__ y están __7.__. Muchos dicen que Blanca es una verdadera __8.__. __9.__, Blanca ayudó a salvarle __10.__ al Sr. Osorio.

| | | |
|---|---|---|
| comenzó | heroína | sin duda |
| de prisa | muertos | trató de |
| de repente | se escaparon | la vida |
| dormido | se escondió | vivos |

## 7 Profesiones para nuestros compañeros ♻

**Escribir • Hablar**

**1** Escribe verbos y adjetivos que asocias con estas personas.

> **Modelo**
>
> profesor, -a
> *ayudar, enseñar, explicar, inteligente, simpático*

1. bombero, -a
2. paramédico, -a
3. reportero, -a
4. locutor, -a
5. policía

**2** Trabaja con otro(a) estudiante. Habla de las personas en tu escuela que deben tener estas profesiones.

> **Modelo**
>
> A —*¿Quién debe ser profesor(a)?*
> B —*Martín Echevarría debe ser profesor de español. Es inteligente y muy simpático. Le gusta ayudar a otras personas. Explica muy bien los verbos y puede enseñar a la clase si es necesario.*

### Fondo cultural

Chile

**Los bomberos chilenos** ¿Sabes que todos los bomberos en Chile son voluntarios? Para ser bombero, uno tiene que llenar una solicitud (*application*) en una estación de bomberos y aprobar (*pass*) un examen físico y mental. Los bomberos no tienen horarios fijos (*fixed*). Van a la estación cuando pueden y todos tienen radios para saber cuándo los necesitan. Sirven durante el día y también durante la "guardia nocturna". Para comprar el equipo necesario, los voluntarios tienen que pagar dinero todos los meses para servir a la comunidad.

• ¿Crees que los voluntarios deben pagar sus propios gastos (*expenses*)? ¿Por qué?

Un bombero voluntario, Chile

## 8 Antónimos

**Leer • Escribir**

Lee las frases y complétalas con el antónimo de la palabra señalada. Escoge el antónimo del recuadro y escríbelo en la forma correcta según la frase.

### Estrategia

**Using antonyms**
Learning vocabulary through antonyms, or words of opposite meaning, can be helpful, especially in recalling the meanings of words.

| | |
|---|---|
| comenzar | muerto |
| de prisa | se murieron |
| dormido | subir |

1. Sus peces no están *vivos,* están ___.

2. ¿Qué vas a hacer, ___ o *bajar* la escalera?

3. No puede *terminar* el trabajo porque primero tiene que ___ el trabajo.

4. Los gatos no están *despiertos.* Están ___.

5. La señorita no está caminando *lentamente.* Está caminando ___.

6. En el artículo dice que tres personas *nacieron* y tres personas ___ en el hospital ayer.

## 9 Los desastres naturales

**Escribir • Hablar**

1 Mira los dibujos de los desastres naturales. Copia la tabla, escribe el nombre de los desastres y completa la información en las otras columnas. Puedes buscar información en la Red o usar tu imaginación.

Un incendio en España, 2000

| Desastre | Lugar | Destrucción | Cuándo ocurrió |
|---|---|---|---|
| los incendios forestales | Colorado | árboles, animales, casas | hace dos años |

1.   2.   3.   4.

2 Usa la tabla para hablar con otro(a) estudiante sobre los desastres naturales.

**Modelo**

A — ¿*Dónde ocurren frecuentemente los incendios forestales?*

B — *Creo que ocurren en Colorado.*

A — ¿*Los incendios forestales destruyen*\* *mucho?*

B — *Sí, desafortunadamente destruyen árboles, animales y a veces casas. Hace dos años hubo incendios forestales grandes en Colorado.*

\*In the present tense, *destruir* adds *y* to all forms except *nosotros* and *vosotros: destruyo, destruyes, destruye, destruimos, destruís, destruyen.*

**10 Juego**

**Escribir • Hablar • GramActiva**

**1** Escoge verbos del recuadro u otros verbos y escribe tres series de acciones en orden lógico, diciendo qué ocurrió primero y qué ocurrió después.

| | | |
|---|---|---|
| apagar | gritar | rescatar |
| bajar | investigar | salvar |
| comenzar (a) | ocurrir | subir |
| escaparse | quemarse | tratar de |

**2** Trabaja con tres estudiantes. Lee la primera frase de una de las series. Los estudiantes tienen que adivinar *(guess)* lo que pasó después. Si la primera persona adivina lo que pasó, gana cinco puntos. Si no puede, le toca el turno a la segunda persona. Si esta persona adivina correctamente, gana tres puntos. Si la tercera persona adivina correctamente, gana sólo un punto. Si nadie adivina correctamente, la persona que escribió la serie gana cinco puntos.

> **Estrategia**
>
> **Sequencing of events**
> Putting events in a sequence helps others to understand what happened. Common expressions used to order events are *primero, luego,* and *después.*

**Modelo**

*Primero los bomberos subieron la escalera. Luego entraron por la ventana de la casa.*

**Modelo**

A — *Primero los bomberos subieron la escalera. ¿Qué ocurrió luego?*
B — *¿Los bomberos apagaron el incendio?*
A — *No. Lo siento. María, ¿qué ocurrió luego?*
C — *¿Entraron por la ventana?*
A — *Sí. Muy bien. Tres puntos para ti.*

**11 Y tú, ¿qué dices?**

**Escribir • Hablar**

1. Para ti, ¿quién es un héroe o una heroína? ¿Cómo es esta persona? ¿Qué hace o hizo?

2. Mira un periódico de tu comunidad. ¿Hay información sobre algún incendio o explosión? Descríbelo.

3. ¿Qué tipo de desastres naturales afecta tu comunidad o región? ¿Qué hacen Uds. para protegerse *(protect yourselves)*?

**Fondo cultural**
El mundo hispano

**Los volcanes** representan una amenaza *(threat)* para muchas comunidades de América Latina y el Caribe. En el siglo XX, de todas las personas que murieron a causa de erupciones volcánicas, el 76 por ciento murieron en esta región. El Reventador, en el Ecuador, es un volcán muy activo. El 3 de noviembre del 2002, el Reventador entró en erupción, cubriendo *(covering)* la capital ecuatoriana con cenizas *(ashes)*. En 2005, hubo erupciones volcánicas en los siguientes volcanes de la región: Fuego, en Guatemala; Galeras, en Colombia; y Colima, en México.

• ¿Hay volcanes activos o dormidos cerca de tu comunidad? ¿Qué desastres naturales afectan a tu comunidad de la misma manera *(in the same way)* que la explosión del Reventador afectó a la ciudad de Quito? Descríbelos.

Limpiando la ciudad después de la erupción del volcán Reventador en Quito, Ecuador

# Gramática

## Preterite and imperfect: other uses

*Había* and *hubo* are forms of *haber* and both mean "there was, there were." *Había* is used to describe a situation that existed in the past, while *hubo* is used to say that an event took place.

**Había** mucho humo en el apartamento.

**Hubo** un terremoto ayer a las seis de la mañana.

The preterite and imperfect tenses may both be used in a single sentence.

| **Use the imperfect:** | **Use the preterite:** |
|---|---|
| • to tell what day or time it was<br>  **Eran** las cinco de la mañana cuando… | • when something happened<br>  …**empezó** a llover. |
| • to tell what the weather was like<br>  **Llovía** mucho cuando… | • for actions completed in the past<br>  …**salimos** de la fiesta. |
| • to describe the physical, mental, and<br>  emotional states of a person or thing<br>  Mucha gente **quería** ayudar cuando… | • to talk about an event<br>  …el incendio **destruyó** la casa. |

These verbs are often used in the imperfect to describe states of being:

estar (triste, contento, cansado)       pensar
parecer (cansado, mal)                  querer
sentirse (bien, enfermo)                saber
tener (calor, frío, hambre, sed, sueño)

> ### ¿Recuerdas?
> You already know how to use the imperfect tense together with the preterite to describe a situation that existed when something else happened.
>
> • Nadie **estaba** en la casa cuando los bomberos **entraron**.

> ### GramActiva VIDEO
> Want more help with other uses of the imperfect tense? Watch the **GramActiva** video.
>
> Ayer, llovía.

**12** **¿Qué hora era?**

**Hablar**

¿Qué hora era cuando estas condiciones ocurrieron?

> ### También se dice . . .
> **el terremoto** = el sismo (muchos países)

**4:00 P.M.**

> ### Modelo
> A —¿Qué hora era cuando comenzó la tormenta de nieve?
> B —Eran las cuatro de la tarde cuando comenzó.

**6:00 P.M.**
1.

**4:30 P.M.**
2.

**2:15 P.M.**
3.

**1:00 P.M.**
4.

**7:45 P.M.**
5.

**10:50 P.M.**
6.

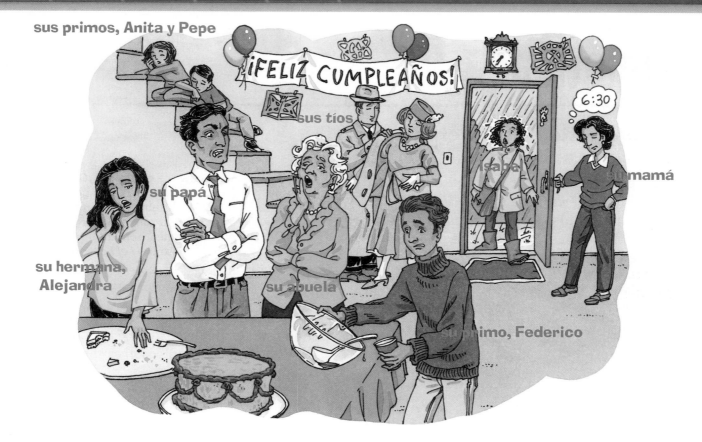

sus primos, Anita y Pepe

¡FELIZ CUMPLEAÑOS!

6:30

sus tíos

Isabel

su mamá

su papá

su hermana, Alejandra

su abuela

su primo, Federico

## 13 El cumpleaños desastroso

**Observar · Hablar · Escribir**

Los padres de Isabel planearon una fiesta de sorpresa para su cumpleaños, pero ella llegó tarde. Con otro(a) estudiante, describan la situación usando el imperfecto de las expresiones del recuadro.

| | |
|---|---|
| estar dormido | pensar que |
| estar furioso | querer salir |
| haber | tener hambre |
| ir a | tener sed |
| llegar | tener sueño |
| llover | **¡Respuesta personal!** |
| parecer cansado | |

### Modelo

*Era el cumpleaños de Isabel. Cuando ella llegó a casa, sus parientes ya estaban allí.*

## 14 Y tú, ¿qué dices?

**Escribir · Hablar**

1. ¿Qué hora era cuando te despertaste hoy? ¿Tenías mucho sueño cuando te levantaste?

2. ¿Qué tiempo hacía cuando saliste de casa? ¿Alguien estaba todavía en tu casa cuando saliste?

3. ¿Qué hora era cuando llegaste a la escuela? ¿Ya había muchos estudiantes en la escuela?

4. ¿Cómo estabas cuando comenzaste a estudiar o a trabajar en tu primera clase?

### Más práctica

● **Guided** Gram. Practice pp. 175–177
● **Core** Gram. Practice p. 97
● **Communication** Writing p. 95
● *Real.* **para hispanohablantes** pp. 174–177, 180

**realidades.com** ⓥ

● Audio Activities
● Video Activities
● Speak & Record
● Tutorial
● Leveled Workbook
● Web Code: jdd-0504

# Gramática

## The preterite of the verbs *oír, leer, creer* and *destruir*

In the preterite forms of *oír*, the *i* changes to *y* in the *Ud./él/ella* and *Uds./ellos/ellas* forms. There is also an accent mark over the *i* in all other forms. Here are the present and preterite forms of *oír*:

| Present tense | | Preterite tense | |
|---|---|---|---|
| oígo | oímos | oí | oímos |
| oyes | oís | oíste | oísteis |
| oye | oyen | oyó | oyeron |

*Creer* and *leer* follow the same pattern in the preterite.

| creer | | leer | |
|---|---|---|---|
| creí | creímos | leí | leímos |
| creíste | creísteis | leíste | leísteis |
| creyó | creyeron | leyó | leyeron |

—¿**Leíste** el artículo sobre el incendio en el periódico?

—No, **oí** el noticiero en la televisión.

### ¿Recuerdas?

You know the expression *¡Oye!* ("Hey!"), which is used to get someone's attention. *Oye* is the affirmative *tú* command form of *oír*. It is formed from the present-tense *Ud. / él / ella* form of the verb.

• *Destruir* is conjugated like *oír, creer,* and *leer* in the preterite except that the *tú, nosotros,* and *vosotros* forms do not have accent marks.

¿**Destruiste** la carta que le mandó Raúl?

El incendio **destruyó** todos los muebles de la casa.

### GramActiva VIDEO

Want more help with the preterite of *oír, leer,* and *creer?* Watch the **GramActiva** video.

Oí algo.

## 15 Escucha y escribe

jdd-0588

**Escuchar • Escribir**

**1** En una hoja de papel, escribe los números del 1 al 4. Vas a oír una conversación sobre un desastre. Mientras la escuchas, escribe las frases.

**2** Usa la conversación que escribiste en el Paso 1 y contesta las siguientes preguntas con frases completas.

1. ¿Dónde ocurrió la explosión? ¿Qué destruyó?

2. ¿Quién oyó de la explosión en la radio?

3. ¿Pablo leyó sobre la explosión en la Red o en el periódico?

4. ¿Los dos jóvenes creyeron la noticia fácilmente?

## 16 ¿Lo oíste?

**Leer • Escribir**

La Reina Sofía de España visitó Nicaragua después del huracán. Para saber lo que José y Marcos dicen sobre el evento, completa la conversación con la forma apropiada del verbo *oír*.

**José:** Hoy __1.__ a la locutora del canal 5 decir que la Reina Sofía era muy simpática cuando visitó.

**Marcos:** Julieta, Liliana y yo también __2.__ lo mismo.

**José:** Recuerdo la visita muy bien. Yo __3.__ a muchas personas gritar: "¡Bienvenida!" Mamá y papá estaban con mi tío Juan y __4.__ a la reina decir cosas simpáticas.

**Marcos:** Mi tía Rocío __5.__ al presidente cuando le dijo a la Reina que el pueblo nicaragüense la saludaba.

**José:** Pero, ¿ __6.__ tú lo que dijo mi hermanito?

**Marcos:** Sí, __7.__ a tu hermanito cuando dijo que quería mucho a la Reina Sofía. ¡Qué gracioso tu hermanito!

La Reina Sofía de España en Nicaragua después del huracán Mitch. Es una de las muchas oportunidades que tiene España para mantener un fuerte lazo de unión con las Américas.

## 17 ¿Qué leíste recientemente?

**Escribir • Hablar**

Habla con los estudiantes en tu clase sobre lo que leyeron recientemente.

**1** En una hoja de papel, copia la tabla. En la primera línea, escribe lo que leíste tú, cuándo y cómo era.

**2** Trabaja con tres estudiantes. Pregúntale a un(a) estudiante sobre lo que leyó. Este(a) estudiante contesta y los otros también deben decir lo que leyeron. Deben escribir toda la información en la tabla.

**3** Cada estudiante debe usar la información en la tabla para escribir cinco frases sobre lo que leyeron los miembros del grupo y cómo eran las cosas que leyeron.

| Persona | Lo que leyó | Cuándo | Descripción |
|---|---|---|---|
| yo | una revista sobre la moda | la semana pasada | fantástica |

**Modelo**

**A** —*Elena, ¿qué leíste tú?*
**B** —*Leí una revista sobre la moda la semana pasada. Era fantástica.*

## 18 El terremoto en Popayán

**Leer • Escribir**

Completa la descripción de lo que ocurrió en
1983 en Popayán, Colombia, usando las formas
apropiadas del pretérito o del imperfecto.

__1.__ *(Ser)* un día de primavera muy bonito en
Popayán. __2.__ *(Haber)* muchísimas personas en
la ciudad porque __3.__ *(ser)* Semana Santa.[1] Todos
__4.__ *(estar)* muy alegres. De repente, __5.__ *(haber)*
un terremoto de una magnitud de 5.5 en la Escala
Richter que __6.__ *(sacudir)*[2] la ciudad entera.[3] El
terremoto __7.__ *(destruir)* el centro histórico de
Popayán, donde __8.__ *(haber)* muchos edificios,
iglesias y casas de arquitectura colonial. Muchas personas
__9.__ *(tratar de)* salir del centro pero no __10.__ *(escaparse)*.
Después __11.__ *(haber)* tres incendios a causa del terremoto
y una gran parte de la ciudad __12.__ *(quemarse)*. Finalmente, los oficiales
de la ciudad __13.__ *(tener)* que ordenar la evacuación de muchas familias.
Por lo menos 120 personas se murieron en el desastre y __14.__ *(haber)*
más de 1,000 personas heridas.

[1] Holy Week, the week between Palm Sunday and Easter    [2] to shake    [3] whole

> **DAÑOS EN COLOMBIA:**
> **TERREMOTO GRADO 7 EN POPAYÁN**

Una iglesia destruida por el
terremoto en Popayán, Colombia

## 19 Un desastre natural

**Hablar**

Con otro(a) estudiante, mira el cuadro de
Botero, la foto de Popayán y la descripción del
terremoto en la Actividad 18. Hablen de lo que
ocurrió en Popayán y cómo la descripción, la foto
y el cuadro enseñan la historia.

| Modelo |

*En la descripción aprendemos que antes del
terremoto había muchas personas en la ciudad . . . .
En la foto vemos que el terremoto destruyó . . . .
En el cuadro de Botero, vemos que eran las tres
cuando . . . .*

El pintor colombiano Fernando Botero pintó este
cuadro, *"Terremoto en Popayán"*, en 1999, 16 años
después del terremoto.

Oil on canvas, 173 x 112 c. Museo Botero, Banco de la República de Colombia.
Marlborough Gallery.

## 20 En caso de un incendio . . .

**Leer • Hablar**

Un hotel de México da información a las personas que pasan tiempo con ellos sobre cómo sobrevivir (*survive*) un incendio que puede ocurrir en el hotel. Lee la información y contesta las preguntas con otro(a) estudiante.

# CÓMO SOBREVIVIR UN INCENDIO EN EL HOTEL

### Cuando entre en el hotel, Ud. debe . . .

- **encontrar las salidas** del hotel.
- **buscar las salidas** y escaleras para incendios en el piso donde está su cuarto.
- **mirar las ventanas** de su cuarto. ¿Se abren? ¿Es posible escaparse por la ventana?

### Si el incendio comienza en su cuarto, Ud. debe . . .

- **llamar** inmediatamente a la operadora de teléfono.
- **tratar de apagarlo.** Si no lo puede hacer, debe salir de su cuarto, cerrar la puerta y sonar[1] la alarma.

### Si Ud. está en su cuarto y oye la alarma, debe . . .

- **tocar[2] la puerta** de su cuarto. Si no está caliente,[3] la puede abrir muy despacio, salir y cerrar la puerta. Si la puerta está caliente, no debe abrirla. Si es posible, debe salir por la ventana.

- **caminar a la salida** que está más cerca. Si hay mucho humo, debe gatear[4] por el corredor.[5] Si el humo está denso en los pisos de abajo, debe subir a un piso más alto o al techo.[6] Es importante recordar que NUNCA se debe usar el elevador cuando hay un incendio.

Ud. debe recordar que muy pocas personas se queman en los incendios. La mayoría[7] de los problemas ocurren a causa del humo y del pánico. El pánico es usualmente el resultado de no saber qué hacer.

[1]sound   [2]touch   [3]hot   [4]crawl   [5]hallway   [6]roof   [7]majority

1. ¿Qué debes hacer primero cuando entras en el hotel?
2. ¿Debes usar el elevador o las escaleras en caso de un incendio?
3. ¿Cuáles son las cosas más importantes que debes hacer si hay un incendio en tu cuarto?
4. ¿Qué debes hacer si estás en tu cuarto y oyes la alarma?
5. ¿Cuándo es importante gatear por el corredor o por el cuarto?
6. ¿Cuáles son las causas de la mayoría de las muertes en un incendio?

## 21 Y tú, ¿qué dices?

**Escribir • Hablar**

¿Oíste o leíste algo recientemente sobre un incendio, una explosión o un desastre natural? Escribe un párrafo para describirlo.

- ¿Cómo lo oíste o leíste?
- ¿Qué día / hora era cuando ocurrió / comenzó?
- ¿Dónde estabas tú cuándo ocurrió?
- ¿Había personas allí cuando ocurrió?
- ¿Destruyó muchos edificios y otras cosas?
- ¿Alguien trató de ayudar en la situación?

## Pronunciación

jdd-0588

### Accent marks to separate diphthongs

Remember that a single syllable called a diphthong occurs when *i* or *u* appear together or in combination with *a, e,* or *o.* Listen to and say these words:

| | | |
|---|---|---|
| ca**u**sa | val**ie**nte | **oi**go |
| destr**ui**r | m**ue**rto | hac**ia** |

We use a written accent when the vowels that form what would otherwise be a diphthong need to be pronounced separately. Listen to and say these words:

| | | |
|---|---|---|
| o**í** | le**í**ste | cre**í**mos |
| sab**í**a | pa**í**s | env**í**o |

**Refrán**

Explica lo que quiere decir este refrán.

Consejo* no pedido,
consejo mal oído.

*advice

## 22 Las tempestades

**Pensar · Leer · Escribir · Hablar**

### Conexiones La geografía

Hay tempestades[1] violentas de lluvia y vientos fuertes en varias regiones del mundo. Estas tempestades salen de un sistema de baja presión que se encuentra encima de aguas tropicales donde hay una tempestad y vientos fuertes en forma de torbellino.[2] Las tempestades con vientos de más de 39 millas por hora se llaman tormentas tropicales. Cuando los vientos superan[3] 74 millas por hora, se llaman huracán, tifón o ciclón, según la región geográfica.

OCÉANO ÁRTICO · OCÉANO ÁRTICO · AMÉRICA DEL NORTE · OCÉANO ATLÁNTICO · EUROPA · ASIA · OCÉANO PACÍFICO · HURACANES · ÁFRICA · TIFONES · ECUADOR · AMÉRICA CENTRAL · AMÉRICA DEL SUR · CICLONES · OCÉANO ÍNDICO · ECUADOR · OCÉANO PACÍFICO · AUSTRALIA

**HURACANES**
- 1998 América Central
- 2001 México
- 2005 Estados Unidos

**TIFONES Y CICLONES**
- 1997 Bangladesh
- 1999 India
- 2003 Corea del Sur

[1]storms  [2]whirlwind  [3]exceed

**1.** ¿En qué parte del mundo hay huracanes? ¿Dónde hay tifones y ciclones? ¿Qué tienen en común estas regiones?

**2.** ¿En qué región geográfica ocurren los huracanes en los Estados Unidos? ¿Qué estados son afectados? Compara su posición geográfica con la de las tempestades en el mapa.

## 23 Un bombero valiente

**Observar • Hablar • Escribir**

Mira la serie de dibujos. Trabaja con otro(a) estudiante para hablar de esta situación.

**1** Primero hagan una lista de todas las partes del cuento que van a escribir usando el imperfecto. Luego hagan una lista de las acciones que van a escribir usando el pretérito.

| imperfecto | pretérito |
|---|---|
| el gatito estaba en el árbol | los bomberos llegaron en su camión |

**2** Escriban lo que ocurrió. Usen su imaginación e incluyan detalles adicionales para hacer su cuento más interesante.

### Más práctica

- **Guided** Gram. Practice p. 178
- **Core** Gram. Practice pp. 98–99
- **Communication** Writing p. 96, Test Prep p. 247
- **Real. para hispanohablantes** pp. 178–179, 181

**realidades.com**

- Audio Activities
- Video Activities
- Speak & Record
- Canción de hip hop
- Animated Verbs
- Leveled Workbook
- Web Code: jdd-0505

### El español en la comunidad

Hay muchas oportunidades para ayudar a los demás en tu comunidad o en otros países. El grupo *Virtual Explorers* publica historias de "héroes" jóvenes en los Estados Unidos. Lisa es una heroína que quería ayudar a las víctimas del huracán Mitch. Vendió su colección de juguetes valiosos *(valuable)* en una subasta *(auction)* y ganó miles de dólares que luego donó *(donated)* a la ayuda humanitaria *(relief effort)* para el huracán.

- ¿Conoces a alguien que haya ayudado *(has helped)* en un esfuerzo humanitario? ¿Hay oportunidades en tu comunidad para ayudar a personas después de algún desastre?

# Lectura

Después del terremoto, Valdivia, Chile

### Estrategia

**Using prior knowledge**
Think about articles you've read about earthquakes and natural disasters. Make a list of four pieces of information you might find. After you've read the article below, refer to your list to see if the information was there.

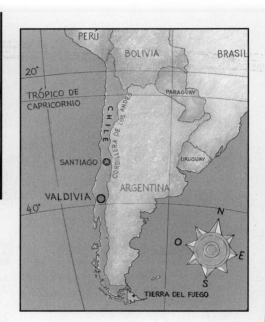

# Desastre en Valdivia, Chile

## Tres desastres:
## Dos terremotos y después un tsunami

**VALDIVIA, Chile** A las seis y dos minutos de la mañana, el 21 de mayo de 1960, una gran parte del país sintió el primer terremoto. El próximo día, el 22 de mayo a las tres y diez de la tarde, otro terremoto más intenso, con epicentro cerca de la ciudad de Valdivia, ocurrió. El segundo y más famoso de los terremotos registró un récord de 9.5 en la Escala Richter. Simplemente fue el terremoto de más intensidad jamás[1] registrado.

- Aproximadamente 2,000 personas murieron (de 4,000 a 5,000 en toda la región); 3,000 resultaron heridas y 2,000,000 perdieron[2] sus hogares.[3]

- Los ríos cambiaron[4] su curso. Nuevos lagos nacieron. Las montañas se movieron. La geografía cambió visiblemente.

| LA ESCALA RICHTER | |
|---|---|
| Representa la energía sísmica liberada en cada terremoto y se basa en el registro sismográfico. | |
| MAGNITUD EN LA ESCALA RICHTER | EFECTOS DEL TERREMOTO |
| Menos de 3.5 | Generalmente no se siente, pero es registrado. |
| 3.5–5.4 | A menudo se siente, pero sólo causa daños[5] menores. |
| 5.5–6.0 | Ocasiona daños a edificios. |
| 6.1–6.9 | Puede ocasionar daños graves en áreas donde vive mucha gente. |
| 7.0–7.9 | Terremoto mayor. Causa graves daños. |
| 8 o mayor | Gran terremoto. Destrucción total de comunidades cercanas. |

[1]ever   [2]lost   [3]homes   [4]changed   [5]damages

**Revisando los daños, Valdivia, Chile**

Unos minutos después del desastroso terremoto, llegó un tsunami que destruyó lo poco que quedaba en la ciudad y en las pequeñas comunidades. La gran ola[6] de agua se levantó destruyendo a su paso casas, animales, puentes, botes y, por supuesto, muchas vidas humanas. Algunos barcos fueron a quedar a kilómetros del mar, río arriba. Como consecuencia del sismo, se originaron tsunamis que llegaron a las costas del Japón, Hawai, las Islas Filipinas y la costa oeste de los Estados Unidos.

### EL TSUNAMI

Un tsunami es una ola o serie de olas de agua producida después de ser empujada[7] violentamente. Los terremotos pueden causar tsunamis. Estos tsunamis ocurren de 10 a 20 minutos después del terremoto. El 26 de diciembre de 2004, un terremoto de magnitud 9.0, en Sumatra, causó un tsunami en Indonesia y Tailandia. La destrucción fue terrible. Hubo más de 250,000 víctimas.

## ¿Qué debes hacer durante un terremoto?

### Dentro de un edificio

- Mantener la calma y calmar a los demás
- Mantenerse lejos de ventanas, cristales, cuadros, chimeneas y objetos que puedan caerse[8]
- Protegerse[9] debajo de los dinteles de las puertas[10] o de algún mueble sólido, como mesas, escritorios o camas; cualquier protección es mejor que ninguna
- No utilizar los elevadores

### Fuera de un edificio

- Mantenerse lejos de los edificios altos, postes de energía eléctrica y otros objetos que puedan derrumbarse[11]
- Ir a un lugar abierto

### En un coche

- Parar el coche y quedarse dentro del vehículo, lejos de puentes, postes de energía eléctrica y edificios dañados o zonas de desprendimientos[12]

---

[6]wave  [7]pushed  [8]fall  [9]Protect yourself  [10]door jams  [11]collapse  [12]landslides

## ¿Comprendiste?

1. Pon en orden de ocurrencia los tres desastres que sufrió Valdivia, Chile.
2. ¿Qué importancia tiene el segundo terremoto en los estudios sismográficos?
3. Si se registra un terremoto de 6.5 en la Escala Richter, ¿qué daños van a ocurrir?
4. ¿Cuál es una causa de los tsunamis?
5. ¿Qué debes hacer si ocurre un terremoto y estás en un coche?

### Más práctica

- **Guided** Reading Support p. 179
- **Communication** Writing p. 97, Test Prep p. 248
- *Real.* **para hispanohablantes** pp. 182–183

**realidades.com**
- Internet Activity
- Leveled Workbook
- Web Code: jdd-0506

### Fondo cultural
Chile

**En caso de terremoto** En Chile hay un Plan Integral de Seguridad Escolar para responder ante emergencias como terremotos, incendios, inundaciones o accidentes. Este plan nacional se aplica a todas las escuelas del país. Cada escuela tiene que crear un plan que incluye a los profesores, estudiantes y trabajadores del colegio. También debe incorporar a personal especializado en emergencias como los bomberos, la Guardia Civil y la Cruz Roja. La Oficina Nacional de Emergencias quiere establecer en cada escuela una cultura de seguridad *(safety)* y prevención.

- Piensa en tu escuela. ¿Hay un plan para emergencias? ¿Qué hacen en caso de incendios, huracanes o tornados?

# La cultura en vivo
## Las leyendas

Las leyendas muchas veces personifican a los fenómenos naturales o tratan de resolver misterios de fenómenos naturales. De tal manera hay muchos volcanes en México, América Central y América del Sur que llevan nombres y características humanos. Los habitantes que vivían a su alrededor contaban leyendas para explicar el origen de estos volcanes y la relación que éstos tenían con el pueblo[1].

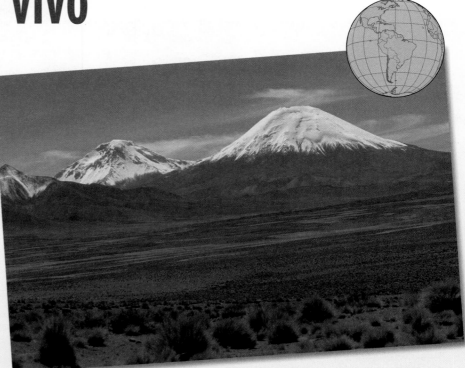

También hay leyendas universales que se cuentan en muchos lugares del mundo. Por ejemplo, en México hay una famosa leyenda sobre los volcanes Popocatépetl e Iztaccíhuatl que dice que eran dos enamorados, pero su amor fue prohibido. La misma leyenda también existe en Chile sobre los volcanes Parinacota y Pomerape. Según la leyenda había un príncipe y una princesa de diferentes tribus y se enamoraron. Pero su matrimonio fue prohibido y para evitar su unión, los dos tribus mataron a los novios. Esto entristeció[2] a la Naturaleza[3] que, como castigo[4], causó una inundación que destruyó a los dos pueblos. De la inundación se formaron dos lagos, el Chungará y el Cota-Cotani. Los dos novios fueron transformados en dos hermosos volcanes cercanos, Parinacota y Pomerape. Así, siempre están juntos.

En Chile, el volcán Parinacota lanza humo cuando trata de comunicarse con Pomerape. Según la leyenda, los novios volcanes lloran y hablan con fuego y ceniza.

**¡Compruébalo!** Escoge algún lugar cerca de tu comunidad como una montaña, un lago o una formación de rocas. Escribe un cuento que explica el origen de este lugar.

[1]people, village   [2]saddened   [3]Nature   [4]punishment

Según la leyenda, debajo del lago Chungará (que aquí se ve frente al volcán Parinacota) había una vez un pueblo.

# Presentación oral
## Y ahora, un reportaje especial . . .

**Task**
You are the anchor for a local television station and you are preparing a special report about a fire that occurred in your town. Your partner is a reporter who is at the scene of the disaster. You will interview him or her about what happened.

**1 Prepare** You will role-play this conversation with a partner. Be sure to prepare for both roles. Here's how to prepare:

**Locutor(a):** Make a list of questions to ask the reporter. Think of questions like "who," "what," "when," "where," and "why." You might also ask how many people were injured or died.

**Reportero(a):** Be prepared to report on the fire. Think of the information you'll want to provide based on the news anchor's questions.

**2 Practice** Work in groups of four in which there are two reporters and two news anchors. Work together to practice different questions and different responses. Here's how you might start the report:

**Locutor(a):** *Buenos días, Juan. ¿Qué pasó?*

**Reportero(a):** *Hubo un incendio muy grande en un edificio de apartamentos. Cinco personas se murieron y había más de diez heridos.*

Continue the conversation using your notes. Be sure to speak clearly and make your interview sound as natural as possible.

**3 Present** You will be paired with another student, and your teacher will tell you which role to play. The news anchor begins the conversation. Listen to your partner's questions or responses and keep the report going.

**4 Evaluation** Your teacher may give you a rubric for how the presentation will be graded. You will probably be graded on:

- how well you complete the task
- how well you were understood
- your ability to keep the conversation going

## Estrategia

**Speaking from notes**
When doing an interview or reporting back as a news reporter, it is important to have thought through important questions or have notes to provide accurate answers.

**realidades.com** ✓
- Speak & Record

El Parque de Bombas de Ponce, en Puerto Rico, es un edificio famoso que era la estación de bomberos y ahora es un museo que celebra los actos heroicos de los bomberos.

# En busca de la verdad

## Episodio 5

"Según la leyenda del Callejón del Beso, ella vivía en una casa con balcón que estaba tan cerca que podían besarse".

## Antes de ver el video

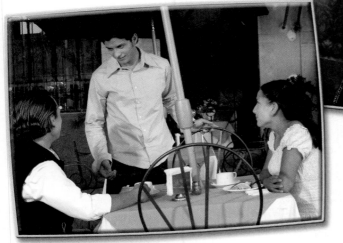

"¡Amigo, qué coincidencia!"

**Nota cultural** Este callejón es famoso por ser tan estrecho que una persona, asomada a la ventana de un lado, puede tocar con la mano la pared de enfrente. También es famoso por la leyenda de una bella señorita que se enamoró de un joven. Al padre de ella no le gustó nada y prohibió que su hija lo viera. Pero ella no lo obedeció y siguió viendo al joven. Un día el padre los vio besándose, el joven desde la ventana de un lado y su hija desde la otra. Se puso furioso y mató a su hija con una daga *(dagger)*. El joven le dio a su enamorada el último beso en la mano, cada vez más fría. Por eso se llama El Callejón del Beso.

## Resumen del episodio

Julio invita a Linda a comer. Luego llega Roberto y los tres van a pasear por Guanajuato. Van al Callejón del Beso. Al día siguiente, Roberto empieza a seguir la pista que tiene.

## Palabras para comprender

**amable** kind

**un poco antes** a little earlier

**dar una vuelta** take a tour

**la crema de elote** corn soup

**el pozole** thick soup made with corn, meat, and vegetables

**las enchiladas mineras** enchiladas unique to Guanajuato, made with cheese and onion

**las flautas de pollo** fried tortilla dish

**averiguar** find out about

# Después de ver el video

## ¿Comprendiste?

**A.** ¿Quién dijo cada una de las siguientes frases?
(Carmen/Julio/Linda/Roberto)

1. "Pues, en la Plaza San Fernando hay un buen café, la Oreja de Van Gogh".

2. "Oye, te gustaría dar una vuelta por Guanajuato?"

3. "Quiero descansar hoy. Tengo que hacer varias llamadas".

4. "Ay, no sé qué pedir. Todo parece delicioso".

5. "La comida aquí es muy buena. Aquí están los platos del día".

6. "Mejor . . . así tengo dos guías".

7. "¿Por qué no vamos al Callejón del Beso?"

**B.** Trabaja con otro(a) estudiante para escribir la conversación entre Linda y Julio. Luego presenten su conversación a la clase.

# Repaso del capítulo

## Vocabulario y gramática

jdd-0589

**Chapter Review**

To prepare for the test, check to see if you . . .
- **know the new vocabulary and grammar**
- **can perform the tasks on p. 263**

### to talk about natural disasters and weather extremes

| | |
|---|---|
| el huracán, *pl.* los huracanes | hurricane |
| la inundación, *pl.* las inundaciones | flood |
| llover *(o →ue)* | to rain |
| la lluvia | rain |
| nevar *(e →ie)* | to snow |
| el terremoto | earthquake |
| la tormenta | storm |

### to discuss the news

| | |
|---|---|
| el artículo | article |
| investigar | to investigate |
| el locutor, la locutora | announcer |
| el noticiero | newscast |
| ocurrir | to occur |
| el reportero, la reportera | reporter |
| tratar de | to try to |

### to talk about fires

| | |
|---|---|
| apagar | to put out (fire) |
| bajar | to go down |
| el bombero, la bombera | firefighter |
| comenzar *(e →ie)* | to start |
| destruir *(i →y)* | to destroy |
| dormido, -a | asleep |
| el edificio de apartamentos | apartment building |
| la escalera | ladder |
| escaparse | to escape |
| esconder(se) | to hide (oneself) |
| la explosión, *pl.* las explosiones | explosion |
| el humo | smoke |
| el incendio | fire |
| los muebles | furniture |
| muerto, -a | dead |
| el paramédico, la paramédica | paramedic |
| quemar(se) | to burn (oneself), to burn up |
| se murieron | they died |
| subir | to go up |

### to discuss rescues

| | |
|---|---|
| herido, -a | injured |
| el herido, la herida | injured person |
| el héroe | heroe |
| la heroína | heroine |
| rescatar | to rescue |
| salvar | to save |
| valiente | brave |
| la vida | life |
| vivo, -a | living, alive |

### to tell a story

| | |
|---|---|
| a causa de | because of |
| afortunadamente | fortunately |
| asustado, -a | frightened |
| la causa | cause |
| de prisa | in a hurry |
| de repente | suddenly |
| gritar | to scream |
| hubo | there was |
| llamar (por teléfono) | to call (on the phone) |
| oír | to hear |
| sin duda | without a doubt |
| ¡Socorro! | Help! |

### present of *oír*

| oigo | oímos |
|---|---|
| oyes | oís |
| oye | oyen |

### preterite of *oír*

| oí | oímos |
|---|---|
| oíste | oísteis |
| oyó | oyeron |

### preterite of *creer*

| creí | creímos |
|---|---|
| creíste | creísteis |
| creyó | creyeron |

### preterite of *leer*

| leí | leímos |
|---|---|
| leíste | leísteis |
| leyó | leyeron |

### preterite of *destruir*

| destruí | destruimos |
|---|---|
| destruiste | destruisteis |
| destruyó | destruyeron |

For *Vocabulario adicional,* see pp. 498–499.

**Más práctica**

- **Core** Puzzle p. 100, Organizer p. 101
- **Communication** Integrated Performance Assessment p. 249

**realidades.com** ✓
- Tutorial
- Flashcards
- Puzzles
- Self-test
- Web Code: jdd-0508

# Preparación para el examen

| On the exam you will be asked to . . . | Here are practice tasks similar to those you will find on the exam . . . | If you need review . . . |
| --- | --- | --- |

## Interpretive

jdd-0589

🔊 **1 Escuchar** Listen and understand as someone talks about her experience during a tragic event

Listen as a talk-show host interviews a young woman who recently escaped from a dangerous situation. See if you can understand: (a) what happened; (b) what time it was; (c) what she was doing at the time; and (d) who she considered to be the hero of the day.

pp. 240–243 *Vocabulario en contexto*
p. 244 Actividad 5
p. 250 Actividad 15

## Interpersonal

**2 Hablar** Talk about and describe how things were during certain times of the day

As part of your school's community service project, you visit an elderly man in an assisted living center. He is from Mexico and speaks little English, but he enjoys hearing about your day. Tell him what the weather was like when you woke up, how you were feeling, and what time it was when you left for school.

p. 248 Actividad 12
p. 249 Actividades 13–14

## Interpretive

**3 Leer** Read and understand newspaper headlines

Even though you may not be able to understand an entire newspaper article in Spanish, you can get the idea by reading headlines. Read the following headline and see if you can determine if it refers to: (a) a fire; (b) a flood; or (c) an explosion.

*Los bomberos salvaron a 200 personas anoche; más de 100 casas dañadas por el agua.*

p. 241 *Vocabulario en contexto*
p. 244 Actividad 4
p. 245 Actividad 6
p. 252 Actividad 18
pp. 256–257 *Lectura*

## Presentational

**4 Escribir** Write about a "disaster movie"

Write a few sentences about your favorite or least favorite "disaster movie." Be sure to mention what type of disaster it was, where it took place, what people were doing before the disaster struck, and any other details that would help your classmates guess which movie it was.

p. 246 Actividad 9
p. 247 Actividad 11
p. 250 Actividad 15
p. 253 Actividad 21

## Cultures

**5 Pensar** Demonstrate an understanding of volcano names and legends that are related to them

Your friend is going sight-seeing in Chile. While there, she is going to visit the Parinacota and Pomerape volcanoes. What can you tell her about the legend behind these volcanoes? Do you know any legends about places in your community?

p. 258 *La cultura en vivo*

O R G **R5**

**México**

"La medicina antigua y la moderna (1953)", Diego Rivera

Fresco, approx. 7.4 x 10.8 m. Hospital de la Raza, Mexico City, D.F., Mexico. Photo: Art Resource, NY. © 2009
Banco de México Diego Rivera & Frida Kahlo Museums Trust, México, D.F./Artists Rights Society (ARS).

**Diego Rivera** (1886–1957) fue uno de los mejores artistas del siglo XX. Nació en Guanajuato, México, y cuando era niño se mudó *(he moved)* con su familia a la Ciudad de México. Rivera pintó muchos murales de temas sociales. Este mural representa el estado de los servicios médicos de México en esa época. Nota las expresiones de las caras de las personas esperando al médico.

• ¿Qué piensas de las expresiones de las personas en este mural? ¿Por qué crees que tienen esas expresiones?

# Capítulo 5B

# Un accidente

## Chapter Objectives

- Describe an accident scene
- Talk about injuries and treatments
- Talk about what you were doing when an accident occurred
- Understand cultural perspectives on health

### Video Highlights

**Videocultura:** *En las noticias*

**A primera vista:** *¡El pobrecito soy yo!*

**GramActiva Videos:** irregular preterites: *venir, poner, decir,* and *traer;* imperfect progressive and preterite

**Videomisterio:** *En busca de la verdad,* Episodio 6

### Country Connection

As you learn to talk about accidents and injuries, you will make connections to these countries and places:

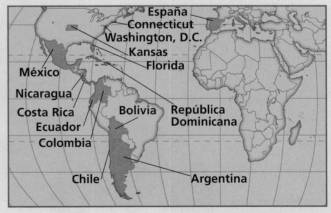

España
Connecticut
Washington, D.C.
Kansas
Florida
México
Nicaragua
Costa Rica
Ecuador
Colombia
Bolivia
República Dominicana
Chile
Argentina

## Más práctica

- *Real.* para hispanohablantes pp. 190–191

realidades.com

- Leveled Workbook
- Web Code: jde-0002

Un accidente en Florida

# Vocabulario en contexto

jdd-0597

**Objectives**

Read, listen to, and understand information about
- parts of the body
- accidents
- what happens in an emergency room

tropezar con

caerse

la ambulancia

la venda

el cuello

el hombro

la muñeca

la espalda

la rodilla

el codo

la sangre

el tobillo

el hueso

“ Estaba bajando, caminando al lado de la escalera y hablando con Marta. De repente tropecé con algo. ¡Ay! Me caí delante de la escuela. ¡Qué **accidente** tan absurdo!

**Vinieron** los paramédicos y me llevaron al hospital en una ambulancia . . .

**Me dolían** todos **los músculos** en el cuello y la espalda. **Me corté** la rodilla y había sangre en mis pantalones. ¡Y mi muñeca! ¿**Me rompí** un hueso? ¡Qué **dolor!**

SALA DE EMERGENCIA

examinar

la radiografía

el enfermero

la enfermera

sacar una radiografía

dar puntadas

poner una inyección

la inyección

las puntadas

las pastillas

el yeso

las muletas

la receta

la silla de ruedas

Cuando entré en **la sala de emergencia,** el enfermero sacó una radiografía de mi muñeca. La enfermera me **puso** una inyección y el médico me dio puntadas.

Luego, el médico me **recetó medicina.** Sí, me rompí un hueso en la muñeca y ahora necesito llevar un yeso por unas seis semanas. Si **me siento** muy mal, el médico me dijo que puedo tomar una pastilla cada ocho horas. ¡Qué día horrible!

---

**1** **¡Acción!** 🔊 jdd-0597

**Escuchar**

Escucha estas frases sobre varias partes del cuerpo y problemas médicos. Representa (*Act out*) la acción para indicar que comprendiste la frase.

**Más práctica**

• **Guided** Vocab. Flash Cards pp. 181–186
• **Core** Vocab. Practice pp. 102–103
• **Communication** Writing p. 103
• *Real.* **para hispanohablantes** p. 192

**realidades.com** ✓

• Fondo cultural Activity
• Video Activities
• Online Atlas
• Web Code: jdd-0511

**2** **La sala de emergencia** 🔊 jdd-0597

**Escuchar**

Escucha las frases. Si la frase que escuchas es lógica, señala con el pulgar hacia arriba. Si la frase no es lógica, señala con el pulgar hacia abajo.

# ¡El pobrecito soy yo!

Raúl tuvo un accidente y tuvo que ir a la sala de emergencia. Lee la historia para saber qué le pasó.

### Estrategia

**Using guiding questions**
Read the comprehension questions on p. 269 before starting the *Videohistoria*. Knowing what the questions are beforehand can help you look for the key information as you read.

**1** **Gloria:** ¡Raúl! **¿Qué te pasó?**
**Raúl:** Pues, tuve un accidente anoche.
**Gloria:** Dime todo.

**5** **Raúl:** Me sentía muy mal y me dolía mucho la muñeca. Mamá y papá me **pusieron** una venda en la muñeca y me llevaron al hospital.

**6** **Raúl:** Entramos en la sala de emergencia. Me **trajeron** una silla de ruedas. Luego me dieron cinco puntadas. Me **dijeron** que no tenía el brazo **roto.**

**7** **Raúl:** El médico me recetó estas pastillas para el dolor.
**Gloria:** ¡Qué lástima! ¿Ves, Raúl? ¡No debes despertarte tan temprano!
**Raúl:** Gracias.

**2** **Raúl:** Estaba durmiendo cuando de repente oí el despertador. Eran las tres. Traté de despertar a Tomás, pero no se despertó. No **se movió.** Tuve que apagar el despertador. Me levanté y empecé a caminar. Estaba muy oscuro.

**3** **Raúl:** Tropecé con algo y **me torcí** el tobillo.

**4** **Raúl:** Me caí al suelo. **Choqué con** la mesa y **me lastimé** el brazo. Me corté la muñeca.

**8** **Mamá:** ¡Pobre Tomás! ¡Nos fuimos al hospital tan de prisa que lo dejamos aquí, solo!

**Raúl:** ¿Tomás? ¡El **pobrecito** soy yo!

### ③ ¿Comprendiste?

**Escribir · Hablar**

1. ¿Qué le pregunta Gloria cuando ve a Raúl?
2. ¿Qué oyó Raúl mientras dormía? ¿Qué hizo? ¿Qué hizo Tomás?
3. ¿Qué le pasó luego a Raúl?
4. ¿Cómo se sentía Raúl? ¿Qué le dolía?
5. ¿Qué hicieron los padres de Raúl?
6. ¿Qué le hicieron a Raúl en el hospital?
7. ¿Qué le dio el médico a Raúl? ¿Por qué?

### Más práctica

- **Guided** Vocab. Check pp. 187–190
- **Core** Vocab. Practice pp. 104–105
- **Communication** Video pp. 98–99
- *Real.* **para hispanohablantes** p. 193

**realidades.com** ✔

- Audio Activities
- Video Activities
- Leveled Workbook
- Flashcards
- Web Code: jdd-0512

# Vocabulario en uso

## 4 En la sala de emergencia

**Leer • Escribir**

Ana María quiere ser médica. Lee la descripción de su visita a la sala de emergencia. Escoge y escribe la palabra correcta para decir lo que pasó allí.

**También se dice . . .**

**la radiografía** = los rayos X *(muchos países)*

**las puntadas** = los puntos *(muchos países)*

**dar puntadas** = hacer puntadas, dar puntos *(muchos países)*

**sala de emergencia** = sala de urgencias *(muchos países)*

Ayer visité la sala de emergencia porque algún día quiero ser médica. Ayudé a una __1.__ *(receta / enfermera)* todo el día. Vi muchas cosas muy interesantes. Una chica __2.__ *(se torció / tropezó)* la rodilla esquiando, y por eso le trajeron unas __3.__ *(muletas / puntadas)*. El médico la __4.__ *(examinó / chocó)* y le recetó __5.__ *(pastillas / muletas)* para el dolor. Otra persona __6.__ *(chocó / se rompió)* el tobillo y le sacaron unas __7.__ *(radiografías / recetas)* de los huesos. Después le pusieron un __8.__ *(cuello / yeso)* porque tenía el hueso __9.__ *(roto / pobrecito)*. Unos paramédicos __10.__ *(vinieron / dijeron)* a la sala de emergencia en una __11.__ *(ambulancia / silla de ruedas)* con un señor que tuvo un accidente de coche. __12.__ *(Trajeron / Dijeron)* que tenían que hacerle una operación de emergencia porque estaba perdiendo *(losing)* mucha __13.__ *(medicina / sangre)*. A veces, durante mi visita a la sala de emergencia, tenía miedo de todo lo que estaba pasando, pero todavía quiero ser médica para ayudar a la gente.

## 5 Escucha y escribe jdd-0598

**Escuchar • Escribir**

Escucha lo que dicen unas personas que fueron a la sala de emergencia ayer. En una hoja de papel, escribe los números del 1 al 6. Escribe lo que escuchas. Vas a usar las frases para la Actividad 6.

## 6 Los accidentes

**Dibujar • Hablar**

Dibuja una de las situaciones de las Actividades 4 ó 5. Muéstrales *(Show)* tu dibujo a otros(as) dos estudiantes. Traten de usar el máximo número de palabras nuevas para describir lo que les pasó a las personas que ven en los dibujos de sus compañeros(as).

SALA DE EMERGENCIA

## 7 Juego  ♻

**Cantar · Hablar**

Tu profesor(a) va a enseñarles una canción infantil que
se usa para practicar los nombres de las partes del cuerpo.

CABEZA, HOMBROS, RODILLAS, PIES
RODILLAS, PIES
RODILLAS, PIES
CABEZA, HOMBROS, RODILLAS, PIES
OJOS, OREJAS, BOCA, NARIZ

**1** Todos van a levantarse y señalar las partes del cuerpo mientras cantan.

**2** Pueden cantar la canción otra vez usando diferentes partes del cuerpo. Comiencen con *Espalda, cuello, tobillos, pies* y terminen con *Codos, muñecas, brazos, nariz.*

## 8 En el hospital

**Escribir · Hablar**

Piensa en algunas personas que conoces que tuvieron que ir al hospital.

**Modelo**

poner

*Mi hermano Rafael estuvo en el hospital por tres días. Le pusieron una inyección.*

**1** Escribe cuánto tiempo estuvieron en el hospital. Luego mira los dibujos y escribe una frase para cada uno para decir lo que le hicieron a cada persona.

**1.** dar

**2.** llevar

**3.** recetar

**4.** sacar

**5.** poner

**2** Habla con otro(a) estudiante. Describan lo que les hicieron a las personas que Uds. conocen. Escribe cuatro frases para comparar lo que les hicieron.

**Modelo**

*Mi hermano Rafael y el amigo de Carlota estuvieron en el hospital. No les pusieron sangre, pero sí les sacaron radiografías a los dos.*

### Fondo cultural

España

**La Ambulancia Azul** es un servicio de ambulancias en España. Tiene tres niveles *(levels)* de servicio: SVA (Soporte Vital Avanzado) para pacientes en condiciones urgentes; SVB (Soporte Vital Básico) para enfermos que necesitan transporte en ambulancia, pero que no necesitan atención médica urgente; y Colectivo, una ambulancia que comparten varios pacientes.

• ¿Por qué crees que la Ambulancia Azul ofrece tres niveles de servicio? Compara este sistema al servicio de ambulancias en tu comunidad.

## ⑨ ¿Por qué no corriste?

**Hablar**

No hiciste varias actividades la semana pasada porque te dolían diferentes partes del cuerpo. Habla de tus dolores con otro(a) estudiante.

**Modelo**

**A** —¿Por qué no <u>corriste ayer por la tarde</u>? ¿No te sentías bien?

**B** —No <u>corrí</u> porque me dolía <u>el tobillo</u>.

correr / ayer por la tarde

### ¿Recuerdas?

The imperfect tense is used to describe feelings and ongoing conditions in the past. The preterite expresses the actions that did or did not happen.

**Estudiante A**

1. jugar al tenis / el fin de semana pasado
2. esquiar / el sábado pasado
3. hacer gimnasia / ayer
4. levantar pesas / esta mañana
5. patinar / anoche
6. moverse de la cama / el domingo pasado
7. jugar al béisbol / la semana pasada

**Estudiante B**

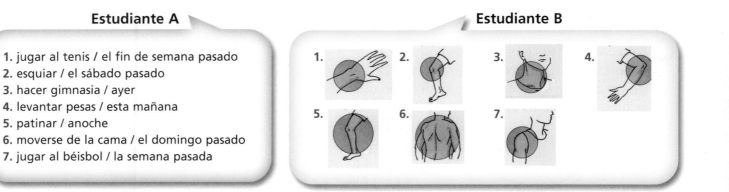

## Exploración del lenguaje

### False cognates

Cognates are words that look alike in both English and Spanish and have the same meaning:

**bank** → banco    **photo** → foto

But not all words that look alike in Spanish and English mean the same thing. Certain words are called **false cognates.** These are words that look alike but have different meanings. You have already learned some false cognates. You know that:

**parientes** means "relatives," not "parents"
**recordar** means "to remember," not "to record"

**¡Compruébalo!** Complete these sentences about other false cognates you already know:

1. **sopa** means ____, not ____
2. **collar** means ____, not ____
3. **librería** means ____, not ____
4. **carpeta** means ____, not ____
5. **vaso** means ____, not ____

## 10 ¿Cuánto tiempo hace . . . ?

**Hablar**

Hace mucho tiempo que no ves a un(a) amigo(a) y no sabías que tuvo un accidente. Habla con otro(a) estudiante de lo que le pasó.

tres días

**Modelo**

A — *Oye, ¿cuánto tiempo hace que estás en el hospital?*
B — *Hace tres días. Me rompí la pierna.*
A — *¡Pobrecita! ¿Qué te pasó?*
B — *Me caí cuando estaba esquiando.*
A — *¡Qué lástima!*

**Estudiante A**

| estar en | tener |
| usar | llevar |

**Estudiante B**

romperse
torcerse
lastimarse
cortarse

**¡Respuesta personal!**

**1.** seis días   **2.** cuatro días   **3.** dos semanas   **4.** una semana

## 11 Y tú, ¿qué dices?

**Escribir • Hablar**

1. ¿Te gustaría ser médico(a) o enfermero(a)? ¿Te pone nervioso(a) ver sangre o huesos rotos? ¿Cómo te sientes cuando un(a) enfermero(a) te pone una inyección?

2. Cuando tienes dolor de cabeza, de estómago o de otra parte del cuerpo, ¿qué haces para sentirte mejor?

3. ¿A veces te caes* cuando practicas un deporte u otra actividad? ¿Qué te pasa cuando te caes?

*In the present tense, *caerse* is conjugated like a regular *-er* verb, except in the *yo* form: *me caigo*.

Una médica con una paciente, en México

# Gramática

## Irregular preterites: *venir, poner, decir,* and *traer*

The verbs *venir, poner, decir,* and *traer* follow a pattern in the preterite that is similar to that of *estar, poder,* and *tener.* All these verbs have irregular stems and use the same unaccented endings.

| Infinitive | Stem |
|---|---|
| decir | dij- |
| estar | estuv- |
| poder | pud- |
| poner | pus- |
| tener | tuv- |
| traer | traj- |
| venir | vin- |

| Irregular preterite endings | |
|---|---|
| -e | -imos |
| -iste | -isteis |
| -o | -ieron / -eron |

| | |
|---|---|
| puse | pusimos |
| pusiste | pusisteis |
| puso | pusieron |

Note that verbs like *decir* and *traer,* whose irregular stems end in *j,* drop the *i* in the *Uds./ellos/ellas* form and add only *-eron.*

Me **trajeron** una silla de ruedas y me **dijeron** que no debía tratar de caminar.

**GramActiva** VIDEO

Want more help with the irregular preterites: *venir, poner, decir,* and *traer?* Watch the **GramActiva** video.

vine, dije

---

**12 Escucha y escribe** 🎧 jdd-0598

**Escuchar • Escribir • Hablar**

1 Javier fue a esquiar en las montañas. El primer día tuvo un accidente. Escucha su descripción de lo que pasó y escribe las seis frases, pero ten cuidado. Javier no está contando en orden lo que pasó.

2 Trabaja con otro(a) estudiante para poner en orden lógico el cuento de Javier.

3 Cuenten otra vez lo que le pasó a Javier, pero imaginen que dos enfermeras y dos médicos lo atendieron. Cambien las formas de los verbos apropiados.

**Modelo**

*Dos enfermeras le trajeron a Javier una silla de ruedas.*

Bariloche, Argentina, es un lugar turístico internacional. En el invierno se puede esquiar y en el verano se puede ir de pesca, montar a caballo o escalar las montañas (*go mountain climbing*).

**13 Mi programa favorito**

Leer • Escribir

Anoche Adela vio sólo una parte de su programa de televisión favorito, *Emergencia*. Completa el correo electrónico que ella le escribe a su amiga con las formas apropiadas de los verbos.

Tere: ¿Viste *Emergencia* anoche? Yo lo vi por media hora pero no __1.__ *(poder / venir)* ver más porque __2.__ *(estar / tener)* que llevar a mi hermana a su práctica de gimnasia. Esto es lo que vi. Una señora __3.__ *(decir / venir)* al hospital con mucha sangre en la mano. Ella __4.__ *(decir / poner)* que se cortó la mano cuando estaba cocinando. Una médica le __5.__ *(poner / venir)* una inyección y después le __6.__ *(dar / poder)* ocho puntadas. Luego los paramédicos __7.__ *(decir / traer)* a un anciano al hospital en una ambulancia. Ellos __8.__ *(decir / venir)* que el anciano __9.__ *(poder / tener)* un accidente en su coche. Los médicos le hicieron una operación de emergencia para salvarle la vida. Pues, dime, Tere, ¿qué __10.__ *(poder / pasar)* al final del programa? ¡Escríbeme pronto y dime todo!

Adela

 **14 Si necesitas ayuda . . .**

Leer • Escribir

Lee el siguiente anuncio sobre el servicio de ambulancias que existe para un hospital de Quito, Ecuador. Después contesta las preguntas.

**Hospital de Clínicas Pichincha**

Ponemos a su disposición dos ambulancias, manejadas por profesionales preparados para el transporte rápido pero seguro.*

Clínicas Pichincha

AMBULANCIA

**Ofrecemos:**
- ambulancias equipadas para dar atención inmediata
- paramédicos entrenados para atender al paciente críticamente enfermo o herido
- equipo médico moderno
- servicio permanente, sin interrupción (disponible los 365 días del año, las 24 horas del día)
- comunicación directa con el Servicio de Emergencia

El teléfono para acceder a nuestro servicio es el 505-505 (Quito). Vamos a atender a su llamada de inmediato pues, una emergencia no espera.

*safe

1. ¿Por qué puedes tener confianza *(confidence)* en el servicio de estas ambulancias? Menciona tres razones *(reasons)*.

2. ¿A qué horas puede atenderte este servicio?

3. ¿Por qué dice el servicio que va a atender rápidamente a una llamada?

**15 Necesitabas una ambulancia**

Escribir • Hablar

Imagina que trabajas para el servicio de ambulancia de la Actividad 14 y quieres saber qué tipo de servicio recibieron los pacientes. Con otro(a) estudiante, entrevista *(interview)* a un(a) paciente y pregúntale sobre el servicio que recibió. Usa las siguientes preguntas en la entrevista:

- ¿Qué te dijeron? ¿Qué preguntas te hicieron?
- ¿Cuántos paramédicos vinieron? ¿Vinieron inmediatamente?
- ¿Qué trajeron en la ambulancia?
- ¿Te pusieron una inyección cuando llegaron?

## 16 Una celebración muy especial

**Pensar • Hablar • Escribir**

**1** Piensa en una fiesta que muchas personas celebraron en tu casa. Vas a trabajar con otro(a) estudiante para hablar de la fiesta.

**2** Completa las preguntas con los verbos en el pretérito, y hazle estas preguntas a tu compañero(a). Escribe lo que dice.

1. ¿*(Ponerse)* tú ropa elegante o ropa de todos los días para esta fiesta?

2. ¿Quiénes *(venir)* a la fiesta?

3. ¿Quién *(traer)* regalos, comida u otras cosas?

4. ¿Qué *(hacer)* todos durante la fiesta?

5. ¿Por cuánto tiempo *(estar)* las personas allí?

6. ¿*(Poder)* tú hablar con todo el mundo?

**3** Escribe un resumen de la fiesta que te describió tu compañero(a).

### Más práctica

- **Guided** Gram. Practice pp. 191–192
- **Core** Gram. Practice pp. 106
- **Communication** Writing p. 104
- ***Real.* para hispanohablantes** pp. 194–197, 201

**realidades.com** ✔
- Audio Activities
- Video Activities
- Speak & Record
- Tutorial
- Leveled Workbook
- Web Code: jdd-0513

## 17 Juego

**Escribir • Hablar • GramActiva**

**1** Trabaja con tres estudiantes. En tarjetas o pequeñas hojas de papel, escriban las raíces *(stems)* de los verbos irregulares en el pretérito de la página 274 y pongan las tarjetas en un grupo boca abajo *(facedown)*.

traj-

tuv-

**2** Van a jugar en parejas *(pairs)*. La primera pareja escoge una tarjeta y crea una frase en 30 segundos para decir lo que pasó en el hospital o en un accidente. Después leen la frase. La otra pareja tiene que decir si la frase es correcta. La primera pareja recibe un punto por cada palabra correcta en su frase.

### Modelo

*Anoche hubo un incendio y trajeron a varias personas heridas al hospital en una ambulancia.* (15 puntos)

## El español en el mundo del trabajo

Los intérpretes y traductores *(translators)* médicos son muy importantes en los hospitales de los Estados Unidos. A veces, cuando una persona que no habla inglés va al hospital, el médico y las enfermeras no pueden entender lo que dice y no pueden ayudarle. Las personas pueden morir si no reciben atención adecuada y a tiempo. Por eso los hospitales contratan a intérpretes y a traductores. Tener intérpretes en los hospitales es una necesidad y también una ley.

• ¿Crees que es importante tener intérpretes y traductores en los hospitales? ¿Hay un servicio de intérpretes en el hospital de tu comunidad?

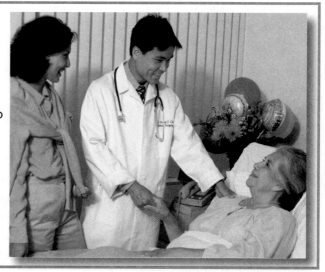

# Gramática

## Imperfect progressive and preterite

To describe something that was taking place over a period of time in the past, use the imperfect progressive, which uses the imperfect tense of *estar* + the present participle.

**Estaba esquiando** cuando me caí y me torcí la rodilla.

*I was skiing when I fell and sprained my knee.*

The present and imperfect progressive tenses use the same present participles. Remember, to form the present participle of *-ir* stem-changing verbs, *e* changes to *i* and *o* changes to *u*:

| e → i | | o → u | For the following *-er* verbs, the *i* of *-iendo* changes to *y:* <br> i → y |
|---|---|---|---|
| decir: diciendo <br> pedir: pidiendo <br> repetir: repitiendo | seguir: siguiendo <br> servir: sirviendo <br> vestir: vistiendo | dormir: durmiendo | creer: creyendo <br> leer: leyendo <br> traer: trayendo |

• When you use object pronouns with the imperfect progressive, you can put them before *estar* or attach them to the participle.

—¿Qué estabas haciendo cuando te cortaste?

—Estaba afeitándo**me**. **o: Me** estaba afeitando.

• Note that the imperfect progressive describes what was taking place while the preterite tells a specific occurrence in the past or interrupts the action.

**Ella estaba corriendo** cuando **se lastimó** el tobillo.

### GramActiva VIDEO

Want more help with the imperfect progressive and preterite? Watch the **GramActiva** video.

Estaba hablando.

## 18 Cuando llegó la ambulancia

**Escribir**

Mira el dibujo y escribe frases para decir lo que estaban haciendo las personas en la sala de emergencia cuando llegó la ambulancia.

| Modelo |

el médico

*El médico estaba hablando por teléfono.*

1. la médica
2. el enfermero
3. la enfermera
4. los jóvenes
5. la niña
6. los ancianos

## 19 Tus pacientes

**Escribir**

Tú eres enfermero(a) en una sala de emergencia y tienes que escribir una historia médica de tus pacientes. Mira los dibujos y describe qué estaban haciendo las personas y qué les pasó.

**Laura**

> ## Modelo
>
> *Laura estaba cocinando cuando se quemó la mano.*

**1.** Yolanda

**2.** Héctor

**3.** Juan y Anita

**4.** Antonio

**5.** Rosa

## 20 ¿Quiénes se cayeron?

**Escribir • Hablar**

Piensa en las personas que tú conoces que se cayeron alguna vez. ¿Quiénes son y cuándo se cayeron? Describe los accidentes de tres personas y describe qué estaban haciendo cuando se cayeron. Luego habla con otro(a) estudiante y compara sus respuestas.

> ## Modelo
>
> **A** —*Mi hermana se cayó el mes pasado.*
> **B** —*¿Qué estaba haciendo tu hermana cuando se cayó?*
> **A** —*Estaba poniendo carteles en la pared.*

> ### Nota
>
> In the preterite, *caerse* is like *leer*, with forms that change the *i* to *y* in the *Ud./él/ella* and *Uds./ellos/ellas* forms. There is also an accent mark over the *i* in all other forms.
>
> • Cuando estaba bajando la escalera, Enrique **se cayó**.
>
> • Cuando yo estaba subiendo la escalera, **me caí**.

### Fondo cultural

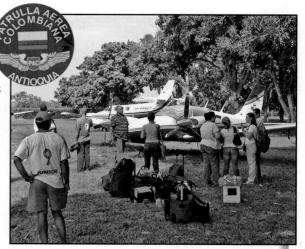

**La Patrulla Aérea Colombiana (PAC)** es un equipo de pilotos y médicos que viaja en avión a pueblos remotos que no tienen ni médicos ni hospitales. La PAC enseña programas de prevención de salud a las comunidades y ofrece servicios médicos básicos y cirugía *(surgery)*. Muchos de los pueblos están en los Andes o en las regiones amazónicas y la Patrulla es el único servicio médico que llega a estas comunidades.

• ¿Conoces partes de los Estados Unidos donde no hay ni médicos ni hospitales? ¿Qué soluciones hay para esta situación en los Estados Unidos y en Colombia?

Los pilotos y médicos de la Patrulla Aérea Colombiana

## 21 Las lesiones en los deportes

**Leer · Pensar · Hablar**

¿Practicas un deporte o juegas en un equipo? Quizás patinas o montas en monopatín. ¿Sabes cuáles son las lesiones *(injuries)* que te pueden ocurrir cuando practicas deportes? Lee el artículo y luego contesta las preguntas.

**Conexiones | La salud**

### Los dos tipos de lesiones deportivas

Las lesiones en los deportes son las que ocurren típicamente en los deportes organizados, los entrenamientos[1] o las actividades diarias de acondicionamiento.

◉ **Lesión traumática aguda:**[2] causada por un golpe[3] intenso como un choque o una caída. Ejemplos son la fractura de un hueso, una torcedura (se estira[4] o se rompe un músculo o tendón) o una distensión (se estira o se rompe un ligamento). Estas lesiones afectan más las rodillas, los tobillos y las muñecas.

◉ **Lesión crónica:** causada por el uso continuo o excesivo. Es el resultado del entrenamiento repetitivo tal como correr o lanzar[5] una pelota. Ejemplos son las fracturas de un hueso por estrés, la tendinitis (se rompen las fibras del tendón a causa de estiramientos excesivos) o la bursitis (inflamación de la bursa en el hombro, en el codo o en la rodilla).

[1]training sessions  [2]acute traumatic injury  [3]blow  [4]pull  [5]throw

En las siguientes descripciones, ¿tienen los atletas una lesión traumática aguda o crónica? Habla con otro(a) estudiante. Usen la información del artículo y den razones por su diagnóstico.

1. Lisa practicaba el golf todos los días. Siempre sentía un dolor en el codo.

2. En un partido de básquetbol, Kevin chocó con otro jugador. Se torció el tobillo y se cayó.

3. Hugo levantaba pesas todas las tardes en el gimnasio. Quería levantar el máximo de peso. Un día trataba de levantar 300 libras cuando tuvo un dolor agudo en el hombro y no pudo levantar la barra.

4. Sara jugaba al fútbol en el otoño y al básquetbol en el invierno. Sin descansar, empezó a entrenar para el fútbol en la primavera. Le dolía la rodilla después de cada práctica.

## 22 Familias de palabras

**Pensar · Escribir**

Si reconoces *(you recognize)* familias de palabras, entiendes mejor lo que lees. Mira las palabras de *Conexiones*. Escribe las palabras que ya conoces que te ayudan a entender las siguientes palabras nuevas.

**Modelo**

el uso
*usar*

1. una caída
2. una torcedura

3. repetitivo
4. un choque

## 23 Los días más difíciles

**Leer • Escribir • Hablar**

Lee este artículo sobre un famoso futbolista y contesta las preguntas.

1. ¿Qué le pasó cuando tenía once años?

2. ¿Qué tuvo que hacer en el tratamiento médico?

3. ¿Cuándo se lastimó la pierna derecha?

4. ¿Qué tuvo que hacer para recuperarse?

# Fenómeno de perseverancia

**Lionel Andrés Messi** es un jugador de fútbol argentino muy talentoso. A los once años, los médicos le diagnosticaron un problema de crecimiento[1] hormonal: era tan bajo que a esa edad[2] tenía la estatura de un niño de ocho años. Por eso, se fue a España con su familia para recibir un tratamiento médico. "Durante tres años, tuve que ponerme inyecciones todos los días", dijo Lionel. Por esta enfermedad, Lionel aprendió a jugar al fútbol ágilmente y con gran rapidez. Pero su estilo de juego explosivo le produce lesiones en las piernas con frecuencia. Mientras estaba jugando un partido en un campeonato europeo, Lionel sufrió una lesión en la pierna derecha. Cinco días más tarde, estaba jugando cuando se cayó y sufrió otra lesión más grave en la misma pierna. Como resultado, no pudo jugar el partido final de ese campeonato. Lionel tuvo que operarse y caminar con muletas por tres meses, pero pudo recuperarse[3] completamente. Sin duda, Lionel es un verdadero fenómeno de perseverancia.

[1] growth    [2] age    [3] recover

## 24 Y tú, ¿qué dices?

**Escribir • Hablar**

1. Recientemente cuando estabas practicando un deporte o haciendo otra actividad, ¿sentiste* un dolor en algún músculo o hueso? ¿Qué hiciste para el dolor?

2. ¿Te lastimaste alguna vez cuando estabas practicando un deporte? ¿Cómo te lastimaste? ¿Qué deporte estabas practicando?

3. Piensa en alguien que conoces que se rompió un hueso o se torció un tobillo o una rodilla. ¿Qué estaba haciendo cuando ocurrió el accidente? ¿Le sacaron radiografías? ¿Tuvo que llevar un yeso o usar muletas?

\* When *sentir* is followed by a noun, the non-reflexive form of the verb is used.

### Fondo cultural
**El mundo hispano**

**El jai alai** ¿Sabías que el jai alai es el deporte de pelota más rápido del mundo? En este juego, ¡la pelota llega a alcanzar velocidades de 150 millas por hora! El jai alai se originó en el País Vasco, en el norte de España. Se juega en una cancha *(court)* con tres paredes y los jugadores llevan casco *(helmet)* porque este deporte puede ser peligroso y causar lesiones. Se juega en muchos países y en los Estados Unidos es muy popular en Florida y Connecticut.

• ¿En qué sentido es diferente el jai alai de los juegos que practicas tú?

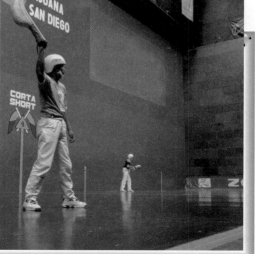

Jugadores mexicanos de jai alai

## 25 Juego  ♻

**Escribir • Hablar • GramActiva**

**1** Trabaja con otro(a) estudiante. En pequeñas hojas de papel, escriban dos frases que describen lo que estaban haciendo una o dos personas cuando algo ocurrió. Su profesor(a) va a dividir a la clase en dos grupos. Los estudiantes en cada grupo ponen todas sus hojas de papel en una bolsa y le dan la bolsa al otro grupo.

**2** Saca una hoja de papel de la bolsa y lee la frase. No puedes mostrar *(show)* la hoja a tu grupo ni puedes decirles lo que dice. Tienes un minuto para representar la situación para ver si tu grupo puede decir correctamente la frase. Si lo pueden hacer en un minuto o menos, reciben un punto. Si no lo pueden hacer en un minuto, no reciben ningún punto.

> Estabas nadando cuando chocaste con la pared de la piscina.

## 26 Un accidente en la carretera

**Hablar**

**1** Trabaja con dos estudiantes. Uno(a) de Uds. es reportero(a) y está investigando el choque de coches en el dibujo. El (La) reportero(a) está hablando con dos testigos *(witnesses)* que tienen diferentes versiones de lo que pasó en el accidente. En su dramatización, pueden incluir:

- lo que estaban haciendo los testigos cuando ocurrió el accidente
- lo que estaban haciendo los coches y los conductores cuando ocurrió
- qué hora era cuando ocurrió y qué otras condiciones existían
- qué les pasó a las personas en el accidente y si hubo muchos heridos
- quiénes vinieron a ayudar y lo que hicieron
- lo que hicieron todos después del accidente

**2** Preparen su dramatización y preséntenla para la clase entera o para otro grupo.

### Más práctica

- **Guided** Gram. Practice pp. 193–196
- **Core** Gram. Practice pp. 107–108
- **Communication** Writing p. 105, Test Prep p. 250
- *Real.* **para hispanohablantes** pp. 198–201

**realidades.com** ⓥ

- Audio Activities
- Video Activities
- Speak & Record
- Canción de hip hop
- Leveled Workbook
- Web Code: jdd-0514

# Lectura

## Mejorar la salud para todos

Lee sobre estas tres organizaciones que ayudan a mejorar la salud en los países hispanohablantes.

## Organización Panamericana de la Salud

La Organización Panamericana de la Salud (OPS) es una organización internacional de salud pública con más de 100 años de experiencia. La sede[1] de la organización se encuentra en Washington, D.C., y la institución representa 27 países. Los objetivos fundamentales de la OPS son la promoción entre los países de las Américas para:

- combatir las enfermedades
- prolongar la vida
- estimular el bienestar físico y mental de sus habitantes

### Voces para la salud

Para promover[2] sus objetivos la OPS produjo[3] una serie de mensajes[4] de interés público sobre la salud, hechos por personalidades conocidas y admiradas del hemisferio. Estos artistas, atletas y actores vienen de diferentes países e informan a los pueblos de las Américas sobre importantes temas de salud.

El VIH/SIDA es una enfermedad que tiene muchos rostros. Muchas personas viven con el estigma asociado a su condición. No discrimines. ¡Vive y deja vivir!

Jon Secada
Campeón de la Salud de las Américas

Organización Panamericana de la Salud
Oficina Regional de la Organización Mundial de la Salud

## LUIS ENRIQUE HABLA SOBRE LA PREVENCIÓN DEL USO DE LAS DROGAS

El cantante nicaragüense Luis Enrique, conocido como "el príncipe de la salsa", canta "Date un chance", un himno contra el uso de las drogas. Esa canción es parte de su mensaje para promover la salud en las Américas.

> **La vida nos pone a prueba[5] día a día, con momentos buenos y malos. Es nuestra responsabilidad tomar las decisiones correctas. ¡Dile no a las drogas y dile sí a la vida, siempre!**

[1]headquarters  [2]promote  [3]produced  [4]messages  [5]test

## DON FRANCISCO HABLA SOBRE LA DONACIÓN DE SANGRE SEGURA

Don Francisco, actor de origen chileno, es la personalidad más reconocida del mundo del espectáculo en la televisión en español. Su programa *Sábado Gigante* se ve en las Américas y en otros países del mundo por satélite.

❝ *Millones de personas necesitan sangre segura[6] para vivir. En América Latina, necesitamos 25 millones de unidades de sangre. Donen su sangre segura; es el mejor regalo* ❞.

## MERCEDES SOSA HABLA SOBRE LA VACUNACIÓN

Mercedes Sosa, cantante de origen argentino, es conocida como "la Voz de América Latina". Una de sus canciones más famosas se llama "Gracias a la vida".

❝ *No le falles[7] a tus chicos, llévalos a vacunar.[8] Así pueden estar completamente protegidos y darle ¡Gracias a la vida!* ❞

## Cuerpo de la Paz[9] y *Medical Aid For Children of Latin America* (MACLA) ayudan a niños que requieren cirugía plástica[10]

**MACLA** es una organización estadounidense que ayuda a personas con deformidades físicas en la República Dominicana, Bolivia y otros países. El Dr. Thomas Geraghty, un médico de Kansas City, fundó **MACLA** en el año 1985 y hasta la fecha más de 210 médicos, anestesiólogos, enfermeros y enfermeras han donado[11] su tiempo para trabajar como voluntarios en esta institución, la cual ha realizado más de 6,000 cirugías reconstructivas en la República Dominicana. Un voluntario del Cuerpo de la Paz que ayudó en este proyecto en la República Dominicana declaró: "Traducir[12] y servir como puente entre los pacientes y los profesionales médicos fue una experiencia que me dio mucha satisfacción. Ver la cirugía reconstructiva de los médicos de **MACLA** y los efectos que tiene en la vida de los pacientes me dio aun más satisfacción. Escuchar los testimonios de los pacientes es una verdadera inspiración".

[6]safe   [7]fail   [8]to be vaccinated   [9]Peace Corps   [10]plastic surgery   [11]have donated   [12]To translate

## ¿Comprendiste?

1. Según Luis Enrique, ¿qué responsabilidad tiene cada persona?

2. ¿Qué mensaje quiere promover don Francisco?

3. Según Mercedes Sosa, ¿por qué es importante vacunar a los niños?

4. ¿Qué ayuda les da MACLA a los habitantes de la República Dominicana?

5. Según el voluntario del Cuerpo de la Paz, ¿qué le dio mucha satisfacción?

## Y tú, ¿qué dices?

1. En tu opinión, ¿crees que los mensajes de interés público son efectivos en motivar al público? ¿Por qué?

2. Compara los mensajes de la OPS con los que ves en la televisión contra las drogas o contra los cigarrillos. ¿En qué sentido son diferentes o similares?

### Más práctica

- **Guided** Reading Support p. 197
- **Communication** Writing p. 106, Test Prep p. 251
- *Real.* para hispanohablantes pp. 202–203

realidades.com

- Internet Activity
- Leveled Workbook
- Web Code: jdd-0516

# Perspectivas del mundo hispano
## Seguridad Social y los servicios médicos

En el siglo XX, muchos países de América Latina decidieron crear la Seguridad Social y la medicina socializada para ofrecer servicios médicos a las personas que viven y trabajan en un país. Cuando un(a) trabajador(a) se enferma o tiene un accidente y no puede trabajar, la Seguridad Social le ayuda con los gastos[1] médicos y continúa pagándole parte de su salario[2]. Si la enfermedad es permanente, la Seguridad Social le paga al (a la) trabajador(a) una pensión y los servicios médicos básicos, y si el (la) trabajador(a) muere[3], la Seguridad Social ayuda a la familia. Los servicios de la Seguridad Social también incluyen los hospitales, las medicinas y la ayuda para los ancianos.

En Costa Rica, la Seguridad Social funciona desde hace más de 50 años y hoy ayuda al 98 por ciento de la población. Y en España, funciona desde hace casi 100 años y cubre[4] a toda la población, incluidos los inmigrantes. Las personas que viven en estos dos países tienen muy buenos servicios médicos, gracias a los servicios de la Seguridad Social.

**¡Compruébalo!** ¿Hay un programa de Seguridad Social en los Estados Unidos? ¿Qué beneficios ofrece?

**¿Qué te parece?** ¿Te parece importante el sistema de Seguridad Social? ¿Por qué?

[1]expenses  [2]salary  [3]dies  [4]covers

### Países miembros de la Organización Iberoamericana de Seguridad Social (OISS)

Angola  Argentina  Bolivia  Brasil  Chile
Colombia  Costa Rica  Cuba  Ecuador
El Salvador  España  Guatemala
Guinea Ecuatorial  Honduras  México
Nicaragua  Panamá  Paraguay  Perú
Portugal  República Dominicana
Uruguay  Venezuela

# Presentación escrita
## Documentar el accidente

**Task**
You are walking outside your school building when you see an accident. You go into the school office to report what you saw. The school secretary asks you to write a summary as documentation for the school.

**1 Prewrite** Think about the information that your school would need to know about the accident.

Jot down information about each of these items. Add any additional information.

- Nombre(s)
- Descripción de los heridos
- Descripción del accidente
- Tipo de ayuda ofrecida
- ¿Cuándo y dónde ocurrió?
- Otra información

**2 Draft** Use the information from above to prepare a report for your school. Decide which information is important and in what order it should be presented.

**3 Revise** Read through your report and check for spelling, correct verb usage, and vocabulary. Share your report with a partner, who will check the following:

- Is the report easy to understand?
- Is the information about the accident retold in a clear, logical order?
- Is there anything that you could add to give more information or change to make it clearer?
- Are there any errors?

**4 Publish** Rewrite your report making any necessary changes or corrections. Give a copy to your teacher or put one in your portfolio.

**5 Evaluation** Your teacher may give you a rubric for how the paragraph will be graded. You will probably be graded on:

- amount of information presented
- clear and sequential retelling of information about the accident
- correct use of the past tense to retell the information

**Estrategia**

**Taking notes**
When you are retelling information for a report, it is helpful to jot down key details to include in the report. When you write the report, you build the narrative around retelling the facts.

# En busca de la verdad

## Episodio 6

"Déjelo en mis manos. Y no hable con nadie".

## Antes de ver el video

"Cuando Federico y yo entramos en el ejército, abrimos cuentas en este banco, el Banco de la Frontera, en San Antonio".

**Nota cultural** Cada 15 de septiembre, a medianoche, los mexicanos se reúnen en ciudades y pueblos para conmemorar su independencia de España y recordar a sus héroes nacionales. Todos los mexicanos saben de memoria los famosos "vivas": "¡Vivan los héroes que nos dieron Patria y Libertad! ¡Viva Miguel Hidalgo! ¡Viva Allende! ¡Viva la Independencia de México! ¡Viva México! ¡Viva México! ¡Viva México!"

## Resumen del episodio

Roberto empieza a buscar la verdad sobre su abuelo. Él y Linda van a Dolores Hidalgo para hablar con Chato Montesinos. Allí descubren otra pista sobre el misterio del abuelo. El episodio termina con una llamada misteriosa.

**Palabras para comprender**

**movimiento** movement

**Yo he estado varias veces.** I have been many times.

**nadie ha visto** nobody has seen

**Se casó.** He / She got married.

**nieto** grandson

**desapareció** disappeared

**ejército** army

**cuenta de banco** bank account

# Después de ver el video

## ¿Comprendiste?

**A.** Decide cuáles de las siguientes frases son ciertas y cuáles son falsas:

1. Roberto obtiene la dirección de Chato Montesinos en San Miguel de Allende.
2. Linda va con Roberto a Dolores Hidalgo.
3. Cuando llegan a Dolores Hidalgo, Roberto y Linda compran un pastel.
4. Linda no sabe quién era el padre Hidalgo.
5. Roberto conoce bastante bien Dolores Hidalgo.
6. Chato Montesinos sabe dónde está Federico Zúñiga.
7. Después de visitar a Chato Montesinos, Roberto llama a una agencia de viajes en San Antonio.
8. Federico Zúñiga y Chato Montesinos se fueron juntos para México.
9. Roberto llama al Banco de la Frontera para obtener información sobre su abuelo Federico Zúñiga.

**B.** Contesta las siguientes preguntas.

1. Escribe un resumen de todo lo que Roberto sabe hasta ahora sobre su abuelo.
2. Haz una predicción. ¿Quién es el hombre misterioso? ¿Dónde está? ¿Por qué tiene tanto interés en el abuelo de Roberto? Lee tus predicciones y discútelas con el resto de la clase. Tu profesor(a) va a guardar las predicciones hasta el final del video. Entonces vas a saber si estabas cerca de la verdad.

realidades.com
• Web Code: jdd-0209

# Repaso del capítulo

## Vocabulario y gramática

jdd-0599

**Chapter Review**

To prepare for the test, check to see if you . . .
- know the new vocabulary and grammar
- can perform the tasks on p. 289

### to talk about treatments for medical conditions

| | |
|---|---|
| doler (o → ue) | to hurt |
| el dolor | pain |
| el enfermero, la enfermera | nurse |
| examinar | to examine, to check |
| la inyección, pl. las inyecciones | injection, shot |
| poner una inyección | to give an injection |
| la medicina | medicine |
| las muletas | crutches |
| las pastillas | pills |
| las puntadas | stitches |
| dar puntadas | to stitch (surgically) |
| la radiografía | X-ray |
| sacar una radiografía | to take an X-ray |
| la receta | prescription |
| recetar | to prescribe |
| roto, -a | broken |
| la sala de emergencia | emergency room |
| la sangre | blood |
| la silla de ruedas | wheelchair |
| la venda | bandage |
| el yeso | cast |

### to explain how an accident occurred

| | |
|---|---|
| el accidente | accident |
| la ambulancia | ambulance |
| caerse | to fall |
| me caigo | I fall |
| te caes | you fall |
| se cayó | he / she fell |
| se cayeron | they / you fell |
| chocar con | to crash into, to collide with |
| cortarse | to cut oneself |
| lastimarse | to hurt oneself |
| ¿Qué te pasó? | What happened to you? |
| romperse | to break, to tear |
| torcerse (o → ue) | to twist, to sprain |
| tropezar (e → ie) (con) | to trip (over) |

### to name parts of the body

| | |
|---|---|
| el codo | elbow |
| el cuello | neck |
| la espalda | back |
| el hombro | shoulder |
| el hueso | bone |
| la muñeca | wrist |
| el músculo | muscle |
| la rodilla | knee |
| el tobillo | ankle |

### other useful words and expressions

| | |
|---|---|
| moverse (o → ue) | to move |
| pobrecito, -a | poor thing |
| ¡Qué lástima! | What a shame! |
| sentirse (e → ie) | to feel |

### preterite of venir

| | |
|---|---|
| vine | vinimos |
| viniste | vinisteis |
| vino | vinieron |

### preterite of decir and traer

| | | | |
|---|---|---|---|
| dije | traje | dijimos | trajimos |
| dijiste | trajiste | dijisteis | trajisteis |
| dijo | trajo | dijeron | trajeron |

### preterite of poner

| | |
|---|---|
| puse | pusimos |
| pusiste | pusisteis |
| puso | pusieron |

### imperfect progressive tense

Use the imperfect-tense forms of *estar* + the present participle to say that something was taking place over a period of time in the past.

### present participles:

| -ar | stem + -ando → caminando |
|---|---|
| -er | stem + -iendo → corriendo |
| -ir | stem + -iendo → escribiendo |

For *Vocabulario adicional,* see pp. 498–499.

## Más práctica

- **Core** Puzzle p. 109, Organizer p. 110
- **Communication** Practice Test pp. 253–255, Integrated Performance Assessment p. 252

**realidades.com** ✔

- Tutorial
- Flashcards
- Puzzles
- Self-test
- Web Code: jdd-0517

# Preparación para el examen

| On the exam you will be asked to . . . | Here are practice tasks similar to those you will find on the exam . . . | If you need review . . . |
|---|---|---|

## Interpretive

jdd-0599

🔊 **1 Escuchar** Listen and understand as someone talks about what has happened at an accident

Listen as a 911 operator takes a call from someone who is at the scene of an accident. See if you can understand: (a) what the victim was doing before the accident occurred; (b) what caused the accident; and (c) what the injury appears to be.

**pp. 266–269** *Vocabulario en contexto*
**p. 270** Actividad 5
**p. 274** Actividad 12

## Interpersonal

**2 Hablar** Ask and answer questions about how someone was injured

You would like to get some training in emergency room questioning techniques. With a partner, practice what you learned by role-playing a situation in which one person asks: (a) what time the patient came to the emergency room and how he / she got there; (b) what caused the injury; and (c) what the person was doing at the time of the injury. Then switch roles.

**p. 270** Actividad 6
**p. 271** Actividad 8
**p. 272** Actividad 9
**p. 273** Actividad 10
**p. 275** Actividad 15
**p. 278** Actividad 20
**p. 281** Actividad 26

## Interpretive

📖 **3 Leer** Read and understand an account of an accident

In the newspaper, you see an account of an accident. See if you can understand what happened, as well as what medical treatment the victims received.

*Ayer, dos niños se chocaron cuando estaban montando en bicicleta en la calle Suárez. La ambulancia llegó rápidamente para llevarlos a la sala de emergencia. Los paramédicos dijeron que uno de los niños tenía la muñeca rota y el otro necesitaba diez puntadas en la rodilla.*

**pp. 266–269** *Vocabulario en contexto*
**p. 270** Actividad 4
**p. 275** Actividad 13
**p. 279** Actividad 21
**p. 280** Actividad 23
**pp. 282–283** *Lectura*

## Presentational

✏️ **4 Escribir** Write an account of what medical treatment was given to injured people

Several children that you were supervising were injured on the playground and you took them to the emergency room. Write a summary, in Spanish, describing the medical treatment each child received.

**p. 270** Actividad 4
**p. 274** Actividad 12
**p. 275** Actividades 13, 15
**p. 285** *Presentación escrita*

## Cultures

🌐 **5 Pensar** Demonstrate an understanding of emergency medical services in different countries

Imagine that you've been injured. Where would you go? How would you get there? What type of emergency medical services are available in your community? How are they similar to or different from those in Spanish-speaking countries?

**p. 271** *Fondo cultural*
**p. 278** *Fondo cultural*
**pp. 282–283** *Lectura*
**p. 284** *Perspectivas del mundo hispano*

# Vocabulario  Repaso

### la televisión

el canal
la comedia
el drama
el programa de
    concursos
el programa de
    dibujos animados
el programa deportivo
el programa educativo
el programa de
    entrevistas
el programa de la
    vida real
el programa de
    noticias
el programa musical
la telenovela
¿Qué clase de . . . ?

### el cine

el actor
la actriz, *pl.* las actrices
dar
durar
la película de ciencia
    ficción
la película de horror
la película policíaca
la película romántica

### opiniones

cómico, -a
emocionante
fascinante
infantil
interesante
realista
tonto, -a
triste
violento, -a

## 1 Los programas que te gustan

**Escribir • Hablar**

**1** Piensa en cuatro programas de televisión o películas que te gustan. Haz una copia de la tabla en una hoja de papel y úsala para describir los programas.

| programa / película | descripción | canal/cine | actor / actriz |
|---|---|---|---|
| *Planeta de los animales* | un programa educativo fascinante | canal 14 | Ramón Fernández |

**2** Trabaja con otro(a) estudiante. Lee sólo la descripción de un programa o película en tu tabla. Tu compañero(a) va a hacerte dos preguntas para identificarlo.

**Modelo**

**A** —*Es un programa educativo fascinante.*
**B** —*¿En qué canal / cine lo (la) dan?*
**o:** —*¿Quiénes son los actores principales?*

# Gramática _Repaso_

## Verbs like _gustar_

You already know several verbs that are always used with indirect objects:

| | |
|---|---|
| **encantar** | _to love, to delight_ |
| **gustar** | _to be pleasing_ |
| **importar** | _to be important_ |
| **interesar** | _to interest_ |

These verbs all use a similar construction: indirect object pronoun + verb + subject.

**Me gusta** el béisbol.

Literally: _Baseball **is pleasing to me**._

The two forms of these verbs that are most commonly used are the _Ud. / él / ella_ and _Uds. / ellos / ellas_ forms.

**¿Te interesan** los deportes?

Literally: _Are sports **interesting to you?**_

Remember that, in the sentences above, the subjects are _béisbol_ and _deportes,_ and _me_ and _te_ are indirect object pronouns.

---

## 2 Tu programa favorito

**Hablar**

¿Cuál es tu programa de televisión favorito? Pregúntale a otro(a) estudiante sus opiniones usando las palabras del recuadro.

### Modelo

_gustar / las telenovelas_
**A** —_¿Te gustan las telenovelas?_
**B** —_Sí, me encantan._

| | |
|---|---|
| encantar | los programas educativos |
| gustar | los programas de la vida real |
| interesar | las telenovelas |
| la comedia | |
| el drama | |
| los programas de dibujos animados | |

## 3 Expresa tu opinión

**Escribir • Hablar**

¿Qué piensas del cine? Usa la lista de actividades y el verbo _importar_ o _interesar_ para expresar tu opinión.

### Modelo

las comedias
_A mí me interesan las comedias._
**o:**   _No me interesan las comedias; me aburren._

1. las películas de ciencia ficción
2. las películas de horror
3. las películas policíacas
4. las películas románticas
5. el drama
6. las películas realistas

### Más práctica

- **Guided** pp. 199–200
- **Core** pp. 111–112
- _Real._ **para hispanohablantes** p. 210

- Leveled Workbook
- Web Code: jdd-0601

## Fondo cultural

**España**

**Salvador Dalí**  Salvador Felipe Jacinto Dalí (1904–1989) nació en la provincia de Cataluña, España, cerca de Barcelona. Dalí estudió pintura y experimentó con varios estilos. Después de la Guerra Civil Española *(Spanish Civil War)*, Dalí vivió en los Estados Unidos por unos años. Este cuadro es titulado "El futbolista".

• ¿Qué tipo de fútbol crees que juegan en este cuadro? ¿Por qué? ¿Hay elementos del cuadro que crees que son típicos de España? ¿En qué otros países crees que el cuadro puede estar situado?

"El futbolista" (1973), Salvador Dalí  ▶

Lithograph on zinc, 19 x 24 in. © 2009 Salvador Dalí, Gala-Salvador Dalí
Foundation/Artists Rights Society (ARS), New York.

*El Bus* es un programa de televisión español.

# Capítulo 6A

# ¿Viste el partido en la televisión?

## Chapter Objectives

- Talk about what you saw on television
- Explain how you feel about watching television
- Understand cultural perspectives on television programs in Spanish-speaking countries

### Video Highlights

**Videocultura:** *La televisión y el cine*

**A primera vista:** *El partido final*

**GramActiva Videos:** the preterite of *-ir* stem-changing verbs; other reflexive verbs

**Videomisterio:** *En busca de la verdad,* Episodio 7

### Country Connection

As you learn to talk about television, you will make connections to these countries and places:

España
Nueva York
Indiana
Cuba
Puerto Rico
México
República Dominicana
El Salvador
Venezuela
Costa Rica
Ecuador
Colombia
Argentina
Chile

### Más práctica

- *Real.* para hispanohablantes pp. 210–211

**realidades.com**
- Fondo cultural Activity
- Video Activities
- Online Atlas
- Web Code: jde-0002

# Vocabulario en contexto

jdd-0687 🔊

los aficionados

el campeón

el tanteo

**3 2**
TOLUCA    PUEBLA

alegre

el jugador

los campeones

el público

MONTERREY **1**

PACHUCA **1**

el empate

enojada

furioso

el comentario

el entrenador

aburrirse

los atletas

66 Los aficionados del equipo de Toluca se pusieron **alegres** y muy **emocionados** cuando su equipo ganó **el campeonato** de **la Liga** Mexicana **por tercera vez.** El equipo de Puebla **perdió** el partido final con un tanteo de 3 a 2. **La competencia** entre estos dos equipos siempre **resulta** muy intensa.

El partido entre Monterrey y Pachuca terminó en un empate, 1 a 1. **Al final** del partido el entrenador de Monterrey dijo: 'Pareció que nos aburrimos y **nos dormimos** mientras jugábamos. Tenemos que **competir** con más emoción. También hubo problemas entre **el público.** Los aficionados se pusieron muy **agitados. Se enojaron** y empezaron a pelearse. En mi opinión, pueden **aplaudir** y gritar, pero nunca deben **volverse locos'** 99.

## NOTICIAS

# Concurso de Carnaval ayer

**FELICIDADES** a Rosalinda Pérez Urcillo. Anoche en **el Auditorio** Nacional fue escogida Reina del Carnaval. En **el concurso de belleza** participaron 30 jóvenes talentosas, pero Rosalinda fascinó al público con su presentación de guitarra. La presentadora le entregó un cheque para pagar por su primer año de estudios en la universidad.

la reina    la presentadora

Rosalinda Pérez Urcillo, Reina del Carnaval

## 13 DE MARZO

# ¡Número uno!

**NUESTRA** comunidad tiene una ganadora en la profesora Cecilia Mendoza. La semana pasada participó y ganó en el programa de concursos "¿Quién lo sabe?" Cecilia es profesora de historia en el Colegio Andrés Bello. Como premio, Cecilia recibió un coche nuevo y el presentador del programa le entregó un cheque por **un millón de** pesos.

el presentador

¿QUIÉN LO SABE?

Cecilia Mendoza, profesora y ganadora

el premio

---

**1** **¿Cierta o falsa?** 🔊 ____ jdd-0687

**Escuchar**

En una hoja de papel, escribe los números del 1 al 8. Escucha las siguientes frases sobre las noticias deportivas de la página 294 y escribe *C* si la frase es cierta o *F* si es falsa.

### Más práctica

- **Guided** Vocab. Flash Cards pp. 201–206
- **Core** Vocab. Practice pp. 113–114
- **Communication** Writing p. 112
- *Real.* **para hispanohablantes** p. 212

**realidades.com** ✓
- Audio Activities
- Leveled Workbook
- Flashcards
- Web Code: jdd-0602

**2** **¿Cuál es el concurso?** 🔊 ____ jdd-0687

**Escuchar**

Vas a escuchar seis frases. Si la frase describe un concurso de belleza, levanta una mano. Si describe un programa de concursos, levanta las dos manos.

# El partido final

Ramón y Manolo están viendo la entrevista con un jugador de fútbol. ¿Qué sorpresa les da Claudia?

**Ramón**

**Teresa**

**Claudia**

**Manolo**

**1** **Locutor:** ¡Gol! Y con este gol **fenomenal,** el equipo de los Lobos de Madero le ganó a las Águilas del América y llegó al partido final del campeonato mexicano de fútbol.

**5** **Claudia:** Oye, Manolo, ¿a quién están entrevistando?

**Manolo:** Es Luis Campos. Claudia, esta entrevista nos interesa mucho. ¿Por qué no te vas a hablar al otro cuarto?

**Claudia:** ¡Uy! Manolo está un poco enojado. Sí . . . a ver.

**6** **Claudia:** Oigan, Teresa dice que su tío trabaja en el estadio y que si queremos podemos ir a ver el partido allí.

**7** **Claudia:** Creo que no quieren ir.

**Ramón:** ¿Ir adónde?

**Claudia:** Al estadio, a ver el partido allí.

**Manolo y Ramón:** ¿Qué?

**Claudia:** Ahora creo que quieren ir. Están gritando. Están muy alegres. **Se mueren** de emoción.

**2** **Locutor:** Hoy vamos a **entrevistar** al jugador que **metió el gol,** Luis Campos, "la Pantera". Luis, gracias por estar aquí.

**Luis:** Gracias por invitarme.

**Locutor:** Este año tuvimos un campeonato muy interesante.

**Luis:** Así es. Competimos con equipos muy buenos . . .

**3** **Claudia:** Sí, podemos ir al cine. O de compras . . . ¿Ahora? Estamos viendo la televisión. No sé, parece una **entrevista.**

**4** **Locutor:** Luis, ¿qué nos puedes decir del **último** partido que ganaron contra las Águilas?

**Luis:** Bueno, fue un partido muy duro. Ellos metieron el primer gol, pero cinco minutos después nosotros empatamos. Luego, en el segundo tiempo,* metimos dos goles más y ganamos.

*second half

**8** **Manolo:** ¡No puedo creer que vamos a ver el partido en el estadio!

**Ramón:** Vamos a divertirnos mucho.

**Claudia:** ¿Por qué no entramos ahora?

**3** **¿Comprendiste?**

**Escribir • Hablar**

1. ¿Qué están viendo Ramón y Manolo? ¿Por qué no están contentos?

2. ¿Qué hizo Luis Campos durante el partido?

3. ¿Por qué es importante el partido que los Lobos de Madero van a jugar hoy?

4. ¿A Claudia le interesa la entrevista?

5. ¿Qué quiere preguntarles Teresa?

6. ¿Cuál es la reacción de Ramón y Manolo?

**Más práctica**

- **Guided** Vocab. Check pp. 207–210
- **Core** Vocab. Practice pp. 115–116
- **Communication** Video pp. 107–108
- *Real.* **para hispanohablantes** p. 213

**realidades.com** Ⓥ

- Audio Activities
- Video Activities
- Leveled Workbook
- Flashcards
- Web Code: jdd-0603

# Vocabulario en uso

**Objectives**

- **Talk about televised sporting events and programs**
- **Discuss past televised events**
- **Express your feelings about watching television**

## 4 Un día malísimo

**Leer • Escribir**

Lee la conversación entre dos amigos que no están muy contentos con el resultado del campeonato de fútbol. Escribe las palabras apropiadas.

Un partido de fútbol entre Colombia y Bolivia

**A** —¿Viste el partido ayer en la televisión?

**B** —Sí, unos amigos míos vinieron a mi casa a verlo. Todos somos __1.__ *(atletas / aficionados)* a los Tigres y por eso __2.__ *(resultó / perdió)* ser un día malísimo.

**A** —Fue horrible, ¿no te parece? No puedo creer que los Tigres perdieron __3.__ *(el campeonato / el campeón)* por segunda vez.

**B** —Por unos minutos, pensábamos que el partido iba a terminar en un __4.__ *(empate / tanteo)* pero en los __5.__ *(últimos / primeros)* segundos el jugador de los Osos __6.__ *(metió un gol / compitió)* y ellos ganaron. Al final, el __7.__ *(tanteo / concurso)* fue 4 a 3. ¡Qué horror!

**A** —Ese jugador es un __8.__ *(atleta / entrenador)* fenomenal. Lo __9.__ *(entrevistaron / empataron)* anoche en la tele después de que le dieron el __10.__ *(tanteo / premio)* por ser el mejor jugador del partido.

**B** —Sí, vi la entrevista también. Parece ser un hombre muy bueno. Dijo que ganaron a causa de los esfuerzos *(efforts)* de todos los jugadores en el equipo y de sus __11.__ *(entrenadores / presentadores)*. También le dio las gracias a su familia y al __12.__ *(comentario / público)* que siempre lo apoyan *(support)*.

## 5 ¿Quién lo hace?

**Leer • Escribir**

Escribe la persona, el lugar o la cosa apropiada que corresponde a cada una de estas descripciones.

> **También se dice . . .**
>
> **la competencia** = la competición
> *(muchos países)*

1. La persona que mete un gol es ____.

2. La persona que da los premios en un programa de concursos es ____.

3. La persona que gana el campeonato es ____.

4. La persona que gana el concurso de belleza es ____.

5. El grupo de personas que ven una competencia o un concurso es ____.

6. La persona que les dice a los jugadores lo que deben hacer es ____.

7. El lugar donde ocurre el concurso de belleza es ____.

8. El grupo de equipos que compiten unos contra otros es ____.

## 6 La nueva reina

**Leer • Escribir**

Lee este artículo de las páginas sociales de un periódico sobre un evento muy especial. Después contesta las preguntas.

### Felicitaciones a la Señorita Centroamérica

María Isabel Fernández Melgarejo

Anoche, en todas las ciudades y pueblos de El Salvador, la gente se volvía loca. Por primera vez en la historia de esta pequeña nación, pueden proclamar que la reina del Concurso de belleza, la Señorita Centroamérica, es una joven salvadoreña. La nueva reina es María Isabel Fernández Melgarejo, nativa de Zacatecoluca, Departamento de La Paz. La señorita Melgarejo, una joven talentosa y bonita de 19 años, participó en la competencia de talento con una voz fenomenal, cantando "Mi último recuerdo eres tú". Momentos antes de anunciar a la nueva reina había un silencio increíble en el auditorio. Cuando el presentador Mario Montero anunció el nombre de la joven salvadoreña, el público comenzó a gritar y a aplaudir. Después, en una entrevista, la nueva Señorita Centroamérica habló de sus planes como reina en el año que viene: visitar a personas enfermas y heridas en los hospitales de su país.

1. ¿Qué evento ocurrió anoche? ¿Cómo resultó el evento?

2. ¿Por qué es tan especial el resultado del evento?

3. ¿Qué hizo la nueva reina en la competencia de talento?

4. ¿Quién es Mario Montero y qué hizo en el concurso?

5. ¿El público se puso alegre o agitado cuando oyó el nombre de la nueva reina? ¿Por qué?

6. ¿Qué quiere hacer la nueva reina para ayudar a los demás?

## 7 ¿Qué dices . . . ?

**Escribir • Hablar**

Imagina que no leíste bien el artículo de la Actividad 6 sobre la nueva reina. Escribe cuatro frases con información incorrecta sobre lo que ocurrió. Lee tus frases a otro(a) estudiante. Tu compañero(a) tiene que corregir (correct) tu información.

| Modelo |
| --- |
| A —*Es la segunda vez que la reina es de El Salvador, ¿no?* |
| B —*No, no tienes razón. Es la primera vez que ella es de El Salvador.* |

## 8 Escucha y escribe

**Escuchar • Escribir • Hablar**

**1** Unos jóvenes hablan de cómo se sienten cuando ven diferentes programas de televisión. Escribe las cinco frases que escuchas.

**2** Habla con otro(a) estudiante. ¿Cuál de las reacciones es más similar a la tuya? ¿Cuál es más diferente? ¿Por qué?

## 9 ¿Cuándo te sientes así?

**Escribir • Hablar**

Escribe una frase para decir en qué situaciones te sientes así *(this way)*. Lee tus frases a otro(a) estudiante para ver si se siente lo mismo.

1. me aburro
2. me enojo
3. me pongo emocionado, -a
4. me vuelvo loco, -a
5. me pongo agitado, -a
6. me pongo alegre

**Modelo**

me pongo furioso, -a

**A** —*Me pongo furiosa cuando mi hermana usa mis cosas sin mi permiso. ¿Y tú?*

**B** —*Pues, no tengo hermanos. Pero me pongo furioso cuando un amigo me miente. ¿Y tú?*

**A** —*Sí, me pongo muy furiosa cuando alguien me miente.*

Sergio García, de España, participa en un campeonato de golf.

## 10 Y tú, ¿qué dices?

**Escribir • Hablar**

1. ¿Qué clase de programa te gusta ver en la televisión, un programa de premios o un programa de entrevistas? ¿Por qué?

2. ¿Cuál es tu programa de concursos favorito? ¿Quién es el (la) presentador(a)? ¿Qué clase de premios dan?

3. ¿Quién es tu jugador(a) profesional favorito(a)? ¿Compitió recientemente en un campeonato? ¿Ganó o perdió?

4. ¿Conoces a algún (alguna) entrenador(a) profesional o de tu comunidad? ¿Con qué deportes o equipos trabaja él (ella)? ¿Cómo es?

Rafael Nadal, tenista español

## 11 La Serie del Caribe

**Leer • Hablar**

¿Eres aficionado(a) al béisbol? Lee la información y contesta las preguntas.

# Campeones del Caribe

Miguel Tejada de las Águilas de la República Dominicana compite en la Serie de Béisbol del Caribe.

Si te gusta el béisbol, la Serie de Béisbol del Caribe es una de las mejores competencias después de la Serie Mundial de las Ligas Mayores.

Equipos de México, Venezuela, la República Dominicana y Puerto Rico participan en esta serie. Cada equipo tiene cientos y hasta miles de aficionados que lo apoyan[1] durante el campeonato. La gente se reúne para disfrutar de[2] una semana del béisbol extraordinaria.

Un ejemplo de la emoción que despierta este evento fue la Serie del Caribe de 2007. En este campeonato, se jugaron doce partidos y cada equipo jugó contra los otros equipos dos veces. Hubo partidos inolvidables y participaciones increíbles de jugadores como Tony Batista, el Jugador Más Valioso (MVP). Ese año, los dominicanos terminaron como los campeones de la serie.

La primera batalla[3] comenzó con la República Dominicana y Venezuela en el partido más largo en la historia de la serie. Los dos equipos estuvieron empatados 3 a 3 por 18 entradas[4]. Al final, los dominicanos ganaron 4 a 3. Ese día los aficionados celebraron con una gran fiesta. La República Dominicana tuvo otra dramática victoria cuando volvió a ganar el tercer partido contra Puerto Rico por 12 a 0.

La República Dominicana obtuvo por décima vez el título de campeón de la serie de ese año. Los aficionados celebraron el resultado de este campeonato con cantos y bailes en las calles. Una vez más, el campeonato de la Serie del Caribe fue un gran éxito[5] y todos los aficionados quedaron contentos por ver jugar a sus equipos.

[1]support  [2]enjoy  [3]battle  [4]innings  [5]success

1. ¿Qué países compiten en la serie?
2. ¿Qué equipos jugaron en el primer partido de la serie?
3. ¿Por qué el partido entre la República Dominicana y Venezuela fue importante?
4. ¿Cuál fue el tanteo final entre la República Dominicana y Puerto Rico?
5. ¿Qué hicieron los aficionados después de los partidos?

## Fondo cultural

**El mundo hispano**

**Latinoamericanos en el béisbol** Hoy en día hay más de 200 jugadores de América Latina en las Ligas Mayores. Se dice que el béisbol caribeño "empezó" en Cuba en el año 1874, con una competencia entre dos equipos cubanos. Luego la popularidad del deporte pasó a algunos países latinoamericanos. En julio de 1895 se estableció el primer club venezolano, y en 1943 empezó la Federación Mexicana de Béisbol. El club atlético Licey, el club más antiguo de béisbol dominicano, se fundó en 1907.

• ¿Crees que el béisbol es tan popular en América Latina como en los Estados Unidos? Explica.

Francisco Rodríguez, de los Angels de Los Angeles-Anaheim

# Gramática

## Preterite of -ir stem-changing verbs

In the preterite, -ir verbs like *preferir, pedir,* and *dormir* also have stem changes but only in the *Ud./él/ella* and *Uds./ellos/ellas* forms. In these forms *e* changes to *i* and *o* changes to *u*.

Mi mamá se aburrió y **se durmió** durante la película.

Mis padres **prefirieron** ver el concurso de belleza.

En la liga **compitieron** los mejores equipos de México.

**¿Recuerdas?**

You know that stem changes in the present tense take place in all forms except *nosotros* and *vosotros*.

**preferir** *(e → ie)*
• **Prefiero** ver programas deportivos.

**pedir** *(e → i)*
• **Pedimos** los espaguetis.

**dormir** *(o → ue)*
• Los hermanos **duermen** tarde.

| preferir *(e → i)* | | pedir *(e → i)* | | dormir *(o → u)* | |
|---|---|---|---|---|---|
| preferí | preferimos | pedí | pedimos | dormí | dormimos |
| preferiste | preferisteis | pediste | pedisteis | dormiste | dormisteis |
| prefirió | prefirieron | pidió | pidieron | durmió | durmieron |

• Note the special spelling of the preterite forms of *reír: reí, reíste, rió, reímos, reísteis, rieron*

Here are other *-ir* verbs with stem changes in the preterite tense.

• Verbs like *preferir: divertirse, mentir, sentirse*

• Verbs like *pedir: competir, despedirse, repetir, seguir, servir, vestirse*

• Verbs like *dormir: morir*

• Verbs like *reír: sonreír*

**GramActiva** VIDEO

Want more help with the preterite of *-ir* stem-changing verbs? Watch the **GramActiva** video.

repetir → repitió

## 12 Ayer fue diferente ♻

**Leer • Escribir**

La familia Sánchez ve los mismos programas de televisión todos los días y tiene la misma reacción, pero ayer fue diferente. Completa las frases con las formas de los verbos en el presente y en el pretérito.

**Modelo**

*(divertirse) Pablito casi siempre se divierte cuando juega videojuegos en la tele, pero ayer no se divirtió.*

1. *(preferir)* Generalmente el Sr. Sánchez ____ ver los partidos en la tele, pero ayer ____ ver un programa de entrevistas.
2. *(sentirse)* Ayer la abuela ____ bastante triste después de ver su telenovela favorita, pero por lo general ella ____ muy entusiasmada después de verla.
3. *(dormirse)* La Sra. Sánchez casi siempre ____ durante uno de los comentarios en la tele, pero ayer no ____. Vio el comentario completo.
4. *(reírse)* A menudo los miembros de la familia ____ cuando escuchan al presentador en el programa de concursos. Ayer no ____ tanto.

**13 Los Juegos Olímpicos** _____

**Escribir**

En los Juegos Olímpicos del 2008 en Beijing, China, atletas de varios países hispanohablantes ganaron medallas. Aquí ves a algunos de los campeones y la información sobre el evento y las medallas que ganaron. Forma frases para decir en qué evento compitió cada atleta y qué medalla ganó.

Irving Saladino, de Panamá, gana la primera medalla de oro para Panamá en las Olimpíadas de Beijing en 2008.

**Modelo** _____

Irving Saladino, Panamá, salto largo, oro
*Irving Saladino compitió en el salto largo y ganó una medalla de oro.*

1. Diego Salazar, Colombia, levantamiento de pesas, plata
2. los argentinos, fútbol, oro
3. Yulis Gabriel Mercedes, República Dominicana, taekwondo, plata
4. Osmai Acosta Duarte y Yordenis Ugás, Cuba, boxeo, bronce
5. las argentinas, hockey, bronce
6. Rafael Nadal, España, tenis, oro

Tatiana Ortiz y Paola Espinosa, de México, ganan la medalla de bronce en salto *(diving)* en las Olimpíadas de Beijing en 2008.

**14 Un camarero distraído** ♻ _____

**Leer • Escribir**

Ayer Úrsula fue al restaurante Cancún con su mamá, y el camarero no les sirvió lo que pidieron. Lee su diálogo con su amigo Raúl y escribe las formas correctas de los verbos.

**Raúl:** ¿Cómo fue tu visita al restaurante ayer?

**Úrsula:** ¡Terrible! El camarero no nos __1.__ *(servir)* lo que nosotras __2.__ *(pedir)*.

**Raúl:** ¿De veras? ¿Qué __3.__ *(pedir)* Uds.?

**Úrsula:** Primero, yo __4.__ *(pedir)* una hamburguesa con queso, pero el camarero me __5.__ *(servir)* arroz con pollo.

**Raúl:** ¿Y qué pasó con tu mamá?

**Úrsula:** Ella __6.__ *(pedir)* una ensalada y una sopa. ¡Luego nuestro camarero y otro camarero también le __7.__ *(servir)* bistec con papas fritas! Mi mamá le __8.__ *(repetir)* lo que nosotras __9.__ *(pedir)*.

**Raúl:** ¿Qué hizo él?

**Úrsula:** Pues, él __10.__ *(sonreír)* y todos nosotros __11.__ *(reír)*. Pero, ¿sabes? Quizás él __12.__ *(divertirse)* anoche, pero nosotras no __13.__ *(divertirse)* mucho. No pensamos regresar a ese restaurante.

## 15 Eventos importantes en la televisión

**Leer • Escribir • Hablar**

El invento de la televisión trajo muchos eventos importantes al hogar *(home)*. Lee la información sobre las noticias transmitidas por televisión y contesta las preguntas.

**Conexiones** **Las ciencias sociales**

| 1963 | 1968 | 1969 | 1981 | 1991 | 2001 | 2006 | 2007 |
|------|------|------|------|------|------|------|------|
| El asesinato del presidente John F. Kennedy | El asesinato del líder del movimiento para los derechos civiles, Martin Luther King, Jr. | El mundo vio al astronauta Neil Armstrong caminar en la Luna. | Primera programación del canal MTV, videos de música las 24 horas al día | La Guerra del Golfo fue la primera guerra transmitida en directo por la televisión. | El ataque de terrorismo contra las Torres Gemelas en Nueva York filmado en directo por noticieros de televisión | La guerra con Irak fue transmitida en directo por la televisión. | Telemundo se convirtió en el primer canal en español que transmitió telenovelas por Internet. |

1. ¿Cuándo caminó en la Luna Neil Armstrong?

2. ¿Quién se murió en 1968?

3. ¿Qué se vio por primera vez en 1991?

4. ¿Cuál de estos eventos tuvo el mayor impacto en tu vida?

5. Piensa en una noticia importante que viste en la televisión. ¿Cómo te sentiste cuando lo viste?

6. Piensa en algún evento histórico que viste en la televisión con otras personas. ¿Cómo se sintieron?

## 16 Y tú, ¿qué dices?

**Escribir • Hablar**

1. ¿Qué viste recientemente en la televisión? ¿Los miembros de tu familia también lo vieron o prefirieron ver otro programa?

2. ¿Te dormiste recientemente cuando estabas viendo la tele? ¿Te dormiste porque estabas muy cansado(a) o porque te aburriste mucho?

### Más práctica

- **Guided** Gram. Practice pp. 211–213
- **Core** Gram. Practice p. 117
- **Communication** Writing p. 113, Test Prep p. 256
- ***Real.* para hispanohablantes** pp. 214–217, 220

**realidades.com**

- Audio Activities
- Video Activities
- Speak & Record
- Animated Verbs
- Tutorial
- Leveled Workbook
- Web Code: jdd-0604

# Gramática

**¿Recuerdas?**

You know that you use reflexive verbs to say that people do something to or for themselves.

• Felipe **se afeitaba** mientras yo **me cepillaba** los dientes.

## Other reflexive verbs

Other reflexive verbs use reflexive pronouns and verb forms but do not have the meaning of a person doing an action to or for himself or herself. These reflexive verbs often describe a change in mental, emotional, or physical state, and can express the idea that someone "gets" or "becomes."

Examples of these verbs are:

| | | | |
|---|---|---|---|
| **aburrirse** | to get bored | **enojarse** | to become angry |
| **casarse** | to get married | **ponerse** | to become |
| **divertirse** | to have fun | **(furioso, -a; alegre; . . . )** | (furious, happy, . . . ) |
| **dormirse** | to fall asleep | **volverse loco, -a** | to go crazy |

**Se durmieron** durante la película.

**Se puso alegre** después de ganar.

**GramActiva** VIDEO

Want more help with other reflexive verbs? Watch the **GramActiva** video.

Se aburre.

## 17 En la casa de mi novia

**Leer • Escribir**

A Lorenzo le gusta ir a la casa de su novia, pero ¡no es nada divertido ver la tele con sus padres! Completa su descripción con las formas apropiadas de *aburrirse, divertirse, dormirse* y *ponerse*.

No me gusta ver la tele con los padres de mi novia. Les gusta ver los programas educativos. No me gustan estos programas y __1.__ viéndolos. Y lo malo es que su papá casi siempre __2.__ durante los programas y nunca los ve hasta el final. Pero si yo quiero ver otra cosa y cambio (*I change*) de canales, él siempre se despierta. Entonces __3.__ un poco agitado porque su programa no está en la pantalla. Ellos también __4.__ viendo los programas de concursos que a mí me parecen muy tontos. Su mamá __5.__ emocionada cuando sabe la respuesta correcta o el precio correcto de algún objeto. Me encanta visitar a mi novia pero si veo la tele, __6.__ más cuando estoy en mi propia casa.

"Operación Triunfo", un programa de concursos de España

## 18 Los programas

**Hablar**

¿Cómo te sientes cuando ves cada clase de programa? Con otro(a) estudiante, pregunta y contesta según el modelo.

**Modelo**

**A** —¿Qué piensas de <u>los programas deportivos</u>?

**B** —Creo que son muy <u>divertidos</u>. Me pongo <u>emocionado(a)</u> cuando los veo.

**Estudiante A**

1.
2.
3.
4.
5.
6.

**Estudiante B**

aburrirse    ponerse agitado, -a
divertirse         alegre
dormirse        emocionado, -a
                 enojado, -a
                 furioso, -a

**¡Respuesta personal!**

## 19 Un empate

**Hablar • Escribir**

¿Qué pasó cuando el partido resultó en un empate? ¿Cómo estuvieron los aficionados? Trabaja con otro(a) estudiante para describirlos. Usa los verbos de la Actividad 18. Luego imagina que tú estabas en el estadio durante el partido. ¿Cómo te sentiste tú cuando el partido resultó en un empate?

**Modelo**

David

**A** —¿Cómo estuvo David durante el partido?

**B** —Se puso agitado.

LOS LEONES 2
LOS JAGUARES 2

Guillermo
David
José
Pepe y Luisa
Paco
Juanita y su hija
Ramón
Carlota y Miguel

**20** Y tú, ¿qué dices?

**Escribir · Hablar**

Escoge un verbo del recuadro y escribe tres o cuatro frases describiendo cuándo y por qué te sentiste así.

| Modelo |

*Mis amigos y yo queríamos ir al cine el sábado a ver una nueva película. Mi mamá me dijo que tenía que ir con mi familia a la casa de mis tíos. Me puse furioso.*

| | |
|---|---|
| aburrirse | ponerse agitado, -a |
| divertirse | alegre |
| enojarse | emocionado, -a |
| | furioso, -a |

**¿Recuerdas?**

Remember that when telling a story in the past, the preterite tense describes actions that began and ended at a specific time. The imperfect tense, however . . .

• provides background information such as time and weather conditions.

• describes the existing physical, mental, and emotional states of a person or thing.

• says what was happening when something else took place.

**21** Las pantallas

**Escribir · Hablar**

Mira el cuadro de Mariano Sapia, un artista argentino. Luego contesta las preguntas.

**1.** En "Pantallas", ¿dónde está la gente?

**2.** ¿Qué hace la gente? ¿Qué ve en los televisores? ¿Hay una diferencia entre los televisores y las ventanas de las tiendas?

**3.** ¿Por qué crees que tanta gente mira la cancha de fútbol donde nadie juega y tan poca gente mira el otro televisor? ¿Cómo piensas que se siente la gente?

"Pantallas" (2002), Mariano Sapia
Oil on canvas, 120 x 170 cm. Photo courtesy of Praxis International Art, New York.

**El español en la comunidad**

La cadena de televisión número uno en Nueva York, Los Ángeles y Chicago para ver las noticias entre adultos de 18 a 34 años no es ni ABC, ni CBS, ni NBC, ni Fox, ni CNN. Es Univisión, la cadena en español más grande y más vista de los Estados Unidos. Muchos profesores de español en los Estados Unidos recomiendan Univisión para sus estudiantes.

• ¿Tienes canal de Univisión en tu comunidad? ¿Por qué puede ser bueno ver algunos programas en Univisión?

## Pronunciación

### Regional variations of *ll / y* and *c / z* jdd-0688

The majority of Spanish speakers do not distinguish between *ll* and *y*, pronouncing both like *y* in the English word *yes*. Listen to and say these words and sentences as the majority of Spanish speakers would:

rodilla    joyas    cepillo    rayas

llamar    sellos

Tiene que llevar un yeso.

La calle está cerca de la playa.

Note, however, that the pronunciation of *ll* and *y* varies around the Spanish-speaking world. In Argentina and Uruguay, *ll* and *y* are pronounced like the *s* in the English word *measure.* In other countries, the *ll* is pronounced with a hint of an *l,* much like the English word *million,* but a bit softer.

Listen to and say the words and sentences above again, first as a speaker from Argentina or Uruguay would pronounce them, and then as many other Spanish speakers would.

Enjoy this children's riddle from Mexico:

> **A ver tú chiquitillo,
> cara de pillo,
> si sabes contestar.
> Es muy grande y muy feo
> fuerte y fiero
> y vive por el mar.**

In Latin America and parts of Spain, *c* before *e* and *i,* and *z* before a vowel are pronounced like the *s* in *sink.* In some parts of Spain, however, these letters are pronounced like the *th* in *think.*

Listen to and say the following words as most Spaniards would pronounce them:

cierto  dice  bronce  ciclismo  concierto

belleza  abrazo  azúcar  buzón  comenzar

**¡Compruébalo!** Try this tongue twister about a cat:

> **Gato cenizoso,
> sal de ceniza
> descenizósate, gato.**

---

### Fondo cultural

España

**Concursomanía** En España, durante los últimos años, se han estrenado *(have premiered)* muchos programas de concursos donde los participantes compiten contestando preguntas de cultura general. Programas como "Pasapalabra" o "Saber y ganar" son divertidos y dan muchos premios como dinero, coches y viajes. Recientemente, los concursos de supervivencia *(survival)* están de moda. Con frecuencia, los concursantes se convierten en personajes muy populares, conocidos en todo el país.

- Compara la popularidad de los programas de concursos y de supervivencia en España y en los Estados Unidos. ¿Son similares estos programas o son diferentes?

Participantes en el programa "Gran Hermano", en España

**22** Juego

**Escribir • Hablar • GramActiva**

**1** Trabaja con un grupo de tres. En pequeñas hojas de papel o tarjetas, escriban palabras que conocen de este capítulo y otros capítulos que pueden usar para contar lo que pasó en los dibujos.

**2** Pongan todas las tarjetas en un grupo boca abajo *(facedown)*. Un(a) estudiante toma una tarjeta y forma una frase usando la palabra para contar lo que pasó.

| Modelo |

*Los aficionados se pusieron muy alegres.*

el tanteo

alegres

los aficionados

**23** El cuento

**Escribir • Hablar**

Usen las ideas de la Actividad 22 y preparen el cuento de lo que pasó en las ilustraciones. Vean la nota *¿Recuerdas?* en la página 307 para recordar cómo usar el pretérito y el imperfecto juntos en un cuento. Presenten su cuento a otro grupo, a su profesor(a) o a la clase.

**Más práctica**

- **Guided** Gram. Practice pp. 214–215
- **Core** Gram. Practice pp. 118–119
- **Communication** Writing p. 114
- *Real.* **para hispanohablantes** pp. 218–219, 221

**realidades.com** ▼

- Audio Activities
- Video Activities
- Speak & Record
- Canción de hip hop
- Leveled Workbook
- Web Code: jdd-0605

# Lectura

# Los Juegos Panamericanos

Atletas en la ceremonia de inauguración en Winnipeg, Canadá

## Estrategia

**Using prior knowledge**
When reading a text in Spanish, use your knowledge of the subject in English to help you understand the context of the reading. The following piece is about the Pan-American Games, an event similar to the Summer Olympics. What would you expect to find in a reading about a major sporting event?

LOS JUEGOS PANAMERICANOS se establecieron para promover la comprensión entre las naciones del continente americano. Los primeros Juegos se inauguraron el 25 de febrero de 1951 en Buenos Aires, con 2,513 atletas de 22 países. El lema[1] de los Juegos —"América, Espirito, Sport, Fraternité"— incorpora cuatro de los idiomas más importantes de las Américas: el español, el portugués, el inglés y el francés. Todos los países de las Américas pueden mandar atletas a competir. Aproximadamente el 80 por ciento de los deportes de los Juegos Panamericanos se juegan en las Olimpíadas. Los Juegos Panamericanos se celebran cada cuatro años durante el verano previo a los Juegos Olímpicos.

**EL LOGOTIPO** de los Juegos Panamericanos de Guadalajara 2011 es una llama de fuego *(flame)* que representa a las Américas y al deporte olímpico. Tiene cuatro colores: tres corresponden a los colores de los aros *(rings)* olímpicos y el magenta hace referencia a México.

[1] motto

# LOGOS Y MASCOTAS

Para conmemorar los Juegos Panamericanos, cada cuatro años el país anfitrión[3] crea una mascota que representa algo histórico o cultural del país.

### La Habana, Cuba, 1991
**Tocopan**—El nombre de la mascota oficial de los Juegos Panamericanos en la Habana proviene de la combinación de la palabra Tocororo (considerado el ave nacional de Cuba por poseer los colores de la bandera nacional) con la palabra *Panamericanos*.

### Mar del Plata, Argentina, 1995
**Lobi**—El león marino es un habitante tradicional del mar cerca de la ciudad de Mar del Plata. Sonriendo con brazos abiertos, Lobi da cordiales saludos de bienvenida a la familia panamericana.

### Santo Domingo, República Dominicana, 2003
**Tito**—El manatí es una especie en peligro de extinción. Tito, la mascota, simboliza el deseo que tienen los dominicanos de proteger su medio ambiente.

### Río de Janeiro, Brasil, 2007
**Cauê**—Ésta no es una mascota típica porque no es un animal. Es un sol que representa el clima tropical de Brasil y la idea de que todos pueden participar en los deportes. Más de un millón de brasileños votaron para seleccionar el nombre "Cauê".

## JEFFERSON PÉREZ: UN HÉROE NACIONAL

En el año 1995, el ecuatoriano Jefferson Pérez ganó la medalla de oro en la marcha[4] de 20 km durante los Juegos Panamericanos de Mar del Plata, Argentina. Se convirtió en un héroe nacional de Ecuador cuando ganó otra vez la medalla de oro en 1996, en Atlanta, Estados Unidos, durante los Juegos Olímpicos. Fue la primera vez que un atleta de Ecuador ganó una medalla de oro en las Olimpíadas. Además de esta importante victoria, Pérez ganó tres medallas de oro en los Juegos Panamericanos de Mar del Plata 1995, Santo Domingo 2003 y Río de Janeiro 2007, y una de plata en los Juegos Olímpicos de Beijing 2008. Jefferson Pérez vino de un barrio muy pobre de Cuenca, Ecuador, y llegó a ser un símbolo de lo que uno puede alcanzar[5] con mucho trabajo y esfuerzo.

Jefferson Pérez ganó otra vez la medalla de oro en los Juegos Panamericanos en 2007.

La bandera de Ecuador

[3]host country  [4]speed walking  [5]accomplish

## ¿Comprendiste?

1. ¿Cómo representan el lema y el símbolo de los Juegos Panamericanos los diferentes países del continente?

2. ¿Por qué son importantes los Juegos Panamericanos para un(a) atleta que quiere competir en las Olimpíadas?

3. ¿Qué representan las mascotas de los Juegos? ¿Qué representa el manatí?

4. ¿Por qué llegó a ser un héroe nacional Jefferson Pérez?

## Y tú, ¿qué dices?

1. ¿Crees que un(a) atleta puede ser un(a) héroe (heroína) nacional? ¿Por qué?

2. Tienes que crear una mascota y un cartel para una celebración para unos juegos deportivos internacionales en tu comunidad. ¿Qué pones en el cartel? ¿Cómo es la mascota?

### Más práctica

- **Guided** Reading Support p. 216
- **Communication** Writing p. 115, Test Prep p. 257
- *Real.* **para hispanohablantes** pp. 222–223

realidades.com
- Internet Activity
- Leveled Workbook

# La cultura en vivo
## La guía de la tele

¿Sabías que las guías (*guides*) de televisión son las revistas más leídas en muchos países hispanohablantes? A la gente le gusta informarse de lo que hay en la televisión y por eso consulta las guías. Muchos periódicos publican la programación en sus ediciones diarias y, los fines de semana, publican una guía para toda la semana.

Preparar una buena programación no es fácil. La programación debe tener variedad e interés para muchas personas. Tiene que ser divertida, ofrecer noticias informativas y tener programas culturales también.

El presentador de un programa de noticias de Telemundo, *Noticiero Telemundo*.

### Objetivo

Hacer una guía de programas de televisión

### Materiales

• papel, marcadores y lápices de colores

### Instrucciones

Formen grupos de dos o tres estudiantes.

1 Van a planear la programación en un canal para un día de la semana desde las cuatro de la tarde hasta medianoche.

2 Escojan la clase de programas que quieren ofrecer (informativos, culturales, cine, concursos, deportivos y más) y las horas en que se dan. ¡Cuidado! En los países hispanohablantes se usa un horario de programación de 24 horas. ¡No se olviden de dar un nombre a cada programa!

3 Preparen la guía. Usen colores diferentes para las diferentes clases de programas.

4 Al final de la guía, escriban una recomendación para el mejor programa del día.

### Programación de televisión para el martes

| HORA | Canal 2 | Canal 3 | Canal 4 | Canal 7 |
|---|---|---|---|---|
| 06:30 | Noticias | El tiempo | Dibujos animados | Música |
| 07:00 | ¡Hagamos ejercicio! | Programa escolar | Mundo animal | |
| 07:30 | Grandes viajes | | | Actualidad deportiva |
| 08:00 | | | | El tiempo |
| 08:30 | La buena cocina | Las aventuras de Simón | Tú y yo | Pueblos de América |
| 09:00 | Noticias | | | |
| 09:30 | Cine clásico | Medicina y salud | Fútbol mundial | Película |
| 10:00 | | | | |
| 10:30 | | Siglo XXI | | |
| 11:00 | | | | Vida en el mar |
| 11:30 | Telenovela | Película infantil | Noticias | |
| 12:00 | | | | |

# Presentación oral
## Un programa de televisión

**Task**
Choose your favorite television program and prepare a review of it to present to your class.

**1 Prepare** Look at a TV guide and find a program you like to watch and other people might like to watch as well. What essential facts would your listeners need to know in order to decide which TV show to watch? Make a list and then fill in the facts about the program you have chosen. Include the following:

- nombre del programa
- descripción
- día, hora y canal
- para quién (niños, adolescentes, mayores o todos)
- actores / presentadores
- lo que ocurrió en un episodio reciente
- un adjetivo que describe el programa
- cómo te sentiste cuando viste el programa
- por qué te gustó o no te gustó

**2 Practice** Go through your presentation several times. You can use your notes in practice, but not when you present. Try to:

- present a persuasive and interesting review
- provide all the information on the program
- use complete sentences and speak clearly

**Modelo**

*Mi programa de televisión favorito es* Survivor. *Lo dan en el canal seis a las nueve de la noche los jueves . . .*

**3 Present** Make your presentation about the TV program.

**4 Evaluation** Your teacher may give you a rubric for how the presentation will be graded. You will probably be graded on:

- how persuasive your review is
- how much information you communicate
- how easy it is to understand you

**Estrategia**

**Note-taking**
Taking notes can help you prepare for an oral or written presentation. As you watch the show you are reviewing, take notes to help you remember details. What do you like about the show? What happens in the particular episode?

realidades.com ⓥ
• Speak & Record

# En busca de la verdad

## Episodio 7

## Antes de ver el video

"Señor, no podemos darle tal información".

"Papá, creo que tengo una pista para saber lo que pasó con el abuelo".

**Nota cultural** La palabra "estudiantina" se usa para hablar de un grupo musical de estudiantes universitarios. Su origen es muy antiguo, y viene de los músicos cantores llamados trovadores. Los trovadores cantaban en las calles, y hoy las estudiantinas cantan en los parques y en las plazas. En México hay más de 200 estudiantinas. Algunas se presentan en Guanajuato durante el festival de teatro que se celebra todos los años.

## Resumen del episodio

Roberto, Linda y Julio pasan el día paseando por Guanajuato. Por la tarde, Roberto y Linda van al Jardín de la Unión y escuchan una estudiantina. Al día siguiente, Roberto habla con la familia de lo que sabe sobre el abuelo. El misterioso hombre del episodio anterior llega a Guanajuato.

**Palabras para comprender**
**mensaje** message
**si me permites** if you allow me
**a eso de las 9** around 9 o'clock
**Están de acuerdo.** They agree.
**pasado** past
**pronto** soon
**pista** clue

# Después de ver el video

## ¿Comprendiste?

**A.** Escoge la palabra correcta entre paréntesis y di quién dice cada frase. (Roberto, Linda, Julio o Tomás Toledo)

a. "No olvides el de Diego Rivera. Fue su _____ casa". (última / primera / bella)

b. "Luego Julio tuvo que _____". (acostarse / irse / salir)

c. "¿Quieres comer o _____ algo mientras esperamos?" (jugar / tomar / ponerte)

d. "El abuelo _____ una cuenta en un banco de los Estados Unidos". (cambió / cerró / abrió)

e. "Por eso en el Banco de San Antonio estaban _____". (confundidos / bravos / asustados)

f. "Hijo, a veces es mejor no tocar el _____". (teléfono / dolor / pasado)

**B.** Habla de los planes de Roberto. ¿Adónde va a ir para seguir las pistas? ¿Con quién? ¿Qué quiere el hombre misterioso?

**Nota cultural** El Jardín de la Unión es el parque más importante de Guanajuato. Está sembrado de árboles llamados *Laureles de la India* y tiene la forma de un triángulo. Por eso los habitantes de la ciudad llaman este parque "pedazo de queso". Allí hay un quiosco donde toca la banda del estado. Los parques y las plazas siempre han sido lugares de reunión para los mexicanos. Son espacios públicos que todos pueden disfrutar.

"¡Tú vas con nosotras!"

realidades.com

• Web Code: jdd-0209

# Repaso del capítulo

## Vocabulario y gramática 🔊

jdd-0689

**Chapter Review**

To prepare for the test, check to see if you . . .

- know the new vocabulary and grammar
- can perform the tasks on p. 317

### to talk about a sporting event

| | |
|---|---|
| el aficionado la aficionada | fan |
| al final | at the end |
| aplaudir | to applaud |
| el / la atleta | athlete |
| el campeón, la campeona, *pl.* los campeones | champion |
| el campeonato | championship |
| la competencia | competition |
| competir (e → i) | to compete |
| el empate | tie |
| el entrenador, la entrenadora | coach, trainer |
| fenomenal | phenomenal |
| el jugador, la jugadora | player |
| la liga | league |
| meter un gol | to score a goal |
| perder (e → ie) | to lose |
| por . . . vez | for the . . . time |
| resultar | to result, to turn out |
| el tanteo | score |
| último, -a | last, final |

### to talk about a contest

| | |
|---|---|
| el auditorio | auditorium |
| el comentario | commentary |
| el concurso de belleza | beauty contest |
| la entrevista | interview |
| entrevistar | to interview |
| un millón de / millones de | a million / millions of |
| el premio | prize |
| el presentador, la presentadora | presenter |
| el público | audience |
| la reina | queen |

For *Vocabulario adicional,* see pp. 498–499.

### to talk about how you feel

| | |
|---|---|
| aburrirse | to get bored |
| agitado, -a | agitated |
| alegre | happy |
| emocionado, -a | excited, emotional |
| enojado, -a | angry |
| enojarse | to get angry |
| furioso, -a | furious |
| ponerse + adjective | to become |
| volverse (o → ue) loco, -a | to go crazy |

### other useful words

| | |
|---|---|
| dormirse (o → ue, o → u) | to fall asleep |
| morirse (o → ue, o → u) | to die |

### preterite of *-ir* stem-changing verbs
**preferir**

| | |
|---|---|
| preferí | preferimos |
| preferiste | preferisteis |
| prefirió | prefirieron |

**pedir**

| | |
|---|---|
| pedí | pedimos |
| pediste | pedisteis |
| pidió | pidieron |

**dormir**

| | |
|---|---|
| dormí | dormimos |
| dormiste | dormisteis |
| durmió | durmieron |

**Más práctica**

● **Core** Puzzle p. 120, Organizer p. 121
● **Communication** Integrated
  Performance Assessment p. 258

**realidades.com** Ⓥ

• Tutorial
• Flashcards
• Puzzles
• Self-test
• Web Code: jdd-0608

# Preparación para el examen

| On the exam you will be asked to . . . | Here are practice tasks similar to those you will find on the exam . . . | If you need review . . . |
|---|---|---|

## Interpretive

jdd-0689

**1 Escuchar** Listen and understand as people talk about a television program they saw

Listen as people talk about an awards show they saw on television. Try to identify their reactions to this type of show. Did they become angry? Emotional? Excited? Bored? Nervous?

**pp. 294–297** *Vocabulario en contexto*
**p. 300** Actividades 8–9

## Interpersonal

**2 Hablar** Talk about a recent television program you saw and describe your reactions to it

As part of a class project, you may be interviewed about a television program you saw. Practice what you might say by telling a partner: (a) what type of program you saw; (b) when you saw it; (c) how you reacted to the program.

**p. 300** Actividad 10
**p. 304** Actividad 16
**p. 306** Actividad 18
**p. 313** *Presentación oral*

## Interpretive

**3 Leer** Read and understand a description of a soccer game

Your friend just returned from a trip to Spain. He brought a newspaper clipping from a soccer game he saw. As you read, see if you can understand what happened.

**pp. 294–297** *Vocabulario en contexto*
**p. 298** Actividad 4
**p. 299** Actividad 6
**p. 301** Actividad 11
**pp. 310–311** *Lectura*

### MADRID CONOCE A BARCELONA

Ayer fue una competencia fenomenal. Millones de madrileños vieron el partido en la tele. En los primeros tres minutos del partido, el Real Madrid metió un gol. Treinta minutos más tarde, Morales de Barcelona también metió un gol. Un empate. Todos los aficionados se pusieron muy alegres durante el partido, pero el público se volvió loco cuando Madrid metió otro gol en los últimos dos minutos. Al final, el tanteo fue Madrid 2 y Barcelona 1.

## Presentational

**4 Escribir** Write about an occasion when you became angry

You may have heard that rather than acting out your anger, it is better to write about it to get it out of your system. Write about a recent event or situation that caused you to feel angry. Describe what happened and why you became angry.

**p. 300** Actividad 9
**p. 303** Actividad 14
**p. 306** Actividad 19
**p. 307** Actividad 20

## Cultures

**5 Pensar** Demonstrate an understanding of television shows on Spanish-speaking channels

Think about the popularity of soap operas, game shows, and sporting events on television stations in the United States. Do you think they would be popular choices on Spanish-language television stations too? Give examples from the chapter to support your answer.

**p. 308** *Fondo cultural*
**p. 312** *La cultura en vivo*

**Fondo cultural**

**México**

**El centenario del cine mexicano** se celebró en 1996, el mismo año que se emitió *(issued)* este sello, que representa a algunas de las estrellas más famosas del cine mexicano. La primera película mexicana, "El Presidente de la República paseando a caballo en el Bosque de Chapultepec", se filmó en 1896. Hoy en día, la moderna industria del cine mexicano produce películas que compiten en los premios Oscar de Hollywood.

• Imagina un sello para el centenario de la industria del cine en los Estados Unidos. ¿Qué películas se representan? ¿En qué sentido es similar al sello mexicano? ¿En qué sentido es diferente?

*Centenario del Cine en México* (1996), César Fernández de la Reguera y Patricia Mitre

# ¿Qué película has visto?

## Chapter Objectives

- Discuss movie plots and characters
- Give opinions about movies
- Talk about activities you have done
- Understand cultural perspectives on movies

### Video Highlights

**Videocultura:** *La televisión y el cine*

**A primera vista:** *El mosquito*

**GramActiva Videos:** verbs that use indirect object pronouns; the present perfect

**Videomisterio:** *En busca de la verdad,* Episodio 8

### Country Connection

As you learn about movies you will make connections to these countries and places:

España
Cuba
Puerto Rico
California
Panamá
México
Costa Rica
Argentina

## Más práctica

- *Real.* para hispanohablantes pp. 230–231

**realidades.com**
- Leveled Workbook
- Web Code: jde-0002

Los premios Goya, en Barcelona

# Vocabulario en contexto

jdd-0697

**Objectives**

Read, listen to, and understand information about
• movies
• making a movie

Tu casa - tu cine

**PELÍCULAS NUEVAS:**
Violencia en la ciudad
El amor eterno

**LUNES Y MARTES:**
Alquila dos películas por el precio de una.

2050

EL ROBO PERFECTO

robar

la ladrona

el ladrón

el crimen

los efectos especiales

el (la) extraterrestre

VIOLENCIA EN LA CIUDAD

película de acción

el detective

la detective

la víctima*

—**¿Has visto** la película *2050?* **¿Qué tal es?**

—Pues, **me fascinan** las películas de ciencia ficción, pero **no he visto** esa película **todavía. Los críticos** han escrito varios artículos sobre la película y todos la **recomiendan.** Creo que la película **será** muy popular con el público.

—Bueno. ¿Se puede alquilar ya el video o el DVD?

—No. Todavía no.

*Note that *la víctima* is always feminine.

LAS CALLES CRUELES

arrestar

capturar

el criminal

la criminal

el galán

EL AMOR ETERNO

El galán **está enamorado de** la mujer, pero ella no **se enamora de** él hasta el final de la película.

## Detrás de *En busca de la verdad*

*En busca de la verdad* tiene **un argumento** muy básico. Se trata de tres generaciones de una familia mexicana. Roberto le pregunta a su abuela dónde está su abuelo, Federico, pero nadie sabe qué le pasó. Roberto decide buscar la verdad.

los personajes principales

la directora

la escena

Dora Guzmán Trujillo, como directora, está en control de **la dirección** de la película. Roberto Castañeda **hace el papel de** Roberto. Él vive en la ciudad de Querétaro y ha participado en muchas obras de teatro. Elia González hace el papel de Linda. Ella también vive en Querétaro y hace muchos años que es actriz. A los dos jóvenes les gusta **la actuación** y desean tener **papeles** cada vez más importantes en el cine, el teatro y la televisión.

---

### 1 ¿Qué película es? 🔊
jdd-0697

**Escuchar**

Mira los carteles de las películas que hay en las páginas 320 y 321. Escucha las frases y señala el cartel de la película que corresponde a cada frase.

### 2 ¿Cuánto sabes de las películas? 🔊
jdd-0697

**Escuchar**

Escucha las frases y contesta las preguntas.

1. **a.** el personaje principal
   **b.** el director

2. **a.** la directora
   **b.** el actor

3. **a.** los extraterrestres
   **b.** los efectos especiales

4. **a.** se enamoran de ellos
   **b.** los capturan

## Más práctica

- **Guided** Vocab. Flash Cards pp. 218–222
- **Core** Vocab. Practice pp. 122–123
- **Communication** Writing p. 122
- *Real.* **para hispanohablantes** p. 232

**realidades.com** ✓

- Fondo cultural Activity
- Video Activities
- Online Atlas
- Web Code: jdd-0611

### Más vocabulario

**la estrella (del cine)** star, (movie) star

**tratarse de** to be about

# El mosquito

¿Qué pasa en la película que hace Manolo para su clase? ¿Quién es "el mosquito"?

## Estrategia

**Predicting meaning**
The images of a movie can tell a story, even if you don't hear the audio. Look at the images from Manolo's movie. What happens to Ramón? Will he get a good grade on the test?

Director: Manolo

El mosquito: Claudia

Estudiante: Ramón

Amiga: Teresa

**1** **Profesor:** Buenos días. ¿Qué película vamos a ver primero? A ver . . . ¿Manolo?

**Manolo:** Bien. **Está basada en** la historia de un mosquito y un estudiante.

**5** **Ramón:** ¿Lees? ¿Qué dice este libro?

**Claudia:** Se trata de la historia de los Estados Unidos. Tú puedes dormirte mientras que yo leo el libro. Mañana puedo decirte las respuestas durante el examen.

**Ramón:** Muy bien. Me voy a dormir.

**6** **Teresa:** ¡Ramón, despiértate! ¿Has estudiado para el examen?

**7** **Teresa:** ¿Qué es esto?

**Ramón:** ¡Mi libro! ¡Teresa! ¡Déjalo! ¡Lo necesito!

**Claudia:** ¡NOOOOO!

**2** **Ramón:** Mañana tengo un examen y no he estudiado. No sé nada. ¿Qué puedo hacer?

**3** **Claudia:** No vas a **matarme**, ¿verdad? ¡No quiero morirme!

**Ramón:** ¿Qué has dicho? ¿Tú hablas?

**Claudia:** Sí. Puedo hablar inglés y español.

**4** **Claudia:** Yo puedo leer también.

**Ramón:** ¿Cómo? Yo tengo que estudiar y tú me molestas.

**Claudia:** ¿Quieres **tener éxito** en el examen? Yo puedo ayudarte a estudiar.

**8** **Ramón:** ¡Teresa! ¡No! ¿Qué has hecho? Mi libro . . . El examen . . . ¿Qué voy a hacer? ¡Qué **fracaso**!

**③ ¿Comprendiste?**

**Leer · Escribir**

En una hoja de papel escribe las frases de abajo, poniéndolas en orden cronológico.

1. Los dos deciden que el mosquito va a estudiar para el examen de historia.

2. Ramón le grita y ahora no sabe qué va a hacer.

3. Teresa cierra el libro.

4. Teresa entra en el cuarto para despertar a Ramón.

5. Ramón está nervioso porque tiene un examen y no ha estudiado.

6. El mosquito le dice a Ramón que puede hablar inglés y español.

7. Manolo le va a presentar su película a la clase.

8. Ramón va a matar al mosquito.

**Más práctica**

- **Guided** Vocab. Check pp. 223–226
- **Core** Vocab. Practice pp. 124–125
- **Communication** Video pp. 116–118
- *Real.* **para hispanohablantes** p. 233

- Audio Activities
- Video Activities
- Leveled Workbook
- Flashcards
- Web Code: jdd-0612

# Vocabulario en uso

## 4 ¿En qué película . . . ?

**Hablar**

Trabaja con otro(a) estudiante para hablar de las películas en que has visto a estas personas o cosas. ¿Qué clase de película es cada una? Si necesitas repasar *(review)* las diferentes clases de películas, ve las páginas 320 y 321.

**Modelo**

un criminal

**A** —*¿En qué película has visto a <u>un criminal</u>?*

**B** —*He visto a <u>un criminal</u> en <u>El hombre araña</u>. Es una película de acción.*

**o:** —*No he visto a <u>un criminal</u> en ninguna película.*

1.
2.
3.
4.
5.
6.

## 5 El crítico nos recomienda . . .

**Leer • Escribir**

Lee el siguiente artículo que escribió el crítico de películas del periódico. Escribe en una hoja de papel la palabra apropiada.

Muchos me preguntan, __1.__ *(¿Qué tal es / ¿Cómo estás)* la nueva película del __2.__ *(director / criminal)* Antonio Sánchez? Pues, en mi opinión, esta película va a ser un(a) __3.__ *(fracaso / escena)* total. __4.__ *(Los efectos especiales / El argumento)* de la película está(n) basado(s) en una novela de amor, pero esta película no es nada romántica: es una película de acción. ¡La película __5.__ *(se trata / hace el papel)* de la violencia, no del amor! En la novela, el personaje principal está __6.__ *(basado / enamorado)* de una joven bonita pero en la película él sólo trata de arrestar a los criminales. La __7.__ *(actuación / acción)* del actor que hace el papel del galán es terrible también. Y la __8.__ *(actuación / dirección)* del director Sánchez es peor. Por ejemplo, en la escena final, la víctima inocente se muere cuando los criminales la __9.__ *(capturan / fascinan).* Y el detective no puede __10.__ *(arrestar / robar)* a los criminales. Si no __11.__ *(has visto / he visto)* esta película todavía, ¡no la recomiendo! __12.__ *(Alquila / Roba)* un video y quédate en casa.

## 6 Escucha y escribe

jdd-0698

**Escuchar · Escribir**

Escucha las siguientes descripciones y escríbelas en una hoja de papel. Luego decide quién del recuadro hace cada acción y escribe su nombre al lado de la frase.

| | |
|---|---|
| el (la) criminal | el ladrón, la ladrona |
| el crítico, la crítica | el director, la directora |
| el galán | el (la) detective |
| el (la) extraterrestre | |

**También se dice . . .**

**el (la) extraterrestre** = el marciano, la marciana (muchos países)

**el ladrón, la ladrona** = el bandido, la bandida; el malo, la mala (muchos países)

## 7 Las películas clásicas

**Observar · Leer · Hablar**

¿Te gusta ver las películas clásicas? Mira el cartel de cine de una película mexicana de los años 40. Luego, con otro(a) estudiante, contesta las preguntas.

1. ¿Qué clase de película es?
2. ¿Quién es la estrella de la película? ¿Pueden decir qué papel hace?
3. ¿Cómo se llama el director?
4. Según lo que ves en el cartel, ¿te gustaría ver esta película? ¿Por qué?

"Romeo y Julieta" (1943), director Miguel M. Delgado

### Fondo cultural

**México**

**La época de oro del cine mexicano** Entre 1930 y 1950, el cine mexicano tuvo una época de oro, produciendo muchas películas y compitiendo con Hollywood. Uno de los actores más famosos de esta época fue Mario Moreno, mejor conocido como Cantinflas. Cantinflas era un cómico que hizo reír a muchos espectadores desde España hasta Argentina. En los años 60 el cine mexicano no pudo competir con la televisión y la época de oro se terminó.

• ¿Qué películas producidas en otros países conoces? ¿En qué sentido son similares a las películas producidas en los Estados Unidos? ¿En qué sentido son diferentes?

Mario Moreno, famoso actor mexicano

## 8 Los diferentes aspectos de una película

**Escribir • Hablar**

Habla con otro(a) estudiante sobre los diferentes aspectos de una
película que ayudan a determinar si la película va a tener éxito o si
será un fracaso.

**1** Copia la tabla en una hoja de papel. Escribe el título de las películas en
que has observado estos aspectos. Escribe una descripción de los aspectos.

| la película | la música | los efectos especiales | los personajes | la actuación | el argumento |
|---|---|---|---|---|---|
| Chicago | estupenda | | | | |

**2** Habla con otro(a) estudiante sobre tus
opiniones de diferentes películas usando
la tabla que llenaste.

---

**Modelo**

la música

**A** —*La música en la película* Chicago *me
pareció estupenda*

**B** —*Estoy de acuerdo. Me fascinó la música en
esa película.*

**o:** *No estoy de acuerdo. No me gustó nada la
música en esa película.*

**o:** *¿De veras? No he visto todavía esa película.*

---

**Estudiante A**

fantástico, -a    complicado, -a    tonto, -a
tremendo, -a    aburrido, -a    realista
increíble    horrible    **¡Respuesta personal!**
interesante    malo / malísimo, -a

**Estudiante B**

me fascinó / me fascinaron
me gustó / me gustaron
me encantó / me encantaron

---

## Fondo cultural

**México**

**Salma Hayek-Jiménez,** la primera actriz mexicana en hacerse estrella de
Hollywood después de Dolores del Río (1904–1983), nació en el sureste
de México el 2 de septiembre de 1966. Empezó su carrera como actriz
en las telenovelas mexicanas. Después viajó a California a buscar
papeles en Hollywood. En el año 2002, Salma hizo el papel de la famosa
pintora Frida Kahlo en la película *Frida.*

• ¿Crees que es más fácil o más difícil para un actor o actriz hacer el
papel de alguien famoso? ¿Por qué?

La actriz mexicana Salma Hayek

## 9 Juego

**Escribir • Hablar**

**1** Usa las palabras del recuadro y trabaja con otro(a) estudiante para escribir cuatro preguntas sobre los actores o las actrices que salieron en diferentes películas. Después compitan contra otro grupo.

| | |
|---|---|
| hacer el papel de | matar |
| enamorarse de | morirse |
| capturar y arrestar | robar |
| | ¡Respuesta personal! |

**2** Hagan sus preguntas para ver si el otro grupo puede identificar al actor o a la actriz. Si pueden, ellos ganan un punto. Si no, Uds. ganan un punto.

**Modelo**

**A** —*¿Quién es el actor que hizo el papel principal en la película* Piratas del Caribe?

**B** —*Es Johnny Depp.*

## 10 Y tú, ¿qué dices?

**Escribir • Hablar**

**1.** ¿Qué es más importante en una película: mucha acción o personajes interesantes? ¿La actuación o los efectos especiales?

**2.** ¿Hay demasiada violencia en las películas? ¿Por qué piensas así?

**3.** ¿Prestas atención a lo que dicen los críticos? Si dicen que una película es un fracaso, ¿la vas a ver? ¿Por qué?

**4.** ¿Qué película en el cine ahora será un fracaso? ¿Qué película va a tener mucho éxito?

## Exploración del lenguaje

### The suffixes -oso(a) and -dor(a)

Spanish adjectives that end in *-oso(a)* often have English cognates ending in *-ous*:

fam**oso** → *famous*
nervi**oso** → *nervous*

**¡Compruébalo!** Write the Spanish adjective for these English words and use the correct form to complete the sentences.

*studious*          *furious*          *generous*

Una chica que estudia mucho es _____.

Él se pone _____ cuando le mentimos.

Ella siempre está dándome regalos. Es _____.

Words ending in *-dor(a)* indicate people who do different actions. Words ending in *-dor(a)* are either nouns or adjectives. Look at these verbs and related nouns and adjectives.

jugar → juga**dor** / juga**dora**
trabajar → trabaja**dor** / trabaja**dora**

Una chica que **anima** a otros durante un partido es una animadora.

Un niño que **habla** mucho es muy hablador.

**¡Compruébalo!** Look at the drawing and answer the questions.

¿Qué hizo el **ganador**?

¿Qué hizo el **perdedor**?

# Gramática Repaso

## Verbs that use indirect object pronouns

Here are some verbs that you've already learned that use indirect object pronouns.

| | |
|---|---|
| **aburrir** | *to bore* |
| **doler** | *to ache* |
| **encantar** | *to love* |
| **fascinar** | *to fascinate* |
| **gustar** | *to like* |
| **importar** | *to matter* |
| **interesar** | *to interest* |
| **molestar** | *to bother* |
| **parecer** | *to seem* |
| **quedar** | *to fit* |

These verbs all use a similar construction: indirect object pronoun + verb + subject.

**Les encantan los efectos especiales** en esa película.

**Nos aburre** mucho esa película.

*A* + a noun or a pronoun is often used with these verbs for emphasis or clarification. The pronouns agree with and clarify the indirect object pronoun.

| (A mí) | me | (A nosotros) (A nosotras) | nos |
|---|---|---|---|
| (A ti) | te | (A vosotros) (A vosotras) | os |
| (A Ud.) (A él) (A ella) | le | (A Uds.) (A ellos) (A ellas) | les |

**A mí me importan** mucho los efectos especiales en una película.

**A Juanita le fascinan** las películas de terror.

**¿A Uds. les parece** realista la película de acción?

**GramActiva** VIDEO

Want more help with verbs that use indirect object pronouns? Watch the **GramActiva** video.

Me trajo el café.

---

**11** **Nos gustan las películas**

**Leer · Escribir**

En una hoja de papel, escribe el complemento indirecto *(indirect object pronoun)* apropiado.

A nosotros __1.__ gusta mucho el cine. A mí __2.__ encantan las películas biográficas, como *Selena,* pero a mi novio __3.__ aburren. Esta película __4.__ parece demasiado triste a él. A mis padres __5.__ interesan los dramas o las comedias. A mi mamá __6.__ fascina *Lo que el viento se llevó (Gone with the Wind)* con Clark Gable y Vivien Leigh, porque es muy romántica y a ella __7.__ encantan los vestidos que llevaban las actrices. ¡A mí no __8.__ interesa nada esa clase de película! ¿Qué clase de película __9.__ interesa a ti?

Jennifer López, en el papel de Selena

**12** **¿Te molesta o te fascina?**

**Escribir · Hablar**

¿Cuáles son las cosas que te molestan o te fascinan de las películas, del cine o de la televisión? Escribe cuatro frases. Puedes usar las ideas del recuadro o tus propias ideas. Después lee tus frases a otro(a) estudiante para ver si tu compañero(a) reacciona de la misma manera *(in the same way)*.

| |
|---|
| la actuación |
| el argumento |
| los efectos especiales |
| las películas . . . |
| los personajes |
| las personas . . . |
| las telenovelas |
| la violencia |

| Modelo |
|---|

A —*Me fascina un argumento muy complicado en una película. ¿Y a ti?*

B —*No, me gusta más un argumento sencillo.*

**Estudiante A**

me aburre(n)　　me gusta(n) (más)

me encanta(n)　　me interesa(n)

me fascina(n)　　me molesta(n)

**Estudiante B**

**¡Respuesta personal!**

**13** **Una encuesta entre tres**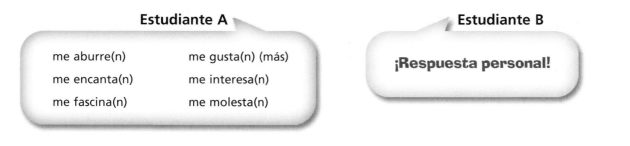

**Escribir · Hablar**

Trabaja con un grupo de tres estudiantes. Primero lee la lista de temas y escribe tus opiniones. Luego cada persona va a expresar su opinión sobre una categoría y preguntarle a otro(a) estudiante su opinión. En una hoja de papel, anoten las opiniones de su grupo para cada categoría en una tabla.

1. las películas de acción
2. las telenovelas
3. la música
4. los deportes
5. los videojuegos
6. la ropa
7. la computadora

| Modelo |
|---|

las películas de acción

A —*A mí me encantan las películas de acción. ¿Y a ti, Isabel?*

B —*No me interesan mucho. ¿Y a ti, Roberto?*

C —*A mí también me encantan las películas de acción.*

**14** **¿Qué les interesa más?**

**Escribir**

Usa la información de la Actividad 13 y escribe una o dos frases sobre las opiniones de tu grupo para cada categoría.

| Modelo |
|---|

*A Roberto y a mí nos encantan las películas de acción, pero a Isabel no le interesan mucho.*

## 15 Los anuncios ♻

**Escribir**

Trabajas para una compañía de publicidad.
Tienes que escribir un anuncio de radio para
cada producto o lugar que ves abajo.

*¿Te fascinan los libros? ¿Te
aburren los programas de
televisión? ¿Por qué no
visitas la Librería Ricardo?
Tenemos miles de libros
para toda la familia.*

1.     2.     3.     4.

## 16 Los premios ALMA

**Leer**

Lee este artículo sobre los premios ALMA. Después lee las frases que
siguen y decide si cada una es *C (cierta)* o *F (falsa)* según el artículo.
Si la frase es falsa, escribe la información correcta.

En 1995 se establecieron los premios ALMA[1] para ayudar a
promover[2] la representación justa y balanceada de los latinos en
la televisión, el cine y la música. Los premios reconocen[3] a los
artistas latinos por sus éxitos y su impacto positivo en la imagen
del latino en los Estados Unidos. En la categoría del cine, le dan
premios a los directores, actores y actrices latinos que producen
películas en inglés para el público en los Estados Unidos. Hay
premios también para diferentes clases de programas de televisión
y los actores y actrices que aparecen
en ellos. Otra categoría es la música:
los videos, los álbumes, los cantantes
y los grupos musicales. Algunas de
las estrellas que han recibido premios
en años recientes incluyen a Jimmy
Smits, America Ferrera, Edward James
Olmos, Andy García, Rita Moreno,
Salma Hayek, Antonio Banderas, Marc
Anthony, Jennifer López, Ricky Martin
y Shakira.

America Ferrera ganó
por su papel en *Ugly Betty*.

[1]soul, spirit  [2]promote  [3]recognize

1. Un actor latino puede ganar un
premio ALMA por su papel en un
programa de televisión dramático.

2. Una cantante que no es latina
puede ganar un premio ALMA si
canta en español.

3. Una actriz latina tiene que hablar
español en la película para recibir
el premio ALMA.

4. Tratan de usar los premios ALMA
para dar una imagen positiva de
los latinos en la televisión, el cine y
la música.

**Más práctica**

- **Guided** Gram. Practice pp. 227–228
- **Core** Gram. Practice p. 126
- **Communication** Writing p. 123,
  Test Prep p. 259
- *Real.* **para hispanohablantes**
  pp. 234–237

**realidades.com** ✔

- Audio Activities
- Video Activities
- Speak & Record
- Tutorial
- Leveled Workbook
- Web Code: jdd-0613

# Gramática

## The present perfect

The present perfect tense is used to say what a person *has done*.

Recientemente **hemos alquilado** muchos videos.
*Recently **we have rented** a lot of videos.*

To form the present perfect tense, use present-tense forms of *haber* + the past participle.

| | |
|---|---|
| he alquilado | hemos alquilado |
| has alquilado | habéis alquilado |
| ha alquilado | han alquilado |

To form the past participle of a verb, drop the ending of the infinitive and add *-ado* for *-ar* verbs and *-ido* for *-er* and *-ir* verbs.

hablar → **hablado**

comer → **comido**

vivir → **vivido**

Most verbs that have two vowels together in the infinitive have a written accent on the *i* of the past participle.

caer → **caído**    oír → **oído**

leer → **leído**    traer → **traído**

Some verbs have irregular past participles.

decir → **dicho**          poner → **puesto**

devolver → **devuelto**  romper → **roto**

escribir → **escrito**     ver → **visto**

hacer → **hecho**         volver → **vuelto**

morir → **muerto**

When you use object or reflexive pronouns with the present perfect, the pronoun goes immediately before the form of *haber*.

— ¿Has visto la nueva película de Ramón Guevara?

— No, **no la he visto.**

**GramActiva** VIDEO

Want more help with the present perfect? Watch the **GramActiva** video.

Lo has preparado.

**17** **Un informe**

**Leer · Escribir**

En una hoja de papel, escribe la forma correcta del presente perfecto. Después di qué película has visto recientemente.

**Sofía:** ¿Paco, __1.__ *(oír)* recientemente de algunas películas buenas?

**Paco:** Pues, no, y tampoco __2.__ *(ir)* al cine, pero __3.__ *(alquilar)* una película aburrida sobre dos personas que __4.__ *(enamorarse)* en un barco en el Atlántico.

**Sofía:** Sí, sí, la conozco. Entonces, ¿ __5.__ *(escribir)* tu informe para la clase de inglés?

**Paco:** ¿Qué informe? Yo __6.__ *(estar)* enfermo y todavía no __7.__ *(hacer)* ninguna tarea de ayer.

**Sofía:** Tenemos que escribir un informe sobre una película que nosotros __8.__ *(ver)* recientemente. La profesora nos __9.__ *(decir)* que no quiere leer sobre ninguna película aburrida.

**Paco:** Pues, ya __10.__ *(devolver)* esa película aburrida que alquilé. ¡Voy a buscar otra película esta noche!

**18** **Escucha y escribe**  jdd-0698

Escuchar • Escribir

Tus amigos están viendo una película, pero tú llegaste tarde. Ahora te están diciendo lo que ha pasado. Escribe lo que te dijeron. Después pon las frases en orden según los dibujos.

**19** **¿Quién lo ha hecho . . . ?**

Hablar

Trabaja con otro(a) estudiante. Habla de lo que han hecho las diferentes personas en la película de la Actividad 18.

| Modelo |
| --- |

robar las joyas
A —¿Quién ha robado las joyas?
B —Los ladrones las han robado.

**Estudiante A**

1. tratar de apagar el incendio
2. ver el crimen
3. capturar a los criminales
4. llevar a los heridos al hospital
5. poner una venda en la cabeza de la víctima
6. manejar el coche de los ladrones

**Estudiante B**

¡Respuesta personal!

**Fondo cultural**

El mundo hispano

**El cine en el mundo hispano** España, México y Argentina tienen industrias cinematográficas importantes, y son los principales productores de películas para el público hispanohablante. Las películas compiten en festivales internacionales como los premios Goya en España, el Festival de Cine de la Habana en Cuba y el Festival de Cine Hispano de Miami. Las películas más populares de estos países se muestran con frecuencia en los Estados Unidos. Además de *(Besides)* competir en festivales internacionales, muchas películas de América Latina compiten y ganan premios Oscar en los Estados Unidos.

• ¿Por qué crees que las películas del mundo hispano son tan populares aquí?

El actor mexicano Gael García Bernal, en una escena de la película *Diarios de motocicleta*

## 20 Preparaciones para el cine ♻

**Escribir**

Cristina quiere ir al cine con sus amigos, pero sus padres no están en casa. Di lo que ella ha hecho antes de salir. Escoge los verbos apropiados de la lista y escribe las formas correctas del presente perfecto para completar las frases.

| | | | |
|---|---|---|---|
| cepillarse | decirle | escribirles | hacer |
| leer | llamarles | pedirle | ponerse |

1. ____ todos sus quehaceres.
2. ____ el pelo y los dientes.
3. ____ jeans y su suéter favorito.
4. ____ un comentario sobre la película de un crítico en el periódico.
5. ____ a su hermana mayor adónde va.

6. ____ dinero a su hermana para comprar la entrada al cine.
7. ____ una nota a sus padres diciéndoles cuándo va a regresar.
8. ____ por teléfono a sus amigos para decirles cuándo va a llegar al cine.

## 21 Juego

**Hablar • GramActiva**

**1** Van a jugar en dos equipos. Una persona del equipo A escoge una tarjeta del (de la) profesor(a) que tiene el título de una película. Con otro(a) estudiante describan la película a su equipo sin decir el nombre. Pueden indicar:

- si han visto la película y si les ha gustado
- si la película ha tenido éxito o no
- qué papeles han hecho los actores
- cómo ha sido el argumento

**2** Si alguien del equipo A puede adivinar *(guess)* el nombre de la película en menos de un minuto, este equipo gana un punto. Si al final del minuto, el equipo A no ha adivinado el título, el equipo B tiene una sola oportunidad de decirlo. Si lo pueden hacer, ellos ganan el punto. Después los equipos cambian *(change)* de papel. El primer equipo que gana tres puntos gana el juego.

### El español en el mundo del trabajo

¿Te interesa una carrera en la industria cinematográfica? Hay muchas compañías en los Estados Unidos que filman películas y videos en los países hispanohablantes. Puedes trabajar con ellos en varios aspectos de la producción de la película: director, asistente del director, técnica de sonido *(sound)*, técnica de luz y otros trabajos. ¿Los requisitos? Talento en filmación, tener una visión del proyecto, capacidad de trabajar en equipo y habilidad de comunicarse en español.

- ¿Por qué crees que es importante poder comunicarse en español durante la filmación en Costa Rica, por ejemplo? ¿En qué aspectos de la producción vas a usar el español?

## 22 Las películas que hemos visto

**Escribir · Hablar**

En grupos de cuatro estudiantes, hagan preguntas sobre las películas que han visto en el último mes.

**Modelo**

A —¿Cuántas películas has visto en el último mes?
B —He visto dos películas.
o:— No he visto ninguna película.

### Conexiones | Las matemáticas

**1** Escriban en una tabla el número de películas, la clase de película (acción, comedia, drama) y los lugares donde las vieron (casa, cine o casa de amigos o familiares).

|  | Total para el grupo | Total para la clase |
|---|---|---|
| ¿Cuántas películas han visto? |  |  |
| ¿Qué clase de películas? |  |  |
| ¿Dónde las han visto? |  |  |

**2** Ahora compartan sus resultados con la clase y sumen el total para el número de películas, la clase de película y los lugares. Hagan dos gráficas circulares como las que se ven aquí para indicar qué clase de películas han visto más todos los estudiantes y dónde las han visto.

**Clase de película**
comedia 31%
acción 47%
otras 2%
policíaca 6%
de horror 14%

**Lugares donde las vieron**
su propia casa 58%
cine 35%
casa de amigos o familiares 7%

### Fondo cultural
El mundo hispano

**Películas en español** Como el mercado hispanohablante es tan grande, las compañías que producen y distibuyen películas ofrecen distintas opciones para alquilar. Además de las tiendas de video tradicionales, en algunas grandes ciudades también existen los videocajeros automáticos de DVDs y el servicio para alquilar DVDs por correo. Las películas extranjeras tienen subtítulos en distintos idiomas o en algunos casos son dobladas (*dubbed*) al español.

• ¿Qué opciones tienes para alquilar películas? ¿Alquilas películas extranjeras con frecuencia? ¿Las prefieres con subtítulos o dobladas?

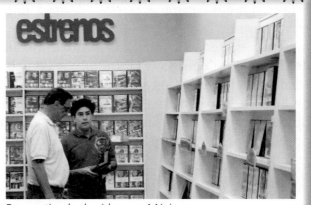

En una tienda de videos en México

## 23 Una estrella de cine herida

**Leer · Escribir · Hablar**

Lee el artículo de una revista sobre una estrella de cine y contesta las preguntas.

1. ¿Qué ha aprendido Chayanne sobre ser estrella del cine?
2. ¿Cómo se ha lastimado el actor durante la filmación de la película?
3. ¿Qué han hecho los médicos? ¿Qué le han dado? ¿Por qué?
4. ¿Qué más le ha pasado al actor?
5. ¿Qué ha hecho el público para decirle a Chayanne que están pensando en él?
6. ¿Se lastimó otra estrella del cine? ¿Qué le ha pasado?

### ¡Un trabajo peligroso!

El ídolo puertorriqueño Chayanne ha aprendido que puede ser peligroso ser estrella de cine. Recientemente, en la Argentina, el galán se ha caído y se ha lastimado en una escena cuando estaba tratando de salvar a la bellísima actriz Araceli González de una situación peligrosa. Han llevado a Chayanne a un hospital en Buenos Aires, donde lo han examinado. El dolor ha sido tan intenso que el actor ha tenido que usar una silla de ruedas. Además, una inundación ha destruido una parte de su casa en la Argentina. Sus admiradores le han escrito y le han enviado un montón de cartas, tarjetas y mensajes electrónicos.

## 24 En las noticias

**Escribir · Hablar**

¿Cuáles son las noticias que han ocurrido recientemente en tu comunidad y en el mundo? Trabaja con otro(a) estudiante. Piensen en una noticia que han oído en el noticiero o que han leído en el periódico. Escriban un artículo de cinco frases sobre lo que ha pasado. Usen el modelo y el artículo de la Actividad 23 para escribirlo. Diseñen *(Design)* su artículo para el periódico, incluyendo una ilustración o foto. Van a usar su artículo para la Actividad 25.

**Modelo**

*La atleta panameña, Yolanda Salazar, ha ganado un premio en la competencia de natación en Costa Rica. Los aficionados y su entrenador se han vuelto locos porque ella ha terminado en primer lugar en este campeonato. Esta competencia ha sido la mejor para Panamá en los últimos años. En una entrevista, Yolanda se ha sentido muy emocionada. Ha dicho que su familia y su público son muy importantes para ella.*

## 25 Leyendo las noticias

**Leer · Hablar**

Lean los artículos que crearon para la Actividad 24 con otros grupos y hablen de ellos.

**Modelo**

A —*¿Has leído el artículo sobre Yolanda Salazar?*
B —*Sí, dice que ella ha ganado un premio en la competencia de natación en Costa Rica.*

### Más práctica

- **Guided** Gram. Practice pp. 229–232
- **Core** Gram. Practice pp. 127–128
- **Communication** Writing p. 124
- *Real.* para hispanohablantes pp. 238–241

**realidades.com**
- Audio Activities
- Video Activities
- Speak & Record
- Canción de hip hop
- Animated Verbs
- Tutorial
- Leveled Workbook
- Web Code: jdd-0614

¡Adelante!

# Lectura

## La cartelera del cine

Lee las siguientes críticas de una revista mexicana.
¿Qué película te gustaría ver?

### Objectives

- **Read movie reviews and compare ratings in different countries**
- **Learn about subtitling and dubbing**
- **Write a film script**
- **Watch *En busca de la verdad*, Episodio 8**

### Estrategia

**Reading for details**
When you read a text for specific information, you may need to read it more than once. First, you might read for the "big picture," and then reread for additional details. Read the text below to find out which film(s) you might be interested in watching.

## ★ ESTRENOS DE HOY ★

### EL HOMBRE ARAÑA[1]

EE.UU., 2002 | Clasificación: B | Director: Sam Raimi |
Actores: Tobey Maguire, Willem Dafoe, Kirsten Dunst

**Sinopsis**
La historia del hombre araña cuenta la transformación de Peter Parker. Una araña genéticamente alterada lo muerde[2] y el joven comienza a notar cambios[3] físicos: es más fuerte[4] y ágil. Cuando una tragedia le enseña[5] la realidad de sus poderes,[6] decide pelear contra el crimen para ayudar a los demás.

**Crítica**
*El hombre araña* es una película fenomenal. La historia es interesante y los actores son muy buenos. Los efectos especiales son espectaculares, especialmente cuando el hombre araña va por el aire de un edificio a otro. Le recomiendo esta película a todo el mundo.

**Calificación: 10/10**

### EL SEÑOR DE LOS ANILLOS 2: LAS DOS TORRES

EE.UU., Nueva Zelandia 2002 | Clasificación: B | Director: Peter Jackson |
Actores: Elijah Wood, Ian McKellen, Viggo Mortensen, Liv Tyler, Cate Blanchett

**Sinopsis**
Los *Hobbits* Frodo y Sam continúan su viaje hacia Mordor, con la misión de destruir el Anillo Único, pero se dan cuenta[7] de que los sigue Gollum. Al mismo tiempo, el resto de la comunidad —Aragorn, Legolas, Gimli, Merry y Pippin—hacen nuevas alianzas con el pueblo de Rohan. La comunidad va a tener que pelearse contra las fuerzas que salen de las dos torres.

**Crítica**
*Las dos torres* es espectacular. La historia, los personajes y la cinematografía son excelentes, sobre todo los efectos especiales. Los actores actúan muy bien, y me encantó el personaje digital Gollum. ¡Ojo! ¡La película es muy larga! Compre dulces y refrescos antes de sentarse.

**Calificación: 10/10**

---

[1]spider   [2]bites   [3]changes   [4]stronger   [5]shows   [6]powers   [7]realize

## EL ATAQUE DE LOS CLONES

EE.UU., 2002 | Clasificación: B | Director: George Lucas |
Actores: Ewan McGregor, Hayden Christensen, Natalie Portman

**Sinopsis**
La película comienza diez años después de los eventos de *La amenaza fantasma*. La Reina Amidala es ahora una senadora del gobierno del planeta Naboo. Cuando tratan de matarla, el Concilio Jedi le da de guardaespaldas[8] al Caballero Jedi Obi Wan Kenobi y a su estudiante, Anakin Skywalker. Un segundo ataque provoca que la senadora y Anakin regresen a Naboo. Obi Wan investiga los ataques contra Amidala. Así, cada "equipo" por su parte descubre una conspiración política y militar.

**Crítica**
Esta película es muy comercial. Lo más interesante es el uso de los efectos especiales. El argumento es horrible. Es muy difícil de entender y no es muy lógica. Por los efectos especiales, le doy 10/10. Por el argumento, sólo le doy 5/10.

**Calificación: 5/10**

[8]bodyguard

## ¿Comprendiste?

1. ¿Es positiva o negativa la crítica de *El hombre araña?* ¿Qué palabras indican la opinión del crítico?

2. ¿Por qué le gustó al crítico la película *Las dos torres?*

3. ¿Por qué el crítico le da 5 / 10 al argumento de *El ataque de los clones?*

4. ¿Quién descubre una conspiración política y militar?

5. Según las recomendaciones, ¿cuál(es) de las películas quieres ver? ¿Por qué?

## Y tú, ¿qué dices?

1. ¿Has visto algunas de estas películas? ¿Cuáles? ¿Estás de acuerdo con la crítica de estas películas?

2. ¿Qué prefieres, los efectos especiales o un buen argumento?

3. ¿Cómo decides qué películas vas a ver? ¿Has visto alguna película hispana? ¿En qué sentido *(way)* son diferentes de las películas americanas?

### Más práctica

- **Guided** Reading Support p. 233
- **Communication** Writing p. 125, Test Prep p. 260
- *Real.* **para hispanohablantes** pp. 242–243

**realidades.com**
- Internet Activity
- Leveled Workbook
- Web Code: jdd-0615

### Fondo cultural

• España • Estados Unidos • México

**Las clasificaciones de las películas** Los sistemas para clasificar las películas varían según el país. En España, por ejemplo, las películas que todos pueden ver son clasificadas TP (todos los públicos). También existe allí la clasificación –7 (los menores de siete años no deben ver esta película). En México, usan las letras *A, B* y *C* para clasificar las películas. La letra *A* corresponde a todos los públicos mientras que la *B* es para los mayores de 15 años y la *C* sólo para los mayores de 18 años.

• ¿Qué sistema de clasificación se usa en los Estados Unidos? ¿En qué sentido es diferente del sistema de España o de México?

| Película | España | México | Estados Unidos |
|---|---|---|---|
| "El rey león" | TP | A | G |
| "El señor de los anillos 2: Las dos torres" | -13 | B | PG-13 |
| "Titanic" | -13 | B | PG-13 |
| "Matrix" | -18 | C | R |

# Perspectivas del mundo hispano

## Películas en otros idiomas

¿Has visto una película de otro país en que los actores hablan un idioma[1] que no es inglés? Por ejemplo, las películas de Francia y México son muy populares en los Estados Unidos. ¡Si no entiendes ni el francés ni el español, son difíciles de comprender!

Pero eso no es un problema. En muchas películas de otros países el diálogo de la película aparece en inglés en la parte de abajo de la pantalla. Con estos subtítulos es más fácil comprender el argumento de la película. Cuando hay subtítulos, es importante concentrarse un poco más y observar las expresiones y movimientos de los actores. Lo bueno es que es más interesante ver la película en versión original con subtítulos.

Otra solución para que el público pueda comprender una película es sustituir el diálogo original por una nueva grabación del diálogo en el idioma del país. Esto se llama doblaje.[2] Por ejemplo, uno puede ver una película italiana en que se oye el diálogo en inglés.

**¡Compruébalo!** Algunas personas prefieren ver las películas en versión original, con subtítulos, porque comprenden el idioma de la película y pueden escuchar la voz verdadera de los actores y los sonidos de la ambientación. A otras personas les gusta leer los subtítulos porque, cuando los leen, pueden aprender un poco del idioma original de la película. Y otras dicen que no les gusta el doblaje porque pierden el tono de la voz y la entonación de los actores. Si has visto una película de un país extranjero, piensa en lo que prefieres. Pregúntales a otras personas qué prefieren y por qué.

**¿Qué te parece?** Cuando vemos una película producida en otro país, podemos aprender algo de la cultura y del idioma de ese país. ¿Qué más puedes aprender? ¿Crees que es más fácil aprender de una película con doblaje o con subtítulos? ¿Qué crees que la gente de otros países aprende de nosotros cuando ve las películas de Hollywood?

[1]language [2]dubbing

# Presentación escrita
## Luces, cámara, acción

**Task**
Your class is having a contest to produce exciting or humorous new movie ideas. For this contest you will need to produce a brief description of the plot and the main characters. You also will need to plan the details of one scene to provide a preview of your movie.

**1 Prewrite** Use the chart below to help you focus on "the big picture." Think about the type of movie you want to write: a mystery, a comedy, science fiction, or a romance. What is the plot? Who are the main characters? Which scene would provide a good feel for your movie?

| Clase de película | Argumento | Actores principales | Escena |
|---|---|---|---|
|  |  |  |  |

**2 Draft** Use the notes from your chart to write a short synopsis of the movie. Then write a script for the scene you've chosen. Include the dialog and directions to the actors. You might want to use the storyboard method to show how the scene progresses.

**3 Revise** Read through your synopsis and scene and check for spelling, agreement, correct verb usage, and vocabulary. Share your review with a partner, who will check for errors and to see that the synopsis is complete, the story is presented in a logical order, and the scene is easy to understand.

**4 Publish** Rewrite your summary and scene, making any necessary changes or corrections. Give a copy to your teacher or put one in your portfolio. The class can select the winner of the contest from all entries.

**5 Evaluation** Your teacher may give you a rubric for how the contest entry will be graded. You will probably be graded on:

- completeness of information in the synopsis
- clarity and logical presentation of ideas in the synopsis
- appropriateness of short scene to present the plot

**Estrategia**

**Outlining your ideas**
Many filmwriters do extensive outlining of key ideas before they begin to write. They focus on "big picture" vision: type of movie, plot, and description of the characters. This skill will be helpful as you write your contest entry.

**Estrategia**

**Drawing a scene**
A common tool in movie writing is to draw the scene. This is called storyboarding. You might sketch the scene you will be writing about.

# En busca de la verdad

## Episodio 8

## Antes de ver el video

"Espero que puedas encontrar la respuesta a este misterio de tantos años".

"¿Sabe que por ahí anda un hombre haciendo preguntas sobre Ud.?"

**Nota cultural** El Mariachi, una tradición típica mexicana, surgió en el estado de Jalisco en el siglo XIX. Es un grupo de músicos vestidos de ropa tradicional de la época de la Revolución Mexicana. Sus instrumentos incluyen el violín, la guitarra, el bajo y la trompeta, y sus canciones tratan de temas como la traición, el amor y la Revolución. Hoy en día se pueden oír Mariachi en fiestas, celebraciones y hasta en restaurantes.

## Resumen del episodio

El hombre misterioso sigue haciendo preguntas en Guanajuato sobre la familia Toledo. Nadie sabe quién es ni por qué está allí. La familia Toledo invita a Carmen y a Linda a una cena de despedida.

**Palabras para comprender**

**sigue tosiendo** keep coughing
**cena de despedida** farewell dinner
**he disfrutado** I have enjoyed
**agradecer** to thank

# Después de ver el video

## ¿Comprendiste?

**A.** Lee las siguientes frases. Di cuáles son ciertas y cuáles son falsas.

1. El hombre misterioso averigua muchas cosas sobre la familia Toledo.

2. A Tomás no le importa que un hombre extraño pregunte por él.

3. Linda no disfrutó de su viaje a México.

4. Roberto va a viajar a San Antonio para investigar qué pasó con el abuelo.

5. A Berta le gusta la idea del viaje de Roberto a San Antonio.

6. Linda dice que va a regresar a Guanajuato en el invierno.

7. Julio no puede acompañar a Roberto y a Linda porque tiene que ir a ver a Josefina.

**B.** Imagina que eres un(a) amigo(a) de Roberto. Descríbele todo lo que ha hecho el hombre misterioso en Guanajuato. ¿Con quién habló? ¿Qué quería saber?

• Web Code: jdd-0209

# Repaso del capítulo

jdd-0699

## Vocabulario y gramática 🔊

## to talk about movies

| | |
|---|---|
| alquilar | to rent |
| el amor | love |
| arrestar | to arrest |
| capturar | to capture |
| el crimen | crime |
| el (la) criminal | criminal |
| el crítico, la crítica | critic |
| el (la) detective | detective |
| enamorarse (de) | to fall in love (with) |
| (estar) enamorado, -a de | (to be) in love with |
| la estrella (del cine) | (movie) star |
| el (la) extraterrestre | alien |
| fascinar | to fascinate |
| el fracaso | failure |
| el galán | leading man |
| he visto | I have seen |
| has visto | you have seen |
| el ladrón, la ladrona, pl. los ladrones | thief |
| matar | to kill |
| la película de acción | action film |
| ¿Qué tal es . . . ? | How is (it) . . . ? |
| recomendar (e → ie) | to recommend |
| robar | to rob, to steal |
| será | he / she / it will be |
| tener éxito | to succeed, to be successful |
| tratarse de | to be about |
| la víctima | victim |
| la violencia | violence |

## to talk about making movies

| | |
|---|---|
| la actuación | acting |
| el argumento | plot |
| la dirección | direction |
| el director, la directora | director |
| los efectos especiales | special effects |
| la escena | scene |
| estar basado, -a en | to be based on |
| el papel | role |
| hacer el papel de el | to play the role of |
| personaje principal | main character |

## other useful words

| | |
|---|---|
| no . . . todavía | not yet |

## indirect object pronouns

| me | nos |
|---|---|
| te | os |
| le | les |

## present perfect
## haber + past participle

| he estudiado | hemos estudiado |
|---|---|
| has estudiado | habéis estudiado |
| ha estudiado | han estudiado |

## past participles

| hablar → hablado |
|---|
| comer → comido |
| vivir → vivido |

## irregular past participles

| decir: dicho |
|---|
| devolver: devuelto |
| escribir: escrito |
| hacer: hecho |
| morir: muerto |
| poner: puesto |
| romper: roto |
| ver: visto |
| volver: vuelto |

For *Vocabulario adicional*, see pp. 498–499.

**Más práctica**

- **Core** Puzzle p. 129, Organizer p. 130
- **Communication** Practice Test pp. 262–264, Integrated Performance Assessment p. 261

**realidades.com** ✓
- Tutorial
- Flashcards
- Puzzles
- Self-test
- Web Code: jdd-0617

# Preparación para el examen

| On the exam you will be asked to . . . | Here are practice tasks similar to those you will find on the exam . . . | If you need review . . . |
|---|---|---|

## Interpretive

jdd-0699

**1 Escuchar** Listen and understand as people talk about a movie they have seen

Listen as you hear a film critic interview people as they leave the movie *Mil secretos.* What did they think of: (a) the actors; (b) the director; (c) the special effects; (d) the theme; and (e) future award possibilities.

**pp. 320–323** *Vocabulario en contexto*
**p. 325** Actividad 6
**p. 332** Actividad 18

## Interpersonal

**2 Hablar** Talk about a recent film you have seen at the movies or at home

You discover that you and an exchange student from Spain share a love of movies. What could you say about a recent movie that you saw? Practice the conversation with a classmate and include: (a) the type of film it was; (b) what the movie was about; (c) who the principal actors were; and (d) why you liked or disliked the movie.

**p. 324** Actividad 4
**p. 325** Actividades 7
**p. 326** Actividad 8
**p. 329** Actividades 12–13
**p. 332** Actividad 19

## Interpretive

**3 Leer** Read and understand a movie review

Read this review by a popular Spanish movie critic. Do you think he likes the movie? Why or why not?

Esta película, "Nuestra familia", nos cuenta la historia de una "familia" de criminales violentos. ¡Es un producto de Hollywood y nosotros somos las víctimas! Sin duda, la película ha capturado la sociedad mala que nos fascina. Está basada en una familia de la vida real y se trata de la vida diaria de ellos. El actor Ramón Robles hace el papel del galán. Él es un hombre físicamente atractivo y talentoso y sólo su participación vale el precio de la entrada. La película tiene una clasificación de *prohibida para menores*. ¡Debe ser prohibida para TODOS!

**p. 324** Actividad 5
**p. 328** Actividad 11
**p. 330** Actividad 16
**p. 336–337** *Lectura*

## Presentational

**4 Escribir** Write about a movie that you would like to produce

While searching the Internet for movie reviews in Spanish, you come upon a survey that you decide to answer. You are asked to write a few sentences about: (a) movies that you have seen within the past month; (b) whether or not you liked them; and (c) what the critics have said about these movies.

**p. 326** Actividad 8
**p. 327** Actividad 9–10
**p. 329** Actividad 12–14
**p. 334** Actividad 22
**p. 339** *Presentación escrita*

## Cultures

**5 Pensar** Demonstrate an understanding of how movies can reflect the language and culture of the country where they are produced

Your Spanish teacher assigns a Mexican movie to the class as homework. When you rent the movie at your local video store and bring it home, your family wants to know why it is subtitled or dubbed. How could you explain the process to them? What do you think they would be surprised to learn?

**p. 338** *Perspectivas del mundo hispano*

# Vocabulario Repaso

### hablando de las comidas y la salud

el almuerzo
bueno / malo para la salud
la cena
las comidas
el desayuno
mantener la salud
rico, -a
sabroso, -a

### la comida

| | | |
|---|---|---|
| el arroz | las judías | el plátano |
| el bistec | verdes | el pollo |
| la cebolla | la lechuga | las salchichas |
| el cereal | la mantequilla | la sopa |
| la ensalada | la manzana | el tocino |
| los espaguetis | la naranja | los tomates |
| las fresas | el pan | las uvas |
| las frutas | el pan tostado | las verduras |
| los guisantes | las papas fritas | el yogur |
| los huevos | el pescado | las zanahorias |

### las bebidas

el agua *f.*
el café
el jugo
la leche
el té
el té helado

## 1 ¿Cómo comes?

**Escribir • Hablar**

Comer bien para mantener la salud puede ser difícil. ¿Comes tú bien?

❶ Piensa en lo que comes en un día típico en el desayuno, en el almuerzo y en la cena. Usa una tabla como ésta para organizar tus ideas.

| el desayuno | el almuerzo | la cena |
|---|---|---|
| huevos | arroz con pollo | bistec |

❷ Ahora compara tu tabla con la de otro(a) estudiante. ¿Comen cosas similares? ¿Pueden comer mejor para mantener la salud? Discútelo con tu compañero(a) y escribe unas frases sobre lo que comen y cómo pueden comer mejor.

### Modelo

*Normalmente en el desayuno como huevos, tocino y salchichas. Carla come cereal y fruta con yogur. Yo debo comer mejor. Por ejemplo, no debo comer salchichas con huevos, pero sí puedo comer fresas o una manzana.*

# Gramática (Repaso)

## Verbs with irregular *yo* forms

Remember that some verbs are irregular in the *yo* form in the present tense.

**Verbs with irregular *-go* forms**

| caer: | caigo | poner: | pongo |
|-------|-------|--------|-------|
| decir: | digo | salir: | salgo |
| hacer: | hago | tener: | tengo |
| oír: | oigo | venir: | vengo |

**Verbs with irregular *-zco* forms**

| conocer: | conozco |
|----------|---------|
| obedecer: | obedezco |
| ofrecer: | ofrezco |
| parecer: | parezco |

 **2 ¿De acuerdo o no?**

**Escribir**

Lee las siguientes frases y decide si estás de acuerdo o no. Si no estás de acuerdo, explica por qué.

### Modelo

Cuando saludas a una persona que no conoces, le dices: ¿Cómo estás tú?
*No estoy de acuerdo. Le digo: ¿Cómo está Ud.?*

1. Normalmente haces ejercicio a las seis de la mañana.

2. Nunca obedeces a tus padres.

3. Tienes tarea todas las noches.

4. No conoces a muchas personas de tu escuela.

5. Los sábados sales con tus amigos.

6. Cuando uno de tus amigos no tiene el almuerzo, le ofreces parte de tu almuerzo.

7. Eres muy ordenado(a). Siempre pones tus cosas en su lugar.

 **3 No te creo . . .**

**Escribir • Hablar**

**1** Escribe cuatro frases usando los verbos con formas irregulares de *-go* y *-zco*. Tres de tus frases deben ser ciertas y una debe ser falsa.

**2** Ahora trabaja con un grupo de cuatro estudiantes y lee tus frases al grupo. Los otros tienen que adivinar cuál de tus frases es falsa.

### Modelo

**A** —*Yo siempre salgo de la escuela a las diez de la noche.*

**B** —*¡No te creo! ¡Nunca sales de la escuela a las diez de la noche!*

### Más práctica

- **Guided** 235–236
- **Core** pp. 131–132
- **Real. para hispanohablantes** p. 250

**realidades.com**
- Leveled Workbook
- Web Code: jdd-0701

## Fondo cultural

**México**

**Simón Silva** nació en 1961 en Mexicali, México. El año siguiente su familia se mudó a California. Durante su juventud allí, él trabajó en una granja *(farm)* como trabajador inmigrante. Esta experiencia le enseñó el valor de la educación y tuvo mucha influencia en su arte.

• ¿Por qué crees que la experiencia de Silva como trabajador inmigrante le enseñó a valorar la educación?

◀ "Tomates" (1997), Simón Silva
Gouache on canvas, 18 x 24 in. Courtesy of Simón Silva.

# ¿Cómo se hace la paella?

## Chapter Objectives

- Talk about food and cooking
- Tell others what not to do
- Describe what people generally do
- Understand cultural perspectives on recipes and food preparation

## Video Highlights

**A primera vista:** *¿Cómo se hace la paella?*

**GramActiva Videos:** negative *tú* commands; the impersonal *se*

**Videomisterio:** *En busca de la verdad,* Episodio 9

**Videocultura:** *Buen provecho*

## Country Connection

As you learn to talk about cooking, you will make connections to these countries and places:

## Más práctica

- *Real.* para hispanohablantes pp. 250–251

Preparando la paella, Valencia, España

# Vocabulario en contexto

jdd-0787

**Objectives**

Read, listen to, and understand information about
- cooking expressions
- foods and appliances
- following a recipe
- giving directions in the kitchen

enlatado, -a

congelado, -a

el refrigerador

el microondas

fresco, -a

el horno

probar

el fregadero

al horno

la estufa

la olla

calentar

la sartén

batir

mezclar

pelar

picar

el pedazo

frito, -a

el fuego

añadir

freír

hervir

—¿Qué vamos a preparar?

—**Una receta** que aprendí de mi abuela que vivía en Valencia. Se llama arroz a banda. Es un arroz típico de la provincia de Alicante y ha sido el favorito de mi familia. Aquí está la lista de **los ingredientes** que necesitamos.

el caldo

el vinagre

el aceite

el ajo

la salsa

la cucharada

los camarones

los mariscos

## Arroz a banda

Ingredientes (8 personas)

unos 3 litros
de caldo de pescado

100 gr de camarones

$\frac{1}{2}$ kg de sepia[1]

1 tomate grande bien cortado

1 cucharada de pimentón dulce[2]

1 kg de arroz

azafrán[3]

aceite de oliva

ajoaceite (una salsa de ajo y aceite)

[1]cuttlefish    [2]paprika    [3]saffron
(Saffron is an expensive spice used for its bright orange-yellow color, intense flavor, and aroma.)

**1** **La cocina típica**    jdd-0787

**Escuchar**

¿Qué hay en tu cocina? Escucha mientras Ignacio describe una cocina típica. Mira los dibujos y las fotos, y señala el objeto (o los objetos) que menciona.

### Más práctica

● **Guided** Vocab. Flash Cards pp. 237–242
● **Core** Vocab. Practice pp. 133–134
● **Communication** Writing p. 132
● *Real.* para hispanohablantes p. 252

**2** **¿Lógico o no?**    jdd-0787

**Escuchar**

¿Sabes cocinar? Levanta una mano si lo que oyes es lógico y levanta las dos manos si no es lógico.

**realidades.com**
● Audio Activities
● Leveled Workbook
● Flashcards
● Web Code: jdd-0702

# ¿Cómo se hace la paella?

Ignacio y Javier van a
hacer paella. ¿Qué les pasa
en la cocina?

**Estrategia**

**Using prior experience**
What do you know about cooking?
Are you "at home" in the kitchen or
do you feel uncomfortable? Look at
the photos and guess how Javier and
Ignacio feel.

**1** **Ignacio:** Javier, **¿cómo se
hace** la paella? Quiero
preparar una comida
especial para Ana.

**Javier:** Bueno, está bien.
Vamos a necesitar
camarones y mariscos. No
uso ingredientes ni
congelados ni enlatados.
Queremos todo bien fresco.

**5** **Javier:** ¡No **tires** el aceite!
Y **no añadas** más. Tienes
más que suficiente. Primero
vamos a freír los ajos.

**También se dice . . .**

**los camarones** = las gambas
(*España*)

**la estufa** = la cocina (*España*)

**6** **Javier:** ¡No, Ignacio! Tienes
que picar los ajos primero.

**Ignacio:** ¿Picar?

**Javier:** Sí, cortar los ajos
en pedazos muy pequeños.

**7** **Ignacio:** Voy a encender la
cocina . . .

**Javier:** A ver . . . el aceite
tiene que estar bien
**caliente.** No, todavía no
está . . . Yo preparo los
mariscos. Tú, **no te olvides
del** aceite. **No dejes** que se
caliente demasiado.

**2** **Ignacio:** ¿**Con qué se sirve** la paella? ¿Con papas fritas?

**Javier:** No, no, no . . . Se sirve con una ensalada.

**3** **Ignacio:** Bueno, ¿**enciendo** el horno ya?

**Javier:** ¡No! No **se puede** usar el horno para hacer la paella. Se prepara la paella encima de la cocina.

**4** **Ignacio:** ¿Pongo el aceite en la olla?

**Javier:** Deja esa olla y escucha bien. Primero tienes que calentar el aceite en una sartén grande.

**8** **Javier:** ¡Ignacio! ¡**Apaga** la cocina! ¿En qué estabas pensando?

**Ignacio:** Bueno, en la sorpresa de Ana cuando . . .

**Javier:** Pues, así, creo que va a recibir una gran sorpresa, pero no va a ser buena . . . Vamos a seguir . . .

**3** **¿Comprendiste?**

**Escribir • Hablar**

**1.** ¿Qué le pregunta Ignacio a Javier? ¿Por qué?

**2.** ¿Qué necesitan los chicos?

**3.** Según Javier, ¿se puede servir la paella con papas fritas? ¿Con qué se sirve?

**4.** ¿Qué quiere hacer Ignacio primero en la cocina? ¿Está bien? ¿Qué le dice Javier?

**5.** ¿Qué quiere hacer Ignacio luego? ¿Qué le dice Javier?

**6.** ¿Qué le pasó a Ignacio al final? ¿En qué estaba pensando?

**Más práctica**

● **Guided** Vocab. Check pp. 243–246
● **Core** Vocab. Practice pp. 135–136
● **Communication** Video pp. 126–128
● *Real.* para hispanohablantes p. 253

**realidades.com** ▼

• Audio Activities
• Video Activities
• Leveled Workbook
• Flashcards
• Web Code: jdd-0703

# Vocabulario en uso

## 4 ¡Ignacio lo sabe todo!

**Escribir · Leer · Hablar**

Después de ver a Ignacio en la cocina preparando una paella, ya sabes cómo hacerla. Trabaja con otro(a) estudiante. Completen las preguntas con expresiones y palabras del recuadro y completen las respuestas según los dibujos. Después lean la conversación.

**Modelo**

A —Ignacio, ¿cómo *se llama* lo que vamos a preparar?

B —Es una *paella*. Es un plato tradicional de España.

**Estudiante A**

| | | |
|---|---|---|
| ingredientes | se hace | se puede |
| pedazos | se llama | se sirve |

**Estudiante B**

A —¿Qué __1.__ hay en la paella?

B —Arroz, pollo y __2.__ .

A —¿Cómo __3.__ la paella?

B —Pues, primero hay que calentar __4.__ en una __5.__ .

A —¿ __6.__ usar el microondas para prepararla paella?

B —¡No, en absoluto! Hay que prepararla sobre un __7.__ lento en la estufa.

A —¿Corto la cebolla en __8.__ grandes?

B —No, pica la cebolla y el __9.__ .

A —¿Con qué __10.__ la paella?

B —Con una ensalada de lechuga y tomate con aceite y __11.__ .

**También se dice . . .**

**el refrigerador** = la nevera, el frigorífico *(España, muchos países);* la heladera *(Argentina, Uruguay)*

**el fregadero** = el lavaplatos *(Colombia);* la pileta *(Argentina)*

### Fondo cultural
**España**

**La paella** es el plato más popular de la cocina española. El nombre *paella* viene de la paellera, la sartén especial que se usa para cocinarla. Su ingrediente principal es el arroz. La paella tradicional se hace sólo con mariscos, pero también se puede añadir pollo y salchichas. En la costa, ponen los mariscos frescos del día. La paella se come en muchos países. En América Latina preparan platos similares, como el arroz con frijoles y el arroz con pollo.

- Compara la paella con la comida típica que comes. ¿Comes muchas comidas hechas con arroz? ¿Son similares a la paella, o diferentes?

## 5 La cocina de mi tía

jdd-0788

**Escuchar · Dibujar · Escribir · Hablar**

Escucha mientras la tía de Juanita describe su cocina. Dibuja y escribe los nombres de las cosas que menciona. Luego compara tu dibujo con el de otro(a) estudiante.

**¿Recuerdas?**

Regular affirmative *tú* commands use the present-tense *Ud./él/ella* form of the verb. Some verbs, like *tener* and *poner,* have irregular command forms.

## 6 Los huevos revueltos

**Leer · Escribir**

Hoy es sábado y tu madre tiene que trabajar. Ha dejado para ti unas instrucciones para hacer huevos revueltos *(scrambled)*. Usa los verbos en el recuadro y escribe el mandato apropiado para cada número.

**Modelo**
preparar
Por favor, *prepara* huevos revueltos para la familia.

| | |
|---|---|
| añadir | hervir |
| apagar | mezclar |
| batir | poner |
| dejar | probar |
| encender | servir |
| freír | tener |

**En el desayuno**
1. los huevos con un tenedor y 2. sal y pimienta.
3. los huevos con un poquito de leche y queso rallado *(shredded)*.
4. la estufa pero 5. cuidado. No necesitas un fuego muy alto.
6. el tocino.
7. los huevos batidos en una sartén y cocínalos.
8. cocinar los huevos por unos minutos.
9. agua para hacer café.
10. los huevos para ver si tienen suficiente sal y pimienta.
11. la estufa y 12. el desayuno.

## 7 ¿Qué has probado?

**Leer · Hablar**

Lee estas descripciones de unos platos típicos de diferentes países hispanohablantes. Después habla con otro(a) estudiante sobre los platos que han probado y sobre los que les gustaría probar.

**Modelo**
A —¿*Has probado el ceviche?*
B —*Sí, lo he probado.*
*(No) Me gusta mucho porque . . .*

**Camarones al ajillo** Fríen los camarones muy frescos con aceite y ajo en una pequeña sartén y los sirven muy calientes.

**Pescado frito** Fríen el pescado en aceite caliente. Añaden sal, pimienta y otras especias *(spices)*. Es popular en muchos países, desde España hasta Puerto Rico.

**Gazpacho** Sirven fría esta sopa de tomate, aceite y ajo que también puede contener verduras como apio *(celery)* y chiles.

**Ceviche** Mezclan el pescado con tomate, cebolla, vinagre, chile y jugo de limón. Hay diferentes variaciones de ceviche.

## 8 ¿Qué prefieres?

**Hablar**

Con otro(a) estudiante, habla de sus preferencias.

**Modelo**

A —¿Qué prefieres, <u>las papas fritas</u> o <u>las papas al horno</u>?

B —Prefiero <u>las papas al horno</u>.

o:—No me <u>gustan</u> ni <u>las papas fritas</u> ni <u>las papas al horno</u>.

1.   2.   3.

4.   5.

## 9 ¿Dónde los pongo?

**Hablar**

Con otro(a) estudiante, habla de dónde se ponen las cosas en la cocina.

**Modelo**

A —¿Dónde pongo <u>los pedazos de tomate</u>?

B —Ponlos en <u>la ensalada</u>.

**Estudiante A**

1. 2. 3.
4. 5. 6.

**Estudiante B**

1. 2. 3.
4. 5. 6.

## 10 Recomendaciones para cocinar

**Leer • Escribir • Escuchar • Hablar**

Lee las recomendaciones para cocinar y escoge la mejor palabra o expresión para completar cada una. Luego usa estas frases como modelo y escribe cuatro más con tus propias recomendaciones. Lee tus frases a otro(a) estudiante, quien tiene que completarlas.

**1.** En una ensalada, las verduras ___ *(frescas / enlatadas)* son más sabrosas.

**2.** Mientras fríes algo, ___ *(no tires / prueba)* el aceite caliente.

**3.** Es mejor hervir agua para los espaguetis en una ___ *(olla / sartén)*.

**4.** ___ *(Deja / No te olvides de)* apagar la estufa después de usarla.

**5.** Usa ___ *(el microondas / el horno)* para preparar algo rápidamente.

**6.** Para algunas recetas de arroz necesitas un ___ *(caldo / ajo)* de pescado o pollo.

## 11 Tostones isleños

**Leer • Escribir • Hablar**

Lee este artículo de una revista de cocina. Luego trabaja con otro(a) estudiante para contestar las preguntas.

# TOSTONES

¡No tienes que esperar un viaje a la fantástica isla de Puerto Rico para disfrutar de[1] este riquísimo plato tropical! Puedes seguir esta receta fácil y preparar tostones con mojito (¡esa salsa deliciosa de aceite y ajo!) en tu propia casa.

### Ingredientes

**Tostones**
6 plátanos verdes
agua
sal
aceite

**Mojito**
8 dientes[2] de ajo
½ taza de aceite
 de oliva
perejil[3]

### Preparación

**Tostones**

Pela los plátanos y córtalos en pedazos medianos. Ponlos en una olla con agua y sal por 15 minutos. Luego ponlos a secar en una toalla de papel. Calienta aceite en una sartén. Fríe los plátanos dos minutos por cada lado. Pon los plátanos sobre una toalla de papel para escurrirles[4] el aceite y aplasta[5] los pedazos. Fríelos otra vez. Escúrrelos y añade sal.

**Mojito**

Pela los dientes de ajo y machácalos[6]. Pica el perejil. Calienta el aceite de oliva y añade el ajo. Caliéntalo a fuego lento hasta que el ajo esté dorado[7]. Añade el perejil picado. Pon la mezcla caliente al lado de los tostones y sírvelos.

**¡Buen provecho!**

[1] enjoy  [2] cloves  [3] parsley  [4] drain them  [5] flatten  [6] crush them  [7] is golden

1. En una hoja de papel, hagan dos columnas. Escriban las cosas que necesitan para preparar los tostones con mojito en una columna y escriban para qué las necesitan en la otra.

| Necesitamos | Para |
|---|---|
| un cuchillo | pelar el ajo |

2. ¿Has probado tostones con mojito? Si ya los has probado, ¿te gustaron? Si todavía no los has probado, ¿te gustaría probarlos?
3. Dicen que los tostones son similares a las papitas *(potato chips)*. ¿En qué sentido son similares o diferentes?

### Fondo cultural
**El mundo hispano**

**El plátano** es uno de los alimentos más populares de los países tropicales de América Latina. Se cree que el plátano es originario del sudeste asiático. Los plátanos amarillos que ves en los supermercados son sólo un tipo de la gran diversidad de plátanos que hay. Hay pequeños plátanos amarillos y plátanos grandes, como los verdes y los rojos. Con los plátanos verdes se preparan los tostones. Otras recetas con plátanos verdes son sopa de plátano verde y bolas de verde (Ecuador y Colombia).

• ¿Qué relación crees que hay entre la popularidad del plátano como comida y su abundancia?

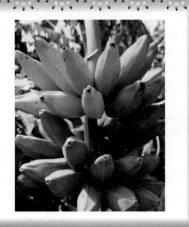

# Gramática

## Negative *tú* commands

To tell someone what *not* to do, use a negative command. To form negative *tú* commands, drop the *-o* of the present-tense *yo* form and add:

- *-es* for *-ar* verbs.

  usar   uso: **No uses** el microondas.

- *-as* for *-er* and *-ir* verbs.

  encender   enciendo:   **No enciendas** el horno.
  añadir   añado:   **No añadas** demasiada sal.
  poner   pongo:   **No pongas** los camarones en la sartén todavía.

Verbs ending in *-car, -gar,* or *-zar* have spelling changes: *c* changes to *qu, g* changes to *gu,* and *z* changes to *c*.

  picar   pico:   **No piques** los tomates.
  pagar   pago:   **No pagues** demasiado.
  empezar   empiezo:   **No empieces** a cocinar ahora.

These verbs have irregular negative *tú* commands:

  dar   **no des**   ir   **no vayas**
  estar   **no estés**   ser   **no seas**

Remember that pronouns are attached to affirmative commands. If the pronoun is added to a command form that has two or more syllables, write an accent mark on the syllable stressed in the present tense.

—¿Pico las cebollas?

—Sí, **pícalas.**

With negative commands, pronouns always go right before the conjugated verb.

—¿Pico los tomates también?

—No, no **los** piques.

**GramActiva** VIDEO

Want more help with negative *tú* commands? Watch the **GramActiva** video.

No corras.

## 12 ¡Así no!

**Escribir**

Tu hermano mayor acaba de limpiar la casa y no quiere limpiarla otra vez. Te escribe una nota diciendo las cosas que no debes hacer. Completa lo que dice él con los mandatos negativos correctos.

**Modelo**

(picar / tirar) leche en el suelo
*No tires leche en el suelo.*

1. *(mezclar / dejar)* ollas sucias en el fregadero
2. *(comer / añadir)* en tu cama
3. *(pelar / usar)* la estufa sin limpiarla después
4. *(salir / poner)* pollo frito encima del sofá
5. *(hacer / probar)* espaguetis en el microondas
6. *(dar de comer / ver)* al perro en la sala
7. *(ir / ser)* egoísta*. Piensa en los otros miembros de la familia.

*selfish

## ⓭ Para tener empanadas exquisitas

**Leer • Escribir**

**❶** A Manolo le gusta hacer las empanadas y ha escrito unas instrucciones para hacerlas. Escoge verbos del recuadro y completa las instrucciones con el mandato negativo.

comenzar
___ a cocinar sin leer la receta.
*No comiences a cocinar sin leer la receta.*

| | | |
|---|---|---|
| cortar | ir | salir |
| hacer | mezclar | servir |

1. ____ al supermercado por los ingredientes sin llevar una lista.

2. ____ la masa *(dough)* si no te has lavado las manos.

3. ____ las empanadas sin añadir la sal.

4. ____ la carne y las verduras con el mismo cuchillo sin lavarlo.

5. ____ de la cocina cuando las empanadas están en el horno.

6. ____ las empanadas sin probar una primero.

**❷** Ayuda a Manolo a escribir cuatro reglas adicionales sobre cómo tener éxito en la cocina. Usa mandatos negativos.

## ⓮ Un mundo negativo ♻

**Escribir**

Imagina que eres el (la) director(a) de la cafetería de tu escuela. Escribe mandatos negativos para dar instrucciones en la cocina.

1. venir a la cocina con las manos sucias
2. tirar el almuerzo a la basura
3. ofrecer demasiado café
4. hacer muchas tortillas
5. ¡Respuesta personal!

**Modelo**
dejar la sartén en el fuego
*No dejes la sartén en el fuego.*

### Más práctica

- **Guided** Gram. Practice pp. 247–250
- **Core** Gram. Practice p. 137
- **Communication** Writing p. 133
- ***Real.* para hispanohablantes** pp. 254–257, 260

**realidades.com** ✔
- Audio Activities
- Video Activities
- Speak & Record
- Canción de hip hop
- Tutorial
- Leveled Workbook
- Web Code: jdd-0704

**¡No lo hagas todavía!**

**Hablar**

Imagina que estás en Venezuela y quieres ayudar a la madre (o al padre) de tu familia venezolana en la cocina. Lee la receta para arepas que está abajo. Con otro(a) estudiante, haz preguntas para ver si puedes comenzar a hacer las arepas. Tu compañero(a) no está listo(a) todavía.

**Modelo**

mezclar el agua con la sal

**A** —¿*Mezclo el agua con la sal ya?*
**B** —*No, no las mezcles todavía.*

### Arepa tradicional venezolana

**Ingredientes:**
1 taza de harina de maíz[1] precocida[2]
2 tazas de agua
½ cucharadita de sal
½ cucharadita de mantequilla

**Preparación:**
1. Mezcla las dos tazas de agua con la sal.
2. Añade la harina de maíz poco a poco y amasa[3] hasta tener una masa[4] bien mezclada y sin grumos[5].
3. Añade la mantequilla y forma bolas de masa.
4. Calienta una plancha[6] de cocina, aplasta[7] las bolas de masa un poco y ponlas en la plancha hasta que estén doradas[8] por los dos lados. Si prefieres, puedes ponerlas al horno después para hacerlas más abombadas[9].

Se venden arepas en la playa de Miami, Florida.

[1]corn flour  [2]precooked  [3]knead  [4]dough  [5]lumps  [6]griddle  [7]flatten  [8]they are golden  [9]dome-shaped

## Fondo cultural

**Venezuela**

**La arepa** es una comida tradicional que se come casi todos los días en Venezuela. Blancas o amarillas, las arepas siempre han sido el desayuno o la cena perfecta para muchas familias venezolanas. Hay diferentes variedades de arepa: algunas están hechas con papas y otras con queso. En cada región de Venezuela se preparan las arepas de manera diferente. Muchas veces las arepas están rellenas de *(filled with)* pollo, jamón, huevos y otras cosas.

• ¿Por qué crees que hay tantas variedades de arepas venezolanas? ¿Qué platos de los Estados Unidos se preparan de varias maneras según la región del país?

Haciendo arepas en Mérida, Venezuela

## 16 En la guardería infantil

**Escribir • Dibujar**

Una guardería infantil cerca de tu casa necesita personas para trabajar con los niños que sólo hablan español. Otro(a) estudiante y tú van a trabajar allí. Su primera responsabilidad: la comida saludable para los niños.

**1** En una hoja de papel, escriban cinco mandatos afirmativos y cinco negativos para los niños, usando la forma *tú*.

**Modelo**

comer / jugar

| Afirmativo | Negativo |
|---|---|
| come despacio | no juegues con la comida |

**2** Hagan un cartel usando los mandatos afirmativos y negativos. Hagan dibujos o corten ilustraciones para hacerlo más interesante. Muestren *(Show)* el cartel en la clase.

## Pronunciación

### Dividing words into syllables

jdd-0788

In Spanish, you divide words into syllables after a vowel sound or between most double consonants. Listen to and say these words:

| | | |
|---|---|---|
| ca-ma-ro-nes | fres-co | her-vir |
| ma-ris-cos | en-cien-do | con-ge-la-do |

However, you do not separate most combinations of a consonant followed by *l* or *r*. Listen to and say these words:

| | | |
|---|---|---|
| do-**ble** | in-**gre**-dien-tes | **fre**-ga-de-ro |
| re-**fres**-cos | vi-na-**gre** | re-**fri**-ge-ra-dor |

When two strong vowels *(a, e, o)* appear together, each is pronounced individually, forming two syllables. Listen to and say these words:

| | | |
|---|---|---|
| pa-**e**-lla | tra-**e**-mos | to-**a**-lla |
| mi-cr**o**-**o**n-das | fe-**o** | hé-r**o**-**e** |

**¡Compruébalo!** Lee estos versos del poema "Oda a las papas fritas", del famoso poeta chileno, Pablo Neruda (1904–1973), quien ganó el Premio Nobel de Literatura en 1971.

**"Oda a las papas fritas"**

Chisporrotea[1]
en el aceite
hirviendo
la alegría
del mundo:
las papas
fritas
entran
en la sartén
como nevadas
plumas
de cisne matutino[2]
y salen
semidoradas por el crepitante[3]
ámbar[4] de las olivas.

[1] Hissing  [2] snowy feathers of a morning swan  [3] crackling
[4] amber

Escribe estas palabras del poema y divídelas en sílabas:

| | | |
|---|---|---|
| chisporrotea | aceite | hirviendo |
| alegría | sartén | semidoradas |

# Gramática

## The impersonal *se*

In English, you use *they, you, one,* or *people* in an impersonal or indefinite sense to mean "people in general." In Spanish, you use *se* + the *Ud. / él / ella* or *Uds. / ellos / ellas* form of the verb.

A menudo **se sirve** pan con la paella.

*Bread **is** often **served** with paella.*

**Se usan** otros mariscos también para hacer paella.

***They** also **use** other shellfish to make paella.*

### ¿Recuerdas?

Remember that you use *se prohíbe* to tell that something is prohibited.

• **Se prohíbe** comer en clase.

### GramActiva VIDEO

Want more help with the impersonal *se*? Watch the **GramActiva** video.

Se habla español.

## 17 Comidas populares

**Escribir**

Para cada foto, escribe una frase diciendo cuál es una de las comidas populares del país o de la región.

### Modelo

España / preparar frecuentemente
*En España se prepara frecuentemente la paella.*

1.  México / servir a menudo

2.  Puerto Rico / comer con mojito

3.  España / preparar con ajo

4.  Argentina / comer mucho

5.  Bolivia / preparar de maneras diferentes

6.  la República Dominicana / servir bien frescos

7.  Costa Rica / comer con frijoles

8.  Nuevo México / servir con chiles

**18** **¿Se puede . . . ?**

**Escribir • Hablar**

Imagina que un estudiante nuevo llega a tu comunidad y quiere saber qué se puede hacer en tu escuela.

**1** Escribe cinco preguntas sobre las cosas que se pueden, se permiten o se prohíben hacer en tu escuela.

> **Modelo**
> *En el gimnasio, ¿se puede levantar pesas?*

**2** Pregúntale a otro(a) estudiante si se pueden hacer las actividades.

> **Modelo**
> **A** —*En el gimnasio, ¿se puede levantar pesas?*
> **B** —*Claro, se puede levantar pesas.*

**19** **La dieta ideal**

**Pensar • Escribir • Hablar**

Comer bien es muy importante para todos. ¿Cómo se decide qué comer cada día? Se debe prestar atención a la buena nutrición.

**Conexiones | Las ciencias**

Lee esta tabla sobre los minerales y las comidas en las que se encuentran.

| Mineral | Comidas |
|---|---|
| Calcio | Leche, queso y verduras |
| Fósforo | Huevos, pescado, granos integrales (trigo,[1] maíz,[2] arroz, y más), leche, hígado,[3] brócoli y frijoles[4] |
| Hierro[5] | Hígado, huevos, carnes, verduras, guisantes y melaza[6] |
| Yodo[7] | Mariscos y sal que contiene yodo |

[1] wheat  [2] corn  [3] liver  [4] beans  [5] Iron  [6] molasses  [7] Iodine

**1** Trabaja con otro(a) estudiante y busquen en la tabla los minerales que tiene:

**1.** una paella hecha con arroz, pollo, pescado y mariscos

**2.** una pizza con salsa de tomate, queso y salchicha

Escriban una lista de los minerales que tienen estas dos comidas. Compárenlas. ¿Cuál de las dos tiene más minerales? ¿Cuál es la comida más saludable?

**2** En un grupo de cuatro estudiantes, escojan una comida y busquen en la tabla los minerales que contienen los ingredientes. Lean la descripción de los ingredientes y los minerales a la clase sin decir qué comida es. Los demás deben adivinar la comida.

## 20 ¡Se come bien aquí!

**Leer · Hablar**

Lee este anuncio sobre un restaurante en Puerto Vallarta, México. Trabaja con otro(a) estudiante y contesta las preguntas.

1. ¿Qué comidas se recomiendan en este restaurante?

2. ¿Qué se puede hacer mientras se cena allí?

3. ¿Qué influencias diferentes se encuentran en la comida mexicana moderna?

4. ¿Cómo se prepara la comida mexicana moderna?

5. ¿Se puede almorzar en este restaurante?

6. ¿Qué se debe hacer si se quiere cenar allí?

7. ¿Te gustaría comer en el Café de los Artistas? ¿Por qué?

## 21 Y tú, ¿qué dices?

**Escribir · Hablar**

1. Piensa en un restaurante donde comes a menudo. ¿Qué comidas se sirven allí? ¿Con qué se sirven estas comidas?

2. ¿Cuál de las comidas de este restaurante es tu favorita? ¿Con qué se hace esta comida?

3. ¿Cuándo se abre el restaurante? ¿Cuándo se cierra? ¿Se recomienda reservar una mesa?

### Más práctica

- **Guided** Gram. Practice pp. 251–252
- **Core** Gram. Practice pp. 138–139
- **Communication** Writing p. 134, Test Prep p. 265
- *Real.* **para hispanohablantes** pp. 258–259, 261

**realidades.com**

- Audio Activities
- Video Activities
- Speak & Record
- Tutorial
- Leveled Workbook
- Web Code: jdd-0705

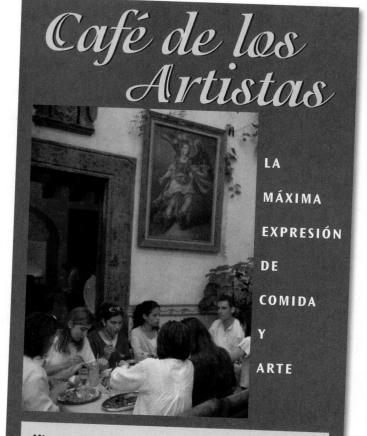

# Café de los Artistas

LA MÁXIMA EXPRESIÓN DE COMIDA Y ARTE

Mientras Ud. está en Puerto Vallarta, se le recomienda cenar en el Café de los Artistas. ¡Se come bien aquí! En este restaurante elegante, se puede disfrutar de[1] la mejor comida de la ciudad y al mismo tiempo de las obras de arte regionales más contemporáneas.

En la cena, se deben probar los fresquísimos mariscos y la pesca[2] del día. También se recomienda la comida mexicana moderna, el resultado de las influencias española y francesa con técnicas e ingredientes usados por los pueblos prehispánicos.

Esta comida se caracteriza por sus sopas y guisados[3] cocinados a fuego lento, sus salsas sabrosas y sus ingredientes frescos. Una vez terminada la comida, se quiere prolongar la visita para tomar un café y uno de los riquísimos postres mientras contempla el arte más nuevo y bello de Jalisco.

**¡No se pierda[4] la mejor experiencia de comida y arte en Puerto Vallarta! Coma esta noche en el Café de los Artistas.**

Se abre diariamente a las 18:00 h.

Se recomienda hacer reservaciones al 225-01-61.
Calle Guerrero 215
Centro

[1] enjoy  [2] catch  [3] dishes  [4] Don't miss

## 22 Un anuncio  para un restaurante

**Escribir · Hablar · Dibujar**

Trabaja con otro(a) estudiante para crear un anuncio de un restaurante. El restaurante puede ser uno que conocen en su comunidad o en otro lugar, uno que encuentran en la Red o uno que Uds. mismos inventan. Van a crear un cartel o página Web con ilustraciones en las que dan información sobre:

- por qué se debe comer allí
- cómo se preparan diferentes platos
- con qué se sirven estos platos
- qué ingredientes se usan

Incluyan también por lo menos *(at least)* un mandato afirmativo y un mandato negativo en el anuncio. Pueden usar el anuncio de la Actividad 20 como modelo y usar algunas ideas suyas de la Actividad 21 para escribir su anuncio.

## El español en la comunidad

En muchas comunidades de los Estados Unidos, en las tiendas, los restaurantes, las bibliotecas y otros lugares públicos, se ven frecuentemente anuncios en español que comienzan con la palabra *se*. Los anuncios más comunes dan información, como "Se habla español"; ofrecen servicios o productos, como "Se alquila . . ." o "Se vende . . ."; anuncian un trabajo o una necesidad, como "Se busca . . .", o "Se necesita . . ." o prohíben algo, como "Se prohíbe . . .".

- ¿Has visto anuncios similares en tu comunidad? ¿Cuáles has visto? ¿Puedes escribir algunos anuncios en español?

## 23 ¡Nos gustaría visitar ese restaurante!

**Escuchar · Hablar**

Presenten su anuncio de la Actividad 22 a otros dos grupos. Luego hablen de por qué les gustaría o no les gustaría visitar los restaurantes que se describen. Pueden hacer preguntas para recibir más información.

### Modelo

*Nos gustaría visitar ese restaurante porque . . .*
*¿Se recomienda reservar una mesa?*
*¿A qué hora se abre?*

Un restaurante popular en México

Anuncios para clientes hispanohablantes

# Lectura

## "ODA AL TOMATE"

La calle
Se llenó de tomates,
mediodía,
verano,
5 la luz
se parte
en dos
mitades
de tomate,
10 corre
por las calles
el jugo.
En diciembre
se desata[1]
15 el tomate,
invade
las cocinas,
entra por los almuerzos,
se sienta
20 reposado[2]
en los aparadores,[3]
entre los vasos,
las mantequilleras,
los saleros[4] azules.
25 Tiene
luz propia,
majestad benigna.[5]

Debemos, por desgracia,[6]
asesinarlo;
30 se hunde[7]
el cuchillo
en su pulpa viviente,
en una roja
víscera,[8]
35 un sol
fresco,
profundo,[9]
inagotable,[10]
llena las ensaladas
40 de Chile,
se casa alegremente
con la clara cebolla,
y para celebrarlo
se deja
45 caer
aceite,
hijo
esencial del olivo,[11]
sobre sus hemisferios
50 entreabiertos[12]
agrega
la pimienta
su fragancia,
la sal su magnetismo ( . . .)

[1]is let loose
[2]rested
[3]cupboards
[4]salt shakers
[5]mild
[6]unfortunately
[7]sinks
[8]guts
[9]deep
[10]tireless
[11]olive tree
[12]half-open

**PABLO NERUDA (1904–1973),** un poeta chileno, es considerado uno de los poetas más importantes del siglo XX. En 1971 recibió el Premio Nobel de Literatura y el Premio Lenin de la Paz.

# "Oda a la cebolla"

(. . .) cebolla,

clara como un planeta,

y destinada

a relucir,[1]

constelación constante,

redonda[2] rosa de agua,

sobre la mesa

de las pobres gentes.

[1]shine    [2]round

## ¿Comprendiste?

**"Oda al tomate"**

1. ¿Por qué crees que Neruda usa el verbo *asesinar*? ¿Qué está describiendo?

2. El poeta no se refiere al tomate como un objeto. ¿Cómo describe el poeta el tomate?

3. ¿Qué quiere decir el poeta con la frase "se casa alegremente con la clara cebolla . . ."?

4. ¿A qué se refiere Neruda con la frase "hijo esencial del olivo"?

5. Lee el poema otra vez. Piensa en cuatro imágenes del poema y dibújalas.

**"Oda a la cebolla"**

En este poema, Neruda compara la cebolla con varias cosas. ¿Cuáles son?

## Y tú, ¿qué dices?

Piensa en algo que comes o bebes, por ejemplo: el pan, el chocolate, las fresas, una tortilla, el cereal o la leche. Escribe un poema de cuatro a seis versos como éstos de Neruda.

## Más práctica

- **Guided** Reading Support p. 253
- **Communication** Writing p. 135, Test Prep p. 266
- *Real.* para hispanohablantes pp. 262–263

**realidades.com**

- Internet Activity
- Leveled Workbook
- Web Code: jdd-0706

# La cultura en vivo
## ¡Tortillas y tacos!

La tortilla es la comida fundamental de México y de toda América Central. La tortilla se hace con maíz y también con harina[1]. Los tacos son tortillas con carne o pollo, verduras, queso y chile. El maíz es una planta originaria de las Américas y su nombre azteca fue *toconayao*.

Hoy en día, las tortillas son populares en los Estados Unidos. Las tortillas se pueden comprar frescas o congeladas en los supermercados en casi todas partes del país.

La preparación de los tacos es fácil. Aquí están los ingredientes y la receta.

## Ingredientes

- 1 libra[2] de carne
- 1 cebolla
- 2 cucharadas de aceite
- 12 tortillas de maíz
- $\frac{1}{2}$ (media) libra de queso
- $\frac{1}{2}$ taza de crema agria[3]
- 1 lechuga
- 2 tomates
- cilantro
- perejil[4]
- chile, sal y pimienta

[1]flour    [2]pound    [3]sour cream    [4]parsley

1. Para preparar la salsa: poner los tomates, la cebolla, el cilantro, el perejil, el chile, la sal y la pimienta en la licuadora por unos minutos.

2. Para preparar la carne: freír la carne en aceite con sal y pimienta. Después mezclar un poco de salsa con la carne.

3. Para hacer los tacos: poner una cucharada de carne en cada tortilla.

4. Para hacer más sabrosos los tacos: poner la crema agria primero, y después la salsa, la lechuga y el queso.

# Presentación oral
## Cómo preparar un plato favorito

**Task**
You are a guest on a television cooking show and will be explaining to the audience how to prepare your favorite dish. Explain what the ingredients are, the main steps for preparing it, and what utensils you need.

**Estrategia**

**Using background knowledge**
Think about cooking shows you have seen. How does the chef present the ingredients? How does he or she explain how to prepare and cook the dish? Use these techniques in your presentation.

**1 Prepare** Bring in samples or pictures of the main ingredients and utensils you need to prepare your dish. (You might want to select a recipe that isn't too complicated!) If possible, prepare the dish ahead of time and bring in a sample for the class. Make a recipe card like the one to the right to help you organize your presentation.

**2 Practice** Go through your presentation several times. You can use your recipe card in practice, but not when you present. Try to:

- include the ingredients and utensils needed
- describe and show the preparation in clear steps
- speak clearly

### Quesadillas

Ingredientes que
se necesitan
tortillas de harina
queso
frijoles refritos

Cosas que se usan
un cuchillo
una sartén

Preparación
1. Primero se extiende $\frac{1}{4}$ taza de frijoles refritos sobre la mitad de cada tortilla.
2. Luego se ponen dos cucharadas de queso . . .

**Modelo**

*Para hacer una quesadilla se necesitan una tortilla, frijoles refritos y queso. Primero se calienta la sartén . . .*

**3 Present** Tell and show the class how to prepare the dish. Use the materials (ingredients and utensils) or visuals as part of your presentation.

**4 Evaluation** Your teacher may give you a rubric for how the presentation will be graded. You will probably be graded on:

- how complete your preparation is
- how much information you communicate
- how easy it is to understand you

**realidades.com** ✔
• Speak & Record

# En busca de la verdad

## Episodio 9

## Antes de ver el video

"Este archivo contiene las respuestas a todas sus preguntas".

> **Nota cultural** Cuando haces nuevos amigos en México y ellos ya te tienen confianza, es muy común que te digan "Mi casa es tu casa" o "Siéntete como en tu casa". Son expresiones de cortesía.

"Estamos buscando a mi abuelo, Federico Zúñiga. Ésta es su cuenta".

## Resumen del episodio

Antes de salir para el aeropuerto, Tomás le da a Roberto unos documentos muy importantes. Carmen, Linda y Roberto llegan a San Antonio. Al día siguiente, Roberto y Linda van al Banco de la Frontera y conocen al Sr. De León. Él les da la última pista para descubrir la verdad sobre el abuelo de Roberto.

### Palabras para comprender

**certificado de nacimiento**
  birth certificate

**tarjeta de estudiante**
  student ID

**puede que** it may be that

**heredero** heir

**Estoy a cargo del caso.** I am in charge of the case.

# Después de ver el video

## ¿Comprendiste?

**A.** Completa las siguientes frases.

1. Antes de salir para San Antonio, el padre de Roberto le da _____.

2. Enrique es _____.

3. Linda quiere ir primero a su escuela porque _____.

4. Roberto le dice a De León que su familia no usa el apellido Zúñiga porque _____.

5. De León no puede darle a Roberto más información sobre su abuelo porque _____.

6. De León le dice a Roberto que le pueden dar más información en _____.

7. El hombre misterioso viajó a Guanajuato para _____.

8. Roberto descubre que el hombre misterioso es _____.

**B.** Escribe un resumen de la conversación entre Roberto y De León.

"Buenas tardes, señor. Me llamo Roberto Toledo".

# Repaso del capítulo

## Vocabulario y gramática

jdd-0789

### to name foods and items in the kitchen

| | |
|---|---|
| el aceite | cooking oil |
| el ajo | garlic |
| el caldo | broth |
| el camarón, *pl.* los camarones | shrimp |
| la estufa | stove |
| el fregadero | sink |
| el fuego | fire, heat |
| el horno | oven |
| los mariscos | shellfish |
| el microondas, *pl.* los microondas | microwave |
| la olla | pot |
| el pedazo | piece, slice |
| el refrigerador | refrigerator |
| la salsa | salsa, sauce |
| la sartén, *pl.* las sartenes | frying pan |
| el vinagre | vinegar |

### to follow a recipe

| | |
|---|---|
| añadir | to add |
| no añadas | don't add |
| batir | to beat |
| calentar *(e → ie)* | to heat |
| la cucharada | tablespoon(ful) |
| freír *(e → i)* | to fry |
| hervir *(e → ie) (e → i)* | to boil |
| el ingrediente | ingredient |
| mezclar | to mix |
| pelar | to peel |
| picar | to chop |
| probar *(o → ue)* | to taste, to try |
| la receta | recipe |

### to talk about food preparation

| | |
|---|---|
| al horno | baked |
| apagar | to turn off |
| caliente | hot |
| ¿Cómo se hace . . . ? | How do you make . . . ? |
| ¿Con qué se sirve? | What do you serve it with? |
| congelado, -a | frozen |
| dejar | to leave, to let |
| no dejes | don't leave, don't let |
| encender *(e → ie)* | to turn on, to light |
| enlatado, -a | canned |
| fresco, -a | fresh |
| frito, -a | fried |
| olvidarse de | to forget about / to |
| no te olvides de | don't forget about / to |
| tirar | to spill, to throw away |
| no tires | don't spill, don't throw away |

### another useful expression

| | |
|---|---|
| se puede | you can |

### negative *tú* commands

| | |
|---|---|
| No hables. | Don't speak. |
| No comas. | Don't eat. |
| No escribas. | Don't write. |

### irregular negative *tú* commands

| | |
|---|---|
| dar | no des |
| estar | no estés |
| ir | no vayas |
| ser | no seas |

For *Vocabulario adicional*, see pp. 498–499.

## Más práctica

● **Core** Puzzle p. 140, Organizer p. 141
● **Communication** Integrated
  Performance Assessment p. 267

**realidades.com**

● Tutorial
● Flashcards
● Puzzles
● Self-test
● Web Code: jdd-0707

# Preparación para el examen

| On the exam you will be asked to . . . | Here are practice tasks similar to those you will find on the exam . . . | If you need review . . . |
|---|---|---|

## Interpretive

jdd-0789

**1 Escuchar** Listen to and understand someone giving instructions for cooking a meal

Listen as Gabriel's sister Valeria gives him cooking instructions over the phone. See if you can identify: (a) what he wants to cook; (b) what ingredients he still needs to buy; and (c) the first few steps in the recipe.

**pp. 348–351** *Vocabulario en contexto*
**p. 354** Actividades 9–10
**p. 358** Actividad 15

## Interpersonal

**2 Hablar** Tell someone the first steps in making a particular recipe

Based on the illustrations below, tell someone the first three steps in preparing paella.

**pp. 350–351** *Videohistoria*
**p. 355** Actividad 11
**p. 358** Actividad 15
**p. 367** *Presentación oral*

## Interpretive

**3 Leer** Read and understand as someone gives general advice on cooking

You are reading an article about cooking in a Spanish magazine. Tell which of the following suggestions are focused on: (a) things to do before cooking; (b) things to do while cooking; and (c) things to do after cooking.

1. Apaga el horno cuando terminas de cocinar.
2. Lee primero la receta para saber si tienes todos los ingredientes.
3. No salgas nunca de la cocina mientras algo está hirviendo.

**pp. 350–351** *Videohistoria*
**p. 353** Actividad 6
**p. 354** Actividad 10
**p. 357** Actividad 13
**pp. 364–365** *Lectura*

## Presentational

**4 Escribir** Write rules to promote safety in the kitchen

The home economics teacher asks you to write down a list of five rules for cooking safely for her Spanish-speaking students. You might begin with something like: *Ten cuidado cuando picas las verduras.*

**p. 356** Actividad 12
**p. 357** Actividad 13
**p. 359** Actividad 16

## Cultures

**5 Pensar** Demonstrate an understanding of how certain foods from one culture are incorporated into another culture

You would like to prepare dinner for your family using some recipes from a Mexican cookbook, but your little brother and sister are very picky eaters. What could you tell them about food(s) from another country that they have eaten before and liked? What might be the best American food or dish to introduce to teenagers from other countries? Why?

## Fondo cultural

**Estados Unidos**

"Sandía / Watermelon" (1986), Carmen Lomas Garza

Gouache painting on paper, 20 x 28 in.  Photo Credit: Wolfgang Dietze Collection of Dudley D. Brooks and Tomas Ybarra-Frausto, New York, NY.

**Carmen Lomas Garza** nació en Kingsville, Texas, en 1948. Ella empezó a pintar cuando tenía 13 años. Los cuadros de Lomas Garza muestran *(show)* escenas familiares de la vida diaria y fiestas y actividades de la comunidad hispana. En este cuadro, titulado "Sandía", una familia hispana se reúne a comer esa fruta al aire libre.

• ¿Se reúne tu familia o algunos amigos o vecinos en tu casa frecuentemente? ¿En qué sentido *(way)* son similares las reuniones de tu familia a la que se ve en el cuadro? ¿En qué sentido son diferentes?

# ¿Te gusta comer al aire libre?

## Chapter Objectives

- Discuss food and outdoor cooking
- Tell people what to do or not to do
- Indicate duration, exchange, reason, and other expressions
- Understand cultural perspectives on special foods and outdoor food vendors

### Video Highlights

**A primera vista:** *Un día al aire libre*
**GramActiva Videos:** *usted* and *ustedes* commands; uses of *por*
**Videomisterio:** *En busca de la verdad,* Episodio 10
**Videocultura:** *Buen provecho*

### Country Connection

As you learn to talk about outdoor cooking, you will make connections to these countries and places:

España
Texas
Puerto Rico
México
El Salvador
Guatemala
Ecuador
Perú
Bolivia
Chile
Uruguay
Argentina

### Más práctica

- *Real.* para hispanohablantes pp. 270–271

realidades.com
- Leveled Workbook
- Web Code: jde-0002

*Una celebración al aire libre*

# Vocabulario en contexto

jdd-0797

**Objectives**

Read, listen to, and understand information about
- camping and cookouts
- foods

—Voy a encender el fuego ahora. ¿Me puedes dar los fósforos?

—Claro. ¿Qué vamos a comer?

—Carne de res a la parrilla, tortillas de **maíz** y guacamole. También tengo una salsa que está hecha con chiles verdes y es bien **picante.** Y de postre, piña y sandía. Las dos son muy **dulces.**

—¡Fabuloso! Gracias por hacer todas las preparaciones.

—De nada. Me encanta comer **al aire libre.**

hacer una parrillada

el fósforo

el durazno

el melón

el aguacate

las cerezas

la piedra

la sandía

la piña

la cesta

el pollo **asado**

la salsa de tomate

la carne de res

el pavo

la mostaza

a la parrilla

la chuleta de cerdo

asar

la mayonesa

—¡Ay! No me gustan nada los mosquitos. Hay muchos por aquí.

—Sí, y hay moscas y hormigas también. ¡Qué problema!

—Pedro y Roberto, **traigan** más leña para la fogata. Si no, la fogata se va a apagar. **Pongan**la aquí muy cerca.

—Ahora, no. Vamos a dar una caminata por una hora.

—**Tengan** cuidado. Dicen que va a llover.

—Gracias. ¡Hasta pronto!

las nubes

el cielo

dar una caminata

el sendero

la fogata

la leña

la hormiga  la mosca

secos

mojados

*Una hora después . . .*

—No **entren** en la cabaña.* Están mojados. Aquí, **dentro de** la cabaña, todo está seco. ¡Y dejen las botas sucias **fuera**!

—¿Qué dicen? **¡Abran** la puerta ahora!

*cabin

**1** ¿Cierta o falsa?

jdd-0797

**Escuchar**

Escucha las siguientes frases. Según la información de la escena de la página 374, indica si son ciertas o falsas. Señala con el pulgar hacia arriba si la frase es cierta y con el pulgar hacia abajo si es falsa.

### Más práctica

- **Guided** Vocab. Flash Cards pp. 255–260
- **Core** Vocab. Practice pp. 142–143
- **Communication** Writing p. 142
- **Real. para hispanohablantes** p. 272

**realidades.com** 

- Fondo cultural Activity
- Video Activities
- Online Atlas
- Web Code: jdd-0711

**2** Al aire libre

jdd-0797

**Escuchar**

Escucha las frases y preguntas sobre un día al aire libre. Escoge la respuesta correcta para cada pregunta.

1. **a.** la piedra     **b.** el fósforo
2. **a.** unas nubes     **b.** un pavo
3. **a.** mojada     **b.** seca
4. **a.** la piña     **b.** la chuleta de cerdo
5. **a.** el durazno     **b.** la carne de res
6. **a.** la mostaza     **b.** la sandía

# Un día al aire libre

Claudia, Teresa, Manolo y Ramón van a pasar el día en el parque Desierto de los Leones. Todos tienen hambre, pero hay un problema. Lee para saber qué pasa.

**Estrategia**

**Using visuals**
Using visuals can help you understand the story. Look at the pictures and write what you think the problem is. Then read to see if your prediction was correct.

**Ramón   Claudia   Manolo   Teresa**

**1 Claudia:** Me encanta ir al parque y comer al aire libre.

**Teresa:** A mí también.

**Manolo:** A mí no me gusta. No me gustan ni las moscas ni los mosquitos.

**5 Ramón:** ¡Uumm, chuletas de cerdo! ¡Qué **olor** tan bueno!

**Manolo:** Sí. Un poco **grasosas,** pero muy ricas. ¡Ahora tengo sed y hambre!

**6 Teresa:** ¿Me pasas las tortillas?

**Claudia:** Pues, no están aquí. Tampoco está la carne de res. Esta mañana tenía tanta prisa . . . que dejé la comida en la mesa.

**Teresa:** Pues, ¿qué vamos a comer?

**7 Manolo:** Tenemos hambre. ¡Vamos a comer!

**Claudia:** Tenemos un problema . . . Toda la comida que preparé . . .

**Manolo:** Bien. Podemos comprar la comida en uno de **los puestos.** Vamos a comer allí.

**2** **Teresa:** Oye, ¿y qué traes en la cesta?

**Claudia:** Carne de res, tortillas de **harina, frijoles** y guacamole.

**Teresa:** ¡Qué rico! Ya tengo mucha hambre.

**3** **Teresa:** Miren, aquí lo podemos poner.

**Claudia:** Pero **el suelo** está mojado. Vamos a buscar un lugar seco.

**4** **Ramón:** Manolo, ¿quieres dar una caminata?

**Manolo:** ¿Dar una caminata? Tengo sed. Quiero un refresco.

**Ramón:** Sí, podemos comprar un refresco también. ¿Quieren **acompañar**nos?

**Claudia:** Gracias, pero vamos a quedarnos aquí, a charlar.

**8** **Manolo:** ¡Qué bien! Claudia no puede cocinar muy bien. Su comida no tiene mucho **sabor.** Será mucho mejor comer la comida de aquí, del parque.

**Claudia:** ¿Qué dicen?

**Manolo:** Nada . . .

**Más práctica**

- **Guided** Vocab. Check pp. 261–264
- **Core** Vocab. Practice pp. 144–145
- **Communication** Video pp. 136–138
- *Real.* **para hispanohablantes** p. 273

**También se dice . . .**

**la cesta** = la canasta *(muchos países)*

**3** **¿Comprendiste?**

**Escribir • Hablar**

1. ¿Adónde van los chicos y qué van a hacer?
2. ¿A Manolo le gusta comer al aire libre? ¿Por qué?
3. ¿Qué dice Claudia que trae en la cesta?
4. ¿Adónde van Manolo y Ramón? ¿Qué ven?
5. ¿Qué le pide Teresa a Claudia? ¿Qué le dice Claudia?
6. ¿Qué deciden hacer los chicos? ¿Qué le dice Manolo a Ramón? ¿Lo oye Claudia?

**realidades.com**

- Audio Activities
- Video Activities
- Leveled Workbook
- Flashcards
- Web Code: jdd-0712

# Vocabulario en uso

## 4 Una parrillada bien organizada

**Leer • Escribir**

Tú y tus amigos van a hacer una parrillada en el parque. Tus amigos te traen las cosas que necesitan y tú tienes que organizarlas. Lee las listas y escoge cuál de las cosas no debe estar con las demás. Escribe esta palabra y otra palabra que asocias con ella.

1. la carne de res, el pavo, las chuletas de cerdo, el flan
2. la sandía, la harina, la piña, el melón
3. la cereza, la cesta, la leña, la piedra

| Modelo |
| --- |
la parrilla, la leña, el fósforo, el durazno
*el durazno, la manzana*

4. el fósforo, el melón, el maíz, las cerezas
5. los frijoles, el maíz, la piedra, los aguacates
6. la mayonesa, la salsa de tomate, la mostaza, el maíz

## 5 Escucha y escribe  jdd-0793

**Escuchar • Escribir**

1 Escribe lo que dicen. Después indica si a la persona le gusta o no le gusta comer al aire libre.

2 Habla con otro(a) estudiante. ¿Estás de acuerdo con las seis opiniones? ¿Por qué? Escriban tres razones *(reasons)* para comer o no comer al aire libre.

### Fondo cultural

**Argentina • Uruguay**

**La parrillada mixta** es una comida típica de la Argentina y el Uruguay. En estos países hay mucho ganado *(cattle)* y se consume mucha carne de res. Las familias se reúnen los domingos para hacer parrilladas mixtas al aire libre. La parrillada mixta puede incluir varios cortes de carne, una variedad de chorizos, salchichas y más.

- ¿Qué tradición en los Estados Unidos es similar a la parrillada? ¿Cuál es el origen de esta tradición? ¿Qué comidas son típicas de esta tradición?

Una parrillada típica de la Argentina y el Uruguay

**6** **Mi hermano Luis**

**Leer • Escribir**

Lee lo que pasó cuando un joven fue al parque con su hermano.
Completa su historia con las palabras apropiadas del recuadro.

El sábado pasado, fuimos al parque para __1.__ y pasar el día
__2.__ casa. A mí me encanta hacer muchas actividades al aire
libre, pero Luis no quería ir. Mientras __3.__ , él decía que
el __4.__ estaba demasiado mojado y que no quería tener los
zapatos sucios. Luego Luis no podía encontrar un
lugar __5.__ para comer. Pero cuando empezamos a __6.__
las hamburguesas, Luis dijo que le gustaba el olor de la
carne __7.__ y que tenía un __8.__ increíble. ¡Comió cuatro
hamburguesas! Luego él no podía caminar rápidamente
porque no se sentía bien. Creo que si hacemos otra
parrillada, Luis no nos va a __9.__ .

| | |
|---|---|
| dábamos una caminata | sabor |
| fuera de | asada |
| hacer una parrillada | seco |
| sendero | asar |
| acompañar | |

**7** **¿Cómo son las comidas?**

**Escribir • Hablar**

**1** Haz una lista de tres comidas para cada una de las
siguientes categorías de comidas: *dulces, grasosas,
picantes.*

**2** Compara tu lista con la de otro(a) estudiante. ¿Cuántas
comidas pueden poner en la lista para cada categoría?

**También se dice . . .**

**la parrillada** = el asado, la barbacoa
*(muchos países)*

**el fósforo** = el cerillo *(países andinos,
México);* la cerilla *(España)*

**el durazno** = el melocotón *(España)*

**los frijoles** = las habichuelas *(Puerto
Rico);* las judías *(España);* las
caraotas *(Venezuela)*

**el pavo** = el guajolote *(México)*

**8** **¿Qué vamos a servir?**

**Hablar**

Un(a) amigo(a) y tú quieren decidir qué
comidas van a servir en la parrillada. Hablen
de las comidas que les gustan y de las que no
les gustan. Digan por qué.

**Modelo**

**A** —*¿Te gusta la sandía?*
**B** —*¡Sí, claro! Me encanta porque es muy dulce.*
**o:** —*No, no me gusta nada. Es demasiado dulce.*

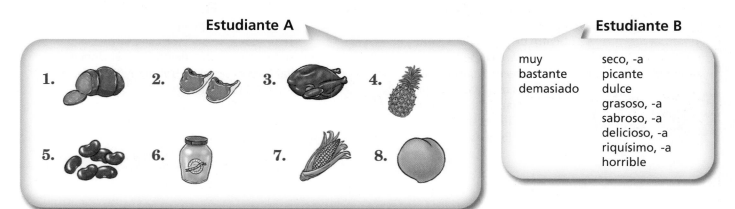

Estudiante A

1.  2.  3.  4.

5.  6.  7.  8.

Estudiante B

| | |
|---|---|
| muy | seco, -a |
| bastante | picante |
| demasiado | dulce |
| | grasoso, -a |
| | sabroso, -a |
| | delicioso, -a |
| | riquísimo, -a |
| | horrible |

## 9 No recuerdo la palabra

**Escribir • Hablar**

No recuerdas o no sabes la palabra en español para una cosa y tienes que usar otras palabras para describirla. Piensa en un objeto o una comida. Escribe tres descripciones. Luego léelas a diferentes miembros de tu clase. Ellos tienen que decir lo que describes.

> **Modelo**
>
> sandía
> **A** —*Es una fruta grande. El color de la fruta es verde y rojo. Es muy dulce y la comemos en el verano.*
> **B** —*Es una sandía.*

## 10 La cocina mexicana

**Leer • Escribir**

¿Conoces bien la cocina[1] mexicana? Hay muchas variaciones regionales, pero por lo general se usa mucho el ajo, la cebolla, el aceite y el cilantro. Casi todas las comidas se sirven con arroz. Lee las descripciones y complétalas con las palabras apropiadas del recuadro. Se puede usar una palabra más de una vez.

| | |
|---|---|
| aguacate | maíz |
| carne de res | queso |
| frijoles | salsa |
| harina | |

**El taco:** Es una tortilla de __1.__ o de __2.__ . Dentro de la tortilla, hay, por lo general, __3.__ , pollo o __4.__ .

**El chile relleno:** Es un chile, que generalmente está relleno de[2] queso. Se cubre[3] el chile con la parte blanca del huevo y se fríe.

**El burrito:** Esta comida viene del norte de México y el suroeste de los Estados Unidos. Se hace con una tortilla de __5.__ . Dentro de la tortilla se pone __6.__ , pollo o __7.__ . A veces se sirve con una __8.__ picante hecha de chiles verdes.

**El tamal:** Es una masa[4] hecha de harina de maíz rellena de carne de res o cerdo y chiles. Es una comida muy popular para los días festivos, como la Navidad.

**La enchilada:** Generalmente está hecha de una tortilla de maíz con diferentes ingredientes dentro de la tortilla, como pollo, carne de res o queso. Se sirve con una salsa hecha de chiles rojos o a veces de crema.

**El mole:** Es una salsa que se hace de chiles rojos y chocolate. Puede ser bastante picante. Muchas veces se come con pollo.

**La quesadilla:** Es una tortilla de __9.__ que se fríe. Se usa __10.__ dentro de o encima de la tortilla. A veces se usan otros ingredientes, como pollo y chiles jalapeños.

**El guacamole:** Es una comida fresca que se hace con __11.__ , tomates, ajo y cebolla y se come con muchas otras comidas.

[1]cuisine  [2]stuffed with  [3]Is covered  [4]dough

## 11 ¿Adentro o al aire libre?

**Escribir • Hablar**

**1** ¿Has ido a una fiesta de familia o de amigos en casa de alguien? ¿Y una fiesta al aire libre? Hay diferencias, ¿verdad? Prepara un diagrama de Venn indicando lo que te gustó de las fiestas dentro de la casa y lo que fue bueno de las fiestas al aire libre. Indica también lo que te gustó hacer adentro *y* al aire libre. Piensa en los olores, el sabor de la comida, el tiempo que hacía, las personas que vinieron y las actividades que hicieron.

**2** Después describe tus experiencias a otro(a) estudiante, comparando lo bueno de las fiestas.

> **Modelo**
>
> adentro    adentro y al aire libre    al aire libre
>
> No había moscas.    Comimos pasteles.    Hicimos una parrillada.

> **Modelo**
>
> *Me gustó la fiesta en casa de mi primo porque no había moscas.*
> **o:** *Prefiero estar al aire libre.*
> *Me encantan las parrilladas.*

## 12 Y tú, ¿qué dices?

**Escribir • Hablar**

1. ¿Te gusta la comida picante? ¿Cuáles son algunas comidas picantes que tú u otras personas en tu comunidad comen?

2. ¿Qué comidas son grasosas? ¿Qué comidas son dulces? ¿Comes estas comidas a menudo?

3. ¿Cuándo y dónde hicieron Uds. una parrillada la última vez? ¿Qué asaron a la parrilla? ¿Qué otras cosas comieron? ¿Cómo estuvo la comida?

4. Cuando estás al aire libre, ¿qué te gusta hacer? ¿Dar una caminata? ¿Mirar el cielo y las nubes? ¿Encender una fogata?

5. ¿Cuál fue la última comida que compraste en un puesto? ¿Dónde estaba el puesto? ¿Te gustó la comida? ¿Qué otras cosas vendían?

### Fondo cultural

**El mundo hispano**

**La comida picante** Muchas personas creen que todos los platos de la cocina de los países hispanohablantes son picantes. Esto no es cierto. El chile, ají o pimiento picante es originario de las Américas. Se han encontrado semillas *(seeds)* en Perú y Bolivia, que tienen más de 7,000 años de antigüedad. En países como Ecuador o México el picante es muy popular, pero en la mayoría de los países hispanohablantes, la gente usa el picante con moderación. Se puede decir que el picante es más popular en las regiones cálidas porque el picante hace sudar *(sweat)* y el sudor refresca la piel. Sin embargo, también hay platos picantes en regiones donde hace frío, como en los Andes, en Bolivia y Perú.

• ¿Conoces un plato picante de los Estados Unidos? ¿Se comen en tu casa platos picantes? ¿Por qué crees que a algunas personas les gusta la comida picante?

# Gramática

## Usted and ustedes commands

To give an affirmative or negative command in the *Ud.* or *Uds.* form, use the present-tense *yo* form as the stem just as you did for negative *tú* commands.

- Add *-e* or *-en* for *-ar* verbs.

  cortar   corto   Señor, **corte** las chuletas de cerdo.
  probar  prueba  Señores, **prueben** la carne asada.

Affirmative and negative *Ud.* and *Uds.* commands have the same spelling changes and irregular forms as negative *tú* commands.

The same rules you know for *tú* commands regarding pronouns apply to *Ud.* and *Uds.* commands as well.

Attach pronouns to affirmative commands.

—¿Dónde ponemos la leña?

—Pónganla en un lugar seco.

With negative commands, pronouns go right before the verb.

—¿Encendemos la fogata ahora?

—No, no la enciendan todavía.

- Add *-a* or *-an* for *-er* and *-ir* verbs.

  perder  pierdo  **No pierdan** Uds. los fósforos.
  servir  sirvo   Señorita, **sirva** la ensalada.

| negative tú command | Ud. command | Uds. command |
|---|---|---|
| no busques | (no) busque | (no) busquen |
| no hagas | (no) haga | (no) hagan |
| no des | (no) dé | (no) den |
| no vayas | (no) vaya | (no) vayan |
| no seas | (no) sea | (no) sean |

**¿Recuerdas?**

You already know how to give negative *tú* commands.

- **No prepares** los frijoles todavía.
- **No enciendas** la fogata.
- **No salgas** de este sendero.

**GramActiva** VIDEO

Want more help with *usted* and *ustedes* commands? Watch the **GramActiva** video.

Lave el coche.

### 13 ¿Qué hacemos ahora?

**Escribir**

**1** Pon en orden las cosas que las personas deben hacer para una parrillada. Usa mandatos e incluye expresiones como *primero, segundo, luego, después* y *entonces.*

| | |
|---|---|
| sacar los fósforos | poner las cestas en el suelo |
| apagar la fogata | |
| recoger leña y piedras | asar la carne |
| encender la fogata | no dejar la comida al aire libre |

**2** Luego escribe cada frase del Paso 1 con sólo el pronombre *(pronoun).*

**Modelo**

buscar un lugar seco
*Primero busquen un lugar seco.*
*Primero búsquenlo.*

## 14 La naturaleza muerta

**Observar · Hablar · Escribir**

Este cuadro es de la artista mexicana Elena Climent. Sus cuadros representan escenas de la vida diaria. Observa el cuadro con otro(a) estudiante y contesten las preguntas.

### Conexiones | El arte

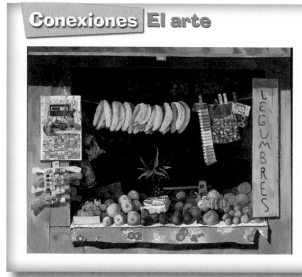

En el estilo de arte que se llama naturaleza muerta *(still life)*, un(a) artista trata de pintar unos objetos como frutas y verduras, con realismo.

◀ "Tienda de legumbres" (1992), Elena Climent

Oil on canvas, 36 x 44-1/8 in. Courtesy of Mary-Anne Martín/Fine Art, New York.

1. ¿Qué objetos se ven?
2. ¿Qué colores ha escogido la artista para representar los objetos? ¿Por qué crees que usó estos colores?
3. ¿Cuál fue la belleza que la artista vio en esta escena? ¿Qué hizo ella para pintar el cuadro con un estilo realista?

## 15 Para ayudar a tu mamá

**Observar · Hablar · Escribir**

Imagina que estás en México con un(a) amigo(a) y tu mamá necesita varias cosas de la tienda que se ve en el cuadro de Elena Climent. Trabaja con otro(a) estudiante y escriban mandatos con *Uds.* que ella les puede dar.

### Modelo

no comprar
*No compren juguetes en la tienda.*

1. ir
2. pedir
3. traerme
4. escoger
5. preguntar si
6. tener prisa

### Exploración del lenguaje

#### Compound words

Spanish, like English, sometimes combines two existing words to create new vocabulary. The invention of a new type of oven led to the English "micro" + "wave" and the Spanish *micro + ondas*. Like *el microondas*, compound words formed this way are masculine and singular. In the plural, the noun does not change: *los microondas*.

**¡Compruébalo!** Create a compound word by combining the action (verb) in the orange box with the object (noun) in the blue box. Write a command using each compound word.

| abre | latas |
|------|-------|
| corta | césped |
| lava | platos |
| saca | puntas |
| salva | vidas |

**+**

### Modelo

*el microondas*
*Señor, use el microondas para preparar la comida rápidamente.*

## 16 Una nueva vecina  ♻

**Hablar**

Con otro(a) estudiante, haz planes para una parrillada. Decide qué comida van a servir y cómo prepararla. Haz preguntas y contéstalas con mandatos con *Ud.*

**Estudiante A**

1. comprar / jugo
2. preparar / comida
3. poner / en la ensalada
4. hacer / pastel
5. servir / fruta
6. ¡Respuesta personal!

**Estudiante B**

1.
2.
3.
4.
5.
6. ¡Respuesta personal!

---

### Fondo cultural

**España**

**Las vacaciones de verano** La mayoría de las familias españolas van de vacaciones en los meses de julio y agosto. Los lugares favoritos son la playa (40 por ciento) y la montaña (30 por ciento). Muchas familias van de vacaciones a una casa de pueblo, otras alquilan un apartamento y otras van a un hotel o a una pensión *(guesthouse)*. Algunas visitan otros países. Los "campings" también son populares porque son baratos.

- ¿Por qué crees que muchos españoles van de vacaciones en julio y agosto? ¿Por qué son populares los "campings"? ¿Cuándo y adónde van de vacaciones las familias de tu comunidad?

Mallorca, España

## 17 El club de senderismo

**Leer · Escribir**

A los miembros del club "Aire puro" de Santiago, Chile, les encanta dar caminatas largas por los bosques *(forests)* y por las montañas. Este pasatiempo se llama *senderismo*. Lee el artículo y contesta las preguntas.

### Me gusta caminar *con Aire puro*

¿Te gusta dar una larga caminata por un sendero, hacer una buena fogata de leña y dormir bajo las nubes, con el cielo como techo?* El club de senderismo "Aire puro" organiza excursiones al aire libre. Nuestro objetivo es combinar las actividades en la naturaleza con la cultura y el tiempo libre. Escogemos cuidadosamente los lugares de excursión según su belleza, importancia biológica e interés histórico y cultural. No es necesario una preparación o condición física especial y hay muy poco peligro.

**Aire puro** ¡Es la mejor manera de divertirse en la naturaleza!

*roof

1. ¿Cuál es el objetivo del club "Aire puro"? ¿Qué hace el club?

2. ¿Quién puede dar una caminata en una excursión del club? ¿Se necesita algo especial para participar?

3. ¿De qué cosas puedes disfrutar *(enjoy)* en las excursiones del club?

En los Andes, Chile

## 18 Las reglas de la caminata

**Hablar**

Antes de dar una caminata, los miembros tienen que conocer bien las reglas del senderismo. Trabaja con otro(a) estudiante y dile las reglas que los miembros deben seguir. Tu compañero(a) te va a responder.

1. usar / una mochila para llevar sus cosas

2. no jugar / con los fósforos

3. traer / un mapa de los senderos

4. salir / en grupos, nunca solos

5. no dar caminatas / sin compañero(a)

6. no dejar / la basura en las cestas

**Modelo**

llevar / zapatos adecuados

A —*Lleven zapatos adecuados.*

B —*Tienes razón. Es difícil caminar por los senderos.*

### Más práctica

- **Guided** Gram. Practice pp. 265–267
- **Core** Gram. Practice p. 146
- **Communication** Writing p. 143, Test Prep p. 268
- *Real.* para hispanohablantes pp. 274–277, 281

**realidades.com**

- Audio Activities
- Video Activities
- Speak & Record
- Canción de hip hop
- Tutorial
- Leveled Workbook
- Web Code: jdd-0713

# Gramática

## Uses of *por*

The preposition *por* is used in several ways. You already know many of its uses.

To indicate length of time or distance:

> Dejen el pollo en la parrilla **por** unos minutos más.

To indicate movement through, along, or around:

> Vamos a dar una caminata **por** ese sendero.
>
> Hay un buen lugar **por** allí.

To indicate an exchange of one thing for another:

> No pague Ud. demasiado **por** esos melones.

To indicate reason or motive:

> Las chuletas de cerdo no son muy saludables **por** ser bastante grasosas.

---

**¿Recuerdas?**

You know several expressions that use *por.* See if you can remember them all.

por ejemplo     por la mañana, tarde, noche

por eso

por favor    por primera, segunda, . . . vez

por lo general

por supuesto

---

To indicate a substitution or action on someone's behalf:

> Felipe y Marcos, traigan esa leña al fuego **por** su papá.

To indicate means of communication or transportation:

> Nos hablamos **por** teléfono ayer.

**GramActiva** VIDEO

Want more help with uses of *por*? Watch the **GramActiva** video.

¿Cuánto por . . . ?

---

## ⑲ Un viaje a Guatemala

**Leer • Escribir**

Raquel le está escribiendo una tarjeta postal a su amiga, Anita, en Washington. Lee lo que le dice y escribe las expresiones apropiadas con *por*.

Querida Anita:

¡Qué bonito país es Guatemala! Ayer, __1.__ *(por lo general / por la mañana)*, fuimos a la ciudad de Tikal, unas ruinas mayas bellísimas. Tikal está en medio de una selva tropical.* __2.__ *(Por eso / Por lo general)* vimos pájaros en muchos árboles. __3.__ *(Por supuesto / Por eso)* hemos probado la comida guatemalteca. El maíz es importante en la comida aquí. __4.__ *(Por favor / Por ejemplo)*, comen tortillas, tamales y enchiladas. También he probado los postres guatemaltecos. Ayer, __5.__ *(por primera vez / por lo general)*, comí buñuelos—un tipo de postre frito riquísimo. __6.__ *(Por lo general / Por favor)* los guatemaltecos comen postres __7.__ *(por la noche / por supuesto)*. Mañana visitamos Chichicastenango.

Raquel

*rain forest

**¡Guatemala!**

## 20 ¿Cuál es?

**Escribir**

Completa las siguientes frases con la expresión correcta de *por*:

1. Fuimos al concierto ___.
2. Omar quiere visitar a su familia en Perú. Va ___.
3. En la ciudad había mucha gente ___.
4. El profesor de español está enfermo hoy. ¿Quién va a enseñar ___?
5. Pagué 200 dólares ___ de avión.

**a.** por un mes en verano
**b.** por él
**c.** por los boletos
**d.** por la música
**e.** por todas partes

## 21 Voy al mercado

**Hablar**

Imagina que encuentras a un(a) amigo(a) que va a un mercado. Habla con él (ella) sobre qué va a hacer allí.

| Modelo |
| --- |
| **A** —¡Hola! ¿Adónde vas? |
| **B** —Necesito ir al mercado. ¿Quieres ir conmigo? |
| **A** —¿Por cuánto tiempo vas? |
| **B** —Voy por una hora, más o menos. |

**Estudiante A**

¿Cómo vas?

¿Por qué vas?

¿A qué mercado vas?

**Estudiante B**

la calle principal

duraznos frescos

. . . para no pagar mucho por ellos

**¡Respuesta personal!**

### Fondo cultural

**El Salvador**

**El Parque de la Familia** se estableció en 1996 a unos 12 kilómetros de San Salvador, la capital de El Salvador. Es el parque de recreo con juegos mecánicos más grande del área. Mucha gente va allí para escapar del ruido *(noise)* de la ciudad. En el parque hay actividades para niños y lugares para practicar deportes. También hay peces y pájaros, un anfiteatro, un mirador panorámico, puestos de artesanías *(handicrafts)*, un área de piñatas, cafetines *(small cafés)* y un parqueadero amplio.

• ¿Hay un parque en tu comunidad similar al Parque de la Familia? ¿En qué sentido es similar? ¿Por qué es tan popular este tipo de parque?

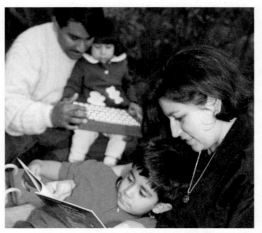

Leyendo en el Parque de la Familia, en El Salvador

**22** **¿Por cuánto tiempo?**

**Hablar**

Habla con otro(a) estudiante sobre cuánto tiempo se debe hacer diferentes cosas en la cocina, en los estudios y en los deportes.

**Modelo**

dejar la leche en el refrigerador
**A** —*¿Por cuánto tiempo se debe dejar la leche en el refrigerador?*
**B** —*Por una semana, más o menos.*

1. asar hamburguesas a la parrilla
2. estudiar para un examen de español
3. usar la computadora sin descansar
4. hacer ejercicio sin beber agua
5. dormir un chico de 15 años
6. hablar por teléfono celular con un(a) amigo(a)

**23** **Nuestras recomendaciones**

**Escribir · Dibujar · Hablar**

Imagina que un grupo de jóvenes que no conocen la región donde vives vienen a visitarte. Sabes que les encanta hacer actividades al aire libre.

**1** Escribe cinco recomendaciones, usando mandatos en la forma *Uds.*, que puedes darles. Puedes incluir:

- adónde deben ir y qué deben hacer al aire libre
- por dónde deben pasar y cuánto tiempo deben pasar en diferentes lugares
- qué cosas y ropa deben llevar
- qué pueden comer y dónde
- reglas que necesitan seguir
- si deben tener cuidado con algo

**2** Trabaja con un grupo de tres estudiantes. Hagan un cartel o folleto *(brochure)* usando visuales. Preséntenlo a la clase.

## El español en el mundo del trabajo

¿Te gusta trabajar al aire libre? Las agencias federales de los Estados Unidos tienen más de 300 millones de hectáreas *(aproximadamente 1,214,575 acres)* de bosques *(forests)*, parques y reservas nacionales. El Servicio de Parques Nacionales, formado en 1916, es muy conocido ya que *(since)* administra 48 parques nacionales. El Sistema de Parques Nacionales incluye más de 32 millones de hectáreas y cerca de 340 unidades que incluyen desde Monumentos Nacionales hasta Áreas Nacionales de Recreación. Cada año vienen más turistas hispanohablantes a los Estados Unidos y se necesitan empleados bilingües para ayudarlos. También hay que escribir folletos de turismo, crear programas educativos y escribir información en los sitios Web.

- Piensa en un parque nacional o monumento nacional cerca de tu comunidad. ¿Hablan español los empleados del parque? ¿Hay información en español para los visitantes?

### 24 Supermercado El Ranchero  jdd-0798

**Leer · Escuchar**

Lee las preguntas sobre un anuncio. Luego escucha el anuncio para el supermercado El Ranchero. Escribe la letra correcta para cada pregunta.

1. ¿Cuándo empiezan los precios especiales?
   **a.** mañana por la tarde
   **b.** mañana por la mañana
   **c.** hoy por la mañana

2. ¿Qué se vende en la carnicería?
   **a.** carne de res, pollo y chuletas de cerdo
   **b.** pescado, chuletas de cerdo y bistec
   **c.** carne de res, verduras y frutas

3. ¿Cuánto cuesta la carne de res para asar?
   **a.** $2.99 por libra[1]
   **b.** $3.49 por libra
   **c.** $2.49 por libra

4. ¿Qué ofrecen en la taquería?
   **a.** carne de res con arroz
   **b.** pedazos de pollo con tortillas
   **c.** un pollo gratis[2] si compra un pollo entero

5. ¿Con qué vienen los pollos enteros?
   **a.** arroz, frijoles, salsa y tortillas
   **b.** refrescos y verduras con tortillas
   **c.** sólo tortillas de maíz

[1] pound  [2] free

### 25 Un producto delicioso

**Escribir · Hablar**

La compañía Productos Festivales quiere crear un anuncio de radio para uno de sus productos, las galletas Zum Zum. La compañía también va a ofrecer precios especiales para las galletas Zum Zum por un tiempo limitado.

**1** Trabaja con otro(a) estudiante y escriban un anuncio para la radio.

**Modelo**

*Con galletas Zum Zum, tus niños estarán\* más contentos. No compren otras galletas . . .*

**2** Presenten su anuncio a la clase.

**NUEVO PRODUCTO:**
# ¡GALLETAS ZUM ZUM!

- Es un producto divertido y está dirigido a los niños.
- Galleta dulce, tipo sandwich, con crema de distintos sabores.
- Vienen en deliciosos sabores de vainilla, chocolate, fresa y dulce de leche.
- Tienen calcio y vitaminas.
- Vienen también en paquetes individuales que son perfectos para llevar a la escuela.
- A los adultos también les gustan estas galletas porque calman el hambre.

**Más práctica**

- **Guided** Gram. Practice p. 268
- **Core** Gram. Practice pp. 147–148
- **Communication** Writing p. 144
- ***Real.* para hispanohablantes** pp. 278–279, 281

**realidades.com** Ⓥ

- Audio Activities
- Video Activities
- Speak & Record
- Leveled Workbook
- Web Code: jdd-0714

\*To say "they will be," use *estarán*.

# Lectura

# El Yunque

### Estrategia

**Anticipating meaning**
What kind of information would you expect to receive at the information center of a major national park? Look through the reading and see if you find the information you listed.

## ¡Bienvenidos al Bosque Nacional del Caribe, El Yunque!

El Yunque es una de las atracciones más visitadas de Puerto Rico. Es el único bosque tropical[1] en el Sistema de Bosques Nacionales de los Estados Unidos. El bosque es un espectáculo maravilloso que comprende aproximadamente 28,000 acres. Más de 240 especies de árboles coexisten con animales exóticos, como el coquí y la boa de Puerto Rico.

La mejor forma de explorar este parque es caminando por las varias veredas[2] que pasan por el bosque. Hay más de 13 millas de veredas recreativas que sólo se pueden recorrer a pie (no se permiten ni caballos ni motocicletas ni bicicletas de montaña). También hay varias áreas de recreación con comodidades para hacer picnics y parrilladas y está permitido acampar en muchas áreas del bosque. ¡Venga y disfrute del parque!

La cotorra puertorriqueña es un ave en peligro de extinción.

## Vereda la Mina

La Vereda la Mina es la más popular del parque. Tiene una longitud de 0.7 millas (1.2 kilómetros) y se tarda entre 30 y 45 minutos en recorrer solamente el camino de ida.[3] Empiece a caminar en el Centro de Información y el área de recreación Palo Colorado. Este camino va al lado del río de la Mina y se termina en la magnífica Cascada la Mina, un salto de agua[4] de 35 pies de altura que forma una bonita piscina, donde puede usted bañarse para refrescarse después de una larga caminata. Tenga los ojos bien abiertos para ver la cotorra[5] puertorriqueña, una de las diez aves[6] en mayor peligro de extinción[7] en el mundo. En El Yunque sólo hay aproximadamente 40 cotorras.

[1]rain forest   [2]paths     [3]one way   [4]waterfall   [5]parrot   [6]birds   [7]endangered

## Consejos para el caminante

1. Nunca camine solo. Siempre vaya acompañado.
2. Traiga agua y algo para comer.
3. Use repelente para insectos.
4. No abandone las veredas para no perderse[8].
5. No toque[9] las plantas del bosque.
6. No moleste ni alimente[10] a los animales.
7. ¡No tire basura en el parque! Por favor, ¡ayúdenos a mantener limpio este parque!

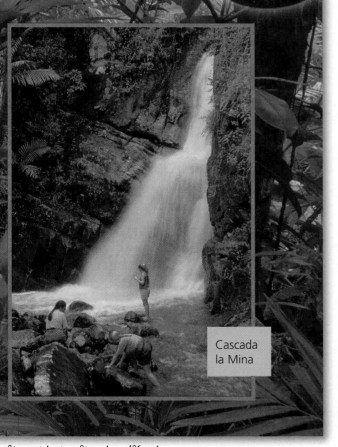

La boa puertorriqueña está en peligro de extinción.

Cascada la Mina

### Fondo cultural

**El coquí** es una ranita *(little frog)* que es un símbolo importante para los puertorriqueños. Hay muchas variedades de estas ranitas y algunas viven sólo en Puerto Rico. Por la noche, el coquí empieza a cantar, y recibe su nombre por el sonido de su canto: *co-quí, co-quí.* En Puerto Rico, se han escrito muchos poemas, canciones e historias sobre esta rana misteriosa y encantadora.

- ¿Hay algún animal tan importante como el coquí en tu región? ¿Y en los Estados Unidos?

## ¿Comprendiste?

Escribe *C* si la frase es cierta o *F* si la frase es falsa.

1. Casi nadie visita El Yunque.
2. No hay animales exóticos en el bosque.
3. Las veredas del bosque se pueden recorrer en bicicleta de montaña.
4. Se puede hacer una parrillada en el parque.
5. Se puede alimentar a los animales del parque.
6. Si quieres caminar la Vereda la Mina, para caminar desde el Centro de Información hasta la Cascada y volver tardas *(you take)* una hora y media.

### Más práctica

- **Guided** Reading Support p. 269
- **Communication** Writing p. 145, Test Prep p. 269
- *Real.* para hispanohablantes pp. 280, 282–283

**realidades.com**
- Internet Activity
- Leveled Workbook
- Web Code: jdd-0716

[8]to get lost  [9]touch  [10]feed

# Perspectivas del mundo hispano

## La comida mexicana al aire libre

Has salido a caminar con unas amigas. Después de unas horas Uds. tienen hambre. Están cerca de una calle en la que hay muchos puestos de comida o comedores al aire libre. En algunos de los comedores hay tortillas amarillas y delgadas. Se pone la comida dentro de la tortilla, se enrolla[1] y ya está listo el taco. Unos vendedores venden pollo y chuletas de cerdo a la parrilla.

Otros venden tamales, que son pasteles de maíz envueltos[2] en hojas[3] de plátano y hervidos en agua. Para acompañar al plato principal, todos los vendedores ofrecen arroz y frijoles.

Los refrescos son jugos naturales de frutas tropicales: mango, piña, papaya. De postre hay quesos de varias clases, dulces y más frutas. ¡Ummm! Todo está recién hecho.[4] ¿Comemos?

En muchos países hispanohablantes es muy popular pasear y comer con familia y amigos en los comedores al aire libre. La comida que se puede comprar es deliciosa y no cuesta mucho. También se puede descansar y divertirse.

**¡Compruébalo!** ¿Donde se vende comida al aire libre en los Estados Unidos? ¿Cuáles son algunos lugares en tu comunidad? (Piensa, por ejemplo, en el béisbol.) ¿Hay algunos en tu barrio? ¿Qué clase de comida venden? ¿Cuál es la comida al aire libre favorita de tus compañeros(as) de clase?

**¿Qué te parece?** ¿Por qué es popular la comida al aire libre? ¿Qué influencia tiene el clima en la popularidad de los lugares donde se vende la comida al aire libre?

Haciendo tortillas de maíz

Preparando la comida al aire libre

Comprando helados de frutas frescas

[1] rolled up  [2] wrapped  [3] leaves  [4] freshly made

# Presentación escrita
## Comiendo al aire libre

**Task**
An elementary school that many Spanish-speaking children attend is preparing its students for summer activities. You have been asked to prepare a poster on safety and fun at outdoor cookouts. Prepare a poster that provides directions for what to do and not to do.

**1 Prewrite** Think about what needs to be done for a cookout to be fun and safe. Tell children what to do and what not to do before and during the cookout. Make two lists that could include:

**Antes de la parrillada**
- la comida que deben comprar
- otras cosas que deben traer
- el lugar que van a escoger

**Durante la parrillada**
- cómo deben preparar el lugar
- qué van a hacer para preparar la comida
- cómo van a limpiar el lugar antes de salir

**Estrategia**

**Brainstorming**
Brainstorming can help you come up with ideas that you may not have otherwise thought of. When listing items for your poster, write down all the tasks you could possibly suggest. Then, when your list is complete, select the best items.

**2 Draft** Choose what you will write from the information in the lists you have brainstormed. Present the information in a logical sequence and in an attractive format.

> **Modelo**
>
> Antes de la parrillada
> *Decidan qué quieren comer.*
> *Escojan un lugar seco.*

**3 Revise** Review the spelling, vocabulary, and the commands. Compare your ideas with those of a classmate, who should review the following:

- Is what you have written easy to understand?
- Have you included appropriate commands?
- Should you change or add anything?

**4 Publish** Make any necessary changes. Add artwork that conveys the meaning of the commands.

**5 Evaluation** Your teacher may give you a rubric for how the poster will be graded. You will probably be graded on:

- how easy it is to understand your poster
- whether you have presented the information in a clear and attractive format
- your use of appropriate vocabulary and grammatical forms

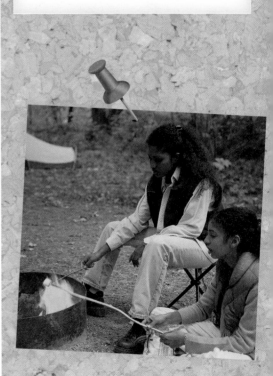

# En busca de la verdad

## Episodio 10

## Antes de ver el video

"Por fin se ha resuelto el misterio de mi vida".

"Aquí traigo las respuestas a todas nuestras preguntas sobre el abuelo".

**Nota cultural** En América Latina las celebraciones familiares son muy importantes. Cualquier evento agradable es motivo de celebración. Todos los miembros de la familia se reúnen y siempre invitan a los amigos más cercanos para estar juntos. Normalmente se preparan comidas, se toca música, se canta o se baila. ¡En este videomisterio, la noticia sobre el abuelo es un buen motivo para celebrar!

## Resumen del episodio

En este episodio Roberto finalmente descubre la verdad sobre su abuelo Federico. Regresa a Guanajuato y toda la familia se reúne para celebrar la noticia sobre el abuelo.

**Palabras para comprender**

**pertenece** belongs to

**cuenta de ahorros** savings account

**póliza de seguro** insurance policy

**sobreviviente** survivor

**Has tenido razón.** You were right.

"¡Y ahora hay que celebrar!"

# Después de ver el video

## ¿Comprendiste?

**A.** ¿Qué personaje dice cada una de las siguientes frases?

(Tomás Toledo / Roberto / Nela / Federico / Linda)

1. "Tengo que regresar a Guanajuato con mi familia".

2. "Qué bien que por fin se resolvió este misterio".

3. "Nunca me ha gustado tocar el pasado".

4. "Nunca me imaginé todo esto. Tanto tiempo . . . tanto tiempo".

5. "Por fin se ha resuelto el misterio de mi vida".

6. "Ahora ya sabes la verdad. No me olvides".

7. "Hola. ¿Cómo estás?"

**B.** Contesta las siguientes preguntas.

1. ¿Cuál ha sido tu personaje favorito de *En busca de la verdad?* ¿Por qué?

2. ¿Cuál ha sido tu escena favorita? ¿Por qué?

3. ¿Qué va a pasar cuando Linda regrese a Guanajuato en la primavera con el programa de intercambio?

• Web Code: jdd-0209

# Repaso del capítulo

## Vocabulario y gramática

jdd-0799

### to talk about the outdoors

| | |
|---|---|
| al aire libre | outdoors |
| el cielo | sky |
| dar una caminata | to take a walk |
| dentro de | inside |
| fuera (de) | outside |
| la hormiga | ant |
| la mosca | fly |
| la nube | cloud |
| la piedra | rock |
| el sendero | trail |
| el suelo | ground, floor |

### to talk about eating outdoors

| | |
|---|---|
| la fogata | bonfire |
| el fósforo | match |
| hacer una parrillada | to have a barbecue |
| la leña | firewood |
| a la parrilla | on the grill |
| el puesto | (food) stand |

### to talk about foods

| | |
|---|---|
| el aguacate | avocado |
| asado, -a | grilled |
| asar | to grill, to roast |
| la carne de res | steak |
| la cereza | cherry |
| la cesta | basket |
| la chuleta de cerdo | pork chop |
| el durazno | peach |
| los frijoles | beans |
| la harina | flour |
| el maíz | corn |
| la mayonesa | mayonnaise |
| el melón, pl. los melones | melon |
| la mostaza | mustard |
| el olor | smell, odor |
| el pavo | turkey |
| la piña | pineapple |
| el sabor | taste |
| la salsa de tomate | ketchup |
| la sandía | watermelon |

### to describe foods and the outdoors

| | |
|---|---|
| dulce | sweet |
| grasoso, -a | fatty |
| mojado, -a | wet |
| picante | spicy |
| seco, -a | dry |

### other useful words

| | |
|---|---|
| acompañar | to accompany |

### using *usted* and *ustedes* commands

To form an *Ud.* or *Uds.* command, drop the *-o* of the present-tense *yo* form and add *-e* and *-en* for *-ar* verbs, and *-a* and *-an* for *-er* and *-ir* verbs.

Regular *Ud.* and *Uds.* commands:

| preparar: | prepare(n) |
|---|---|
| comer: | coma(n) |
| servir: | sirva(n) |

Irregular *Ud.* and *Uds.* commands:

| dar: | dé, den |
|---|---|
| estar: | esté, estén |
| poner: | ponga, pongan |
| ir: | vaya, vayan |
| ser: | sea, sean |
| tener: | tenga, tengan |
| traer: | traiga, traigan |

### using *por* in sentences

To indicate length of time or distance
To indicate movement through, along, or around
To indicate an exchange of one thing for another
To indicate reason or motive
To indicate a substitution or action on someone's behalf
To indicate means of communication or transportation

For *Vocabulario adicional,* see pp. 498–499.

## Preparación para el examen

**Más práctica**

- **Core** Puzzle p. 149, Organizer p. 150
- **Communication** Practice Test
  pp. 271–273, Integrated Performance
  Assessment p. 270

**realidades.com** ✔

- Tutorial
- Flashcards
- Puzzles
- Self-test
- Web Code: jdd-0717

| On the exam you will be asked to . . . | Here are practice tasks similar to those you will find on the exam . . . | If you need review . . . |
|---|---|---|

### Interpretive

jdd-0799

🔊 **1 Escuchar** Listen and understand as people talk about their likes and dislikes about outdoor cooking

A group of teenagers is discussing whether to have a picnic or a dinner at someone's home next Saturday to welcome a group of new students. As you listen to their opinions, decide whether the person is in favor or not in favor of an outdoor picnic.

**pp. 374–377** *Vocabulario en contexto*
**p. 378** Actividad 5

### Interpersonal

**2 Hablar** Give instructions to a group about what to do to prepare for a cookout

You have volunteered to help a troop leader organize a group of ten-year-old boy scouts to make their first campfire. What would you instruct them to do? For example, you might begin by saying: *Busquen un lugar seco.*

**p. 381** Actividad 12
**p. 384** Actividad 16

### Interpretive

**3 Leer** Read and understand typical signs you would see in a park or overnight camping site

As you look for firewood around the campgrounds, you come across several signs that give instructions to park visitors. Read the signs below. Which signs focus on:
(a) hiking; (b) cooking; (c) using the cabins?

**pp. 376–377** *Videohistoria*
**p. 379** Actividad 6
**p. 385** Actividad 17
**pp. 390–391** *Lectura*

**1** Apaguen los incendios completamente con agua.

**2** Apaguen las radios después de las once de la noche.

**3** No recojan las flores del sendero.

### Presentational

✏️ **4 Escribir** Write a list of instructions for an upcoming outdoor party

You are asked to write a "How to" guide for first time campers who are planning to cook outdoors. Write a list of instructions that include: (a) things to take with you; (b) getting the fire started; (c) suggestions for food to eat or grill; (d) rules campers need to follow.

**p. 378** Actividad 4
**p. 379** Actividad 6
**p. 382** Actividad 13
**p. 388** Actividad 23
**p. 393** *Presentación escrita*

### Cultures

🌐 **5 Pensar** Demonstrate an understanding of outdoor food markets in Spanish-speaking countries

Your friend is going to Buenos Aires, Argentina, on vacation and wants to know about the food. What could you tell her about outdoor food markets? How might the places where people buy things to eat be different there?

**p. 392** *Perspectivas del mundo hispano*

# Vocabulario Repaso

## lugares y atracciones

el campo
la ciudad
el estadio
el hotel
el lago
el lugar
el mar
el mercado
las montañas
el museo
la obra de teatro
el país
el parque de
  diversiones
el parque nacional
el partido
la piscina
la playa
el teatro
el zoológico

## actividades

bucear
comprar recuerdos
dar una caminata
descansar
esquiar
ir de cámping
ir de compras
ir de pesca
ir de vacaciones
montar a caballo
montar en bicicleta
pasar tiempo
pasear en bote
regresar
salir
viajar
visitar
tomar el sol

## 1 ¿Qué puedo hacer allí?

**Escribir**

En una hoja de papel, haz dos columnas. En la columna a la izquierda, escribe una lista de ocho lugares adonde se puede ir de vacaciones. En la columna a la derecha, escribe una actividad que se puede hacer en cada lugar. Trata de variar las actividades en la segunda columna.

Modelo

| Lugares | Actividades |
| --- | --- |
| *las montañas* | *esquiar* |

## 2 Lugares y actividades

**Hablar**

Usa las listas de la Actividad 1 y pregúntale a otro(a) estudiante si ha ido a estos lugares de vacaciones y si ha hecho las diferentes actividades.

Modelo

A —*¿Has ido de vacaciones a las montañas alguna vez?*
B —*Sí, he ido a las montañas varias veces.*
A —*¿Has esquiado en las montañas?*
B —*No, hemos ido allí en el verano. Hemos dado caminatas en las montañas.*

# Gramática (Repaso)

## The infinitive in verbal expressions

Remember that the infinitive is used in many types of expressions with verbs.

To express plans, desires, and wishes:

desear          pensar
encantar        preferir
gustar          querer
ir + a

Este verano mis padres **quieren ir** a las montañas, pero mis hermanos y yo **preferimos pasar** tiempo en la playa.

To express obligation:

deber          tener que
necesitar

Cuando vas a un país latinoamericano, **debes visitar** un mercado al aire libre.

In impersonal expressions:

es divertido        es necesario
es importante       hay que
es interesante

En Chile **es divertido** ir de cámping y **dar** caminatas en los parques nacionales.

---

### 3 Tus intereses

**Escribir • Hablar**

Piensa en las vacaciones que te interesan. Escribe cinco frases usando los verbos de *Gramática* para decir cuándo y dónde prefieres ir y qué te gusta hacer. Lee tus frases a otro(a) estudiante para ver si Uds. tienen los mismos intereses.

### Modelo

preferir

A —*En el invierno mi familia y yo preferimos ir a Utah para esquiar.*

B —*¿De veras? Nosotros preferimos ir a un lugar donde hace calor, como la Florida.*

### Más práctica

- **Guided** pp. 271–272
- **Core** pp. 151–152
- *Real.* **para hispanohablantes** p. 290

**realidades.com** ✔
- Leveled Workbook
- Web Code: jdd-0801

### 4 Recomendaciones para turistas

**Escribir • Hablar**

Escoge un lugar turístico y escribe un párrafo con recomendaciones para lo que se debe hacer allí. Usa las expresiones de *Gramática* en tu párrafo. Luego, con otro(a) estudiante, intercambien *(exchange)* papeles y haz comentarios o preguntas sobre el lugar.

### Modelo

*Cuando vas a Puerto Rico, es muy divertido visitar el Viejo San Juan. Es interesante ver los edificios antiguos. También debes . . .*

A —*Me gustaría mucho visitar Puerto Rico. ¿Cuándo debo ir?*

B —*Pues, el clima es fantástico durante todo el año, pero hay muchos turistas en el invierno. Creo que debes ir en el verano.*

| HORARIO |  |
|---|---|
| AU 2824 MAR DEL PLATA | 09:20 |
| AR 0974 VILLA GESELL | 09:45 |
| AR 1402 CORDOBA | 10:00 |
| AR 1852 SALTA | 10:10 |
| AR 1258 PUNTA DEL ESTE | 10:15 |
| AR 1874 SGO DEL ESTERO/ JUJUY | 10:20 |

8

9

AERO

## Fondo cultural
### México

**Juan Ramos** nació en Chihuahua, México. Él creció (grew up) en los Estados Unidos, pero en el año 2004 regresó a México otra vez y abrió un estudio de arte en la ciudad de Loreto. Los temas principales de sus pinturas son las ciudades pequeñas en la costa de Baja California donde él iba para pintar y practicar surf. Este cuadro es de una calle muy conocida de Loreto que va desde la playa hasta el centro de la ciudad. Cada año esta ciudad recibe a muchos turistas.

• ¿Porqué piensas que muchos turistas visitan Loreto? ¿Piensas que es una ciudad tranquila o con mucha actividad? ¿Te gustaría visitarla?

"Camino de Salvatierra", Juan Ramos

**MOSTRADOR**

20 04-20
45 05-18
00 04-20
10 05-19
15 00-00 SECTOR B
20 05-18

**LINEAS**

# Un viaje en avión

## Chapter Objectives

- Talk about visiting an airport
- Plan for a trip to a foreign country
- Make suggestions about safe travel
- Read about travel destinations in Spanish-speaking countries
- Understand cultural perspectives on traveling

### Video Highlights

**A primera vista:** *¡Buen viaje!*
**GramActiva Videos:** the present subjunctive; irregular verbs in the subjunctive
**Videocultura:** *Cómo ser un buen turista*

### Country Connection

As you learn to talk about planning a trip, you will make connections to these countries and places:

España
República Dominicana
México
Honduras
Puerto Rico
Nicaragua
Colombia
Ecuador
Perú
Bolivia
Argentina

### Más práctica

- *Real.* para hispanohablantes pp. 290–291

**realidades.com** ✓

- Fondo cultural Activity
- Video Activities
- Online Atlas
- Web Code: jde-0002

# Vocabulario en contexto

jdd-0887

**la tarjeta de embarque**

**hacer la maleta**

**la maleta**

**el equipaje**

66 Mi hermano Antonio y yo vamos a **hacer un viaje** a Nicaragua para visitar a nuestros abuelos. Para **planear** el viaje, fuimos con nuestros padres a una agencia de viajes 99.

**la agencia de viajes**

**los turistas**

**el agente de viajes**

**el pasaporte**

—Les he hecho **las reservaciones.** Tienen dos boletos **de ida y vuelta** entre Miami y Managua. Aquí están sus boletos electrónicos. Van a recibir sus tarjetas de embarque en **el aeropuerto.** Ya tienen los asientos 8D y 8F. Antes de llegar a Managua van a **hacer escala** en Tegucigalpa, Honduras, porque no hay **vuelo directo** a Managua.

—Muchas gracias, Sr. Salazar. ¿Y qué más necesitamos?

—Necesitan sus pasaportes. **Las líneas aéreas** sugieren que **lleguen** al aeropuerto dos horas antes de **la salida** del vuelo para **facturar** el equipaje. También **insisten en** que **pasen** por **la inspección de seguridad.**

> **Más vocabulario**
> sugerir (e→ie) to suggest

la piloto

el piloto

la ventanilla

el auxiliar de vuelo

la auxiliar de vuelo

registrar

la aduanera

```
VUELO: 342
DESTINO A: TEGUCIGALPA
SALIDA: 2:10
LLEGADA: 3:35
```

la puerta de embarque

la empleada

el pasajero

la pasajera

el pasillo

el anuncio

el aduanero

la aduana

**66** Lo sentimos mucho. Hay un pequeño **retraso** en la salida del vuelo 342 **con destino a** Tegucigalpa, Honduras. Dentro de 20 minutos **tendremos** más información sobre la salida del vuelo 342 **99.**

**66** El vuelo 342 con destino a Tegucigalpa está **listo.** En unos minutos vamos a **abordar.** Favor de pasar a la puerta número 17 de la Terminal A **99**.

—**Bienvenido** a Managua. ¿Qué tiene?

—Una maleta y una mochila.

—Pase a la izquierda. Tendremos que ver qué cosas tiene dentro de su equipaje. Ese señor va a registrar el equipaje. Aquí está su pasaporte.

**1 En el aeropuerto** 🔊 — jdd-0887

**Escuchar**

Estás en un aeropuerto esperando tu vuelo. Oyes muchas conversaciones entre los pasajeros y muchos anuncios. Si escuchas buenas noticias, señala con el pulgar hacia arriba. Si escuchas malas noticias, señala con el pulgar hacia abajo.

**2 ¿Quién lo dice?** 🔊 — jdd-0887

**Escuchar**

Escucha cada frase, y en una hoja de papel escribe quién lo dijo: una pasajera, una agente de viajes, una auxiliar de vuelo o una aduanera.

### Más práctica

- **Guided** Vocab. Flash Cards pp. 273–278
- **Core** Vocab. Practice pp. 153–154
- **Communication** Writing p. 152
- *Real.* **para hispanohablantes** p. 292

**realidades.com** ✓

- Audio Activities
- Leveled Workbook
- Flashcards
- Web Code: jdd-0802

# ¡Buen viaje!

Ana y Elena van a Londres para estudiar inglés. Compran los boletos para el viaje en una agencia de viajes, pero hay un problema. Lee para saber qué pasa.

## Estrategia

**Scanning for basic understanding**
Reading a new text can be easier if you already know what the story is about. Before reading the *Videohistoria,* scan it for cognates and words you already know. Based on the words you find, predict what the story is about.

**1  Ana:** ¿Dónde puede estar Elena? Siempre llega tarde.

**Agente: Ten paciencia,** señorita. Seguramente llega pronto. Nuestra agencia está **abierta** hasta la una y media.

**la agente de viajes**

**Elena**

**Ana**

**5  Elena:** ¿Cuánto **dura** el viaje?

**Agente:** Un poco más de 14 horas.

**Elena:** Es muy largo.

**Ana:** Puedes dormir en el tren.

**Agente:** Te va a gustar. Es muy divertido.

**6  Elena:** Muy bien. Vamos a hacer las reservaciones.

**Agente:** Aquí tenéis* los boletos. ¡Buen viaje!

**7  Elena:** ¡Caramba! Vamos a mirar los boletos.

**Ana:** A ver. ¿Dónde están? ¿No los tienes tú?

**Elena:** No. ¿Los dejamos en la agencia de viajes?

\* Remember that in Spain, the *vosotros(as)* form is used when speaking to a group of people you would address individually with *tú.*

**2** **Ana:** Elena, ¿por qué no llegas a tiempo?

**Elena:** Eres tan impaciente. Tenemos mucho tiempo.

**3** **Ana:** Queremos hacer reservaciones para ir de Madrid a Londres.

**Agente:** ¿En avión?

**Ana:** Creo que sí.

**Agente:** Hay un vuelo directo que cuesta 92 euros.

**Ana:** ¿Qué más hay?

**4** **Agente:** Hay un tren.

**Elena:** ¿Un tren?

**Ana:** ¿Por qué no? ¿Cuánto cuesta?

**Agente:** El boleto para estudiantes es muy barato. Muchos estudiantes **extranjeros** toman el tren.

> **Más vocabulario**
> extranjero, -a foreign

**8** **Ana:** Está **cerrada.** ¿Qué hacemos?

**Elena:** Mira. Allí están nuestros boletos.

**Ana:** ¿A qué hora abren otra vez?

**Elena:** A las cuatro y media. Ten paciencia, Ana. Tenemos que esperar.

**3** **¿Comprendiste?**

**Escribir**

Usa cada palabra de la lista en una frase completa para indicar lo que pasó en la *Videohistoria*.

**Modelo**

tarde
*Ana está enojada porque Elena llega tarde.*

1. impaciente
2. Madrid a Londres
3. 92 euros
4. el tren
5. la agencia de viajes
6. cerrado, -a
7. a las cuatro y media

**Más práctica**

- **Guided** Vocab. Check pp. 279–282
- **Core** Vocab. Practice pp. 155–156
- **Communication** Video pp. 146–148
- *Real.* **para hispanohablantes**
  p. 293

realidades.com
- Audio Activities
- Video Activities
- Leveled Workbook
- Flashcards
- Web Code: jdd-0803

# Vocabulario en uso

## 4 Unos consejos

**Leer • Escribir**

Cuando viajas por primera vez, vas a tener muchas preguntas. Lee los consejos *(advice)* y escribe la palabra apropiada para completar cada frase.

1. Si vas a un país *(extranjero / pasajero)* insisten en que tengas un pasaporte.

2. Puedes recibir información sobre los vuelos en una *(agente de viajes / agencia de viajes)*. Si está *(cerrada / llegada),* puedes hacer una búsqueda en la Red.

3. Si no quieres hacer *(reservación / escala),* sugiero que busques un vuelo directo.

4. Es más cómodo tener un asiento en el *(pasillo / retraso)* o al lado de la *(llegada / ventanilla).*

5. Debes llegar al *(aeropuerto / pasillo)* dos horas antes de la *(salida / llegada)* de un vuelo internacional.

6. Cuando los empleados de la línea aérea están *(listos / abiertos)* para abordar el vuelo, hacen un *(directo / anuncio).*

7. Antes de abordar el avión vas a pasar por *(la tarjeta de embarque / la puerta de embarque).*

8. A veces hay un *(retraso / vuelo)* a causa del mal tiempo o problemas mecánicos. Hay que tener *(paciencia / equipaje)* y no enojarse con los empleados.

## 5 Escucha y escribe jdd-0888

**Escuchar • Escribir**

Hay cosas que vas a necesitar para tu viaje. Escucha estos consejos y escribe la cosa que necesitas.

**Modelo**

(escuchas) La necesitas hacer con la línea aérea antes de comenzar el viaje.
(escribes) *la reservación*

### También se dice . . .

**la maleta** = la valija *(Argentina);* la petaca *(México)*

**el boleto** = el billete *(España);* el pasaje *(Bolivia)*

Debes llegar temprano al aeropuerto.

**6** **¿Quién hace qué?**

**Hablar**

Una persona que no ha viajado mucho tiene muchas preguntas sobre quiénes hacen diferentes cosas durante el viaje y la preparación para el viaje. Trabaja con otro(a) estudiante para hacer preguntas y contestarlas.

**Modelo**

pasar por el pasillo con bebidas

**A** —¿Quién pasa por el pasillo con bebidas?

**B** —*La auxiliar de vuelo pasa por el pasillo con bebidas.*

**Estudiante A**

1. sugerir los vuelos y hacer las reservaciones
2. llevar su pasaporte y tarjeta de embarque
3. facturarles el equipaje a los pasajeros
4. ayudar al pasajero a planear el viaje
5. pasar por la inspección de seguridad
6. registrar las maletas en la aduana
7. decir cuánto dura el vuelo
8. hacer un anuncio sobre la llegada de un vuelo
9. decir "Bienvenidos" a la ciudad adonde llegas

**Estudiante B**

**Fondo cultural**

Argentina • Perú • Puerto Rico

**Los nombres de los aeropuertos** tienen un significado histórico. Por ejemplo, el aeropuerto de San Juan, Puerto Rico, se llama Luis Muñoz Marín, el nombre del gobernador de la isla entre 1949 y 1965. Para muchos puertorriqueños, Luis Muñoz Marín es un héroe porque ayudó a desarrollar la economía de la isla. El aeropuerto de Lima, Perú, se llama Jorge Chávez para conmemorar al gran aviador peruano que murió cuando intentó volar sobre los Alpes en 1910. El aeropuerto de Buenos Aires se llama Ministro Pistarini, por un político que empezó la construcción del aeropuerto. De esta forma, los aeropuertos son parte de la cultura del país porque los nombres reconocen a las personas importantes de su historia.

• ¿Cómo se llama el aeropuerto más cercano a tu ciudad? ¿Por qué tiene ese nombre?

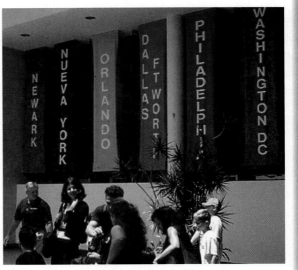

El aeropuerto de San Juan, Puerto Rico

## 7 Los vuelos internacionales

**Para decir más...**

procedente de   arriving from

**Hablar**

En el aeropuerto de Buenos Aires, Argentina, los pasajeros tienen muchas preguntas sobre los vuelos internacionales. Trabaja con otro(a) estudiante. Hagan y contesten las preguntas según la información en el letrero electrónico.

| Vuelo | Ciudad | Llegada | Salida | Observaciones |
|---|---|---|---|---|
| 927 | Asunción | | 12:45 | a tiempo |
| 358 | Lima | 1:50 | | retraso de 40 minutos |
| 486 | Montevideo | | 2:05 | más información pronto |
| 564 | Miami | 3:30 | | vuelo cancelado |
| 872 | Río de Janeiro | | 4:15 | a tiempo |
| 199 | Santiago | | 5:35 | retraso de 30 minutos |
| 731 | La Paz | 6:20 | | a tiempo |

### Modelo

llegar de / Lima

**A** —Perdone, señor (señorita), ¿a qué hora llega el vuelo 358 de Lima?

**B** —Un momento, por favor. El avión llega de Lima a la 1:50. Tiene un retraso de 40 minutos.

**Estudiante A**

1. salir para / Montevideo
2. salir para / Santiago
3. llegar de / Miami
4. salir para / Asunción
5. llegar de / La Paz
6. salir para / Río de Janeiro

**Estudiante B**

Un momento, por favor.
Lo siento.
con destino a
procedente de
Sale / Llega a tiempo.

Tiene un retraso de . . .
Tuvieron que cancelar el vuelo.
Tendremos más información muy pronto.
Tenga paciencia, por favor.

## 8 En la revista de la línea aérea

**Leer • Dibujar • Hablar**

Muchas líneas aéreas tienen su propia revista, que generalmente está en tu asiento en el avión. Las revistas tienen una sección que se llama *A bordo.* Esta sección les da a los pasajeros reglas sobre los vuelos.

**1** Lee las reglas. Para cada regla, haz un dibujo que se puede usar para explicar la idea principal de la regla.

**2** Muéstrale *(Show)* el dibujo para una de las reglas a otro(a) estudiante. Tu compañero(a) tiene que decir, en sus propias palabras, la regla que se representa con el dibujo.

• **El abordaje** Las reservaciones se pueden cancelar si usted se presenta en la puerta de embarque menos de diez minutos antes del despegue[1] en vuelos domésticos.

• **Equipaje de mano** Las piezas de equipaje de mano deben ponerse debajo del asiento del pasajero o en un compartimiento arriba. Los perros y animales domésticos a bordo deben quedarse en todo momento en sus receptáculos correspondientes.

• **Dispositivos[2] electrónicos portátiles** Algunos dispositivos electrónicos portátiles pueden interferir con los equipos de navegación de los aviones.
Se permite el uso de estos dispositivos mientras el avión está en tierra[3] con la puerta de abordaje abierta y durante el vuelo cuando los auxiliares de vuelo así lo permitan.

• **Teléfonos celulares** Se permite el uso de los teléfonos celulares sólo cuando el avión está en la puerta de embarque y la puerta del avión está abierta.

• **Tabaco** Se prohíbe fumar[4] y usar tabaco sin humo en todos los vuelos de esta línea aérea. Se le puede poner una multa de hasta US $2,200 por obstruir los detectores de humo de los servicios.[5]

[1]take off   [2]devices   [3]ground   [4]to smoke   [5]rest rooms

## ⑨ El autobús latinoamericano

**Observar • Escribir • Hablar**

El autobús es un medio *(means)* de transporte
común en América Latina. Observa el autobús
que es arte folklórico de Colombia. Luego
contesta las preguntas.

1. ¿Qué llevan los pasajeros en el autobús?
   ¿Qué crees que indican estas cosas sobre
   sus vidas?

2. ¿Adónde crees que van las personas en el
   autobús? ¿Piensas que sus viajes duran
   mucho o poco tiempo? ¿Por qué?

---

### Fondo cultural
**El mundo hispano**

**El transporte** más usado en los países hispanohablantes es el
autobús. Hay autobuses de lujo *(luxury)*, de primera clase y de
segunda clase. Llevan pasajeros, maletas y hasta animales. En
algunos países los autobuses de segunda clase no tienen rutas
fijas *(fixed)* y sirven más como taxis. Hay varios nombres para
los autobuses. En Colombia y Ecuador, los autobuses se llaman
*flotas y se usan para viajar entre provincias.* En España, se
llaman *autocares* y en los países del Caribe son *guaguas.* En
México y Bolivia los autobuses también se llaman *camiones.*

• ¿Por qué crees que los autobuses son populares en muchos
  países hispanohablantes?

Una flota de Montecristi, Ecuador

---

## ⑩ Dos medios de transporte

**Pensar • Comparar • Hablar • Escribir**

El avión y el autobús son dos medios de transporte
populares. Trabaja con otro(a) estudiante para
comparar estos dos medios.

**❶** Copien el diagrama de Venn en una
hoja de papel y escriban palabras y
expresiones para describir los dos
medios de transporte.

**❷** Escriban un resumen de los dos
medios de transporte. Pueden incluir
impresiones de cómo se viaja en los
países hispanohablantes y en los
Estados Unidos.

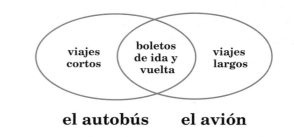

**el autobús    el avión**

**Modelo**

*Las personas que hacen viajes cortos frecuentemente
van en autobús, especialmente en los países
hispanohablantes. Si hacen un viaje largo, por
ejemplo a un país extranjero, muchas veces van en
avión. Para los dos medios de transporte se puede
comprar boletos de ida y vuelta . . .*

# Gramática

## The present subjunctive

The subjunctive mood is used to say that one person influences the actions of another.

> Recomendamos **que Uds. hablen** con un agente de viajes.
>
> *We recommend **that you speak** with a travel agent.*
>
> ¿Quiere Ud. **que escribamos** nuestros nombres en las maletas?
>
> *Do you want **us to write** our names on our suitcases?*

Note that the subjunctive sentences have two parts, each with a different subject, connected by the word *que:*

| Ella sugiere | que | yo aprenda francés. |

The first part uses the present indicative verb (recommendation, suggestion, prohibition, and so on) + *que,* and the second part uses the present subjunctive verb (what should happen).

Verbs that are often followed by *que* + subjunctive:

| | |
|---|---|
| decir | prohibir |
| insistir en | querer *(e → ie)* |
| necesitar | recomendar *(e → ie)* |
| permitir | sugerir *(e → ie)* |
| preferir *(e → ie)* | |

### ¿Recuerdas?

Until now you have used verbs in the indicative mood, used to talk about facts or actual events.

• **Aprendo** francés para mi viaje.

The present subjunctive is formed in the same way as negative *tú* commands and all *Ud. / Uds.* commands. You drop the *-o* of the present-tense indicative *yo* form and add present-tense subjunctive endings.

**hablar**

| hable | hablemos |
|---|---|
| hables | habléis |
| hable | hablen |

**aprender / escribir**

| aprenda escriba | aprendamos escribamos |
|---|---|
| aprendas escribas | aprendáis escribáis |
| aprenda escriba | aprendan escriban |

The present subjunctive has the same spelling changes and irregular *yo* form changes used with the negative *tú* commands and *Ud. / Uds.* commands.

**llegar**

| llegue | lleguemos |
|---|---|
| llegues | lleguéis |
| llegue | lleguen |

**hacer**

| haga | hagamos |
|---|---|
| hagas | hagáis |
| haga | hagan |

**GramActiva** VIDEO

Want more help with the present subjunctive? Watch the **GramActiva** video.

Recomiendo que llene . . .

**11 Escucha y escribe** 🔊 jdd-0888

**Escuchar • Escribir**

Escucha a una persona que viaja mucho dar recomendaciones sobre su viaje. Escribe sus seis recomendaciones. Después subraya *(underline)* el verbo en la expresión de recomendación y traza *(draw)* un círculo alrededor del verbo que indica lo que debes hacer.

> **Modelo**
>
> *Les <u>recomiendo</u> que ⟨hagan⟩ las reservaciones temprano.*

**12** Juego

**Escribir • GramActiva**

**1** En el pizarrón *(chalkboard),* tu profesor(a) va a dibujar dos triángulos. Cada uno tiene cinco secciones y representa una montaña.

**2** La clase se divide en dos equipos. Una persona de cada equipo va al pizarrón. Tu profesor(a) les da un verbo. Los estudiantes deben conjugar el verbo en el presente del subjuntivo, empezando con la forma *yo* en la base de la "montaña". Si cometen un error, su profesor(a) dice *avalancha* y tienen que borrar *(erase)* las palabras y empezar otra vez. El equipo que escribe todas las formas primero gana un punto.

| | |
|---|---|
| que ellos, ellas, Uds. | *naden* |
| que nosotros (as) | *nademos* |
| que él, ella, Ud. | *nade* |
| que tú | *nades* |
| que yo | *nade* |

**13** Un programa de intercambio

**Leer • Escribir**

Lee el anuncio sobre un programa de intercambio en Tegucigalpa, Honduras, y contesta las preguntas.

**1.** ¿Cuáles son las ventajas *(advantages)* de asistir a un programa como éste?

**2.** ¿Por cuánto tiempo puedes quedarte allí?

**3.** ¿Cómo dan la bienvenida a los estudiantes que vienen al programa?

**4.** ¿Te gustaría participar en un programa como éste? ¿Por qué?

*¡Vive con una familia en Tegucigalpa, Honduras!*

**JÓVENES DE LAS AMÉRICAS**

Clases de español diarias • Discursos sobre la cultura e historia hondureña • Excursiones dentro y fuera de la ciudad • Vuelos directos desde los Estados Unidos • Programas que duran de tres semanas a tres meses

Nuestros empleados bilingües te esperan en el aeropuerto y te ayudan a pasar por la aduana. Luego te llevan a la casa de tu familia hondureña.

Llama al 525-8557

**14** Tres semanas en Honduras

**Hablar**

El programa de intercambio en Tegucigalpa les envía una carta con recomendaciones a los estudiantes que van a participar. ¿Cuáles son las recomendaciones? Habla con otro(a) estudiante sobre ellas.

**Modelo**

recomendar

A —*¿Qué recomiendan?*

B —*Recomiendan que llevemos ropa cómoda de algodón.*

**Estudiante A**

1. sugerir
2. recomendar
3. prohibir
4. querer
5. insistir en
6. decirnos

**Estudiante B**

usar el teléfono de la familia
comprar un regalo para la familia
sacar fotos
traer sólo una maleta y una mochila

llevar ropa cómoda de algodón
tener un diccionario
sólo beber agua en botellas
**¡Respuesta personal!**

**15 Estudia mejor**

**Leer · Escribir · Hablar**

Lee el artículo de una revista para jóvenes.

**1** Escribe cinco frases usando las expresiones *recomiendan que* y *sugieren que* para hablar de las recomendaciones del artículo.

> **Modelo**
>
> *Recomiendan que no estudies ni en el dormitorio ni en la cocina.*

**2** Escribe tres frases adicionales en que das tus propias recomendaciones sobre cómo puedes prepararte para un examen difícil.

> **Modelo**
>
> *Sugiero que escojas un lugar lejos del televisor.*

**3** Lee tus frases a otro(a) estudiante. ¿Está de acuerdo con tus recomendaciones? ¿Por qué?

## ¡Puedes sacarte un diez!

Seguramente te ha pasado que justo cuando tienes el examen más difícil de tu vida no puedes concentrarte para estudiar. El secreto está en encontrar el lugar perfecto para estudiar, y créelo o no, tu dormitorio y la cocina no son buenas opciones. El lugar ideal tiene una ventana porque la luz natural te ayuda a desestresarte*. Pero, ¡cuidado! Se recomienda no mirar directamente la ventana porque siempre hay distracciones en el exterior.

En el lugar ideal, también hay un escritorio con sólo los materiales necesarios para estudiar. Con este sistema de estudio, será posible sacarse un diez y con él puedes impresionar a tus padres y a tus profesores.

*relax, release stress

---

**16 Reglas de la casa**

**Escribir · Hablar**

Probablemente hay muchas cosas que tus padres quieren o no quieren que hagas.

**1** Escribe frases sobre cinco cosas que quieren (o no quieren) que hagas. Usa las expresiones *quieren que, insisten en que, necesitan que, me dicen que* y *me prohíben que.*

**2** Trabaja con otros dos estudiantes. Comparen sus listas. Escriban una lista para su grupo de las cosas en que insisten los padres en general. Presenten sus listas a la clase.

> **Modelo**
>
> *Mis padres me prohíben que gaste mucho dinero en la ropa.*

### Más práctica

- **Guided** Gram. Practice pp. 283–287
- **Core** Gram. Practice p. 157
- **Communication** Writing p. 153, Test Prep p. 274
- *Real.* **para hispanohablantes** pp. 294–297

**realidades.com** ⊻

- Audio Activities
- Video Activities
- Speak & Record
- Canción de hip hop
- Animated Verbs
- Tutorial
- Leveled Workbook
- Web Code: jdd-0804

### Fondo cultural

**El mundo hispano**

**Los programas de intercambio** ofrecen la oportunidad de vivir con una familia anfitriona *(host)*. Es la mejor manera de aprender el idioma y conocer la cultura del país. Los estudiantes de intercambio deben respetar las diferencias culturales y las reglas de la familia. Sobre todo, hay que mantener una actitud positiva y abierta.

- ¿Qué consejos te gustaría dar a un(a) estudiante de intercambio que llega a tu comunidad? ¿Qué sería *(would be)* lo más difícil para él (ella)?

# Gramática

## Irregular verbs in the subjunctive

Verbs that have irregular negative *tú* and *Ud. / Uds.* commands also have irregular subjunctive forms.

**dar**

| dé | demos |
|----|-------|
| des | deis |
| dé | den |

**estar**

| esté | estemos |
|------|---------|
| estés | estéis |
| esté | estén |

**ir**

| vaya | vayamos |
|------|---------|
| vayas | vayáis |
| vaya | vayan |

**saber**

| sepa | sepamos |
|------|---------|
| sepas | sepáis |
| sepa | sepan |

**ser**

| sea | seamos |
|-----|--------|
| seas | seáis |
| sea | sean |

El agente sugiere que **vayamos** a la puerta de embarque.

*The agent suggests that **we go** to the boarding gate.*

**GramActiva** VIDEO

Want more help with irregular verbs in the subjunctive? Watch the **GramActiva** Video.

Necesito que vayas . . .

## 17 Un viaje con la profesora

**Escribir**

Unos estudiantes acaban de llegar al aeropuerto para hacer un viaje al extranjero *(abroad)*. Completa lo que dice su profesora sobre lo que quiere que todos hagan. Usa una forma de los verbos *dar, estar, ir, saber* o *ser* en cada frase.

1. Quiero que Uds. ____ dónde están sus pasaportes.
2. El empleado necesita que nosotros le ____ los pasaportes antes de facturar el equipaje.
3. Les prohíbo que ____ fuera del aeropuerto.
4. Insisto en que todos ____ cerca de la puerta de embarque media hora antes de la salida del vuelo.
5. Necesito que todos Uds. ____ responsables.
6. Insisto en que todos Uds. ____ listos para abordar el avión.
7. Quiero que el viaje ____ una buena experiencia.

Un aeropuerto mexicano

## 18 Algunas sugerencias

**Hablar**

Unos amigos están planeando un viaje al extranjero. Tú acabas de regresar de un viaje similar y tienes muchas sugerencias para darles. Trabaja con otro(a) estudiante para dar tus recomendaciones.

**Modelo**

**A** —¿Cuándo debemos estar en el aeropuerto?

**B** —Les sugiero que lleguen dos horas antes de la salida del vuelo.

**Estudiante A**

1. qué / saber sobre la inspección de seguridad
2. qué / darles a los empleados de la línea aérea
3. qué forma de identificación / tener
4. qué / decir en la aduana
5. cómo / ir al hotel

**Estudiante B**

todas las reglas sobre lo que no puedes llevar en el avión
en taxi porque no van a conocer la ciudad todavía
un número de teléfono donde van a estar en el extranjero
que son estudiantes y turistas norteamericanos
un pasaporte y un permiso de manejar

## 19 ¡No viajes sin leer esto!

**Leer • Escribir • Hablar**

¿Qué recomiendan los expertos que hagas para no tener problemas financieros durante un viaje al extranjero? Lee el artículo y contesta las preguntas según el modelo.

**Modelo**

¿Qué recomiendan para no tener problemas financieros cuando viajas al extranjero?
*Te recomiendan que tomes precauciones.*

**Para no tener problemas financieros en un viaje al extranjero, toma precauciones.**

**✦ Tarjeta de crédito**
Con ella puedes pagar las compras, comidas y otros gastos, y sacar dinero de cajeros automáticos, pero hay que tener cuidado de no perderla. Por eso se debe llevarla en un lugar seguro[1] muy cerca de tu cuerpo y saber el teléfono del banco para informar de su pérdida.

**✦ Cheques de viajero**
Se aceptan exactamente como el dinero en efectivo y se reembolsan[2] en menos de 24 horas si los pierdes o te los roban. Se deben firmar y

escribir sus números antes de salir del banco, así otra persona no los puede usar. En muchos lugares hay que mostrar[3] una forma de identificación para usarlos.

**✦ "Cash"**
Si traes dinero en efectivo, ponlo en diferentes bolsillos.[4] Cuando llegues a tu destino, pregunta en el hotel por un lugar donde se puede obtener moneda local. En muchos países las casas de cambio[5] son más accesibles para efectuar esta transacción que los bancos.

[1]safe  [2]they are refunded  [3]show  [4]pockets  [5]currency exchange offices

1. ¿Qué sugieren para no perder la tarjeta de crédito?
2. ¿Qué recomiendan saber si pierdes la tarjeta de crédito?
3. ¿Qué recomiendan hacer con los cheques de viajero?
4. ¿En qué insisten muchos lugares para usar los cheques de viajero?
5. ¿Dónde sugieren poner el dinero en efectivo?
6. ¿Adónde dicen ir para cambiar *(exchange)* el dinero?

## 20 Un viaje sin estrés

**Escribir · Hablar**

**1** Dos amigos tuyos planean un viaje al extranjero. Escribe seis frases para ayudarles a hacer las preparaciones, pasar por el aeropuerto y abordar el avión. Usa expresiones como *sugiero que* y *recomiendo que.*

**2** Lean las recomendaciones de otros dos estudiantes, decidan cuáles son las tres mejores y preséntenlas a la clase.

| Modelo |
| --- |

*Sugiero que vayan a una agencia de viajes para planear su viaje.*

| Modelo |
| --- |

*Recomendamos que siempre lleven los pasaportes durante el viaje.*

## 21 La República Dominicana

**Leer · Hablar**

Vas de vacaciones con tu familia. Imagina que otro(a) estudiante es el (la) agente de viajes. Hablen sobre lo que le gustaría a tu familia hacer allí.

| Modelo |
| --- |

a mí / sacar fotos
**A** —*A mí me gusta sacar fotos.*
**B** —*Recomiendo que vaya a la zona colonial.*

# Pasándolo bien en la República Dominicana

### Zona Colonial
Es uno de los lugares favoritos de los jóvenes, por sus cafés y sus tiendas al aire libre. Aquí hay muchos edificios históricos, como la catedral.

### Las Terrenas
En la costa norte de la isla, se encuentra la playa más larga y bonita de todo el país. Aquí se puede tomar el sol o bucear en las tranquilas aguas.

### Los Haitises
Es un parque nacional formado por un grupo de islas cubiertas de selva tropical.* Aquí se pueden apreciar diferentes especies de plantas, pájaros y animales exóticos.

### Altos del Chavón
Es un lugar muy bonito situado en una montaña. Aquí se puede estudiar en la escuela de arte, visitar el museo arqueológico, o escuchar conciertos y festivales de jazz en el gran anfiteatro.

*covered with rain forests

**1.** a nosotros / visitar playas bonitas

**2.** a mí / tomar lecciones de arte

**3.** a mis hermanos / observar los pájaros

**4.** a mi madre / bucear

**5.** a mi hermana / ir de compras

**6.** a mis padres / escuchar música

## 22 Viajar y sentirse bien

**Leer · Hablar · Escribir**

Estos ejercicios se recomiendan a los pasajeros de vuelos largos para estimular y estirar *(stretch)* los músculos.

**1**  Lee las instrucciones con otro(a) estudiante. Luego observen los diagramas y decidan qué diagrama corresponde a cada ejercicio.

### Conexiones | La salud

1. **Círculos de tobillo**
   Levantar los pies del piso. Hacer un círculo con las puntas de los pies moviéndolas en direcciones contrarias.

2. **Flexiones de pie**
   Tres pasos: Con los talones *(heels)* en el piso, llevar las puntas de los pies hacia arriba. Poner luego los dos pies en el piso. Levantar después los talones y dejar las puntas en el piso.

3. **Elevaciones de rodilla**
   Levantar la pierna con la rodilla doblada. Alternar las piernas. Repetir 20 a 30 veces con cada pierna.

4. **Rotación de hombros**
   Mover los hombros hacia adelante, luego moverlos hacia arriba, hacia atrás y hacia abajo con un movimiento circular.

**2** Escojan dos de los ejercicios y escriban las recomendaciones que les pueden hacer a los pasajeros.

**Modelo**

*Les recomendamos que muevan los hombros hacia adelante . . .*

**3** Lean sus recomendaciones a otro grupo. Ellos van a seguir sus instrucciones.

## Pronunciación

### Linking sounds

jdd-0888

When people speak a language fluently, they run words together rather than pausing in between them. This is done in English when the five-word question *Do you want to go?* comes out sounding like *Jawanna go?* Here are ways sounds are linked in Spanish.

Two identical sounds are pronounced together as one sound. Listen and repeat:

tarjeta‿de‿embarque
línea‿aérea
va‿a‿hacer la maleta

Two vowels are usually run together. Listen and repeat:

de‿ida‿y‿vuelta
la‿empleada
su‿equipaje‿amarillo

The consonant at the end of a word is linked with the next word. Listen and repeat:

país‿extranjero
hablar‿al‿agente
insisten‿en

**¡Compruébalo!** Practice reading this riddle as a poem, connecting the sounds. Then figure out its meaning.

> **Sin ser ángel tengo alas,[1]**
> **sin ser auto tengo motor,**
> **y viajo sobre las aguas,**
> **sin ser yate ni vapor.[2]**
> **¿Quién soy yo?**

[1]wings  [2]steamship

## 23 Para una visita divertida

**Hablar · Escribir**

Unos amigos de un país hispanohablante vienen a tu ciudad para pasar el verano.

**1** Trabaja con otro(a) estudiante y escriban seis recomendaciones de lo que deben hacer y ver mientras estén allí. Pueden comenzar sus frases con *recomendar que, sugerir que, querer que* y *preferir que.* Pueden incluir estas ideas u otras:

- adónde ir
- dónde y qué comer
- qué partidos, espectáculos y más ver
- dónde dar una caminata o hacer otras actividades al aire libre
- cómo pasar el tiempo libre
- cómo viajar o llegar

Un punto de encuentro en El Aeropuerto de Oaxaca-Xoxocotlan, México

**2** Trabajen con otra pareja. Lean sus recomendaciones. ¿Están de acuerdo con sus ideas? Presenten sus ideas a la clase y hagan una lista completa de ideas para visitantes.

## 24 Y tú, ¿qué dices?

**Escribir · Hablar**

1. ¿Adónde has viajado? ¿Qué hiciste para planear el viaje? ¿Qué le sugieres a un(a) amigo(a) para planear un viaje?

2. Escoge tres lugares interesantes para visitar en los Estados Unidos. ¿Cómo sugieres que alguien viaje de tu ciudad a estos lugares? ¿Por qué?

3. ¿Qué recomiendas que una persona lleve en su maleta o mochila para no aburrirse en un vuelo largo?

### Más práctica

- **Guided** Gram. Practice p. 288
- **Core** Gram. Practice pp.158–159
- **Communication** Writing p. 154
- *Real.* **para hispanohablantes** pp. 298–301

**realidades.com** ⓥ

- Audio Activities
- Video Activities
- Speak & Record
- Tutorial
- Leveled Workbook
- Web Code: jdd-0805

## El español en la comunidad

Las personas de los países hispanohablantes que visitan los Estados Unidos a veces necesitan ayuda porque han perdido su pasaporte o tienen otro problema. Los países hispanohablantes tienen representantes en los Estados Unidos para ayudar a sus ciudadanos *(citizens).* Uno de éstos es el cónsul, un diplomático que tiene funciones políticas y económicas en un país extranjero. Ayuda al turista de su país y también ofrece información cultural sobre su propio país y, a veces, hace presentaciones culturales para grupos de estudiantes o adultos.

- Busca información sobre un consulado o embajada *(embassy)* de un país hispanohablante que está cerca de tu comunidad. Pide información sobre cómo se puede visitar el consulado o invitar a un representante a tu escuela.

# Lectura

# ECUADOR
## país de maravillas

**E**l Ecuador está en la costa Pacífica del norte de América del Sur y representa un país típico de la zona andina. Es un país pequeño, pero tiene paisajes para todos los gustos¹. Desde playas tropicales hasta montañas nevadas, desde ciudades coloniales hasta parques naturales, el Ecuador es una joya que deleita² al visitante. Le invitamos a descubrir este país de maravillas.

## Estrategia

**Previewing**
Before you read a magazine article, look at the photos and read the title, subheads, and photo captions. This will help you determine what type of information you will be reading. What do the title and subheads of this article tell you about the information it's likely to contain? What types of places are featured in the photos?

La iglesia la Compañía de Jesús, Quito

la altitud, le puede resultar difícil respirar y puede sentirse cansado.

Declarada parte del patrimonio mundial por la UNESCO en 1978, Quito mantiene el centro histórico colonial mejor preservado de América Latina. La iglesia La Compañía de Jesús, con un interior muy rico en oro, representa el estilo barroco típico de Quito. Otras iglesias interesantes para el turista son La iglesia de San Francisco y la Catedral.

## Mitad del Mundo

A 30 minutos al norte de Quito está el monumento a la Mitad del Mundo. Se llama así porque la Línea Ecuatorial que divide al planeta en dos hemisferios pasa por este lugar. Los turistas se divierten tomando fotos con un pie en el hemisferio norte y el otro en el hemisferio sur. ¡De un lado, es invierno, y del otro, verano! Durante los equinoccios del 21 de marzo y del 23 de septiembre, las personas y los objetos no tienen sombra⁴.

## Quito

Quito, la capital del Ecuador, es una ciudad cosmopolita situada en un valle rodeado por las cimas³ nevadas de Pichincha y de Cotopaxi. La ciudad está a 9,200 pies de altura. Para el visitante que no está acostumbrado a

La Mitad del Mundo

¹tastes  ²delights  ³peaks  ⁴shadow

Haciendo tejidos en un mercado Otavalo, Ecuador

# Islas Galápagos

Las Islas Galápagos representan una de las atracciones turísticas más importantes del Ecuador. Estas islas, así llamadas por las gigantescas tortugas galápagos que viven allí, están en el océano Pacífico a más de 600 millas de la costa del Ecuador. El archipiélago tiene 125 islas e islotes. Para proteger las especies de animales que viven en las islas, como las iguanas, los leones marinos[8] y la gran variedad de pájaros, los turistas no pueden visitar las islas por su cuenta[9]. Tienen que tomar una excursión organizada dirigida por un guía naturalista.

Dentro del monumento hay un museo que celebra las distintas culturas indígenas del Ecuador. De hecho, el 25 por ciento de la población del país es de origen indígena. Entre los grupos más conocidos están los salasacas, los shuars y los otavalos. Cada grupo se viste de una manera diferente, habla su propio idioma y se especializa en algún tipo de artesanía, como los tejidos, los sombreros, las joyas o las canastas[5].

El Ecuador le ofrece al visitante un viaje inolvidable por su gran riqueza cultural y natural. Como dijo el científico Humboldt[6], "Un viaje por el Ecuador se puede comparar con un viaje desde la Línea Ecuatorial casi hasta el Polo Sur"[7].

Las Islas Galápagos

La mejor manera de llegar a las islas es por avión desde el aeropuerto de Quito o de Guayaquil. Vuelos diarios[10] salen hacia la isla de Baltra. De ahí, se llega a la Isla de Santa Cruz, donde está la Estación Científica Charles Darwin. El científico inglés visitó las islas en el siglo XIX y su teoría de la evolución se basa en los estudios que hizo durante su viaje. Desde la Isla de Santa Cruz salen barcos para explorar el archipiélago. La mejor época del año para visitar las islas es entre los meses de enero y mayo porque las temperaturas son más cálidas. Los turistas pueden disfrutar de[11] actividades al aire libre, como el buceo y las caminatas que les permite entrar en contacto con la inmaculada naturaleza de estas bellas islas.

[5]baskets  [6]German scientist who traveled extensively in Latin America  [7]South Pole  [8]sea lions  [9]on their own  [10]daily  [11]enjoy

## ¿Comprendiste?

1. ¿Por qué crees que el Ecuador es una destinación turística tan popular?

2. ¿Por qué puede ser difícil un viaje al Ecuador?

3. ¿Por qué es tan importante el centro histórico de Quito?

4. ¿Por qué se llama así el monumento a la Mitad del Mundo?

5. ¿Por qué son importantes las culturas indígenas en el Ecuador?

6. ¿Qué hace el gobierno del Ecuador para preservar las Islas Galápagos?

## Y tú, ¿qué dices?

1. ¿Qué partes del Ecuador te gustaría visitar? ¿Por qué?

2. ¿Crees que el turismo es bueno para las Islas Galápagos? ¿Por qué?

### Más práctica

- **Guided** Reading Support p. 289
- **Communication** Writing p. 155, Test Prep p. 275
- *Real.* **para hispanohablantes** pp. 302–303

realidades.com

- Internet Activity
- Leveled Workbook
- Web Code: jdd-0806

# La cultura en vivo

## Los códices

Antiguamente los indígenas americanos viajaban de un sitio a otro para explorar nuevos lugares, comunicarse con otros grupos indígenas y buscar rutas para el transporte de sus productos. A veces, los viajes eran largos, y cuando se alejaban mucho[1] necesitaban anotar el camino para poder regresar a sus casas. Para recordar el camino de regreso, las cosas que veían y los resultados de sus intercambios comerciales, anotaban sus observaciones en unos libros llamados *códices*.

Los antiguos indígenas americanos anotaban sus observaciones en códices.

### Objetivo

• Contar un viaje imitando un códice

### Materiales

• papel para dibujar (sirven las bolsas de papel)

• marcadores o pinturas acuarelas[2]

• pinceles[3] y lápices

### Instrucciones

**1** Piensa en un viaje que quieres contar en tu códice. Incluye entre cuatro a seis eventos.

**2** Escoge los momentos importantes y represéntalos siguiendo una secuencia lógica. Haz una esquema[4] en una hoja de papel para planear el códice. Piensa en cómo vas a representar con dibujos y símbolos los lugares, medios de transporte, actividades y otros detalles importantes.

**3** Dibuja el códice usando una variedad de colores. Lo más importante es que el lector pueda leer la historia de tu viaje por medio del códice. El códice debe ser un dibujo continuo.

**4** Cuando termines los dibujos, dobla[5] el códice como lo hacían los aztecas.

**Algunos códices famosos:** Códice Florentino, Códice Borgia, Códice de Tlaxcala, Códice Mendocino, Códice Madrid

Algunos códices muestran el contacto entre los indígenas americanos y los europeos.

[1]traveled far from home   [2]water colors   [3]brushes   [4]outline   [5]fold

# Presentación oral
## Un viaje al extranjero

**Task**

You have a job at a travel agency. A client wants to take her family on a summer trip to a Spanish-speaking country. She wants to spend a few days in a nice city, a day or two visiting ruins or historical sites, and a few days at the beach. Recommend a country and provide key travel information.

**1 Prepare** Choose a country that meets the client's criteria. Be sure to look at several countries before deciding which one to select. Research the following information for your client:

- **Lugar**

  ¿Qué país, ciudad, lugares históricos y playas recomiendas que visiten? ¿Qué itinerario sugieres?

- **Documentos**

  ¿Necesitan un pasaporte u otro documento?

- **Transporte y equipaje**

  ¿Cómo recomiendan que viajen? ¿Cuánto cuesta el boleto? ¿Cuánto equipaje pueden llevar? ¿Qué ropa deben levar?

**2 Practice** Go through your presentation. You can use your notes in practice, but not when you present. Try to:

- provide all the information on each point
- present the information in a logical sequence
- speak clearly

**Modelo**

*Recomiendo que Uds. viajen a Puerto Rico. Allí pueden ver muchos lugares interesantísimos. La ciudad de San Juan es muy grande y les ofrece mucho a los turistas . . .*

**3 Present** Present the trip you've planned to your client. You may want to include a map or visuals to assist with your presentation.

**4 Evaluation** Your teacher may give you a rubric for how the presentation will be graded. You will probably be graded on:

- how complete your research is
- how much information you communicate
- how easy it is to understand you

**Estrategia**

**Brainstorming with a word web**
To make sure you have all the information you need for your presentation, start by making a word web. Begin by writing the country you choose in the center of a piece of paper. Around the country name, write the words *lugar, documentos,* and *transporte y equipaje.* For each topic, write as many related ideas as you can. This way, you will have your ideas on paper in an organized format.

lugar · documentos

Puerto Rico

transporte y equipaje

**realidades.com**
- Speak & Record

# Repaso del capítulo

## Vocabulario y gramática
jdd-0889 🔊

**Chapter Review**

To prepare for the test, check to see if you . . .
- **know the new vocabulary and grammar**
- **can perform the tasks on p. 423**

### to talk about making travel plans

| | |
|---|---|
| la agencia de viajes | travel agency |
| el / la agente de viajes | travel agent |
| el equipaje | luggage |
| extranjero, -a | foreign |
| hacer un viaje | to take a trip |
| la maleta | suitcase |
| hacer la maleta | to pack the suitcase |
| el pasaporte | passport |
| planear | to plan |
| la reservación, *pl.* las reservaciones | reservation |
| la tarjeta de embarque | boarding pass |
| el / la turista | tourist |

### to talk about airports

| | |
|---|---|
| abordar | to board |
| la aduana | customs |
| el aduanero, la aduanera | customs officer |
| el aeropuerto | airport |
| el anuncio | announcement |
| el / la auxiliar de vuelo | flight attendant |
| con destino a | going to |
| de ida y vuelta | round-trip |
| directo, -a | direct |
| durar | to last |
| el empleado, la empleada | employee |
| facturar | to check *(luggage)* |
| hacer escala | to stop over |
| la inspección, *pl.* las inspecciones de seguridad | security checkpoint |
| la línea aérea | airline |
| la llegada | arrival |
| el pasajero, la pasajera | passenger |
| el pasillo | aisle |
| el / la piloto | pilot |
| la puerta de embarque | departure gate |
| registrar | to inspect, to search *(luggage)* |

| | |
|---|---|
| el retraso | delay |
| la salida | departure |
| la ventanilla | *(airplane)* window |
| el vuelo | flight |

### other useful words and expressions

| | |
|---|---|
| abierto, -a | open |
| bienvenido, -a | welcome |
| cerrado, -a | closed |
| insistir en | to insist |
| listo, -a | ready |
| sugerir *(e → ie)* | to suggest |
| tendremos | we will have |
| tener paciencia | to be patient |

### verbs often followed by *que* + subjunctive

| | |
|---|---|
| decir | prohibir |
| insistir en | querer *(e → ie)* |
| necesitar | recomendar *(e → ie)* |
| permitir | sugerir *(e → ie)* |
| preferir *(e → ie)* | |

### present subjunctive

*hablar*

| hable | hablemos |
|---|---|
| hables | habléis |
| hable | hablen |

*aprender / escribir*

| aprenda escriba | aprendamos escribamos |
|---|---|
| aprendas escribas | aprendáis escribáis |
| aprenda escriba | aprendan escriban |

### irregular verbs in the subjunctive

| dar | hacer | llegar | ser |
|---|---|---|---|
| estar | ir | saber | |

*(To see these verbs fully conjugated in the present subjunctive, refer to pp. 410 and 413.)*

For *Vocabulario adicional*, see pp. 498–499.

**Más práctica**

● **Core** Puzzle p. 160, Organizer p. 161
● **Communication** Integrated
Performance Assessment p. 276

**realidades.com** ⊙
• Tutorial
• Flashcards
• Puzzles
• Self-test
• Web Code: jdd-0808

# Preparación para el examen

| On the exam you will be asked to . . . | Here are practice tasks similar to those you will find on the exam . . . | If you need review . . . |
| --- | --- | --- |

## Interpretive

jdd-0889

**1 Escuchar** Listen and understand as someone gives travel recommendations

A student from Spain gives travel tips to students who are thinking of traveling there this summer. Decide if the suggestion includes: (a) planning tips; (b) packing tips; (c) airport arrival tips; or (d) in-flight tips.

**pp. 402–405** *Vocabulario en contexto*
**p. 406** Actividad 5
**p. 410** Actividad 11

## Interpersonal

**2 Hablar** Make recommendations for planning a stress-free trip

Your teacher asks you to give the class travel tips. You might talk about (a) getting to the airport; (b) checking in at the airline desk; (c) going through security checks; and (d) things to do on the plane. Begin with: *Sugiero que llegues al aeropuerto dos horas antes de la salida de tu vuelo.*

**p. 407** Actividad 6
**p. 411** Actividad 14
**p. 414** Actividades 18–19
**p. 415** Actividades 20–21
**p. 417** Actividad 24
**p. 421** *Presentación oral*

## Interpretive

**3 Leer** Read and understand a pamphlet about air travel

While at a travel agency, you pick up the pamphlet *Sugerencias para viajar a España*. Look at their suggestions and place them in order, starting with the planning stages and ending with your arrival in Madrid. Label them from A–D.

__1.__ *Recomendamos que hagas una reservación seis meses antes de su viaje.* __2.__ *Sugerimos que duermas durante el vuelo.* __3.__ *Recomendamos que bebas mucha agua antes de abordar el vuelo.* __4.__ *Sugerimos que pases por la aduana con todos los documentos necesarios.*

**pp. 402–403** *Vocabulario en contexto*
**p. 406** Actividad 4
**p. 408** Actividad 8
**p. 414** Actividad 19
**p. 416** Actividad 22

## Presentational

**4 Escribir** Write suggestions for a safe and enjoyable vacation

A travel agency asked your class to design a Web page for its Spanish-speaking clients. You are writing the section *Sugerencias para un buen viaje*. Write four suggestions or more. Include advice about such things as planning your trip through a travel agent vs. on the Internet, packing your suitcase, or asking for a particular seat on the plane.

**p. 410** Actividad 11
**p. 413** Actividad 17
**p. 414** Actividad 19
**p. 415** Actividades 20–21
**p. 417** Actividad 24

## Cultures

**5 Pensar** Demonstrate an understanding of historical record-keeping

Explain how accounts of travel and trade were recorded by the indigenous peoples and Spaniards in Latin America. What information was recorded? What purpose did the documents serve? Who used the documents? What modern documents perform a similar function?

**p. 420** *La cultura en vivo*

## Fondo cultural

**México**

**Artesanía de Oaxaca** En Oaxaca, México, el tallado de madera *(wood carving)* es una tradición de los indígenas zapotecas. Los tallados más famosos se llaman alebrijes. Son figuras de animalitos como gatos, caballos, iguanas y vacas, y de animales fantásticos como dragones y monstruos míticos. Hoy en día, en Oaxaca hay alrededor de 200 familias que tallan madera.

• ¿Cuáles son algunos ejemplos de artesanía típica de la región donde vives? ¿En qué sentido *(way)* son similares a los alebrijes de Oaxaca? ¿En qué sentido son diferentes?

Alebrije *(Oaxacan wood carving)* de un armadillo

## Capítulo 8B

# Quiero que disfrutes de tu viaje

### Chapter Objectives

- Discuss traveling in a foreign city
- Talk about staying in a hotel
- Explain how to be a good tourist
- Make recommendations for sightseeing
- Understand cultural perspectives on traveling in Spanish-speaking countries

### Video Highlights

**A primera vista:** *Un día en Toledo*

**GramActiva Videos:** present subjunctive with impersonal expressions; present subjunctive of stem-changing verbs

**Videocultura:** Cómo ser un buen turista

### Country Connection

As you learn about traveling, you will make connections to these countries and places:

España
República Dominicana
México
Puerto Rico
Guatemala
Colombia
Panamá
Ecuador

Uruguay

### Más práctica

- *Real.* para hispanohablantes pp. 310–311

**realidades.com**
- Leveled Workbook
- Web Code: jde-0002

La pirámide de Kukulcán, Chichén Itzá, México

# A primera vista

# Vocabulario en contexto

jdd-0897 🔊

❝ Aquí tienen nuestro **itinerario.** Vamos a pasar diez días visitando Madrid, la capital de España, la ciudad **histórica** de Toledo y la ciudad de Valencia ❞.

El Palacio Real en Madrid

El Escorial

Ciudad de las Artes y las Ciencias, Valencia

## Objectives

Read, listen to, and understand information about

- **staying in a hotel**
- **appropriate tourist behavior**
- **traveling in a foreign city**

## ITINERARIO
### para el grupo de la Sra. Guzmán

**Día 1**  Llegada al Aeropuerto de Barajas en Madrid. Transporte en autobús al hotel en Madrid.

**Días 2 a 4**  Primero vamos a **hacer una gira** de la capital y en los días **siguientes** vamos a regresar a los lugares más **famosos** de la ciudad.
- La Plaza Mayor: un lugar histórico con tiendas y cafés al aire libre
- **El Palacio** Real: palacio ceremonial de **los reyes**
- El Parque del Buen Retiro: un parque **bello,** originalmente lugar privado de los reyes
- El Museo del Prado: uno de los museos de arte más grandes y famosos del mundo

**Día 5**  Lugares cerca de Madrid. El autobús sale a las 8:00 A.M. **en punto;** no vamos a salir tarde.
- El Escorial: palacio impresionante de Felipe II, **el rey** de España entre los años 1556 y 1598
- El Valle de los Caídos: monumento a los españoles que murieron en la Guerra Civil (1936–1939)

**Día 6**  **Excursión** a Toledo. El autobús sale a las 7:30 A.M. y regresa a las 5:00 P.M.
- El Alcázar: originalmente un palacio árabe y después palacio del rey Carlos V en 1545
- La Iglesia de Santo Tomé: para ver el famoso cuadro de El Greco, "El entierro del conde de Orgaz" (1586–88)
- **La Catedral:** un buen ejemplo de la arquitectura gótica y una de las catedrales más **estupendas** del mundo

## Más práctica

- **Guided** Vocab. Flash Cards pp. 291–296
- **Core** Vocab. Practice pp. 162–163
- **Communication** Writing p. 162
- *Real.* **para hispanohablantes** p. 312

- Fondo cultural Activity
- Video Activities
- Online Atlas
- Web Code: jdd-0811

### Madrid • Toledo • Valencia

| | |
|---|---|
| **Días 7 a 8** | Viaje en tren a Valencia. Dos días de excursiones en Valencia.<br>• Ciudad de las Artes y las Ciencias: un lugar con un poco de todo<br>• Museo Nacional de Cerámica: una colección de cerámica en un edificio histórico |
| **Día 9** | Descansar en la playa cerca de Valencia. Con el permiso de sus padres, pueden hacer surf de vela, esquí acuático y moto acuática. También podemos ir con nuestro **guía** a **navegar** en un bote de vela. |

**el surf de vela**

**la moto acuática**

**el esquí acuático**

**el bote de vela**

| | |
|---|---|
| **Día 10** | Regresamos a los Estados Unidos en el vuelo 519. |

## REGLAS PARA EL VIAJE

Para **disfrutar de** este viaje a España, tenemos que ser buenos turistas. Por eso necesitamos prestar atención a las siguientes reglas.

**Durante el viaje hay que . . .**

- Ser **cortés.** Los buenos modales siempre son importantes.

- Estar en **la habitación** a las 11:00 en punto. No debes **hacer ruido** en las habitaciones.

- Darle **una propina** al hombre que lleva el equipaje. Es una costumbre que debes **observar.**

- Estar muy **atento.** Prestar atención a los (las) guías cuando hacemos excursiones y giras.

- Quedarse en grupos y ser **puntual.** Es necesario llegar a tiempo.

- Usar el tiempo libre para **cambiar** dinero. Se puede ir a **una casa de cambio,** al banco o se puede usar **el cajero automático.**

---

**1** **¿Madrid, Toledo o Valencia?** 🔊  jdd-0897

**Escuchar**

Vas a escuchar varias descripciones de lugares en España. En una hoja de papel, escribe el nombre de la ciudad (Madrid, Toledo o Valencia) donde se encuentra cada lugar.

**2** **¿Es buena idea o no?** 🔊  jdd-0897

**Escuchar**

Imagina que eres turista en España con tu clase de español. Escucha lo que dicen tus compañeros y si es buena idea, señala con el pulgar hacia arriba. Si es mala idea, señala con el pulgar hacia abajo.

# Un día en Toledo

¡Acompaña a Ignacio y a Javier durante su visita a la ciudad de Toledo!

**Javier**

**Ignacio**

**1 Ignacio:** Me dijeron que nuestro hotel queda muy cerca de aquí. ¿Dejamos nuestras cosas y vamos a caminar por la ciudad? ¿Quieres conocerla?

**Javier:** Sí, me gustaría mucho y **tal vez** comprar recuerdos, como **artesanía** de la ciudad.

**5 Javier:** Hay mucho que ver aquí en Toledo.

**Ignacio:** Sí, la catedral, **el castillo,** el museo de El Greco . . .

**Javier:** Y no te olvides que quiero comprar algo **típico.**

**Ignacio:** Sí, después de ver los museos buscamos una tienda de artesanía.

**6 Ignacio:** Aquí está el museo de El Greco. . . . pero está cerrado. Mejor vamos a una tienda.

**Javier:** Sí, buena idea.

**Ignacio:** Entonces vamos a buscar una tienda de artesanía.

**7 Ignacio:** ¡Qué grande es esta espada!

**Javier:** Sí, debe ser muy cara. ¿Podemos ofrecerle menos dinero?

**Ignacio:** No, hombre. No se puede **regatear** aquí. No estamos en un mercado. Vas a **ofender** al **vendedor.**

**Javier:** Entonces creo que sólo voy a comprar **unas tarjetas postales.**

**2** *Están en **la recepción** del hotel.*

**Empleado:** ¿Queréis* **una habitación doble** o dos **habitaciones individuales?**

**Ignacio:** Una habitación doble, por favor.

**Empleado:** Bien, pues aquí está **la llave.**

**3** **Ignacio:** Vamos a subir la escalera.

**Javier:** De acuerdo. No me gusta esperar **el ascensor.**

**Javier:** ¿Adónde vamos primero?

**Ignacio:** Necesitamos **conseguir** un libro sobre la ciudad.

**4** **Ignacio:** Este **quiosco** tiene una buena selección. Esta **guía** parece muy buena. Tiene mucha información y mapas de Toledo. Vamos a empezar el tour.*

*\*Hacer una gira* is common usage for planning to take a tour of a city, but *el tour* is also used in many Spanish-speaking countries.

**8** **Javier:** Es mejor. No cuestan tanto. Toledo sí que es una ciudad muy bella.

**Ignacio:** Tienes razón. Hemos visto muchas cosas interesantes e históricas. Pero ahora debemos descansar un poco. Mañana tenemos un partido de fútbol muy importante.

*\*Remember that in Spain, the *vosotros(as)* form of verbs is used when speaking to a group of people you would address individually with *tú.*

**3** **¿Comprendiste?**

**Escribir · Hablar**

1. ¿Por qué están Javier e Ignacio en Toledo?
2. ¿Adónde van primero después de llegar a Toledo?
3. ¿Qué les da el empleado del hotel?
4. ¿Qué compra Ignacio después de salir del hotel?
5. ¿Qué visitan los dos jóvenes en Toledo?
6. ¿Por qué no entran en el museo de El Greco?
7. ¿Por qué no compra Javier la espada?
8. ¿Qué decide comprar Javier? ¿Por qué?
9. ¿Qué van a hacer los dos después de salir de la tienda?

### Más práctica

- **Guided** Vocab. Check pp. 297–300
- **Core** Vocab. Practice pp. 164–165
- **Communication** Video pp. 156–158
- *Real.* **para hispanohablantes** p. 313

**realidades.com**

- Audio Activities
- Video Activities
- Leveled Workbook
- Flashcards
- Web Code: jdd-0812

# Vocabulario en uso

## Objectives

- Talk about being a tourist in a foreign country
- Use the subjunctive with impersonal expressions
- Learn to use stem-changing verbs in the subjunctive

## 4 ¿Qué clase de turista eres? 👥

**Leer · Escribir · Hablar**

Piensa en lo que hace un(a) turista bueno(a) en un país extranjero.

> **Nota**
>
> *La guía* is both a book you refer to when you travel and a female tour guide. *El guía* always refers to a male tour guide.

**1** Lee las frases y escribe las palabras correctas para completarlas.

1. Cuando llegas a tu habitación, no *(haces ruido / disfrutas)* porque no quieres molestar a las otras personas en el hotel.

2. Tratas de *(ofender / observar)* a las personas en un país extranjero para aprender más de su cultura.

3. Consultas tu *(itinerario / llave)* para saber las horas de salida de las excursiones y los vuelos para no llegar tarde. Eres una persona muy *(bella / puntual)*.

4. Estás muy *(famoso / atento)*. Prestas atención al guía durante una gira.

5. Le dejas una *(propina / recepción)* para la persona que te sirvió en un restaurante.

6. Compras la *(artesanía / habitación)* típica del país que visitas y les preguntas a los *(castillos / vendedores)* sobre quiénes la han hecho.

7. Haces una gira de los lugares *(siguientes / históricos)* para saber más de la historia del lugar que visitas.

8. Tienes buenos modales y eres *(típico / cortés)*. Siempre les dices *por favor* y *gracias* a los demás.

**2** En otra hoja escribe los números del 1 al 8 y lee las frases de arriba otra vez. Usa los siguientes números para indicar con qué frecuencia haces cada cosa.

| | |
|---|---|
| **5** siempre | **2** a veces |
| **4** casi siempre | **1** casi nunca |
| **3** a menudo | |

**3** Suma *(Add up)* tus puntos. Luego explícale a otro(a) estudiante qué clase de turista eres.

▼ Turistas en un mercado en Ixtapa, México

**40–32** Eres un(a) turista estupendo(a). Sabes lo que debes hacer en el extranjero *(abroad)*.

**31–23** Eres un(a) turista bueno(a). Vas a disfrutar de tus viajes si observas las costumbres del país que visitas.

**22–14** Eres un(a) turista típico(a). Debes estar más atento(a) a las costumbres y la cultura del país que visitas.

**13–0** Eres el (la) típico(a) turista feo(a). Debes leer otra vez y aprender de memoria todos los *Fondos culturales* en *REALIDADES* 1 y 2.

## 5 Recomendaciones para los turistas

**Hablar**

Habla con otro(a) estudiante y hagan recomendaciones para los turistas.

dejar

**Modelo**

**A** —¿Dónde dejo el equipaje?
**B** —Debes ir a la habitación.

**Estudiante A**

1. pedir
2. conseguir
3. cambiar
4. regatear con los vendedores sobre
5. ver la residencia de
6. sacar
7. subir a

**Estudiante B**

usar     buscar
ir a     visitar

## 6 Escucha y escribe

jdd-0898

**Escuchar • Escribir**

Vas a escuchar lo que puede hacer un(a) turista en un país extranjero. En una hoja de papel, haz dos columnas. Sobre una columna, escribe *cortés*. Sobre la otra columna, escribe *descortés (impolite)*. Escribe cada acción que escuchas en la columna correcta.

| cortés | descortés |
|--------|-----------|
|        |           |

### Fondo cultural

**El mundo hispano**

**Regatear** es una costumbre de negociar precios, y es muy común en los mercados de los países hispanohablantes. En cambio, es una costumbre menos común en las tiendas. Si quieres comprar algo en un mercado, le pides el precio al vendedor. El vendedor y el cliente ofrecen y piden precios hasta acordar *(agree)* un precio final. Si no sabes si debes regatear o no, puedes preguntar: "¿Son precios fijos *(fixed)*?".

• Imagina que eres vendedor(a) en un mercado. ¿Te gustaría regatear con los clientes para vender tus cosas? ¿Por qué?

En el mercado de Otavalo, en el Ecuador

## 7 Vacaciones en Punta del Este

**Leer · Escribir · Hablar**

Lee el siguiente anuncio para Punta del Este, Uruguay. Luego contesta las preguntas.

# Punta del Este:
## Destino acuático

EL CLUB NÁUTICO PUNTA DEL ESTE, FAMOSO A NIVEL[1] NACIONAL Y LOCAL, TIENE MUCHAS ACTIVIDADES NÁUTICAS PARA LOS TURISTAS EN, TAL VEZ, EL LUGAR MÁS BELLO DE URUGUAY.

Tanto en el puerto[2] como en la playa se encuentran lugares que alquilan pequeños botes de vela para navegar dentro de la bahía[3] o para llegar hasta la isla Gorriti.

Para los aficionados de la moto acuática, también se puede alquilarlas en la playa. Infórmese de los lugares designados para el deporte porque no se permite su práctica en todas partes.

El surf de vela es un deporte muy popular en Punta del Este. Se puede encontrar escuelas de surf de vela y hay la posibilidad de alquilar tablas[4] en el arroyo[5] Maldonado y en la laguna del Diario. En los días de mucho viento siempre es posible ver la habilidad de los navegantes con sus tablas de salto.

Gracias a la tranquilidad de las aguas del área, Punta del Este es un lugar estupendo para hacer esquí acuático. Hay varias escuelas aquí donde se puede encontrar un gran número de expertos que ofrecen sus servicios de instructor en el arroyo Maldonado y en la laguna del Diario.

[1]level  [2]port  [3]bay  [4]surfboards  [5]stream

1. ¿Qué deportes puedes practicar en Punta del Este?

2. ¿Qué palabras indican que Punta del Este es un buen lugar para los turistas?

3. Si no sabes hacer ni el surf de vela ni el esquí acuático, ¿puedes disfrutar de unas vacaciones en Punta del Este? ¿Por qué?

4. Imagina que no puedes llevar tu propio equipo para practicar los deportes acuáticos en Punta del Este. ¿Qué puedes hacer?

## 8 Los deportes acuáticos

**Hablar**

Habla con otro(a) estudiante sobre los deportes acuáticos que se mencionan en el anuncio de Punta del Este. Puedes hacer preguntas como:

- ¿Has hecho . . . alguna vez?
- ¿Dónde lo (la) practicas (practicaste)?
- ¿Te diviertes (divertiste) mucho practicando . . . ?

- ¿Te gustaría practicarlo(la) alguna vez?
- ¿Cuál de los deportes te parece más interesante?

# 9 Los mejores hoteles  jdd-0898

**Leer · Escuchar**

Imagina que eres agente de viajes y puedes recomendarles a tus clientes uno de los hoteles en estos anuncios. Lee los anuncios. Después escucha las preferencias de las personas y escribe *Hotel Real, Hotel Canarias* o *los dos hoteles* según la información en los anuncios.

El centro turístico de Cancún, el **Hotel Real** está sobre una de las más bellas playas de arena[1] blanca y frente a la Laguna Nichupté. Su arquitectura moderna y servicios de primera clase, hacen el hotel ideal para cualquier[2] vacacionista.

Habitaciones: Tenemos 300 habitaciones que están perfectamente equipadas con aire acondicionado, televisión a color vía satélite, teléfono directo, balcón privado, tina de baño[3] y secadora de pelo.

**Servicios adicionales:**
• Restaurantes (3)
• Piscina y gran Jacuzzi
• Salones de reuniones

**De enero hasta abril:**
Habitación individual o doble: $146
**De abril hasta diciembre:**
Habitación individual o doble: $78

**Tel: 289-06-59**

**Hotel Real**

**El Hotel Canarias,** en la República Dominicana, es uno de los más bellos y exclusivos destinos turísticos / vacacionales del Caribe. Este centro turístico se extiende sobre unos 7,000 acres con árboles tropicales y ofrece villas, habitaciones hoteleras, campos de golf (3), canchas de tenis (13), piscinas (19), así como la playa Minitas.

**También ofrecemos:**
• Restaurantes (9: desde gourmet hasta informal)
• Tiendas de regalo
• Salones de belleza
• Aeropuerto privado
• Oficina de aerolínea
• Gimnasio
• Banco

**Tel: 59-28-59**

**Villas de 2 a 6 habitaciones: $136 hasta $615**

[1]sand   [2]any   [3]bathtub

## Fondo cultural

**El mundo hispano**

**Cinco estrellas** Un sistema internacional de evaluar un hotel es el sistema de estrellas: cinco estrellas es el mejor. ¿Qué necesita tener un hotel de cinco estrellas? En España, el hotel necesita tener aire acondicionado y calefacción *(heating)*, salones sociales, garaje y salón de belleza. En México, tiene que tener un restaurante, cafetería, discoteca y seguridad.

• ¿Prefieres un hotel con muchos servicios?, ¿una habitación de gran lujo? Si vas a un país extranjero, ¿es mejor gastar tu dinero en un hotel de cinco estrellas, en restaurantes caros o en comprar recuerdos?

# Gramática

## Present subjunctive with impersonal expressions

**¿Recuerdas?**
You know that the subjunctive mood is used to say that one person influences the actions of another.

Sometimes you use an impersonal expression to express how you influence another person's actions.

Here are some impersonal expressions that are often followed by *que* + subjunctive:

**es importante   es necesario   es mejor   es bueno**

| | |
|---|---|
| **Es necesario que Uds. tengan** buenos modales. | *It's necessary that you have good manners.* |
| **Es mejor que consigamos** una habitación doble. | *It's better that we get a double room.* |

• Note that in the examples above, a specific person is mentioned in the second half of the sentence. If no person is specified, the infinitive is used without *que*. Compare the following sentences.

| | |
|---|---|
| Para ser un buen turista, **es importante ser** muy cortés. | *To be a good tourist, **it's important to be** very polite.* |
| **Es importante que seas** un turista cortés. | *It's important that you be a polite tourist.* |

**GramActiva** VIDEO

Need more help with the present subjunctive with impersonal expressions? Watch the **GramActiva** video.

Es importante que salga . . .

## 10 Para ser cortés . . .

**Leer • Escribir**

Para ser cortés en un país extranjero, ¿qué debes hacer? Completa las frases con la forma apropiada del verbo.

**Modelo**

Es importante que no *(hacer / ser)* mucho ruido en la habitación del hotel.
*Es importante que no hagas mucho ruido en la habitación del hotel.*

El Viejo San Juan, Puerto Rico

1. Es mejor que no *(llegar / llevar)* pantalones cortos si visitas la catedral.

2. Es importante que le *(dar / ir)* una propina al hombre que te ayuda con el equipaje.

3. Es necesario que *(ser / ver)* puntual para no enojar a los otros miembros de tu grupo.

4. Es bueno que les *(ofender / ofrecer)* a los ancianos tu asiento en el autobús.

5. Es mejor que *(poder / ponerse)* algo sobre tu traje de baño cuando entras en el hotel.

6. Es importante que *(observar / asistir)* las costumbres de las personas que viven allí.

## 11 Debes visitar Cartagena

**Leer • Escribir**

Lee el correo electrónico de un joven, Isidoro, que visitó Cartagena, Colombia. Completa sus recomendaciones a Daniela con la forma apropiada de uno de los verbos del recuadro.

| | |
|---|---|
| acompañar | pasar |
| buscar | usar |
| decir | ver |
| ir | |

Querida Daniela:

Me preguntaste sobre qué lugares en América del Sur les recomiendo para pasar unas vacaciones estupendas. Pues, en mi opinión, es necesario que Uds. __1.__ a Cartagena, Colombia. Es una combinación de lugares históricos y de playas bellas. Es mejor que un guía local los __2.__ a Uds. Es importante que Uds. __3.__ los servicios de un guía profesional licenciado. Es necesario que Uds. le __4.__ al guía que quieren hacer una gira por el castillo, la catedral y la antigua universidad. También es importante que __5.__ el Museo del Oro—un museo impresionante. Es bueno también que __6.__ por los barrios coloniales para ver las casas históricas. Para más información, es mejor que __7.__ en la Red, porque hay unos sitios Web muy buenos sobre Cartagena.

Tu amigo,
Isidoro

## 12 En la Red

**Leer • Escribir**

Lee la información que Daniela encuentra en la Red sobre Cartagena, Colombia. Daniela quiere que su familia vaya allí. Completa las frases usando la información del artículo y otras ideas.

**Modelo**

es bueno / los policías *(estar)* en las playas porque . . .
*Es bueno que los policías estén en las playas porque así no hay ningún problema para los turistas.*

1. es importante / nosotros *(planear)* ir a las playas porque . . .

2. es bueno / los turistas *(tomar)* el autobús a las playas porque . . .

3. es mejor / nosotros *(ir)* a una de las playas populares porque . . .

4. es mejor / nosotros *(mirar)* la artesanía de los vendedores porque . . .

5. es necesario / Uds. *(hablar)* con un agente de viajes sobre Cartagena porque . . .

# Cartagena

Cartagena está rodeada[1] por el Mar Caribe. Sus bellas playas se encuentran a pocos metros del centro histórico. A menos de 35 minutos en autobús desde la Ciudad Vieja, se pueden encontrar las playas llamadas La Boquilla y Manzanillo. Para que los turistas disfruten de estas playas, el gobierno local las limpia todas las noches. Además, las playas son patrulladas[2] por la policía para evitar cualquier problema. Aquí los vendedores se acercan a los turistas para ofrecerles artesanías.

La gente de Cartagena es muy sociable y está acostumbrada a tratar a los turistas. Todas las playas de Cartagena se consideran seguras[3] para bañarse. Estas playas no tienen corrientes fuertes[4]. Las playas más frecuentadas tienen banderas de seguridad que informan a los bañistas sobre el estado del tiempo.

¡Cartagena lo tiene TODO!

[1]surrounded   [2]patrolled   [3]safe   [4]strong currents

## 13 Para disfrutar de las vacaciones

**Hablar**

Con otro(a) estudiante, habla de lo que es necesario que hagan tu familia y tú para disfrutar de las vacaciones. Usen las expresiones *es importante, es necesario, es mejor* y *es bueno.*

1. quedarse en un hotel elegante
2. comer comidas típicas del país
3. sacar fotos de todo

**Modelo**

ver edificios históricos

**A** —*Para mí, es importante que veamos los edificios históricos de una ciudad.*

**B** —*Para mí, no. No es importante que veamos edificios históricos. Prefiero ir a un cine.*

4. practicar deportes acuáticos
5. hacer una gira de una ciudad principal
6. observar con cuidado el itinerario

---

## Exploración del lenguaje

### The suffix *-ero(a)*

The Spanish suffix *-ero(a)* indicates *someone* or *something* that performs an action:

> Alguien que **viaja** es un(a) **viajero(a).**
>
> Algo que muestra *(shows)* **letras** es un **letrero.**

**¡Compruébalo!** Here are some words that you have learned so far. Complete each sentence with the logical word to tell what the people do or where they work.

1. Alguien que trabaja en la **aduana** es un(a) ___.
2. Algo que te trae **noticias** es un ___.
3. Esa señora es **cocinera.** Ella ___ bien.
4. Mi tía es **florera.** Es artística y trabaja con ___.
5. Cuando fui al ___ hablé con una **banquera** sobre cómo conseguir cheques de viajero.

### Refrán

Zapatero, a tus zapatos.

---

**Los hostales** y albergues son una opción popular para jóvenes turistas. Ellos pueden visitar el campo y las ciudades grandes y sentirse seguros y cómodos sin gastar mucho dinero. En estos lugares los jóvenes también pueden conocer a otros turistas de todo el mundo.

- ¿Por qué crees que los hostales y albergues son tan populares entre los jóvenes?

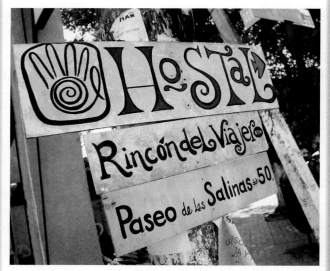

Un cartel *(sign)* de un hostal en México

### Más práctica

- **Guided** Gram. Practice pp. 301–302
- **Core** Gram. Practice p. 166
- **Communication** Writing p. 163, Test Prep p. 277
- ***Real.* para hispanohablantes** pp. 314–317

**realidades.com** ▶

- Audio Activities
- Video Activities
- Speak & Record
- Canción de hip hop
- Tutorial
- Leveled Workbook
- Web Code: jdd-0813

# Gramática

## Present subjunctive of stem-changing verbs

Stem-changing verbs ending in *-ar* and *-er* have the same stem changes in the subjunctive as in the indicative.

**¿Recuerdas?**

You know that stem-changing verbs in the present indicative have a stem change in all forms except *nosotros* and *vosotros*.

**recordar (o → ue)**

| | |
|---|---|
| recuerde | recordemos |
| recuerdes | recordéis |
| recuerde | recuerden |

**perder (e → ie)**

| | |
|---|---|
| pierda | perdamos |
| pierdas | perdáis |
| pierda | pierdan |

Es importante que **recordemos** los buenos modales.

Es mejor que no te **pierdas** en el centro. Cómprate una guía.

Stem-changing verbs ending in *-ir* have changes in all forms of the present subjunctive.

**pedir (e → i)**

| | |
|---|---|
| pida | pidamos |
| pidas | pidáis |
| pida | pidan |

**divertirse (e → ie), (e → i)**

| | |
|---|---|
| me divierta | nos divirtamos |
| te diviertas | os divirtáis |
| se divierta | se diviertan |

**dormir (o → ue), (o → u)**

| | |
|---|---|
| duerma | durmamos |
| duermas | durmáis |
| duerma | duerman |

Es necesario que **pidas** la llave.

Queremos que **se diviertan**.

Es bueno que **duermas** durante el vuelo.

**GramActiva** VIDEO

Need help with the present subjunctive of stem-changing verbs? Watch the **GramActiva** video.

Quieren que empiecen . . .

## 14 ¿Qué debemos hacer?

**Escribir**

Si vas a otro país con un grupo de estudiantes, ¿qué deben y no deben hacer Uds.? Escribe frases usando *es importante, es necesario, es mejor* y *(no) es bueno*.

**Modelo**

conseguir cheques de viajero antes de salir
*Es importante que consigamos cheques de viajero antes de salir.*

1. sentirse superiores a los demás
2. reírse de las costumbres de otras personas
3. seguir las instrucciones de los líderes
4. mentir en la aduana
5. dormir durante el vuelo muy largo
6. divertirse mucho en el viaje

### 15 Una excursión en Ponce ♻

**Leer • Escribir**

En Ponce, Puerto Rico, en medio de la zona histórica turística, está el Museo Castillo Serralles. Completa las reglas del guía de una gira del castillo.

El castillo Serralles originalmente fue la casa de la familia Serralles, una familia que ganó mucho dinero con la producción de azúcar en los años 30.

1. Quiero que Uds. *(entender / perder)* mis explicaciones. ¿Hablo muy rápidamente?

2. Es necesario que me *(seguir / conseguir)* siempre. No pueden ir solos a otras partes del castillo.

3. Si tienen preguntas sobre algún aspecto del castillo, prefiero que me *(poder / pedir)* que se lo explique.

4. Si Uds. quieren que yo *(repetir / reír)* algo, sólo tienen que decírmelo.

5. Es importante *(pensar / recordar)* que muchos de los objetos en el comedor son de los años 30.

6. En la Sala doña Mercedes, no permitimos que *(sentirse / sentarse)* en las sillas ni en los sofás.

7. Por favor, le pido a la última persona que entra en la sala que *(despertar / cerrar)* la puerta.

8. Después de la gira, recomiendo que *(volver / competir)* a los jardines para disfrutar de las vistas impresionantes de la ciudad y del mar.

9. Si quieren hacer otra gira, es necesario que *(conseguir / despedirse)* otro boleto para entrar.

### 16 Una entrenadora frustrada 👤👤 ♻

**Hablar**

Una entrenadora está bastante frustrada con las jugadoras en su equipo. Trabaja con otro(a) estudiante para describir el problema y dar recomendaciones.

**Modelo**

no tener energía durante las prácticas
A —*Las jugadoras no tienen energía durante las prácticas.*
B —*Es importante que almuercen comida que es buena para la salud.*

**Estudiante A**

1. estar cansadas durante las prácticas
2. parecer estar aburridas durante los partidos
3. no saber qué hacer durante un partido
4. jugar como personas que no se conocen
5. no llegar a las prácticas a tiempo

**Estudiante B**

| | |
|---|---|
| es importante | jugar con entusiasmo |
| es necesario | empezar a jugar como un equipo unido |
| les pido | acostarse a las 11:00 de la noche en punto |
| les recomiendo | seguir mis instrucciones |
| insisto en | vestirse 15 minutos antes de la práctica |
| sugiero | |

**Una carta de Pablo**

**Leer • Escribir**

Pablo aprendió mucho durante su viaje a Panamá. Lee su carta a su madre y, según las experiencias de Pablo, escribe seis recomendaciones para los viajeros al extranjero.

**Modelo**

*Es importante que no pierdas tu pasaporte.*

---

Querida mamá:

He aprendido mucho aquí en Panamá. Por ejemplo, mi maleta era demasiado grande y tuve que facturarla. No sabía que aquí hace tanto calor y tuve que comprar más ropa.

Compré unos recuerdos en el mercado, pero probablemente pagué demasiado porque no regateé con los vendedores. Aprendí que en Panamá ahora se aceptan los dólares estadounidenses.

En el hotel tuve algunos problemas. Olvidé el número de mi habitación y perdí mi llave y tuve que conseguir otra. Pero afortunadamente no he perdido mi pasaporte. Las habitaciones aquí son muy cómodas, pero es difícil dormir porque a veces algunos estudiantes hacen ruido en el hotel.

Un abrazo,
Pablo

---

 **Juego**

**Escribir • Hablar • GramActiva**

**1** Trabajen en grupos de tres. En pequeñas hojas de papel o tarjetas, escriban tres preguntas sobre el tema de viajar. Pongan todas las preguntas en una bolsa para cada equipo.

**2** El (La) profesor(a) divide a la clase en dos equipos, "México" y "España".

**3** Una persona del equipo "México" lee una de las preguntas que está en la bolsa a una persona del equipo "España". Si esta persona puede contestar correctamente usando el subjuntivo y la información apropiada, gana una letra de su país, "España," para su equipo. ¡El primer equipo que gana todas las letras de su país gana el juego!

**Modelo**

México: *¿Adónde voy para cambiar un cheque de viajero?*

España: *Recomiendo que vayas a una casa de cambio.*

¿Adónde voy para cambiar un cheque de viajero?

¿Qué tengo que conseguir antes de ir a un país extranjero?

¿Dónde se puede regatear por la artesanía?

---

 **El español en el mundo del trabajo**

Hoy en día el turismo en los países hispanohablantes es más popular que nunca. Los turistas de todo el mundo están descubriendo la riqueza histórica y cultural del mundo hispano. Muchas compañías de turismo ofrecen giras a varios países y necesitan empleados que hablan español, conocen la cultura hispana y tienen interés en ayudar a sus clientes.

- ¿Cómo puedes usar el español trabajando para una compañía de turismo o una agencia de viajes? ¿Qué le recomiendas a alguien que quiere hacer este tipo de trabajo?

**19 Recomendaciones**

**Hablar • Pensar • Escribir**

Trabajen en grupos de cuatro estudiantes y hagan recomendaciones sobre las vacaciones. Dos estudiantes van a escribir cinco recomendaciones para las personas que no gastan mucho en las vacaciones y dos van a escribir cinco recomendaciones para las personas que gastan demasiado. Compartan sus recomendaciones con las del otro grupo. Preparen reacciones a las recomendaciones y explíquenselas al otro grupo.

> **Modelo**
>
> Grupo 1: *Para no gastar tanto en las vacaciones, es importante que viajen en coche y no en avión.*
> Grupo 2: *Muchas veces no es posible viajar en coche. Queremos ir de vacaciones a Puerto Rico.*

**20 Y tú, ¿qué dices?**

**Escribir • Hablar**

1. Para aprender a hablar español muy bien, ¿qué es importante que haga un(a) estudiante?

2. ¿Qué es muy importante que una persona haga para indicar que es cortés?

3. ¿Qué recomiendas que haga un(a) turista cuando acaba de llegar a un país extranjero?

**Más práctica**

- **Guided** Gram. Practice pp. 303–304
- **Core** Gram. Practice pp. 167–168
- **Communication** Writing p. 164
- ***Real.* para hispanohablantes** pp. 318–319

**realidades.com** ▼

- Audio Activities
- Video Activities
- Speak & Record
- Animated Verbs
- Tutorial
- Leveled Workbook
- Web Code: jdd-0814

---

**Fondo cultural**

**España**

**El Parador de Sigüenza** es uno de los muchos paradores que hay en España. Estos edificios históricos fueron restaurados y convertidos en alojamientos *(lodgings)* por el gobierno español. Aunque son lujosos *(luxurious),* quedarse en un parador no es muy caro, y es una manera muy conveniente de conocer España.

- ¿Por qué crees que estos edificios se llaman paradores? ¿Qué palabra que ya sabes forma parte de la palabra parador? ¿Qué prefieres tú, una habitación en un albergue juvenil, en un hotel de cinco estrellas o en un parador? ¿Por qué?

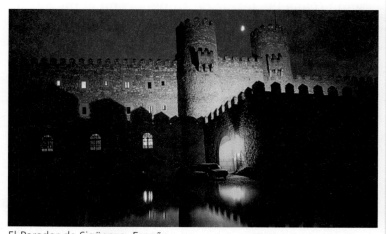

El Parador de Sigüenza, España

## 21 Las vacaciones

Hablar • Leer • Pensar • Escribir

¿Crees que los estadounidenses y los españoles piensan lo mismo sobre la importancia de gastar dinero en las vacaciones?

### Conexiones | Las matemáticas

- Pregúntales a tres adultos si creen que los estadounidenses gastan demasiado en las vacaciones. Escribe el nombre de la persona y su respuesta.

- Compartan y sumen *(add up)* las respuestas a la pregunta con tres estudiantes. Calculen el porcentaje de personas que contestaron afirmativamente y de las que contestaron negativamente.

- Estudia la gráfica que representa cómo contestó un grupo de adultos españoles la misma pregunta. Copia la gráfica y añade la información de tu clase. Luego contesta las siguientes preguntas.

| ¿Cree Ud. que las personas gastan demasiado de lo que ganan en las vacaciones? | | |
|---|---|---|
| **NO** | Uno trabaja 11 de cada 12 meses, al menos,[1] para disfrutar del mes que le queda. | **66%** |
| **SÍ** | Gastarlo todo en vacaciones y no ahorrar[2] es un error muy extendido. | **34%** |

[1]at least  [2]to not save

1. ¿En qué sentido son similares las respuestas de los estadounidenses y de los españoles? ¿En qué sentido son diferentes?
2. Para tu familia y las familias de tus amigos, ¿es importante pasar tiempo de vacaciones? ¿Adónde van y qué hacen durante las vacaciones?

## 22 Mi ciudad

Escribir • Hablar

1 Tienes que crear un anuncio para promocionar el turismo en tu comunidad. Escribe sobre cuatro o cinco lugares que recomiendas que visiten los turistas. Usa las expresiones *es mejor que, es importante que, es necesario que, sugiero que* y *recomiendo que*. Incluye consejos *(advice)* sobre lo siguiente:

- la mejor estación para visitar tu ciudad
- lugares para comer, atracciones culturales, los horarios y los precios
- lugares para ir de compras y lo que se puede comprar allí
- consejos sobre las costumbres y los modales
- puntos de interés y actividades divertidas

2 Compara tus recomendaciones con las de otro(a) estudiante y hablen de ellas.

# Lectura

## Antigua, una ciudad colonial

**S**ITUADA a 45 minutos de la Ciudad de Guatemala, Antigua le fascina al turista por sus calles de piedras, su arquitectura colonial y sus ruinas de iglesias y monasterios. El español Francisco de la Cueva fundó la ciudad el 10 de marzo de 1543. La "Ciudad de las Perpetuas Rosas," nombrada así por sus jardines con flores, tiene un clima muy agradable y preserva un sabor colonial único. Caminar por sus calles es como visitar el pasado y descubrir una ciudad típica española del siglo[1] XVII. ¡Los invitamos a venir y a disfrutar de esta ciudad!

## ¡Bienvenidos a la hermosa ciudad de Antigua!

### HOTELES

Antigua ofrece una gran variedad de hoteles. Los precios pueden variar entre $35.00 y $300.00 la noche. El mejor hotel de Antigua es la Casa de Santo Domingo. Este hotel de cinco estrellas, construido en un antiguo convento, tiene muchas comodidades modernas, como computadoras, piscina, sauna y varios jacuzzis. Las ruinas del convento están todavía en el hotel y así el visitante puede apreciar lo moderno con lo antiguo.

### RESTAURANTES

La ciudad de Antigua tiene toda clase de restaurantes; desde restaurantes donde preparan platos guatemaltecos típicos hasta pizzerías. Le recomendamos La Fonda de la Calle Real, establecida en 1975. Este restaurante ofrece comida típica de Guatemala, como la deliciosa carne adobada[2] y muchos postres típicos.

◄ La Iglesia La Merced, Antigua

Una linterna de una casa guatemalteca, Antigua ▶

[1]century  [2]marinated

▲ El Templo I de la Gran Plaza, Tikal

### ¿Comprendiste?

1. ¿Qué palabra en inglés es similar a la palabra *antigua*? ¿Por qué piensas que Antigua se llama así?

2. ¿Qué puedes ver en Antigua que representa su historia colonial?

3. ¿Qué puedes ver del mundo moderno en esta ciudad?

4. Según este folleto de turismo *(travel brochure)*, ¿cuáles son los lugares más interesantes para visitar?

### ¿Qué hay que ver en la ciudad de Antigua?

La ciudad de Antigua tiene muchos sitios de interés. Se puede apreciar toda la historia de esta ciudad mirando sus casas y monumentos coloniales. En el centro de la ciudad está la Plaza Mayor. Los edificios principales son el Ayuntamiento[3], la Catedral y el Palacio de los Capitanes.

### Vaya al reino de la cultura maya

Si le interesan las ruinas, le recomendamos que haga planes para visitar Tikal, una de las ciudades más importantes de la cultura maya. Desde el aeropuerto de la Ciudad de Guatemala, un avión lo lleva a Flores, la entrada a la zona arqueológica de Tikal. Duerma en uno de los pequeños hoteles de la región. ¡Esperamos[4] que disfrute de esta excursión!

### Una experiencia inolvidable

La ciudad de Antigua no es sólo un lugar turístico para visitar parques, volcanes y monumentos históricos. Su gente es tan simpática que usted va a sentirse como en su propia casa. ¡Visite Antigua, lo(a) esperamos con anticipación!

El Ayuntamiento, Antigua ▶

[3]City hall   [4]We hope

### Más práctica

- **Guided** Reading Support p. 305
- **Communication** Writing p. 165, Test Prep p. 278
- *Real.* **para hispanohablantes** pp. 322–323

**realidades.com** ✔
- Internet Activity
- Leveled Workbook
- Web Code: jdd-0816

# Perspectivas del mundo hispano

## La Red Nacional de Ferrocarriles Españoles

¿Te gustaría viajar por un país hispanohablante en un vehículo moderno, cómodo, rápido, seguro, limpio y económico? Puedes hacerlo en España si viajas en los trenes de la Red Nacional de Ferrocarriles Españoles (RENFE). El ferrocarril, o tren, es un medio de transporte muy popular en España y en toda Europa. El tren es una buena alternativa al automóvil porque transporta a muchos pasajeros y mercancías. Consume menos energía y por eso es más limpio y contamina menos.

La red[1] ferroviaria española tiene más de 12,000 kilómetros y se extiende por todo el país. Hay servicios de metro[2] en Madrid, Barcelona, Valencia y Bilbao y trenes que comunican la ciudad con los suburbios, con otras ciudades de la región y con ciudades lejanas en el país y en otros países. RENFE ofrece billetes[3] más baratos para jóvenes y personas mayores.

Recientemente, RENFE ha introducido los trenes de alta velocidad, o AVE, que viajan a velocidades superiores a los 200 kilómetros por hora y recorren largas distancias. Con estos servicios tan rápidos, mucha gente prefiere viajar en tren en vez de en avión.

**¡Compruébalo!** ¿Hay metro en tu ciudad? ¿Tiene tu estado un sistema de ferrocarriles? ¿Qué servicios ofrece? ¿Lo has usado alguna vez? ¿Lo usa algún miembro de tu familia?

**¿Qué te parece?** ¿Qué te parece el transporte por ferrocarril? ¿Cuáles son algunas de sus ventajas[4] y desventajas?[5]

[1]system  [2]subway  [3]tickets  [4]advantages  [5]disadvantages

El AVE, España

# Presentación escrita
## Viajemos juntos

**Task**
You are part of a group of students who are going with your teacher to a Spanish-speaking country. Prepare an illustrated brochure for your group.

La Plaza de Armas en Lima, Perú

**1 Prewrite** Think of the preparations you must make before your trip. Answer the following questions to organize the information for your brochure.

- ¿Qué país van a visitar y cómo van a viajar?
- ¿Qué deben llevar? ¿Una cámara? ¿Unos anteojos de sol?
- ¿Qué lugares van a visitar? ¿Qué excursiones o giras van a hacer? ¿Qué actividades van a hacer?
- ¿Cómo deben vestirse? ¿Hay restricciones de vestido?

**2 Draft** Use your responses to develop a brochure that will help your classmates to prepare thoroughly. Include photos or drawings in your brochure.

**3 Revise** Reread your draft and check the spelling, vocabulary, verb usage, and agreement. Share what you've written with a classmate, who will check the following:

- Is the information clear and well organized?
- Have you included all the necessary information?
- Are the visuals useful?
- Is there anything you should add or change?
- Are there any errors?

**4 Publish** Make a new version of the brochure with the necessary changes and corrections. Make a final copy for your teacher or include it in your portfolio.

**5 Evaluation** Your teacher may give you a rubric for how the brochure will be graded. You will probably be graded on:

- how much information you provide
- how clear and attractive the brochure is
- appropriate use of vocabulary and grammar

**Estrategia**

**Using key questions**
Key questions are a good way to brainstorm. Jot down answers to a wide range of questions and you will have many ideas to help you with your writing.

Ruinas de una misión, en la Argentina

# Repaso del capítulo

## Vocabulario y gramática

jdd-0899 🔊

### to talk about places to visit in a city

| | |
|---|---|
| el cajero automático | ATM |
| la casa de cambio | currency exchange |
| el castillo | castle |
| la catedral | cathedral |
| histórico, -a | historical |
| el palacio | palace |
| el quiosco | newsstand |

### to talk about staying in a hotel

| | |
|---|---|
| el ascensor | elevator |
| conseguir *(e → i)* | to obtain |
| la habitación, *pl.* las habitaciones | room |
| la habitación doble | double room |
| la habitación individual | single room |
| la llave | key |
| la recepción | reception desk |

### to talk about appropriate tourist behaviors

| | |
|---|---|
| atento, -a | attentive |
| cortés | polite |
| hacer ruido | to make noise |
| observar | to observe |
| ofender | to offend |
| la propina | tip |
| puntual | punctual |

For *Vocabulario adicional,* see pp. 498–499.

### to talk about tourist activities

| | |
|---|---|
| la artesanía | handicrafts |
| el bote de vela | sailboat |
| cambiar | to change, to exchange |
| disfrutar de | to enjoy |
| el esquí acuático | waterskiing |
| la excursión, *pl.* las excursiones | excursion, short trip |
| el guía, la guía | guide |
| la guía | guidebook |
| hacer una gira | to take a tour |
| el itinerario | itinerary |
| la moto acuática | personal watercraft |
| navegar | to sail, to navigate |
| regatear | to bargain |
| el surf de vela | windsurfing |
| la tarjeta postal | postcard |
| el vendedor, la vendedora | vendor |

### other useful words and expressions

| | |
|---|---|
| bello, -a | beautiful |
| en punto | exactly *(time)* |
| estupendo, -a | stupendous, wonderful |
| famoso, -a | famous |
| el rey, *pl.* los reyes | king, king and queen |
| siguiente | next, following |
| tal vez | maybe, perhaps |
| típico, -a | typical |

### present subjunctive with impersonal expressions

**Es bueno que** los estudiantes **hagan** la tarea.
**Es importante que comas** un buen desayuno.
**Es mejor que** no **vayamos** al museo hoy.
**Es necesario que hagas** una gira de la ciudad.

### present subjunctive of stem-changing verbs

| | |
|---|---|
| recordar *(o → ue)* | divertirse *(e → ie),* *(e → i)* |
| perder *(e → ie)* | |
| pedir *(e → i)* | dormir *(o → ue),* *(o → u)* |

*(To see these verbs fully conjugated in the present subjunctive, see p. 437.)*

## Preparación para el examen

**Más práctica**

- **Core** Puzzle p. 169, Organizer p. 170
- **Communication** Practice Test pp. 280–282, Integrated Performance Assessment p. 279

**realidades.com** ⓥ
- Tutorial
- Flashcards
- Puzzles
- Self-test
- Web Code: jdd-0817

| On the exam you will be asked to . . . | Here are practice tasks similar to those you will find on the exam . . . | If you need review . . . |
|---|---|---|

**Interpretive**

jdd-0899

**1 Escuchar** Listen and understand as people make recommendations for travel

You need some advice for your trip to Mexico. Listen to these recommendations and determine what is the most important thing to do when you get there. What is the best thing to do there?

**pp. 426–429** *Vocabulario en contexto*
**p. 431** Actividad 6
**p. 433** Actividad 9

**Interpersonal**

**2 Hablar** Talk about ways to have an enjoyable vacation when you travel away from home

Give a group at a Spanish Club meeting some advice about travel in Mexico. How can they be "good" tourists? What is the best way to get to know the city they visit?

**p. 430** Actividad 4
**p. 431** Actividad 5
**p. 432** Actividad 7
**p. 436** Actividad 13
**p. 440** Actividades 19–20

**Interpretive**

**3 Leer** Read and understand vacation postcards from friends and family

Read a postcard from a classmate in Mexico. Is the person: (a) having a good or bad trip; (b) using Spanish; and (c) learning about Mexico?

Querido Juan:
Estoy aquí en Cancún. Es muy divertido pasar tiempo en la playa y luego ir al mercado. Me encanta hablar español para regatear. Es importante que no ofendas a los vendedores cuando regateas por el mejor precio.

**p. 432** Actividad 7
**p. 433** Actividad 9
**p. 434** Actividad 10
**p. 435** Actividades 11–12
**p. 439** Actividad 17
**pp. 442–443** *Lectura*

**Presentational**

**4 Escribir** Write a "tip sheet" for students planning to travel to a foreign country

You are developing a Web site for teen travelers. Complete the following sentences with at least three suggestions per topic: (a) Para ser un(a) turista bueno(a), es importante que . . . ; (b) Para disfrutar mucho de tu viaje, te recomiendo que . . .

**p. 430** Actividad 4
**p. 434** Actividad 10
**p. 435** Actividades 11–12
**p. 437** Actividad 14
**p. 439** Actividad 17
**p. 445** *Presentación escrita*

**Cultures**

**5 Pensar** Demonstrate an understanding of cultural practices related to travel in Spanish-speaking countries

Think about how American tourists would most likely travel within a Spanish-speaking country. To get from one city to another, what kind of transportation would they use? How would this compare with how tourists would travel while visiting the United States?

**pp. 442–443** *Lectura*
**p. 444** *Perspectivas del mundo hispano*

# Vocabulario  Repaso

## las plantas y los animales

el árbol, *pl.* los árboles
la flor, *pl.* las flores
el mono
el oso
el pájaro
el pez, *pl.* los peces
el tigre

## los lugares

al aire libre
el jardín, *pl.* los jardines
el lago
el mar
las montañas
el mundo
el parque nacional
el río
el zoológico

## el reciclaje

el centro de reciclaje
reciclar
recoger
separar
tirar
trabajar como voluntario, -a
usar

## los materiales

la botella
el cartón
la lata
el papel
el periódico
el plástico
la revista
el vidrio

---

## 1 ¿Qué es?

**Escribir · Hablar**

**1** Lee las siguientes definiciones y escribe la palabra que se define.

1. lugar donde se ven los animales

2. animal que come plátanos

3. publicación que da las noticias

4. material usado para hacer cajas

5. rosa, tulipán, orquídea

**2** Ahora escribe tres definiciones más. Léelas a otro(a) estudiante para ver si puede decir la palabra que se define.

## 2 Lugares interesantes

**Escribir · Hablar**

Contesta las siguientes preguntas.

1. ¿Cuál es el zoológico más impresionante que has visitado? ¿Por qué te pareció tan fantástico?

2. ¿En tu comunidad hay parques o jardines públicos? Describe uno.

3. ¿Has ido alguna vez a un parque nacional? ¿Cómo era? ¿Qué había? ¿Qué hiciste allí?

4. ¿Has trabajado como voluntario(a) en un centro de reciclaje alguna vez? ¿Qué hacen los voluntarios allí?

---

# Gramática Repaso

## Verbs with spelling changes in the present tense

Remember that some verbs have spelling changes in the present tense to preserve the pronunciation of the infinitive in the conjugated forms.

Remember that *g* has a hard or soft sound depending on the vowel that follows it. To maintain the soft consonant sound before the vowel *o*, verbs that end in *-ger*, like *escoger* and *recoger*, change from *g* to *j* in the present-tense *yo* form.

> **Recojo** basura en la calle y la tiro en el basurero. Otras personas no la **recogen**.

In the present-tense *yo* form of verbs like *seguir* and *conseguir*, the silent *u* used in the infinitive and other forms in which the *g* is followed by *e* or *i* is dropped to preserve the sound of *g* as in *get*.

> En el jardín botánico, algunos turistas **siguen** a una guía por los senderos. Yo no la **sigo**; prefiero caminar solo.

Verbs like *enviar* and *esquiar* have an accent mark on the *i* in all present-tense forms except *nosotros* and *vosotros*.

> **Enviamos** cartas a las compañías que destruyen los árboles. Yo también **envío** información por correo electrónico.

---

### 3 Una semana de vacaciones

**Leer · Escribir**

Lee lo que dice una muchacha sobre sus vacaciones. Completa su historia con las formas apropiadas de los verbos *escoger, esquiar* y *seguir*.

Cada año mi familia y yo vamos a las montañas para esquiar. Yo __1.__ muy bien porque hace cinco años que tomo lecciones de esquí. Mis padres me dicen, "Amalia, __2.__ : o esquías con nosotros o tomas una lección". Yo siempre __3.__ un día de lecciones porque los instructores __4.__ estupendamente. Escucho con atención y __5.__ sus instrucciones. Algunos chicos en las lecciones son demasiado atrevidos y no __6.__ instrucciones.

#### Más práctica

- **Guided** pp. 307–308
- **Core** pp. 171–172
- *Real.* **para hispanohablantes** p. 330

**realidades.com**
- Leveled Workbook
- Web Code: jdd-0901

### 4 Un proyecto en la comunidad

**Escribir**

Un grupo de personas de una escuela decide ayudar a limpiar su comunidad. Escribe frases para decir qué hacen.

> **Modelo**
>
> mi profesor de ciencias / conseguir permiso para . . .
> *Mi profesor de ciencias consigue permiso para hacer el proyecto.*

1. yo
2. mis amigos
3. mi mejor amigo(a)
4. nosotros
5. nuestros profesores

enviar cartas a la comunidad para . . .

recoger basura en . . .

seguir las instrucciones de . . .

escoger el lugar donde . . .

conseguir bolsas de plástico para . . .

**David Alfaro Siqueiros** (1896–1974)  En una de las paredes principales de la Universidad Autónoma de México está este gran mural del famoso artista mexicano David Alfaro Siqueiros. La Universidad le pidió a Siqueiros una obra pública, monumental, relacionada con la educación. Los estudiantes representados en el mural comparten sus conocimientos con el pueblo mexicano. Siqueiros terminó el mural en 1956.

• ¿Hay algún mural o alguna obra de arte monumental en tu escuela o tu comunidad? ¿Cómo es?

◀  "El Pueblo a la Universidad y la Universidad al Pueblo" (1950–1954), David Alfaro Siqueiros

# ¿Qué profesión tendrás?

## Chapter Objectives

- Discuss professions and make plans for the future
- Talk about future events
- Understand cultural perspectives on folk art

### Video Highlights

**Videocultura:** *¿Cómo será el futuro?*

**A primera vista:** *Y tú, ¿qué vas a ser?*

**GramActiva Videos:** the future tense; the future tense: irregular verbs

### Country Connection

As you learn about professions, you will make connections to these countries and places:

### Más práctica

- *Real.* para hispanohablantes pp. 330–331

**realidades.com**

- Fondo cultural Activity
- Video Activities
- Online Atlas
- Web Code: jde-0002

El pintor David Alfaro Siqueiros trabajando en su taller, 1966

# Vocabulario en contexto

jdd-0987

## Exposición de carreras

**Objectives**

Read, listen to, and understand information about
- professions
- making plans for the future
- earning a living

66 Bienvenidos a la Exposición de **carreras.** Hoy les vamos a hablar sobre las posibilidades que hay para Uds. después de **graduarse** del **colegio.** Después de **la graduación** de la escuela secundaria, algunos de Uds. asistirán a **la universidad** y estudiarán para **una profesión.** Otros irán a **una escuela técnica,** y otros conseguirán un trabajo inmediatamente. Tenemos información para todos 99.

el hombre de negocios

la mujer de negocios

la oficina ——— el (la) secretario(a)

el (la) contador(a)

En el mundo de **los negocios** es importante tener a personas **bilingües.** En **el futuro** hablar dos **idiomas,** como el inglés y el español, será más importante.

el (la) arquitecto(a)

el (la) diseñador(a)

el (la) técnico(a)

**Habrá** carreras importantes en la tecnología: arquitectos para la construcción de casas y edificios y diseñadores para sitios Web y juegos de computadoras.

el juez, la jueza

el (la) abogado(a)

Algunos de Uds. **seguirán** la carrera de **derecho** y tendrán un **programa de estudios** muy interesante. Para ser abogado o juez hay que ir a la universidad y estudiar **leyes** seis u ocho años.

el (la) agricultor(a)

el (la) cartero(a)

el (la) mecánico(a)

Hay muchas otras oportunidades de trabajo: carreras de agricultor, mecánico, bombero o cartero, por ejemplo. Tal vez algunos seguirán una carrera **militar.**

❝ Me gusta estudiar ciencias sociales. Creo que seguiré una carrera en **la política** ❞.

**el (la) político(a)**

**el (la) ingeniero(a)**

❝ Las matemáticas siempre han sido fáciles para mí. Me gustaría ser ingeniero ❞.

**el (la) científico(a)**

**el (la) gerente**

**el (la) veterinario(a)**

❝ Hace dos años que trabajo como dependiente en una tienda de ropa. Quisiera ser gerente de la tienda ❞.

❝ Me interesa el estudio de la medicina, pero también me gustan los animales. Estudiaré para ser veterinaria ❞.

❝ A mí me encantan las ciencias. Seré científica y trabajaré en un laboratorio ❞.

---

**1** **Las profesiones**   jdd-0987

**Escuchar**

Escucha las descripciones de diferentes profesiones. Mira los dibujos y las fotos y señala la profesión que se describe en cada frase.

**Más práctica**

- **Guided** Vocab. Flash Cards pp. 309–316
- **Core** Vocab. Practice pp. 173–174
- **Communication** Writing p. 172
- *Real.* **para hispanohablantes** p. 332

**realidades.com** ✔

- Audio Activities
- Leveled Workbook
- Flashcards
- Web Code: jdd-0902

**2** **¿Lógico o no?**   jdd-0987

**Escuchar**

¿Qué sabes sobre las profesiones y las carreras? Levanta una mano si lo que escuchas es lógico y levanta las dos manos si no es lógico.

# Y tú, ¿qué vas a ser?

¿Qué van a ser Angélica, Esteban y Pedro? ¿Qué le pasa a Pedro? Lee la historia.

**Estrategia**

**Activating background knowledge**
As you read the *Videohistoria*, think about what you already know about the professions being discussed.

• What do the characters need to do in order to work in their chosen professions?

Angélica   Lisa   Pedro   Esteban

**1** **Angélica:** Hola, Pedro, ¿qué tal?

**Pedro:** Hola. Muy bien, ¿y tú? ¿Está Esteban?

**Angélica:** ¿Adónde van?

**Esteban:** A la escuela. Hay un concurso de arte, de dibujos. Y Pedro va a participar.

**5** **Pedro:** No sé. Es difícil ganarse la vida como **artista.** Quizás podré ser **escritor.** Sabes que también me gusta mucho escribir. Y tú, ¿qué piensas hacer?

**6** **Esteban:** Pues a mí me gustan las profesiones técnicas. Quiero estudiar para ingeniero o arquitecto . . .

**7** **Directora:** Todos los trabajos son excelentes, pero uno de ellos es el mejor . . . ¡Pedro Ríos! ¡Felicidades!

**2** **Pedro:** Y bien, ¿qué te parece?

**Esteban:** ¡Genial!

**Angélica:** A mí no me gusta.

**Esteban:** Porque tú no comprendes el mundo de **las artes.**

**Angélica:** Sí, lo comprendo, pero . . .

**3** **Angélica: Algún día** prefiero **ganarme la vida** como mujer de negocios. Tendré **un salario** decente y **beneficios.**

**Esteban:** Sí, y querrás ser **dueña** de tu negocio . . .

**Pedro:** Mejor vamos o llegaremos tarde al concurso.

**4** **Esteban:** Oye, creo que eres muy talentoso. Algún día podrás ser **pintor** . . .

**8** **Lisa:** ¡Felicidades, Pedro!

**Pedro:** Gracias, Lisa. Es un momento muy importante para mí.

**Esteban:** ¿Un autógrafo, por favor?

**Pedro:** ¿Cómo? Ah, sí, por supuesto. Voy a ser un pintor muy famoso.

**3** **¿Comprendiste?**

**Escribir • Hablar**

1. ¿Adónde van Pedro y Esteban? ¿Por qué?

2. ¿Qué más piensa hacer Angélica en el futuro? ¿Por qué?

3. ¿Qué más le gusta hacer a Pedro? ¿Qué profesión piensa seguir?

4. ¿Qué profesión le gustaría seguir a Esteban?

5. ¿Quién ganó el concurso? ¿Qué le pide Esteban a Pedro?

**Más práctica**

- **Guided** Vocab. Check pp. 317–320
- **Core** Vocab. Practice pp. 175–176
- **Communication** Video pp. 166–168
- *Real.* **para hispanohablantes** p. 333

**realidades.com**

- Audio Activities
- Video Activities
- Leveled Workbook
- Flashcards
- Web Code: jdd-0903

# Vocabulario en uso

**Objectives**

- **Communicate about future plans**
- **Talk about professions**
- **Tell others what things will be like in the future**
- **Learn the future tense**

## 4 ¡A trabajar en el periódico!

**Escribir**

Un joven trabaja en un periódico y tiene que organizar los anuncios clasificados. Escribe la profesión que no corresponde a cada una de estas categorías.

**Modelo**

la tecnología: arquitecta, contador, diseñador, técnica
*contador*

1. los negocios: contadora, secretario, gerente, mecánica
2. las artes: pintora, artista, escritor, cartero
3. la política y el derecho: agricultor, jueza, político, abogada
4. la tecnología: diseñadora, arquitecta, juez, ingeniero
5. las ciencias: veterinario, científico, médica, mujer de negocios
6. el servicio público: policía, cartera, política, cantante

## 5 Así es mi trabajo  jdd-0988

**Escuchar • Escribir**

Copia la tabla en una hoja de papel. Vas a escuchar a seis personas hablar de su trabajo. Escribe lo que escuchas sobre los estudios de cada persona, lo que hace en su trabajo y cuál es su profesión.

| los estudios | lo que hace | su profesión |
| --- | --- | --- |
| | | |
| | | |

## 6 Una carrera en negocios internacionales

**Leer • Escribir**

Lee la historia de un hombre que ahora tiene una carrera en los negocios internacionales. Escoge y escribe las palabras apropiadas para completar la descripción de su preparación profesional y de su trabajo ahora.

| | |
|---|---|
| colegio | programa de estudios |
| idioma | universidad |
| me gradué | |

Hace nueve años __1.__ del colegio. Decidí asistir a la __2.__ para seguir un __3.__ en los negocios. Durante mis años en el __4.__, estudié español y quería seguir estudiando este __5.__ en la universidad también. Por eso tomé clases avanzadas de español.

| | |
|---|---|
| beneficio | me gano la vida |
| bilingüe | oficinas |
| hombre de negocios | salario |

Soy __6.__ ahora y por eso conseguí un trabajo como __7.__ con una compañía internacional después de graduarme de la universidad. Uno de los buenos aspectos de mi carrera en los negocios internacionales es que __8.__ viajando a varios países de América del Sur durante el año. Otro __9.__ es que recibo un __10.__ muy bueno porque puedo comunicarme con los empleados que trabajan en nuestras __11.__ en estos países.

## 7 Los planes para el futuro

**Hablar**

Con otro(a) estudiante, hablen de sus planes para el futuro.

**Modelo**

**A** —¿Piensas seguir una carrera en el mundo de las artes después de graduarte del colegio?

**B** —Posiblemente. Algún día me gustaría ser pintor(a).

**o:** —No, no quiero ser pintor(a). Quisiera ganarme la vida como ingeniero(a) en el futuro.

1.

2.

3.

4.

5.

## 8 Las profesiones de mis amigos

**Escribir • Hablar**

Piensa en las personas a quienes conoces. ¿Qué profesión tendrán ellos en el futuro?

1️⃣ Para cada dibujo, escribe la profesión de la persona. Luego escribe el nombre de una persona a quien conoces que puede tener esta profesión en el futuro.

2️⃣ Trabaja con otro(a) estudiante. Usen lo que escribieron y hablen sobre quiénes tendrán estas profesiones en el futuro.

**Modelo**

A —¿Quién será *ingeniero* algún día?
B —*Mi primo Alejandro será ingeniero. Le gusta mucho estudiar matemáticas.*

1.  2.  3.

4.  5.  6.

## 9 Juego ♻

**Escribir • Hablar**

1️⃣ Tu profesor(a) va a dividir a la clase en grupos de cuatro o cinco estudiantes. Va a decir una categoría de trabajo y cada grupo va a escribir diferentes carreras y profesiones para esta categoría.

2️⃣ Cuando tu profesor(a) indica que no hay más tiempo, un grupo lee su lista en voz alta. El grupo recibe un punto por cada carrera o profesión que tiene y que otro grupo no tiene. Luego otro grupo lee las carreras o profesiones que no leyó el primer grupo. Van a seguir hasta no tener más carreras o profesiones diferentes.

3️⃣ Luego el (la) profesor(a) les da otra categoría. El grupo con más puntos al final gana. Van a usar las listas de carreras y profesiones en la Actividad 10.

**Fondo cultural**

El mundo hispano

**La educación básica** en los países hispanohablantes incluye *(includes)* la educación preescolar, la primaria y la secundaria. Todos los jóvenes tienen que completarla; es decir, es obligatoria. La educación secundaria dura tres años (de los 13 a los 15 años). Luego sigue el bachillerato y los estudios medios profesionales. En la secundaria, muchos jóvenes aprenden un oficio *(trade)* relacionado con los servicios o la educación tecnológica.

• ¿Te parece similar o diferente la educación básica en los países hispanohablantes a cómo es en los Estados Unidos?

**10** Se busca . . .

**Hablar • Escribir • Escuchar**

Usa las listas de carreras y profesiones de la Actividad 9 para crear anuncios clasificados de un periódico.

**1** Trabaja con otro(a) estudiante y escriban tres anuncios. Cada anuncio debe indicar el trabajo, describir lo que necesita hacer o saber la persona e indicar un beneficio del trabajo.

**2** Lean los anuncios clasificados a otro grupo, sin decir el trabajo que se busca. El otro grupo tiene que escuchar y decirles a Uds. la persona que se busca, según la descripción.

| Modelo |
| --- |

*Se busca secretario bilingüe. Debe tener experiencia trabajando en una oficina. Es necesario que hable inglés y español y que sepa usar la computadora. No hay que trabajar los fines de semana.*

**11** Y tú, ¿qué dices?

**Escribir • Hablar**

1. Describe a un adulto a quien conoces bien. ¿Qué profesión tiene? ¿Se preparó para su carrera en la universidad? ¿En una escuela técnica? ¿Qué programa de estudios siguió?

2. ¿Qué vas a hacer después de graduarte del colegio? ¿Piensas asistir a la universidad o a una escuela técnica, o comenzar a trabajar?

3. ¿Te gustaría seguir una carrera militar? ¿Crees que hay beneficios de una carrera militar? ¿Cuáles son?

4. ¿Te interesa ser dueño(a) de tu propio negocio algún día? ¿Por qué?

### Pronunciación

**Diéresis** jdd-0987 🔊

As you have seen, when *gu* is used before *e* and *i*, the *u* is silent. To indicate that the *u* is pronounced, it is written with a *diéresis* (*ü*). Listen to and say the following sentences:

> Ramón **Gue**vara es bilin**güe**. Quiere se**guir** una carrera como **guía** para los turistas extranjeros.

**¡Compruébalo!** Listen to the sentences as they are read. Complete the spelling of the words by adding *güe* or *güi*. *¡Ojo!* In one case, you will also have to add a written accent mark to the *e* or *i*.

1. Un ave *(bird)* graciosa de la Antártida es el pin___no.

2. Si hablas sólo un idioma, eres monolin___.

3. El estudio de lenguaje *(language)* se llama la lin___stica.

**¡Trabalenguas!**

> Gárgaras
> Gla-gle-gli-glo-glu-güe-güi,
> ¡qué difícil es así!
> Güi, güe, glu, glo, gli, gle, gla,
> ¡qué trabajo igual me da!

# Gramática

## The future tense

Another way to talk about future events is to use the future tense. The future tense expresses what will happen. To form the future tense of regular -ar, -er, and -ir verbs, use the same set of endings for all verbs and add them to the infinitive.

| -é | -emos |
|----|-------|
| -ás | -éis |
| -á | -án |

| | | | | |
|----|------|-----------|------|------|
| (yo) | trabajaré<br>seré<br>viviré | (nosotros)<br>(nosotras) | trabajaremos<br>seremos<br>viviremos |
| (tú) | trabajarás<br>serás<br>vivirás | (vosotros)<br>(vosotras) | trabajaréis<br>seréis<br>viviréis |
| Ud.<br>(él)<br>(ella) | trabajará<br>será<br>vivirá | Uds.<br>(ellos)<br>(ellas) | trabajarán<br>serán<br>vivirán |

### ¿Recuerdas?

You already know two ways to talk about future events.

Using the present tense:

- Mañana **comenzamos** el trabajo.
  *Tomorrow **we begin** work.*

Using *ir + a +* infinitive:

- El futuro **va a ser** mejor.
  *The future **is going to be** better.*

Note that all forms have a written accent mark except *nosotros(as).*

Mañana **comenzaremos** el trabajo.
*Tomorrow **we will begin** work.*

El futuro **será** mejor.
*The future **will be** better.*

**GramActiva** VIDEO

Want more help with regular verbs in the future tense? Watch the **GramActiva** video.

Seré . . .

---

**12** **Escucha y escribe**  jdd-0988

Escuchar • Escribir

Un estudiante va a escribir un artículo para el periódico de su escuela sobre los planes de los estudiantes que se graduarán del colegio este año. Escucha los planes de sus compañeros y escríbelas según el modelo.

**Modelo**

Escuchas: Voy a ir de vacaciones a Costa Rica.
Escribes: *Iré de vacaciones a Costa Rica.*

### Estrategia

**Using memory cues**
To learn the endings for the future tense, remember the present-tense forms of *haber (he, has, ha, hemos, habéis, han).* The sound of these is identical for all forms except *vosotros(as).*

Haciendo deportes en las playas de Florida

**13** **¿Y ustedes?**

**Escribir • Hablar**

En la Actividad 12, Uds. escucharon los planes de unos estudiantes después de terminar el año escolar. Ahora van a hablar sobre los planes de otras personas para el verano.

**1** Escribe frases sobre qué van a hacer estas personas.

> **Modelo**
>
> mi profesor(a) de . . .
> *Mi profesora de matemáticas tomará cursos en la universidad.*

1. yo
2. mis amigos(as) y yo
3. muchos estudiantes
4. mi mejor amigo(a)

**2** Trabaja con otro(a) estudiante. Comparen sus ideas para el verano.

> **Modelo**
>
> **A** —*Mi profesora de matemáticas tomará cursos en la universidad.*
> **B** —*¿De veras? Mi profesor de español viajará por América Central.*

**14** **Las profesiones del futuro**

**Leer • Escribir**

Lee el artículo del periódico y escribe qué van a hacer las personas en las profesiones del futuro.

> **Modelo**
>
> trabajar
> *Los técnicos médicos trabajarán en consultorios y hospitales.*

• **Ciencias ambientales**[1] Las compañías del futuro **1.** *(entender)* que la planificación[2] y la conservación de nuestro planeta **2.** *(ser)* esenciales.

• **Experto en turismo** La gran demanda de turismo pronto **3.** *(resultar)* que no exista ninguna parte del planeta sin ser visitada. Los expertos en turismo **4.** *(ayudar)* a los clientes a escoger las vacaciones apropiadas.

• **Ingeniero de robots** Los robots **5.** *(estar)* en nuestras casas y lugares de trabajo con más frecuencia. Por eso (nosotros) **6.** *(necesitar)* miles de diseñadores y técnicos para crear y reparar las máquinas.[3]

• **Médico** Los ancianos **7.** *(visitar)* a sus médicos con más frecuencia. Y los científicos **8.** *(tratar)* de encontrar nuevas curas para las enfermedades que existen hoy en día.

[1]environmental    [2]planning    [3]machines

**15** **Y tú, ¿qué dices?**

**Escribir • Hablar**

1. En tu opinión, de los cuatro grupos de profesiones mencionados en el artículo, ¿cuál será más importante? ¿Por qué?

2. Escoge uno de los cuatro grupos y escribe tres frases diciendo lo que las personas van a hacer en el futuro en estas carreras.

3. ¿Qué serás tú algún día? ¿Crees que tu profesión será tan importante en el futuro como es ahora? ¿Por qué?

**Más práctica**

● **Guided** Gram. Practice pp. 321–322
● **Core** Gram. Practice p. 177
● **Communication** Writing p. 173
● *Real.* para hispanohablantes pp. 334–337, 340

**realidades.com** ▼

• Audio Activities
• Video Activities
• Speak & Record
• Animated Verbs
• Tutorial
• Leveled Workbook
• Web Code: jdd-0904

# Gramática

## The future tense: irregular verbs

Irregular verbs in the future use the same endings as regular verbs, but the stems are irregular. Here are some irregular future stems:

| hacer | har- | ¿Qué clase de trabajo **hará** ella? |
|---|---|---|
| poder | podr- | En el futuro **podremos** usar el Internet para seguir más carreras. |
| saber | sabr- | ¿**Sabrás** hablar más de dos idiomas en el futuro? |
| tener | tendr- | Algún día **tendré** un trabajo con un salario muy bueno. |
| haber | habr- | **Habrá** muchas oportunidades para usar el español en mi carrera. |

**GramActiva** VIDEO

Want more help with irregular verbs in the future tense? Watch the **GramActiva** video.

Podré bailar.

## 16 Una carta de una amiga

**Leer · Escribir**

Dos chicas son muy buenas amigas, pero ya no viven en la misma ciudad. Las dos se graduaron y están haciendo sus planes para ir a la universidad. Lee la carta y escribe la forma apropiada de los verbos en el futuro.

Querida Manola:

¿Cómo estás? No puedo creer que por fin me gradué y que en agosto yo __1.__ (salir) para la universidad. Estoy muy emocionada. Todavía no sé qué clases tomaré, así que __2.__ (tener) que hablar primero con un representante de la universidad. Él __3.__ (saber) qué cursos debo tomar. Y tú, ¿has decidido a qué universidad __4.__ (asistir)? Claro que __5.__ (sentirse) triste si no puedes ir conmigo a la Universidad del Norte, pero si no, tú y yo __6.__ (poder) tomar las vacaciones juntas, ¿no? Bueno, nosotros __7.__ (tener) tiempo para hablar de eso en julio. ¡Estoy muy emocionada que vengas a visitarme! Tengo mucho que contarte, y ¡por supuesto __8.__ (haber) mucho que hacer! Estoy segura que nosotras __9.__ (hacer) muchas cosas con nuestras familias y por supuesto, ¡con los amigos también! Bueno, eso es todo por ahora. Escríbeme pronto.

Con cariño,
Mónica

**La vida profesional**

**Escribir**

Los consejeros *(counselors)* del colegio saben que los intereses que tienen los estudiantes mientras están en el colegio afectarán mucho a su vida profesional en el futuro. Lee la primera parte de lo que dicen y escribe el resultado usando un verbo del recuadro.

| | | | |
|---|---|---|---|
| asistir | ganar | poder | tener |
| estudiar | ganarse la vida | ser | trabajar |
| enseñar | haber | seguir | usar |

**Nota**

The future tense is often used with *si* + a present-tense verb.

- Si tenemos suficiente dinero, **podré** asistir a la universidad.

  *If we have enough money, **I will be able** to attend the university.*

**Modelo**

Si te interesan mucho los animales, . . .

*Si te interesan mucho los animales, podrás ser veterinaria algún día.*

1. Si eres buen(a) estudiante de matemáticas, . . .
2. Si a los jóvenes les interesan mucho las ciencias sociales, . . .
3. Si a una persona le gusta dar discursos y sabe mucho de leyes, . . .
4. Si una persona trabaja ahora en una tienda, . . .
5. Si te gusta mucho trabajar al aire libre, . . .
6. Si un(a) estudiante tiene talento en música o drama, . . .

 **La vida en el campo**

**Hablar · Escribir**

¿Cómo es la vida diaria en los pueblos pequeños? En esta pintura, Fausto Pérez muestra la vida diaria en un pueblo rural de su país.

 Trabaja con otro(a) estudiante para escribir tres frases sobre el futuro de las personas que viven en este pueblo.

2 Lean sus frases a la clase y decidan qué grupo tiene las ideas más originales.

**Modelo**

*Los agricultores trabajarán todos los días . . .*

"El Granjero" by Fausto Pérez, 2009, mixed media

**Fondo cultural**

**El Salvador**

**Fausto Pérez,** un artista de El Salvador, vivió en una granja *(farm)* cuando era joven y pasó mucho tiempo al aire libre disfrutando de la naturaleza *(nature)* con sus abuelos. Ahora la vida sencilla del campo y las memorias de su niñez *(childhood)* son la inspiración para sus pinturas.

- ¿Expresa el pintor una actitud positiva o negativa hacia el pueblo rural en el cuadro? ¿Por qué piensas esto?

## 19 ¿Cómo será esta escuela?

**Escribir • Hablar**

Tienes que escoger los cursos para el año que viene. Tus amigos y tú tienen muchas preguntas para los profesores.

**1** Escribe cinco preguntas que puedes hacerles a los profesores. Puedes usar verbos como *tener (que), poder, dar, permitir, haber, hacer, empezar, terminar, escribir* y *leer.*

**2** Trabaja con otro(a) estudiante. Hagan los papeles de un(a) estudiante y un(a) profesor(a).

> **Modelo**
>
> *¿Tendremos mucha tarea? ¿Podremos llevar gorras en la clase?*

> **Modelo**
>
> **A** —*¿Tendremos mucha tarea?*
> **B** —*Sí, por supuesto que tendrán mucha tarea en la clase.*
> **o:** —*No, pero tendrán que escuchar y trabajar en la clase.*

## 20 Un programa de televisión

**Hablar • Escribir**

A veces los programas de televisión parecen ser verdaderas y pensamos en lo que les pasará a nuestros personajes favoritos.

**1** Piensa en dos o tres programas de televisión. Es mejor que escojas programas que cuentan alguna historia, como una telenovela o un programa de detectives. Busca a otro(a) estudiante en tu clase que conozca uno de los programas que has escogido.

**2** Con tu compañero(a), escribe cinco predicciones sobre lo que pasará en este programa. Luego léeles las predicciones a otros grupos para ver si están de acuerdo con Uds.

> **Modelo**
>
> *En la telenovela* Días trágicos, *Raquel se casará con el hermano de su médico.*

## 21 Juego

**Escribir • Hablar • GramActiva**

**1** Vas a recibir tres tiras *(strips)* de papel. En cada papel, escribe una frase sobre tu propio futuro.

> **Modelo**
>
> *En diez años viviré en España.*
> *Tendré una esposa y tres hijos.*

**2** Trabaja con un grupo de cuatro estudiantes. Todos van a poner sus papeles en una cesta. Saca una tira de papel y léela. Si es tu propio papel, devuélvelo a la cesta y saca otro. Pregúntale a otro(a) estudiante si él (ella) hará esto en el futuro.

Si contesta *sí* la primera vez, recibes cinco puntos. Si contesta *no*, pregunta a otro(a) estudiante y si contesta *sí*, recibes tres puntos y la persona que escribió la frase recibe cinco puntos. La persona con más puntos al final gana.

> **Modelo**
>
> *Roberto, ¿vivirás en España en diez años?*

## 22 Los niños que trabajan

**Leer • Hablar**

Lee la información sobre el Programa del Muchacho Trabajador en Ecuador. Después trabaja con otro(a) estudiante y contesten las preguntas.

---

### ¿Sabías que en algunos países pobres muchos niños comienzan a trabajar a los ocho o diez años de edad?

El Programa del Muchacho Trabajador (PMT) en Ecuador fue fundado en 1983 para proteger y hacer efectivas las leyes sobre los derechos de los niños[1]. El PMT también ayuda a los niños y jóvenes que viven en condiciones de pobreza[2].

Los Espacios Alternativos que están en 29 barrios de ocho ciudades del país ofrecen un lugar seguro para los niños. Voluntarios del mundo entero vienen a ayudarlos. Alejandro Morales, por ejemplo, viene de México.

Él dice: "En este mundo hay muchas personas y hay que tratar de ayudar a que todas las personas lleguen al triunfo". Laura Soulié, una voluntaria de Argentina, afirma: "Odio la mentira, la violencia y la injusticia".

Las instituciones como el Programa del Muchacho Trabajador son muy importantes porque permiten establecer un mundo en el cual los niños pueden tener una vida mejor.

*Muchos niños tienen que trabajar en las plantaciones de banano.*

[1]children's rights
[2]poverty

1. ¿A qué edad comienzan a trabajar los niños en algunos países?
2. ¿Cómo ayuda a los niños el Programa del Muchacho Trabajador?
3. ¿Conoces otras instituciones como el PMT en los Estados Unidos o en otro país?
4. ¿Te gustaría trabajar como voluntario(a) en una de estas organizaciones? ¿Por qué?

## 23 Algunas soluciones

**Escribir • Hablar**

Imagina que eres el (la) presidente de una organización internacional. Tienes que sugerir soluciones para la situación de los niños trabajadores. Trabaja con otro(a) estudiante para escribir tres cosas que podremos hacer nosotros o que podrán hacer en Ecuador. Compartan sus ideas con la clase.

> **Modelo**
>
> 1. *Construiremos más Espacios Alternativos para ayudar a los niños.*
> 2. *No compraremos productos hechos por compañías en las cuales trabajan niños.*

## 24 ¿Qué harás en el futuro?

**Hablar • Pensar • Escribir**

¿Qué profesión tendrás en el futuro? Haz una encuesta en la clase y suma los resultados para determinar cuáles son las profesiones más populares.

### Conexiones Las matemáticas

 1 Trabaja con un grupo de cuatro o cinco personas. Hagan una tabla con las profesiones indicadas. Indiquen el número de estudiantes del grupo que trabajará en cada profesión.

2 Escriban una o dos frases sobre la tabla y compartan la información con la clase.

> **Modelo**
>
> *Dos personas de nuestro grupo trabajarán en el mundo de la tecnología . . . y una persona es indecisa (undecided).*

3 Reúnan las tablas de la clase y sumen entre todos el número de estudiantes que trabajará en cada profesión.

4 Hagan entre todos una gráfica circular (*pie chart*) para indicar el porcentaje (*percentage*) de estudiantes que trabajará en cada profesión. Expliquen la gráfica circular.

> **Modelo**
>
> *El 33 por ciento de los estudiantes en la clase seguirán una carrera en la tecnología. Asistirán a la universidad o a una escuela técnica para ser ingenieros o diseñadores.*

| Profesiones | Número de estudiantes |
|---|---|
| Tecnología | ✓✓ |
| Técnica / Mecánica | |
| Artes | ✓ |
| Ciencias | |
| Negocios | ✓ |
| Derecho | |
| Música / Drama | |
| Servicio público | |
| Política | |
| Indecisos / Otros | ✓ |

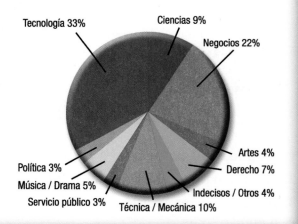

Tecnología 33% · Ciencias 9% · Negocios 22% · Artes 4% · Derecho 7% · Indecisos / Otros 4% · Técnica / Mecánica 10% · Servicio público 3% · Música / Drama 5% · Política 3%

### Fondo cultural
**El mundo hispano**

**Los centros de educación superior** en América Latina y España están muy diversificados. Después de graduarse del colegio, los estudiantes pueden continuar sus estudios en la universidad para graduarse como abogados, arquitectos, ingenieros o médicos. Los estudiantes que desean ser maestros pueden continuar sus estudios en las Escuelas Normales o de Magisterio y los que quieren ser técnicos en computación o enfermería asisten a las Escuelas Politécnicas. Los que quieren ser artistas pueden estudiar en los conservatorios y las escuelas de drama.

• Si quieres continuar los estudios después de graduarte del colegio, ¿qué opciones hay en la región donde vives?

## 25 En la exposición de carreras

**Escribir • Hablar**

Imaginen que Uds. asisten a la exposición de carreras.

**1** Con otro(a) estudiante, escriban preguntas que los jóvenes pueden hacerles a los adultos sobre la universidad o las escuelas técnicas, las carreras, el salario y otra información.

> **Modelo**
>
> *¿Tendremos que asistir a la universidad si queremos seguir una carrera en la música?*

**2** Formen un grupo de cuatro estudiantes. Una pareja de los jóvenes hace las preguntas y los adultos tienen que contestarlas. Después cambien papeles.

Una exposición de carreras en una escuela secundaria

## 26 Y tú, ¿qué dices?

**Escribir • Hablar**

1. ¿Qué clases tienes ahora? ¿Crees que estudiarás estas materias en la universidad? ¿Por qué?

2. ¿Has pensado en qué profesión tendrás en el futuro? ¿Cómo será? ¿Podrás ganar un buen salario? ¿Qué otros beneficios habrá?

3. ¿Qué cosas hay hoy en día que no habrá en el futuro? ¿Qué cosas habrá que no existen ahora?

**El español en la comunidad**

Ya sabes la importancia de poder comunicarse en español en una variedad de trabajos y profesiones. En muchísimas comunidades en los Estados Unidos, se necesitan empleados bilingües: que hablen inglés y español, u otros idiomas e inglés.

• ¿En qué trabajos o profesiones en tu comunidad es necesario ser bilingüe? ¿Qué idiomas se hablan en tu comunidad?

**Más práctica**

- **Guided** Gram. Practice pp. 323–324
- **Core** Gram. Practice pp. 178–179
- **Communication** Writing p. 174, Test Prep p. 283
- *Real.* para hispanohablantes pp. 338–339, 341

**realidades.com** ✓

- Audio Activities
- Video Activities
- Speak & Record
- Canción de hip hop
- Tutorial
- Leveled Workbook
- Web Code: jdd-0905

# ¡Adelante!

# Lectura

## Objectives

- **Read about careers**
- **Make a work of folk art**
- **Give a presentation about your future career plans**

¿Qué vas a hacer después de graduarte?
Visita un centro de carreras para decidir.

### Estrategia

**Using heads and subheads**
You can quickly learn what an article or brochure is about by reading the heads and subheads. Quickly read the heads in the following brochure to find out what information is provided.

# ¡Descubre tu futuro!

El Centro de Carreras les ofrece servicios e información a todos los estudiantes de nuestra comunidad que desean ir a la universidad. Nosotros pensamos que todos los jóvenes que tienen este sueño[1] deben tener la oportunidad de hacerlo.

## Los estudiantes que vienen al centro pueden . . .

* crear y mantener un portafolio personal de las notas y actividades escolares
* buscar información sobre cientos de universidades del país
* investigar diferentes carreras y explorar las opciones
* asistir a presentaciones sobre cómo financiar los estudios
* buscar y solicitar becas,[2] ayuda financiera y préstamos[3]
* recibir información sobre distintos planes de ahorro[4]
* conversar con consejeros[5] que hablan español

**El portafolio personal** es una carpeta con toda tu información académica del colegio. Después de terminar las clases y recibir las notas, escribe la información en tu portafolio. El portafolio te ayudará cuando completes las solicitudes[6] universitarias porque tendrás toda la información necesaria en un sólo lugar.

Nombre: _____

Dirección: _____

Clases y Notas

Grado:

9 _____

10 _____

11 _____

12 _____

Intereses extracurriculares: _____

_____

_____

_____

Universidades que me interesan: _____

_____

_____

_____

---

[1]dream  [2]scholarships  [3]loans  [4]savings  [5]counselors  [6]fill out applications

**Una prueba de aptitud** puede ayudarte a encontrar la mejor profesión para ti. Lo primero que debes hacer es determinar tu personalidad. Lee las siguientes descripciones. ¿Cuál te describe?

### ✳ Personalidad

a. realista
b. investigadora
c. artística
d. sociable
e. emprendedora[7]
f. analítica

### ✳ Te gusta . . .

a. trabajar con animales, máquinas[8] y herramientas.[9]
b. estudiar y resolver problemas de ciencias o de matemáticas.
c. participar en actividades creativas como el arte, el teatro y la música.
d. hacer cosas con otras personas.
e. ser el líder.
f. trabajar con números y máquinas de manera ordenada.

### ✳ Prefieres . . .

a. cosas prácticas que se pueden tocar y ver.
b. las ciencias.
c. actividades creativas.
d. enseñar o ayudar a otras personas.
e. la política y los negocios.
f. el éxito en los negocios.

### ✳ Evitas[10] . . .

a. situaciones sociales.
b. ser el líder.
c. actividades repetitivas.
d. las máquinas, los animales y las herramientas.
e. actividades científicas.
f. actividades desordenadas.

### Profesiones

Para saber la carrera más relacionada a tus gustos e intereses, revisa tus respuestas. Haz la suma para ver qué letra marcaste más y compara este resultado con la siguiente información. Si marcaste dos letras diferentes o más, puede ser que tengas aptitud para varias carreras.

✳ Si marcaste más la letra *a*, debes ser ingeniero(a) o arquitecto(a).

✳ Si marcaste más la letra *b*, debes ser científico(a) o médico(a).

✳ Si marcaste más la letra *c*, debes ser actor o actriz o diseñador(a) de ropa.

✳ Si marcaste más la letra *d*, debes ser profesor(a) o enfermero(a).

✳ Si marcaste más la letra *e*, debes ser vendedor(a) o abogado(a).

✳ Si marcaste más la letra *f*, debes ser contador(a) o cajero(a).

---

[7]enterprising   [8]machines   [9]tools   [10]You avoid

## ¿Comprendiste?

1. ¿Qué es un centro de carreras? ¿Qué servicios ofrece?

2. ¿Qué información debes incluir en tu expediente personal?

3. ¿Para qué sirve una prueba de aptitud?

### Más práctica

● **Guided** Reading Support p. 325
● **Communication** Writing p. 175, Test Prep p. 284
● *Real.* **para hispanohablantes** pp. 342–343

**realidades.com** ✔
• Internet Activity
• Leveled Workbook
• Web Code: jdd-0907

## Y tú, ¿qué dices?

1. ¿Crees que una visita a un centro de carreras sería útil *(would be useful)* para ti? ¿Por qué?

2. ¿Cuál es tu profesión ideal según la prueba? ¿Crees que tiene razón la prueba? Si no, ¿qué te gustaría cambiar para mejorarla?

# La cultura en vivo
## Los artistas naif

Hay un grupo de artistas en los países hispanohablantes que producen arte de origen campesino[1]. Este estilo se conoce como arte *naif*, arte ingenuo o arte campesino. Generalmente los artistas *naif* no tienen una educación artística académica. Sus obras están relacionadas con escenas de la vida rural y los trabajos del campo. Las imágenes son sencillas, espontáneas y llenas de fantasía. Algunas veces los artistas y artesanos añaden los materiales que usan en su trabajo o también productos de la naturaleza, como flores secas, piedras, conchas[2] y pedazos de madera[3].

"Targelia, Christmas Eve" (1990), Julio Toaquiza
Photo courtesy of the Art Archive / Picture Desk, Kobal Collection.

### Objetivo

Hacer una pintura[4] imitando el estilo de los artistas *naif*.

### Materiales

Busca materiales sencillos, objetos de la naturaleza o cosas que usas en tus actividades diarias. Quizás necesites pintura y pincel[5].

### Instrucciones

1 Estudia los cuadros de las artesanías en esta página. Piensa en sus características.

2 Escoge una escena que quieres pintar.

3 ¡Recuerda! Los artistas naif usan ideas sencillas.

4 Antes de empezar el trabajo, haz un dibujo del proyecto.

### Opciones

Puedes mostrar el trabajo en clase y explicar qué características del arte *naif* has usado, qué representa tu trabajo y por qué escogiste ese tema.

[1]peasant  [2]shells  [3]wood  [4]painting  [5]paintbrush

"Xochimilco, San Miguel de Allende, Guanajuato, México", E. Louis

# Presentación Oral
## Mi vida hoy y en el futuro

**Task**
It is increasingly common for people to have more than one job in a lifetime. Prepare a presentation in which you talk about the jobs you expect to have in the future, based on your current hobbies and pursuits.

**1 Prepare** Think about what your life is like today. What are your favorite subjects in school? What do you do for fun? Which jobs appeal to you? Then think about how these things might influence your future job choices. Make a chart to organize the things you want to include in your presentation.

|  | Ahora | En el futuro |
|---|---|---|
| cursos favoritos | las matemáticas y el arte | diseñadora en una escuela técnica |
| diversiones | trabajo en la computadora | crearé diseños nuevos |

**Estrategia**

**Using charts**
Create a chart to help you think through the key information you want to talk about. This will help you speak more effectively.

**2 Practice** Go through your presentation several times. You can use your notes in practice, but not when you present. Try to:
- provide as much information as you can
- use complete sentences
- speak clearly

**Modelo**

*Ahora mis cursos favoritos en la escuela son las matemáticas y el arte. Estudiaré para ser diseñadora en una escuela técnica.*

**3 Present** Tell the audience about your interests today and how they will impact your job choices in the future.

**4 Evaluation** Your teacher may give you a rubric for how the presentation will be graded. You will probably be graded on:
- how complete your preparation was
- how much information you communicated
- how easy it was to understand you

realidades.com
• Speak & Record

# Repaso del capítulo

## Vocabulario y gramática

jdd-0989

**Chapter Review**

To prepare for the test, check to see if you . . .

- **know the new vocabulary and grammar**
- **can perform the tasks on p. 473**

### to talk about professions in science and technology

| | |
|---|---|
| el agricultor, la agricultora | farmer |
| el arquitecto, la arquitecta | architect |
| el científico, la científica | scientist |
| el diseñador, la diseñadora | designer |
| el ingeniero, la ingeniera | engineer |
| el mecánico, la mecánica | mechanic |
| el técnico, la técnica | technician |
| el veterinario, la veterinaria | veterinarian |

### to talk about professions in business

| | |
|---|---|
| el cartero, la cartera | mail carrier |
| el contador, la contadora | accountant |
| el dueño, la dueña | owner |
| el / la gerente | manager |
| el hombre de negocios | businessman |
| la mujer de negocios | businesswoman |
| los negocios | business |
| el secretario, la secretaria | secretary |

### to talk about professions in the arts

| | |
|---|---|
| las artes | the arts |
| el / la artista | artist |
| el escritor, la escritora | writer |
| el pintor, la pintora | painter |

For *Vocabulario adicional,* see pp. 498–499.

### to talk about professions in law and politics

| | |
|---|---|
| el abogado, la abogada | lawyer |
| el derecho | *(study of)* law |
| el juez, la jueza, *pl.* los jueces | judge |
| la ley | law |
| la política | politics |
| el político, la política | politician |

### to talk about the future

| | |
|---|---|
| algún día | some day |
| los beneficios | benefits |
| bilingüe | bilingual |
| la carrera | career |
| el colegio | high school |
| la escuela técnica | technical school |
| el futuro | future |
| ganarse la vida | to make a living |
| la graduación | graduation |
| graduarse *(u → ú)* | to graduate |
| habrá | there will be |
| el idioma | language |
| militar | military |
| la oficina | office |
| la profesión, *pl.* las profesiones | profession |
| el programa de estudios | course of studies |
| el salario | salary |
| seguir *(e → i)* (una carrera) | to pursue (a career) |
| la universidad | university |

### the future tense: irregular verbs

| | |
|---|---|
| haber | habr- |
| hacer | har- |
| poder | podr- |
| saber | sabr- |
| tener | tendr- |

### future-tense endings

| -é | -emos |
|---|---|
| -ás | -éis |
| -á | -án |

**Más práctica**

- **Core** Puzzle p. 180, Organizer p. 181
- **Communication** Integrated
  Performance Assessment p. 285

**realidades.com** ✔
- Web Code: jdd-0908

# Preparación para el examen

| On the exam you will be asked to . . . | Here are practice tasks similar to those you will find on the exam . . . | If you need review . . . |
|---|---|---|

## Interpretive

jdd-0989

**1 Escuchar** Listen and understand as people talk about their future plans

At the Senior Send-off Assembly, some graduating seniors are asked what they will do after they graduate. Listen and identify: (a) what they will do next year; (b) what professions they will pursue; and (c) what they think their salary will be.

**pp. 452–455** *Vocabulario en contexto*
**p. 456** Actividad 5
**p. 459** Actividad 10
**p. 460** Actividad 12

## Interpersonal

**2 Hablar** Talk to incoming students about what high school will be like in your school

You volunteer to help incoming Spanish-speaking students enroll for classes. How would you describe what high school will be like for them? You could talk about: (a) classes; (b) extracurricular activities; and (c) advice on how to meet new people. Give as many details as you can.

**p. 458** Actividad 8
**p. 459** Actividad 11
**p. 464** Actividades 19–21
**p. 466** Actividad 24
**p. 467** Actividad 25
**p. 471** *Presentación oral*

## Interpretive

**3 Leer** Read and understand notes sent to graduating seniors about their future

On the inside of Miguel's graduation card is a note from his mother. As you read it, determine what she predicts college will be like for him.

*Querido hijo:*

*El año que viene irás a la universidad. Tú y tus amigos comenzarán una vida nueva en la universidad y tendrán oportunidades de conocer a gente interesante. Tu padre y yo sabemos que sacarás buenas notas.*

*Con mucho amor,*

*Mamá*

**p. 461** Actividad 14
**p. 462** Actividad 16
**pp. 468–469** *Lectura*

## Presentational

**4 Escribir** Write about your future plans

As part of an application for a summer job, you are asked to write a short paragraph about your future career plans. For example, you might include: *Estudiaré en la universidad por seis años para prepararme para ser veterinario(a).*

**p. 458** Actividad 8
**p. 460** Actividad 12
**p. 461** Actividades 13–14
**p. 462** Actividad 16
**p. 463** Actividades 17–18
**p. 467** Actividades 25–26

## Cultures

**5 Pensar** Demonstrate an understanding of folk art from Spanish-speaking countries

A classmate is going on a trip to South America. Your teacher asks the student to bring back typical handicrafts from the countries she visits. Based on what you have learned in this chapter, what would you expect the student to bring back?

**p. 470** *La cultura en vivo*

# Tema 9 • ¿Cómo será el futuro?

## Fondo cultural

**Estados Unidos • México**

**Alfredo Arreguín** nació en Michoacán, México, en 1935. Desde 1958 ha vivido en Seattle, donde estudió arte en la Universidad de Washington. Muchos de sus cuadros tienen elementos de la cultura de su país nativo y de la naturaleza de la región donde vive actualmente *(currently)*. Las garzas *(herons)* viven cerca del agua. Habitan en los Estados Unidos y también en México.

• Cuando miras este cuadro, ¿qué te hace sentir el artista?

◄ "Las garzas" (2002), Alfredo Arreguín
Oil on canvas, 42 x 60 in.  Courtesy of Alfredo Arreguín.

# Capítulo 9B

# ¿Qué haremos para mejorar el mundo?

## Chapter Objectives

- Make predictions about the future
- Express doubts about ecological issues
- Discuss environmental problems and possible solutions
- Understand cultural perspectives on ecological problems and solutions

### Video Highlights

**Videocultura:** *¿Cómo será el futuro?*

**A primera vista:** *¡Caramba, qué calor!*

**GramActiva Videos:** the future tense: other irregular verbs; the present subjunctive with expressions of doubt

### Country Connection

As you learn about the environment, you will make connections to these countries and places:

Texas · España · México · Honduras · Costa Rica · Panamá · Ecuador · Chile · Uruguay · Argentina

## Más práctica

- *Real.* para hispanohablantes pp. 350–351

**realidades.com**
- Leveled Workbook
- Web Code: jde-0002

Un perezoso en un árbol de la selva tropical, Panamá

# Vocabulario en contexto

jdd-0997 🔊

## Objectives

Read, listen to, and understand information about

- what the world may be like in the future
- problems facing the environment
- solutions for the problems in our environment

**"** **La destrucción** de nuestro **medio ambiente** afecta a cada persona. Tenemos que **luchar contra** este problema **grave.**

Para la salud de la gente de nuestro pueblo, hay que **eliminar** la contaminación del aire y del agua.

**la contaminación**

**el aire contaminado**

**el pueblo**

**el agua contaminada**

**la calefacción solar**

Tenemos que **reducir** el uso de **la electricidad** y usar otras **fuentes** de **energía.**

Debemos **proteger*** a los animales que están **en peligro de extinción.**

*Proteger is a regular -er verb with a spelling change in the yo form of the present tense: protejo.

**la paz**

Para **mejorar** la situación del mundo es necesario **resolver** los problemas entre los países. Es importante que **haya** paz y que no haya **guerra ".**

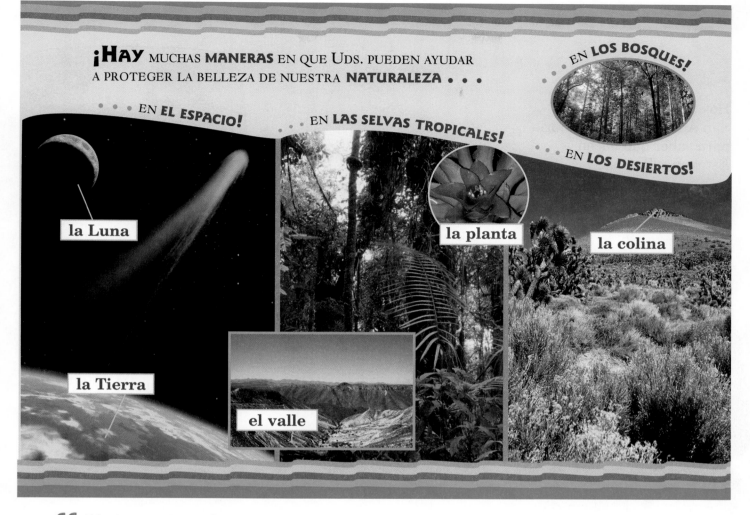

¡**Hay** MUCHAS **MANERAS** EN QUE UDS. PUEDEN AYUDAR
A PROTEGER LA BELLEZA DE NUESTRA **NATURALEZA** . . .

· · · EN **EL ESPACIO!**

EN **LAS SELVAS TROPICALES!**

· · · EN **LOS BOSQUES!**

EN **LOS DESIERTOS!**

la Luna

la planta

la colina

la Tierra

el valle

**66** **Júntense** con amigos y participen en uno de los
grupos **ecológicos** de nuestra comunidad hoy **99**.

---

**1** **En las noticias**  jdd-0997

Escuchar

Escucha lo que dice el señor del grupo ecológico
en la página 476. Señala con el dedo qué parte
de la escena se describe.

**2** **¿Cierta o falsa?** jdd-0997

Escuchar

En una hoja de papel, escribe los números del
1 al 7. Si la frase que escuchas es cierta,
escribe *C*. Si es falsa, escribe *F*.

**Más práctica**

- **Guided** Vocab. Flash Cards pp. 327–332
- **Core** Vocab. Practice pp. 182–183
- **Communication** Writing p. 181
- *Real.* **para hispanohablantes** p. 352

**realidades.com** ✔

- Fondo cultural Activity
- Video Activities
- Online Atlas
- Web Code: jdd-0911

# ¡Caramba, qué calor!

Hoy hace mucho calor en San Antonio. Lee la historia para saber qué hacen Esteban y Pedro.

### Estrategia

**Recognizing cognates**
Before you read the *Videohistoria*, focus on the boldfaced words.

- Which of these words are cognates? Can you find other cognates that have not been boldfaced?

**1 Esteban:** ¿Qué pasa?

**Pedro:** No sé, pero creo que no tenemos **aire acondicionado.**

**Esteban:** ¿Cómo? ¿Con este calor? Imposible. Mamá, ¿qué pasa con el aire acondicionado?

**Esteban**    **Angélica**    **Pedro**

**5 Pedro:** Esteban, ¿no te gustaría tener el aire acondicionado solar?

**Esteban:** ¿Por qué?

**Pedro:** Pues, **conserva** energía y reduce el uso de la electricidad. Debemos usar mejor lo que ya tenemos. ¿Ves? El autobús es muy **eficiente.**

**Esteban:** Sí, **es cierto.** También es **económico.**

**6 Pedro:** El aire contaminado es un problema grave. Para tener aire más **puro** debemos montar en bicicleta.

**Esteban:** Sí, pero con tanto calor el coche es más cómodo y más rápido.

**Pedro:** ¡Ay, Esteban, pero así podemos **ahorrar** energía y dinero al mismo tiempo!

**7 Esteban:** ¿No **funciona** el aire acondicionado?

**Cajera:** No, y dudo que funcione mañana tampoco.

**2 Angélica:** ¿Qué necesitas, Esteban? Mamá no está.

**Esteban:** Pues, parece que el aire acondicionado está mal. No lo oigo. ¿Puedes ver lo que pasa?

**Angélica:** ¡Por supuesto que no! Hazlo tú. **Además,** ¡no hace tanto calor!

**Pedro:** ¡Silencio! Yo mismo voy a ver lo que pasa.

**3 Pedro:** Me parece que el aire acondicionado se rompió. **Dudo que sea** la electricidad.

**4 Esteban:** No podemos quedarnos aquí. ¿Por qué no vamos al cine? Angélica, ¿nos puedes llevar en el coche?

**Angélica:** Bueno, pero tendrán que esperar media hora. Tengo que terminar algo.

**Pedro:** ¿Por qué no caminamos? El cine no está muy lejos.

**8 Esteban:** Sí, Angélica. Aquí, Esteban. Oye, ¿nos puedes venir a recoger en tu coche?

**Angélica:** ¡Esteban!

**3 ¿Comprendiste?**

Escribir • Hablar

1. ¿Dónde están los jóvenes? ¿Cuál es el problema?
2. ¿Quién piensa que hace mucho calor, Angélica o Esteban?
3. ¿Adónde deciden ir Pedro y Esteban? ¿Cómo van a ir?
4. Según Pedro, ¿por qué es bueno usar el aire acondicionado solar?
5. Según Pedro, ¿qué pueden hacer para no crear más contaminación del aire?
6. ¿Qué pasa cuando Pedro y Esteban llegan al cine? ¿Qué solución tiene Esteban?

**Más práctica**

- **Guided** Vocab. Check pp. 333–336
- **Core** Vocab. Practice pp. 184–185
- **Communication** Video pp. 176–178
- *Real.* para hispanohablantes p. 353

- Audio Activities
- Video Activities
- Leveled Workbook
- Flashcards
- Web Code: jdd-0912

# Vocabulario
# en uso

jdd-0998

## 4 Descripciones del medio ambiente

**Escuchar • Escribir**

Escucha las descripciones del medio ambiente. En una hoja de papel, escribe los números del 1 al 8. Escribe el nombre de lo que está describiendo.

**Modelo**

Escuchas: Es un lugar donde llueve mucho y donde hay muchos árboles y plantas.
Escribes: *la selva tropical*

## 5 ¿Dónde se encuentra . . . ?

**Hablar**

Para cada dibujo de la Actividad 4, piensa en dónde se encuentra este aspecto del medio ambiente. Puede estar cerca de tu comunidad, en un país hispanohablante que has estudiado o en el espacio. Habla con otro(a) estudiante sobre los lugares.

**Modelo**

A —¿Dónde se encuentran <u>desiertos</u>?
B —Hay <u>desiertos</u> en <u>Chile</u>.

El desierto de Atacama, en Chile

## 6 Las analogías

**Leer • Pensar • Escribir**

Completa cada analogía según el modelo.
Usa las palabras del recuadro.

**Modelo**

flor : jardín :: árbol : *bosque*

| | | |
|---|---|---|
| ahorrar | económico | guerra |
| calefacción | energía | luchar |
| dudar | espacio | |

1. resolver : problema :: conservar : _____
2. volver : regresar :: pelear : _____
3. llegar : salir :: gastar : _____
4. verano : aire acondicionado :: invierno : _____
5. puro : contaminado :: paz : _____
6. añadir : eliminar :: creer : _____
7. océano : la Tierra :: la Luna : _____
8. quizás : tal vez :: barato : _____.

## 7 Una reunión del club de ecología

**Leer • Escribir**

Un estudiante asistió a una reunión del club de ecología.
Tomó apuntes *(notes)* para después escribir un artículo para
el periódico. Escribe los verbos que completan las frases.

**Modelo**

*Para __resolver__ los problemas
ecológicos, hay que tener leyes
estrictas.*

1. Tendremos que hacer leyes más estrictas para _____ *(luchar / mejorar)* el medio ambiente.

2. Si reciclamos las latas, los periódicos y el cartón, podemos _____ *(reducir / conservar)* la basura que está en el mundo.

3. Si queremos vivir en un mundo limpio, debemos _____ *(eliminar / mejorar)* la destrucción del medio ambiente.

4. Es importante _____ *(luchar / mejorar)* contra la destrucción de las selvas tropicales.

5. Las leyes que protegen la naturaleza no pueden _____ *(reducir / funcionar)* si no las obedecemos.

6. Todos deben _____ *(juntarse / dudar)* con otras personas para participar en una organización que trabaja por la protección del medio ambiente.

### Fondo cultural

**Argentina • Chile**

**Los pingüinos** *(penguins)* de la Patagonia, una región al sur de
Argentina y Chile, comen peces. Están amenazados *(threatened)*
por la pesca excesiva y la contaminación de la industria petrolera.
Antes los buques petroleros *(oil tankers)* descargaban *(unloaded)*
en el mar el agua de lastre *(ballast)* sucia, y la contaminación
petrolera causó la muerte de más de 40,000 pingüinos al año.
Ahora, para proteger a los pingüinos, los buques petroleros pasan
por rutas más alejadas de la costa.

• ¿Qué impacto tienen las industrias de tu comunidad en el medio
ambiente?

Pingüinos magallánicos, Argentina

## 8 Un artículo para el periódico

**Leer • Escribir**

| cierto | eficiente |
|--------|-----------|
| contaminado | grave |
| ecológico | puro |
| económico | solar |

El estudiante de la Actividad 7 ha comenzado a escribir su artículo. Completa el párrafo con las formas apropiadas de los adjetivos en el recuadro.

Tenemos una situación __1.__ en nuestro pueblo. Los ríos y lagos están __2.__ y cada día mueren más peces. Si no reducimos la contaminación, no habrá ni agua __3.__ para beber ni aire para respirar. ¿Cómo podemos resolver estos problemas? Primero, los científicos deben buscar otras fuentes de energía __4.__ , como la calefacción __5.__ . Segundo, debemos usar nuestros coches menos y usar el transporte público más. Es mejor para el medio ambiente y más __6.__ . Tercero, podemos trabajar en alguna organización __7.__ que trata de conservar el medio ambiente. Es __8.__ que nuestra comunidad tiene un problema, pero si luchamos juntos, podemos resolverlo.

## 9 ¿Cómo se puede . . . ?

**Hablar**

Habla con otro(a) estudiante sobre lo que se puede hacer para conservar el medio ambiente.

**Modelo**

**A** —¿Cómo se puede *reducir la basura*?

**B** —*Se puede reciclar las botellas de vidrio y de plástico*.

**Estudiante A**

1. proteger — la electricidad
2. resolver — el medio ambiente
3. conservar — a los animales en peligro de extinción
4. mejorar — energía
5. ahorrar — el problema de la contaminación del agua
6. salvar — la condición de la Tierra

**Estudiante B**

luchar contra la destrucción de . . .
reciclar . . .
no usar el coche y . . .
apagar . . .
no tirar basura en . . .
buscar . . .
juntarse con . . .
eliminar . . .

## Exploración del lenguaje

### Antonyms

You have learned many ways to increase your vocabulary. One of these is learning words as antonym, or opposite, pairs. Write the antonyms for the following words:

puro ≠ __?__          aire acondicionado ≠ __?__

falso ≠ __?__          construcción ≠ __?__

**¡Compruébalo!** Here is a series of popular *refranes* using *Más vale* ("It's better, worth more"). Complete each *refrán* with the antonym of the word in bold type.

Más vale uno en **paz** que ciento en _____.

Más vale **antes** que _____.

Más vale **algo** que _____.

Más vale perro **vivo** que león _____.

## 10 Animales en peligro de extinción

**Leer • Escribir • Hablar**

Según los científicos en México, más del 20 por ciento de los animales del país están en peligro de extinción. A causa de la contaminación, la destrucción de su hábitat y la caza *(hunting)*, animales como el oso negro, la ballena *(whale)* gris, la tortuga marina y muchos más podrán desaparecer si no se encuentran soluciones a este grave problema ecológico.[1] En 2002, el Banco de México anunció un programa que podrá ayudar a los animales. Lee el anuncio y contesta las preguntas.

1. Según los científicos, ¿por qué están en peligro de extinción algunos animales en México?

2. ¿Qué programa ofrece el Banco de México? ¿Qué piensas del programa?

3. ¿Te gustaría comprar una moneda? ¿Por qué?

[1]Fuente: *El Universal,* 25 de agosto de 2002

**¡Ayuda a proteger el medio ambiente!**
**Monedas y especies**

El Banco de México presenta su colección exclusiva de doce monedas de plata con imágenes de animales en peligro de extinción en México. Con cada moneda que Ud. compra, el Banco de México dona[2] dinero a proyectos de conservación del medio ambiente.

**De venta en:**
**Banamex**
**Bital**
**Bancomer**
**BanRegio**

[2]donates

## Fondo cultural

**Panamá**

**El Parque Nacional Darién,** en el Panamá, es el parque nacional más grande de América Central. Fue creado en 1980 para proteger la gran selva tropical del Darién, que se encuentra en la frontera entre el Panamá y Colombia. Hay siete especies de mamíferos y cinco especies de pájaros que sólo viven en esta selva. Además, tres grupos indígenas precolombinos todavía viven en el Darién: los kunas, los emberá y los wounaan.

- ¿Hay un parque cerca de tu comunidad creado para proteger y conservar la naturaleza? Descríbelo.

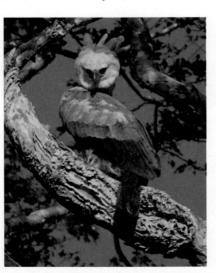

Un águila arpía, ave nacional del Panamá

## 11 Y tú, ¿qué dices?

**Escribir • Hablar**

1. Describe la naturaleza que existe cerca de tu comunidad. ¿Te gusta estar afuera?

2. ¿Dónde prefieres pasar tiempo: en un bosque, en una selva tropical o en un desierto? Explica por qué.

3. ¿Cuáles son los peores problemas ecológicos de tu región? ¿Cómo se puede mejorar la situación?

4. Además de la electricidad, ¿qué otras fuentes de energía se usan en tu región? ¿Son eficientes y económicas? ¿El uso de estas fuentes de energía conserva o destruye el medio ambiente?

# Gramática

## The future tense: Other irregular verbs

Other verbs that have irregular stems in the future tense are:

| | |
|---|---|
| **decir** | dir- |
| **poner** | pondr- |
| **querer** | querr- |
| **salir** | saldr- |
| **venir** | vendr- |

**¿Recuerdas?**

You know how to form irregular verbs in the future using the same endings that you use for regular verbs (*-é, -ás, -á, -emos, -éis, -án*). You already know these irregular verbs:

| | |
|---|---|
| haber | **habr-** |
| hacer | **har-** |
| poder | **podr-** |
| saber | **sabr-** |
| tener | **tendr-** |

En el futuro **dirán** que la destrucción de las selvas tropicales causó muchos problemas ecológicos.
*In the future **they will say** that the destruction of the rain forests caused many ecological problems.*

**Pondremos** más plantas en nuestra casa.
*We will put more plants in our house.*

**Querremos** luchar contra la guerra y por la paz.
*We will want to fight against war and for peace.*

**Saldré** muy temprano por la mañana. **¿Vendrás** conmigo?
*I will leave very early in the morning. **Will you come** with me?*

**GramActiva** VIDEO

Want more help with other verbs that are irregular in the future tense?
Watch the **GramActiva** video.

Querrá jugar.

**12** Escucha y escribe ♻ jdd-0998 ◀))

**Escuchar • Escribir**

Unos jóvenes hablan de sus experiencias como voluntarios en un centro de reciclaje. Hablan de lo que ocurre siempre y de lo que ocurrirá en el futuro. Escucha las seis frases y escríbelas. Después escribe *presente* si ocurre ahora o *futuro* si ocurrirá en el futuro.

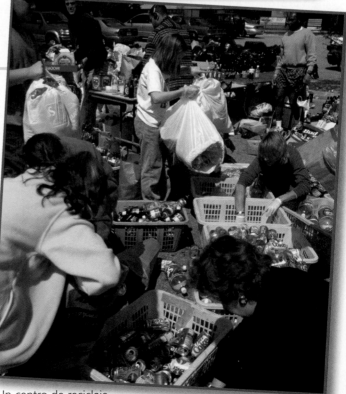

Un centro de reciclaje

## 13 Vamos al centro de reciclaje

**Leer • Escribir**

Lee la conversación entre dos jóvenes que van a trabajar en el centro de reciclaje. Escribe la forma correcta de los verbos en el futuro.

**Angélica:** Oye, Pedro. El sábado voy al centro de reciclaje. ¿ __1.__ *(Venir)* tú conmigo?

**Pedro:** Está bien. __2.__ *(Ir)* contigo pero sólo tengo dos horas. ¿Qué __3.__ *(hacer)* nosotros?

**Angélica:** Primero nosotros __4.__ *(tener)* que llevar estas cajas al centro. Luego __5.__ *(poner)* los periódicos, el cartón y el vidrio en sus cajas.

**Pedro:** Y si no podemos quedarnos por más de dos horas, ¿qué les __6.__ *(decir)?*

**Angélica:** La verdad. Yo les __7.__ *(decir)* que tengo que estudiar. Y tú __8.__ *(poder)* salir al mismo tiempo. No __9.__ *(haber)* ningún problema.

**El ecoturismo en el Ecuador** Hay varias compañías de ecoturismo que ofrecen excursiones que benefician al medio ambiente y a las comunidades que los turistas visitan. Por ejemplo, en el Ecuador los turistas visitan la región del Amazonas y se quedan en casas típicas de la región. Esto no causa problemas para el medio ambiente.

Además, los guías son indígenas de la región y con las excursiones ganan dinero para sus comunidades.

- ¿Cómo pueden causar problemas los turistas y el turismo en una región de mucha belleza ecológica? Compara las excursiones ecológicas que puedes hacer en Ecuador con las que puedes hacer en los Estados Unidos.

Selva tropical en la región amazónica del Ecuador

## 14 El turismo

**Hablar**

Unos amigos tratan de decidir adónde irán de vacaciones, pero es difícil decidir porque no están de acuerdo. Con otro(a) estudiante, pregunta y contesta según el modelo.

**Modelo**

A —*Saldremos en* *julio*. *Iremos a la ciudad. ¿De acuerdo?*

B —*Pero* *nos dirán que no hay habitaciones libres.*

julio

**Estudiante A**

1. junio
2. octubre
3. agosto
4. julio

**Estudiante B**

a. Miles de turistas *(estar)* allí. Todos *(ponerse)* los trajes de baño y *(venir)* a la playa.

b. Las plantas y los árboles *(ser)* muy bonitos pero *(haber)* muchos mosquitos y moscas y *(llover)* todos los días.

c. *(Hacer)* demasiado calor. Además el aire *(ser)* muy seco. *(Querer)* encontrar un lugar con aire acondicionado.

d. No *(saber)* si *(hacer)* frío o calor. *(Querer)* dar caminatas pero no *(poder)* si hay mucha nieve en los valles.

## 15 En el presente y en el futuro

**Hablar • Escribir**

¿Crees que tu vida en el futuro será muy diferente de tu vida ahora?

| yo (ahora) | yo (futuro) | mi compañero(a) (ahora) | mi compañero(a) (futuro) |
|---|---|---|---|
| en una tienda de descuentos | en una oficina de abogados | | |

**1** Trabaja con otro(a) estudiante. Copia la tabla en una hoja de papel. Para cada verbo del recuadro, escribe la información que describe tu vida ahora y cómo crees que será en el futuro. Después escribe las respuestas de tu compañero(a).

> querer
> saber (+ *infinitive*)
> salir con
> tener que
> vivir
> **¡Respuesta personal!**

**Modelo**

**A** —*Ahora trabajo en una tienda de descuentos. En el futuro, trabajaré en una oficina de abogados. ¿Y tú?*
**B** —*Ahora trabajo . . .*

**2** Escribe cinco frases para describir las semejanzas *(similarities)* o diferencias entre la vida de tu compañero(a) ahora y su vida en el futuro.

## 16 ¿Qué resultará?

**Escribir • Hablar**

¿Qué resultará de las situaciones que existen ahora? Usa los verbos del recuadro para escribir un posible resultado para cada situación. Luego, con otro(a) estudiante, compara los resultados que han escrito. ¿Son muy similares o muy diferentes sus ideas sobre el futuro?

| decir | poder | salir |
|---|---|---|
| haber | poner | ser |
| hacer | querer | tener |
| ir | saber | venir |

**Modelo**

Cada día se destruyen las selvas tropicales.
*Habrá más animales en peligro de extinción.*

1. Mis padres quieren usar la energía de una manera más eficiente en la casa.
2. Vamos a recoger la basura en el parque.
3. Tratamos de ahorrar la electricidad en la escuela.
4. Los científicos quieren explorar el espacio.
5. La contaminación del aire en la ciudad es muy grave.
6. Hay muchos grupos ecológicos que tratan de conservar el medio ambiente.

**Más práctica**
- **Guided** Gram. Practice pp. 337–338
- **Core** Gram. Practice p. 186
- **Communication** Writing p. 182
- ***Real.* para hispanohablantes** pp. 354–357, 360

**realidades.com**
- Audio Activities
- Video Activities
- Speak & Record
- Leveled Workbook
- Web Code: jdd-0913

# Gramática

## The present subjunctive with expressions of doubt

You have used the subjunctive to say that one person tries to persuade another to do something. It is also used after verbs and expressions that indicate doubt or uncertainty.

**Dudamos que puedan** resolver todos los problemas.

*We doubt that they can solve all the problems.*

**No es cierto que protejan** las selvas tropicales.

*It is not certain that they will protect the rain forests.*

Other expressions that indicate doubt or uncertainty are:

| | |
|---|---|
| **no creer que** | *to not believe* |
| **no estar seguro, -a de que** | *to be unsure* |
| **es imposible que** | *it is impossible* |
| **es posible que** | *it is possible* |

When the verb or expression indicates certainty, use the indicative, *not* the subjunctive.

**Estoy seguro de que destruyen** los bosques.

*I'm sure that they are destroying the forests.*

**Creemos que es** importante proteger la naturaleza.

*We believe that it is important to protect nature.*

• The subjunctive form of *hay* is *haya*, from *haber*.

Es posible que **haya** suficiente electricidad.

*It is possible that **there is** enough electricity.*

**GramActiva** VIDEO

Want more help with the subjunctive with expressions of doubt? Watch the **GramActiva** video.

---

**17** **¿Cierto o no?**

**Leer • Escribir**

Lee lo que dicen estas personas sobre el futuro y decide si es necesario usar el subjuntivo o el indicativo. Luego escribe la forma apropiada del verbo.

1. No creo que _____ (haber) soluciones fáciles para los problemas ecológicos en la Tierra.

2. Dudamos que la contaminación del medio ambiente se _____ (mejorar) pronto.

3. Es posible que las leyes estrictas _____ (poder) ayudar a reducir la contaminación.

4. Es cierto que muchos animales _____ (estar) en peligro de extinción.

5. Estoy seguro de que el reciclaje _____ (eliminar) la destrucción de las selvas tropicales.

**Modelo**

*Es imposible que sólo las leyes <u>protejan</u> los bosques de la contaminación.*

6. El profesor no cree que las guerras _____ (ir) a terminar nunca.

7. No estoy seguro de que las leyes para proteger el medio ambiente _____ (funcionar) muy bien.

8. Es verdad que la calefacción solar _____ (ser) mejor para el medio ambiente que la electricidad.

## 18 En 15 años

**Hablar**

Imagina que otro(a) estudiante y tú van a filmar una película sobre qué pasará en el mundo en 15 años. Hablen de si están seguros de que las cosas ocurrirán.

> **Nota**
>
> In a question, *creer que* is followed by the subjunctive if the speaker has doubts about, or suggests the possibility of, the action.

**Modelo**

**A** —¿*Crees que haya paz en la Tierra en 15 años?*
**B** —*No, no creo que haya paz.*
**o:** —*Sí, estoy seguro(a) de que habrá paz.*

**Estudiante A**

1. haber guerras
2. funcionar los coches con energía solar
3. viajar a otros planetas
4. encontrar nuevas fuentes de energía
5. tener una mujer como Presidenta
6. todos ser bilingües

**Estudiante B**

(no) dudar que
es (im)posible que
(no) creer que
(no) estar seguro, -a de que
(no) es cierto que

## 19 Y ahora, tu opinión

**Escribir • Hablar**

¿Será posible resolver los problemas ecológicos de hoy? Escribe tus opiniones sobre lo que van a hacer las personas de la lista en el futuro. Luego trabaja con otro(a) estudiante y di si Uds. están de acuerdo o no en sus opiniones.

**Modelo**

*Creo que viviremos en la Luna algún día.*
**o:** *Es imposible que vivamos algún día en la Luna.*

| | |
|---|---|
| los científicos | los problemas ecológicos |
| nosotros | el aire acondicionado solar |
| yo | por la paz y contra la guerra |
| el Presidente | a los animales en peligro de extinción |
| toda la gente | la destrucción de las selvas tropicales |
| **¡Respuesta personal!** | **¡Respuesta personal!** |

## 20 La contaminación acústica

**Leer • Escribir • Hablar**

Cuando pensamos en la contaminación, casi siempre nos referimos al aire y al agua. Pero la contaminación acústica (*noise*) es también un gran problema, especialmente en las grandes ciudades. Lee este artículo sobre la contaminación acústica en Buenos Aires y contesta las preguntas.

# ¡Baja el volumen!

¿Sabías que Buenos Aires es la ciudad más ruidosa de América Latina? Según los especialistas, a este problema se lo llama la contaminación acústica. Este tipo de contaminación se produce cuando el nivel[1] del sonido[2] es muy alto y se cambian las condiciones normales del ambiente.

En algunas zonas de Buenos Aires, los niveles de ruido son tan altos que algunas personas tienen problemas hasta para trabajar. Roberto, un vendedor, dice: "A veces hay tanto ruido que no se puede conversar con los clientes. ¡Es terrible!"

Pero, ¿cómo afecta el ruido a la salud? Es verdad que mientras el ruido de una motocicleta puede ser insoportable[3] para algunos, a otros ese ruido no les molesta. El hecho es que la contaminación acústica tiene muchos efectos negativos para la salud: estrés y problemas para escuchar y dormir son algunos ejemplos.

### ¿QUÉ SE PUEDE HACER?

Aunque muchas personas dudan que se pueda eliminar la contaminación acústica, es posible reducirla siguiendo estos consejos[4]:

- hablar en un tono de voz normal
- controlar el volumen del televisor y de la radio
- hablar en público por el celular en voz baja
- evitar los gritos innecesarios
- no usar los aparatos eléctricos ruidosos en la noche

[1] level  [2] sound  [3] unbearable  [4] pieces of advice

**1.** ¿Estás de acuerdo de que un sonido puede ser agradable para una persona y no para otra? Da otro ejemplo de esto.

**2.** ¿Crees que la contaminación acústica es un gran problema donde vives? ¿Por qué? ¿Qué recomendaciones resolverían (*would solve*) problemas acústicos en tu comunidad?

**3.** ¿Qué leyes o reglas hay en tu escuela o comunidad para reducir la contaminación acústica? ¿Crees que funcionan?

**4.** Escribe otras dos sugerencias que puedan ayudar a reducir la contaminación acústica.

## 21 ¿La campaña puede tener éxito?

**Hablar**

¿Crees que sea posible reducir la contaminación acústica? Usa ideas de la página Web de "¡Baja el volumen!" y tus propias ideas de la Actividad 20 para decirle a otro(a) estudiante si crees que la campaña pueda tener éxito. Usa también las expresiones de la Actividad 18 de la página 488.

**Modelo**

*Dudo que muchas personas reduzcan el volumen de su televisor o radio.*

## 22 Dos lugares muy distintos

**Pensar • Escribir**

Joaquín Torres-García nació en Uruguay, un país urbano y moderno. José Antonio Velásquez nació en Honduras, un país más rural y menos moderno que Uruguay. En los cuadros de estos dos artistas, vemos dos mundos diferentes.

"Paisaje hondureño de San Antonio de Oriente" (1972), José Antonio Velásquez

Oil on canvas, 47 1/4" x 60 1/2". Museum of Modern Art of Latin America, Washington D.C.

1. Describe el primer cuadro. ¿Qué cosas puedes identificar? ¿Ves algún elemento de la naturaleza? ¿Cómo te hace sentir?

2. Describe el segundo cuadro. ¿Qué elementos de la naturaleza ves? ¿Qué cosas hechas por personas hay? ¿Cómo te hace sentir?

3. Compara los cuadros. ¿Qué crees que los artistas están tratando de decirnos sobre la gente y su relación con la naturaleza? ¿Con cuál estás de acuerdo? ¿Por qué?

"Nueva York a vista de pájaro" (1920), Joaquín Torres-García

Gouache and watercolor on cardboard, 33.8 x 48.5. Yale University Art Gallery, Gift of Collection Societé Anonymé.

## 23 El uso y abuso del agua

**Leer • Pensar • Escribir • Hablar**

Trabajen en grupos de cuatro y observen los dibujos. Túrnense para leer las sugerencias para ahorrar el agua. Luego contesta las preguntas.

**Conexiones | La ecología**

1. Tomar duchas más cortas. Si se usa la bañera,[1] llenarla sólo hasta la mitad.[2]

2. Lavar las verduras en un recipiente y no bajo el grifo.[3]

3. Cerrar el grifo cuando se cepilla los dientes.

4. Regar[4] el jardín por la mañana o al anochecer[5] para que el sol no evapore el agua.

5. Usar la lavadora sólo cuando esté llena de ropa.

[1]bathtub  [2]halfway  [3]faucet  [4]Water  [5]dusk

1. ¿En tu comunidad hay restricciones sobre el uso del agua? ¿Cuáles son?

2. Trabaja con otro(a) estudiante. Escriban cuatro frases para decir qué sugerencias darán más resultado en sus casas y qué sugerencias dudan que tengan resultado.

## **24** El Día de la Tierra

**Leer • Escribir • Hablar**

Lee el lema *(slogan)* que usó Costa Rica en 1998 para su Día de la Tierra y contesta las preguntas.

1. ¿Qué aspectos del medio ambiente y qué problemas ecológicos se incluyen en el lema?

2. Usa lo que has aprendido sobre Costa Rica y explica por qué se preocupan *(worry)* los costarricenses.

3. Explica lo que entiendes de "entenderemos que no se puede comer el dinero".

Solamente . . .
cuando el último árbol esté muerto,
el último río esté contaminado,
y el último pez esté atrapado,
entenderemos que . . .
no se puede comer el dinero.

—*sabiduría indoamericana*\*

\*indigenous saying

## **25** La conservación

**Escribir • Dibujar • Hablar**

Trabaja con otro(a) estudiante. Creen su propio lema para animar *(encourage)* a otras personas a pensar en la conservación.

**1** Hagan una lista de los problemas ecológicos que quieren mencionar y escriban un lema basado en la lista.

**2** Pon su lema en un cartel o una camiseta. Añadan dibujos o fotos. Preséntenlo a la clase.

### Más práctica

- **Guided** Gram. Practice pp. 339–341
- **Core** Gram. Practice pp. 187–188
- **Communication** Writing p. 183, Test Prep p. 286
- *Real.* **para hispanohablantes** pp. 358–359, 361

- Audio Activities
- Video Activities
- Speak & Record
- Canción de hip hop
- Leveled Workbook
- Web Code: jdd-0914

### El español en el mundo del trabajo

*Conservation International* (CI) es una de varias organizaciones sin fines de lucro *(nonprofit)* cuya misión es proteger el medio ambiente. Tiene sus oficinas principales en Washington, D.C., pero muchos de sus empleados hablan español o portugués. Gran parte de sus esfuerzos *(efforts)* ecológicos se centran en los países de América Central y América del Sur. Por eso, también tiene empleados en México, Costa Rica, Panamá, Ecuador, Bolivia y Perú.

- Además de hablar español, ¿cómo debe ser la persona que trabajará para *Conservation International*? ¿Qué le interesará a esta persona?

Homero Aridjis, famoso escritor y naturalista mexicano

# Lectura

## Protejamos la Antártida

*Pingüinos juanitos*

Con un área de 16.5 millones de kilómetros cuadrados, la Antártida es un continente de hielo, y es el quinto en tamaño de la Tierra. El 90 por ciento del hielo de la Tierra se encuentra en la Antártida. Es un desierto frígido donde casi nunca llueve. El continente está rodeado por islas que tienen un clima menos frío y por esto hay una variedad de plantas. Estas plantas mantienen un gran número de pájaros y animales. La existencia de especies está limitada por el clima y el hielo, pero existe una abundancia de vida en el agua: plancton, coral, esponjas, peces, focas,[1] ballenas y pingüinos.

### ¡Estamos en peligro!

Las regiones polares son muy importantes para la supervivencia[2] de la Tierra entera. Los casquetes de hielo[3] en las zonas polares reflejan luz solar y así regularizan la temperatura de la Tierra. Cuando se destruyen estos casquetes, hay menos luz solar que se refleja y la Tierra se convierte en un receptor termal. Esto se llama el efecto de invernadero.[4] Es en la Antártida que en 1985 se reportaron por primera vez los hoyos[5] en la capa[6] del ozono y aquí es donde hoy día se trata de encontrar una solución.

### El Tratado Antártico

A través de los años, muchos países han declarado soberanía de derechos[7] sobre la Antártida y esto ha producido problemas, especialmente en la Argentina y Chile. Pero el 1ro de diciembre de 1959, los problemas se acabaron con el Tratado[8] Antártico.

[1]seals [2]survival [3]ice caps [4]greenhouse effect [5]holes [6]layer [7]sovereign land rights [8]Treaty

*Ushuaia, Argentina*

proteger el medio ambiente de la Antártida. La región de Tierra del Fuego dividida entre Chile y la Argentina es hoy un centro de investigación científica polar. La ciudad de Ushuaia se ha convertido en el punto de partida[10] para los que visitan la Antártida.

por científicos especializados en el medio ambiente de la región. Los barcos tardan dos días en llegar a la Antártida y los visitantes pueden quedarse en las bases de actividad científica que se encuentran en el continente.

El tratado estableció reglas para el uso de la región. Las dos más importantes son el uso pacífico del continente para objetivos científicos y la prohibición de la explotación minera. La Argentina y Chile, entre otros, han tomado medidas[9] para

## Ushuaia

Es la ciudad más al sur del mundo. Desde aquí salen equipos científicos a la Antártida para estudiar el clima, la naturaleza, el hielo y la roca. También salen excursiones turísticas dirigidas

*Un crucero, la Antártida*

*Base científica de la Argentina, Antártida*

[9]have taken steps  [10]departure

## ¿Comprendiste?

1. Según el artículo, ¿cómo afectan las regiones polares al medio ambiente?

2. ¿Por qué se considera la Antártida un desierto?

3. ¿Por qué fue importante el Tratado Antártico?

## Y tú, ¿qué dices?

¿Te gustaría visitar la Antártida? ¿Por qué?

### Más práctica

- **Guided** Reading Support p. 342
- **Communication** Writing p. 184, Test Prep p. 287
- *Real.* **para hispanohablantes** pp. 362–363

**realidades.com** ✔
- Internet Activity
- Leveled Workbook
- Web Code: jdd-0915

# Perspectivas del mundo hispano

## La deforestación de los bosques tropicales

La selva tropical y el río Amazonas

La selva o el bosque tropical son bosques con una vegetación rica y abundante, situados alrededor de la zona de la línea ecuatorial. En América Latina y el Caribe, los bosques cubren[1] el 47 por ciento del área total, y la región del río Amazonas tiene el 33 por ciento de todos los bosques tropicales del mundo.

Hace tres o cuatro mil años, los bosques tropicales cubrían el 14 por ciento de la Tierra. Hoy en día los bosques tropicales sólo cubren el dos por ciento de la Tierra. La mayoría de la deforestación ha ocurrido en los últimos 250 años, producida por el aumento[2] de la producción industrial y de la población. El 84 por ciento de la deforestación en América Latina es causada por la expansión de áreas para la agricultura, el 12.5 por ciento se debe a la tala[3] de árboles y el 3.5 por ciento a la construcción de carreteras, puentes y otras obras públicas.

Es importante proteger los bosques porque en ellos viven personas y animales que están perdiendo sus hogares.[4] Además, los bosques tropicales son una fuente muy importante de recursos naturales y medicinas.

**¡Compruébalo!** Busca información en Internet sobre el porcentaje[5] de bosques en tu estado.[6] ¿Ha aumentado[7] o bajado en los últimos 50 años? ¿Hay programas para proteger los bosques? Descríbelos.

**¿Qué te parece?** Compara el problema de la deforestación de los bosques tropicales con la situación que existe en tu estado. ¿En qué sentido es similar? ¿En qué sentido es diferente?

La deforestación en la zona amazónica, Brasil

[1]cover  [2]increase  [3]logging  [4]homes
[5]percentage  [6]state  [7]increased

**Intact Forest Landscapes**
■ Closed forests
■ Open forests, woodlands and savannas

**Other forests:**
■ Closed forests
□ Open forests, woodlands and savannas

Scale 1:70 000 000
0   1000   2000   3000   4000 km

# Presentación escrita
## Prestemos servicio

**Task**
Summer vacation is a good time to do something to improve your community. You are organizing a volunteer project and have been asked to write an article for the daily paper explaining your project.

**1 Prewrite** To write your article, jot down answers to the following:

- ¿Qué . . . ?
- ¿Quién(es) . . . ?
- ¿Por qué . . . ?
- ¿Dónde . . . ?
- ¿Cuándo . . . ?
- Para más información . . .

**2 Draft** Using the answers to the key questions, write the first draft of your article. Try to use a title that captures the interest of your readers. It is important to present your ideas in a logical, concise, and interesting format so that others will want to participate.

**3 Revise** Read your article and correct the spelling, agreement, verb forms, and use of vocabulary. Have a classmate check the following:

- Did you present your plan in a logical, concise format?
- Did you include all the necessary information?
- Should you add or change anything?
- Are there errors in spelling, verb forms, or agreement?

**4 Publish** Rewrite the article, making the necessary corrections and changes. Make a copy for your teacher and include another in your portfolio.

**5 Evaluation** Your teacher may give you a rubric for how the article will be graded. You will probably be graded on:

- how logical and concise the article is
- how complete the information is
- accuracy in the use of the future and the present subjunctive

**Estrategia**

**Key questions**
Before writing an article, it's always a good idea to organize the information you will need. Questions such as Who?, What?, When?, Where?, and Why? are useful in planning your article.

| Proyecto | |
|---|---|
| ¿Qué? | |
| ¿Quién? | |
| ¿Por qué? | |
| ¿Dónde? | |
| ¿Cuándo? | |
| | |
| | |

# Repaso del capítulo

## Vocabulario y gramática

jdd-0999

**Chapter Review**

To prepare for the test, check to see if you . . .
- **know the new vocabulary and grammar**
- **can perform the tasks on p. 497**

**to talk about Earth**

| | |
|---|---|
| el bosque | forest |
| la colina | hill |
| el desierto | desert |
| el espacio | (outer) space |
| la Luna | the moon |
| la naturaleza | nature |
| la planta | plant |
| el pueblo | town |
| la selva tropical | rain forest |
| la Tierra | Earth |
| el valle | valley |

**to talk about energy**

| | |
|---|---|
| ahorrar | to save |
| el aire acondicionado | air conditioning |
| la calefacción | heat |
| económico, -a | economical |
| eficiente | efficient |
| la electricidad | electricity |
| la energía | energy |
| solar | solar |

**to talk about the environment**

| | |
|---|---|
| conservar | to conserve |
| la contaminación | pollution |
| contaminado, -a | polluted |
| contra | against |
| la destrucción | destruction |
| ecológico, -a | ecological |
| eliminar | to eliminate |
| en peligro de extinción | endangered, in danger of extinction |
| la fuente | source |
| funcionar | to function, to work |
| grave | serious |
| la guerra | war |
| juntarse | to join |
| luchar | to fight |
| la manera | way, manner |
| el medio ambiente | environment |
| mejorar | to improve |

| | |
|---|---|
| la paz | peace |
| proteger | to protect |
| puro, -a | pure |
| reducir | to reduce |
| resolver (o→ue) | to solve |

**other useful words and expressions**

| | |
|---|---|
| además (de) | in addition (to), besides |
| dudar | to doubt |
| es cierto | it is certain |
| haya | there is, there are (subjunctive) |

**other verbs that have irregular stems in the future tense**

| | |
|---|---|
| decir | dir- |
| poner | pondr- |
| querer | querr- |
| salir | saldr- |
| venir | vendr- |

**the present subjunctive with expressions of doubt**

**No creo que** los estudiantes **lleguen** a tiempo.

**Dudamos que** el aire acondicionado **funcione.**

Ramón **no está seguro de que** el concierto **empiece** a las siete.

**Es posible que veamos** al Presidente.

**Es imposible que** la gente **viva** en el espacio.

**No es cierto que** el agua del río **sea** pura.

For *Vocabulario adicional,* see pp. 498–499.

**Más práctica**

- **Core** Puzzle p. 189, Organizer p. 190
- **Communication** Practice Test pp. 289–291, Integrated Performance Assessment p. 288

**realidades.com** ✔

- Tutorial
- Flashcards
- Puzzles
- Self-test
- Web Code: jdd-0916

# Preparación para el examen

| On the exam you will be asked to . . . | Here are practice tasks similar to those you will find on the exam . . . | If you need review . . . |
|---|---|---|

## Interpretive

jdd-0999 🔊

**1 Escuchar** Listen and understand as students talk about people's actions with respect to the environment

In honor of "*Día de la Tierra*", a class is discussing what people currently do or will do to improve the environment. Listen to their comments, and write *presente* if their statements deal with the present or *futuro* if they deal with the future.

**pp. 476–479** *Vocabulario en contexto*
**p. 480** Actividad 4
**p. 484** Actividad 12

## Interpersonal

**2 Hablar** Tell what you will do personally to save the environment

The director from the Hispanic Youth Center asks you to talk to a group about five things that *you* will do this year to make a positive impact on the environment. For example, you might say: *Trabajaré en un centro de reciclaje.*

**p. 482** Actividad 9
**p. 483** Actividad 10
**p. 486** Actividad 16
**p. 488** Actividad 19
**p. 489** Actividades 20–21
**p. 490** Actividad 23
**p. 491** Actividad 25

## Interpretive

**3 Leer** Read and understand a description of the future

Read a description of a film director's portrayal of how the world will be in 30 years. Where will people live? What will we use for energy? Does he include anything you consider impossible?

*En el futuro, habrá apartamentos debajo del océano o en las estaciones del espacio. Dudo que usemos la gasolina para los coches. Será necesario usar la energía solar. Para conservar la energía, no tendremos más que una computadora y un televisor en cada apartamento.*

**p. 481** Actividad 7
**p. 482** Actividad 8
**p. 485** Actividad 13
**p. 487** Actividad 17
**p. 490** Actividad 23
**p. 491** Actividad 24

## Presentational

**4 Escribir** Write information to include on a "*Proteger nuestro medio ambiente*" poster

Your science teacher asks you to write a Spanish version of an environmental poster. What recommendations would you include on the poster? For example, you might write: *Sugerimos que reciclen los periódicos.*

**p. 481** Actividad 7
**p. 482** Actividad 8
**p. 487** Actividad 17
**p. 488** Actividad 19
**p. 491** Actividades 24–25
**p. 495** *Presentación escrita*

## Cultures

**5 Pensar** Demonstrate an understanding of efforts to protect natural resources in the Spanish-speaking world

Think about what you have learned in this chapter about how the people and governments in Spanish-speaking countries address environmental problems. Compare these efforts to those in the United States. Does this seem to be a regional or a worldwide problem?

**p. 481** *Fondo cultural*
**p. 483** Actividad 10, *Fondo cultural*
**p. 485** *Fondo cultural*
**p. 494** *Perspectivas del mundo hispano*

# Vocabulario adicional

## Las actividades en la clase

**anotar** to take notes

**el ensayo** essay

**reflexionar** to reflect on, to think about

**responder (a)** to respond

**el resumen,** *pl.* **los resúmenes** summary

## Las cosas de la escuela

**el borrador,** *pl.* **los borradores** eraser

**el marcador,** *pl.* **los marcadores** marker

**el pisapapeles,** *pl.* **los pisapapeles** paperweight

**el pizarrón** *pl.* **los pizarrones** blackboard

**el sujetapapeles,** *pl.* **los sujetapapeles,** paper clip

**la tiza** chalk

## Las cosas para arreglarse

**el esmalte de uñas** nail polish

**la espuma de afeitar** shaving foam

**el fijador** hair spray

**el lápiz de labios,** *pl.* **los lápices de labios** lipstick

**la loción,** *pl.* **las lociones** lotion

**la loción astringente** astringent

**la loción humectante** moisturizing lotion

**la loción para después de afeitarse** aftershave lotion

**la maquinilla de afeitar** razor

**la sombra de ojos** eye shadow

## Las compras de ropa

**estar pasado, -a de moda** to be out of style

## Los precios

**accesible** affordable

## Los lugares en la comunidad

**el asilo para ancianos** senior citizen home

**el ayuntamiento** city hall

**el centro cultural** cultural center

**el centro de salud** health center

## Las cosas en la tienda deportiva

**los anteojos de esquí / de natación** goggles

**el balón,** *pl.* **los balones** ball (football, soccer, and so on)

**el bate de béisbol** baseball bat

**el casco** helmet

**el guante de béisbol** baseball glove

**el uniforme del equipo** team uniform

## Las cosas relacionadas con el banco

**el billete** bill

**el cambio** change

**la cuenta corriente** checking account

**depositar un cheque** to deposit a check

## Las expresiones para el correo

**el correo aéreo** air mail

**el correo urgente** express mail

**el sobre** envelope

## Las expresiones para manejar

**la acera** sidewalk

**el bache** pothole

## Las expresiones para el metro

**bajar de** to get off

**hacia** toward

**la parada (del autobús, del metro, . . .)** (bus, metro, . . .) stop

**subir a** to get on

## Las expresiones para los eventos especiales

**agradecer** *(c → zc)* to be grateful for, to be appreciative of

**el bautizo** baptism

**brindar** to propose a toast

**el Día de Acción de Gracias** Thanksgiving

**el Día de San Valentín** Saint Valentine's Day

**la Nochebuena** Christmas Eve

**la Víspera del Año Nuevo** New Year's Eve

## Los miembros de la familia

**el bisabuelo** great-grandfather

**la bisabuela** great-grandmother

**el cuñado** brother-in-law

**la cuñada** sister-in-law

**el nieto** grandson

**la nieta** granddaughter

**el padrino** godfather

**la madrina** godmother

**el sobrino** nephew

**la sobrina** niece

## Las expresiones para describir cómo era de niño(a)

**creativo, -a** creative

**inquieto, -a** restless

**juguetón, juguetona** playful

**mentiroso, -a** fibber

**prudente** prudent, sensible

## El equipo para niños

**el cajón de arena** sandbox

**el carrusel** merry-go-round

**el columpio** swing

**el patio de recreo** playground

**la subibaja** seesaw

**el tobogán,** *pl.* **los toboganes** slide

## Los animales en las fábulas

**el águila,** *pl.* **las águilas** *f.* eagle

**el conejo** rabbit

**el cuervo** raven

**la gallina** hen

**el gallo** rooster

**la oveja** sheep

**la rana** frog

**el toro** bull

**la vaca** cow

**el zorro, la zorra** fox

## Las expresiones para las emergencias

**la alergia** allergy

**el análisis,** *pl.* **los análisis** medical test

**el antibiótico** antibiotic

**la aspirina** aspirin

**la camilla** stretcher

**el cirujano, la cirujana** surgeon

**estar resfriado** to have a cold

**estornudar** to sneeze

**la fiebre** fever

**la fractura** fracture

**la gripe** flu

**la hinchazón** swelling

**el jarabe** cough syrup

**la lesión,** *pl.* **las lesiones** injury

**el oído** ear (inner)

**la operación,** *pl.* **las operaciones** operation

**el pecho** chest

**la picadura** sting

**sufrir** to suffer

**la tos** cough

### Las expresiones para hablar sobre los desastres naturales

**el ciclón,** *pl.* **los ciclones** cyclone

**el daño** damage

**el derrumbe** landslide

**la erupción volcánica** volcanic eruption

**huir** *(i → y)* to flee

**el maremoto** tidal wave

**seguro, -a** safe

**sobrevivir** to survive

**la tempestad** storm

**el tifón,** *pl.* **los tifones** typhoon

**el tornado** tornado, twister

### Las expresiones para hablar sobre las noticias

**los detalles** details

**en vivo** live

**el / la periodista** journalist, reporter

**el titular** headline

### Los eventos deportivos

**el atletismo** track and field

**la carrera** race

**la corona** crown

**empatar** to tie

**la meta** finish line (in a race)

**el resultado** score

**el torneo** tournament

**el trofeo** trophy

**vencer** *(c → z)* to defeat, to conquer

### Los sentimientos

**alegrarse** to be happy

**estar conmovido, -a** to be moved

### Las expresiones para el cine

**el bandido, la bandida** bandit

**el / la culpable** guilty person

**el / la delincuente** delinquent

**el documental** documentary

**el festival de cine** film festival

**filmar** to shoot, film

**el monstruo** monster

### Las cosas de la cocina

**la cafetera** coffee maker

**el cucharón,** *pl.* **los cucharones** ladle

**la licuadora** blender

**el molde** baking pan

**las tazas para medir** measuring cups

### Las comidas al aire libre

**el aceite de oliva** olive oil

**el ají** pepper; hot sauce made with this pepper

**el apio** celery

**los calamares** squid

**el chorizo** sausage

**la ciruela** plum

**el cordero** lamb

**los espárragos** asparagus

**las espinacas** spinach

**la fruta de estación** seasonal fruit

**el hígado** liver

**la langosta** lobster

**el pepino** cucumber

**la ternera** veal

**la toronja** grapefruit

### Las expresiones para describir comidas

**agrio, -a** bitter

**cocido, -a** cooked

**crudo, -a** raw

**jugoso, -a** juicy

**salado, -a** salty

### Los viajes

**acampar** to camp

**el / la excursionista** excursionist

**la expedición,** *pl.* **las expediciones** expedition

**el explorador, la exploradora** explorer

**ir al extranjero** to go abroad

**el paisaje** landscape

**el paseo** trip

**el recorrido** route

**la tienda de acampar** tent

**el / la trotamundos** globe-trotter, world traveler

### Las expresiones para el avión

**abrocharse el cinturón** to fasten one's seat belt

**la almohada** pillow

**aterrizar** *(z → c)* to land

**el compartimiento sobre la cabeza** overhead compartment

**despegar** to take off

**procedente de** arriving from

**la tripulación** crew

**la turbulencia** turbulence

**la salida de emergencia** emergency exit

**la señal de no fumar** no smoking sign

### Expresiones y palabras

**asombroso, -a** amazing

**extraordinario, -a** extraordinary

**glorioso, -a** glorious

**maravilloso, -a** wonderful

**tradicional** traditional

**único, -a** unique, special

### Más expresiones sobre trabajos

**el / la electricista** electrician

**el horario fijo** regular schedule

**el / la intérprete** interpreter

**el plomero, la plomera** plumber

**el programador, la programadora** computer programmer

**el puesto** job position

**el tiempo completo** full time

**el tiempo parcial** part time

**el título universitario** college degree

**el trabajador social, la trabajadora social** social worker

**el traductor, la traductora** translator

### El medio ambiente

**el aluminio** aluminum

**prevenir** to prevent

**la reserva natural** nature reserve

# Resumen de gramática

## Grammar Terms

**Adjectives** describe nouns: *a **red** car.*

**Adverbs** usually describe verbs; they tell when, where, or how an action happens: *He read it **quickly.*** Adverbs can also describe adjectives or other adverbs: ***very** tall, **quite** well.*

**Articles** are words in Spanish that can tell you whether a noun is masculine, feminine, singular, or plural. In English, the articles are ***the, a,*** and ***an.***

**Commands** are verb forms that tell people to do something: ***Study!, Work!***

**Comparatives** compare people or things.

**Conjugations** are verb forms that add endings to the stem in order to tell who the subject is and what tense is being used: *escrib**o**, escrib**iste.***

**Conjunctions** join words or groups of words. The most common ones are ***and, but,*** and ***or.***

**Direct objects** are nouns or pronouns that receive the action of a verb: *I read the **book**. I read **it**.*

**Future tense** is used to talk about actions in the future and to express what will happen: *Tomorrow **we will begin** working.*

**Gender** in Spanish tells you whether a noun, pronoun, or article is masculine or feminine.

**Imperfect tense** is used to talk about actions that happened repeatedly in the past; to describe people, places, and situations in the past; to talk about a past action or situation where no beginning or end is specified; and to describe an ongoing action in the past. The imperfect tense may also be used to tell what time it was or to describe weather in the past and to describe the past physical, mental, and emotional states of a person or thing.

**Imperfect progressive tense** is used to describe something that was taking place over a period of time in the past: *He **was skiing** when he broke his leg.*

**Indirect objects** are nouns or pronouns that tell you to whom / what or for whom / what something is done: *I gave **him** the book.*

**Infinitives** are the basic forms of verbs. In English, infinitives have the word "to" in front of them: ***to walk.***

**Interrogatives** are words that ask questions: ***What** is that? **Who** are you?*

**Nouns** name people, places, or things: ***students, Mexico City, books.***

**Number** tells you if a noun, pronoun, article, or verb is singular or plural.

**Prepositions** show relationship between their objects and another word in the sentence: *He is **in** the classroom.*

**Present tense** is used to talk about actions that always take place, or that are happening now: *I always **take** the bus; I **study** Spanish.*

**Present perfect tense** is used to say what a person *had done: We **have seen** the new movie.*

**Present progressive tense** is used to emphasize that an action is happening *right now: I **am doing** my homework; he **is finishing** dinner.*

**Preterite tense** is used to talk about actions that were completed in the past: *I **took** the train yesterday; I **studied** for the test.*

**Pronouns** are words that take the place of nouns: ***She** is my friend.*

**Reflexive verbs** are used to say that people do something to or for themselves: *I **wash my** hair.* Other reflexive verbs often describe a change in mental, emotional, or physical state, and can express the idea that someone "gets" or "becomes": *They **became** angry.*

**Subjects** are the nouns or pronouns that perform the action in a sentence: ***John** sings.*

**Subjunctive mood** is used to say that one person influences the actions of another: ***I recommend that you speak** with your doctor; **it is important that she have** good manners.* It is also used after verbs and expressions that indicate doubt or uncertainty: ***It's possible that there's** enough food.*

**Superlatives** describe which things have the most or least of a given quality: *She is the **best** student.*

**Verbs** show action or link the subject with a word or words in the predicate (what the subject does or is): *Ana **writes**; Ana **is** my sister.*

## Nouns, Number, and Gender

Nouns refer to people, animals, places, things, and ideas. Nouns are singular or plural. In Spanish, nouns have gender, which means that they are either masculine or feminine.

| Singular Nouns | |
|---|---|
| Masculine | Feminine |
| libro | carpeta |
| pupitre | casa |
| profesor | noche |
| lápiz | ciudad |

| Plural Nouns | |
|---|---|
| Masculine | Feminine |
| libros | carpetas |
| pupitres | casas |
| profesores | noches |
| lápices | ciudades |

# Definite Articles

*El, la, los,* and *las* are definite articles and are the equivalent of "the" in English. *El* is used with masculine singular nouns; *los* with masculine plural nouns. *La* is used with feminine singular nouns; *las* with feminine plural nouns. When you use the words *a* or *de* before *el,* you form the contractions *al* and *del: Voy **al** centro; Es el libro **del** profesor.*

| Masculine | |
|---|---|
| **Singular** | **Plural** |
| el libro | los libros |
| el pupitre | los pupitres |
| el profesor | los profesores |
| el lápiz | los lápices |

| Feminine | |
|---|---|
| **Singular** | **Plural** |
| la carpeta | las carpetas |
| la casa | las casas |
| la noche | las noches |
| la ciudad | las ciudades |

# Indefinite Articles

*Un* and *una* are indefinite articles and are the equivalent of "a" and "an" in English. *Un* is used with singular masculine nouns; *una* is used with singular feminine nouns. The plural indefinite articles are *unos* and *unas.*

| Masculine | |
|---|---|
| **Singular** | **Plural** |
| un libro | unos libros |
| un baile | unos bailes |

| Feminine | |
|---|---|
| **Singular** | **Plural** |
| una revista | unas revistas |
| una mochila | unas mochilas |

# Pronouns

*Subject pronouns* tell who is doing the action. They replace nouns or names in a sentence. Subject pronouns are often used for emphasis or clarification: *Gregorio escucha música. **Él** escucha música.*

A *direct object* tells who or what receives the action of the verb. To avoid repeating a direct object noun, you can replace it with a *direct object pronoun.* Direct object pronouns have the same gender and number as the nouns they replace: *¿Cuándo compraste **el libro? Lo** compré ayer.*

An *indirect object* tells to whom or for whom an action is performed. *Indirect object pronouns* are used to replace an indirect object noun: ***Les** doy dinero. (I give money to them.)* Because *le* and *les* have more than one meaning, you can make the meaning clear, or show emphasis, by adding *a* + the corresponding name, noun, or pronoun: ***Les** doy el dinero a **ellos.***

A *reflexive pronoun* is used to show that someone does an action to or for herself or himself. Each reflexive pronoun corresponds to a different subject and always agrees with the subject pronoun: *Todos los días **me ducho** y **me arreglo** el pelo.* You know that a verb is reflexive if its infinitive form ends with the letters *se: ducharse, arreglarse.*

After most prepositions, you use *mí* and *ti* for "me" and "you." The forms change with the preposition *con: conmigo, contigo.* For all other persons, you use subject pronouns after prepositions.

## The personal a

When the direct object is a person, a group of people, or a pet, use the word *a* before the object. This is called the "personal *a*": *Visité **a** mi abuela. Busco **a** mi perro, Capitán.*

| Subject Pronouns | | Direct Object Pronouns | | Indirect Object Pronouns | | Reflexive Pronouns | | Objects of Prepositions | |
|---|---|---|---|---|---|---|---|---|---|
| **Singular** | **Plural** | **Singular** | **Plural** | **Singular** | **Plural** | **Singular** | **Plural** | **Singular** | **Plural** |
| yo | nosotros, nosotras | me | nos | me | nos | me | nos | (para) mí, conmigo | nosotros, nosotras |
| tú | vosotros, vosotras | te | os | te | os | te | os | (para) ti, contigo | vosotros, vosotras |
| usted (Ud.), él, ella | ustedes (Uds.), ellos, ellas | lo, la | los, las | le | les | se | se | Ud., él, ella | Uds., ellos, ellas |

## Adjectives

Words that describe people and things are called adjectives. In Spanish, most adjectives have both masculine and feminine forms, as well as singular and plural forms. Adjectives must agree with the nouns they describe in both gender and number. When an adjective describes a group including both masculine and feminine nouns, use the masculine plural form.

| Masculine | |
|---|---|
| **Singular** | **Plural** |
| alto | altos |
| inteligente | inteligentes |
| trabajador | trabajadores |
| fácil | fáciles |

| Feminine | |
|---|---|
| **Singular** | **Plural** |
| alta | altas |
| inteligente | inteligentes |
| trabajadora | trabajadoras |
| fácil | fáciles |

## Shortened Forms of Adjectives

When placed before masculine singular nouns, some adjectives change into a shortened form.

| | | |
|---|---|---|
| bueno | → | buen chico |
| malo | → | mal día |
| primero | → | primer trabajo |
| tercero | → | tercer plato |
| grande | → | gran señor |

One adjective, *grande,* changes to a shortened form before any singular noun: *una **gran** señora, un **gran** libro.*

## Possessive Adjectives

Possessive adjectives are used to tell what belongs to someone or to show relationships. Like other adjectives, possessive adjectives agree in number with the nouns that follow them.

Only *nuestro* and *vuestro* have different masculine and feminine endings. *Su* and *sus* can have many different meanings: *his, her, its, your,* or *their.*

The long forms of possessive adjectives are used for emphasis and come *after* the noun. They may also be used without a noun: *Esta chaqueta es* **tuya?** *Sí, es **mía.***

| Singular | Plural |
|---|---|
| mi | mis |
| tu | tus |
| su | sus |
| nuestro, -a | nuestros, -as |
| vuestro, -a | vuestros, -as |
| su | sus |

| Singular | Plural |
|---|---|
| mío/mía | míos/mías |
| tuyo/tuya | tuyos/tuyas |
| suyo/suya | suyos/suyas |
| nuestro/nuestra | nuestros/nuestras |
| vuestro/vuestra | vuestros/vuestras |
| suyo/suya | suyos/suyas |

## Demonstrative Adjectives

Like other adjectives, demonstrative adjectives agree in gender and number with the nouns that follow them. Use *este, esta, estos, estas* ("this" / "these") before nouns that name people or things that are close to you. Use *ese, esa, esos, esas* ("that" / "those") before nouns that name people or things that are at some distance from you.

Use *aquel, aquella, aquellos,* or *aquellas* ("that [those] over there") before nouns that name people or things that are far from both you and the person to whom you are speaking.

| Singular | Plural |
|---|---|
| este libro | estos libros |
| esta casa | estas casas |
| ese niño | esos niños |
| esa manzana | esas manzanas |
| aquel bolso | aquellos bolsos |
| aquella blusa | aquellas blusas |

## Interrogative Words

You use interrogative words to ask questions. When you ask a question with an interrogative word, you put the verb before the subject. All interrogative words have a written accent mark.

| | | |
|---|---|---|
| ¿Adónde? | ¿Cuándo? | ¿Dónde? |
| ¿Cómo? | ¿Cuánto, -a? | ¿Por qué? |
| ¿Con quién? | ¿Cuántos, -as? | ¿Qué? |
| ¿Cuál? | ¿De dónde? | ¿Quién? |

## Comparatives and Superlatives

**Comparatives** Use *más . . . que* or *menos . . . que* to compare people or things: *más interesante que . . . , menos alta que . . .*

When talking about number, use *de* instead of *que: Tengo más de cien monedas en mi colección.*

To compare people or things that are equal, use *tan . . . como:* **tan** *popular* **como . . .** *Tanto / tanta . . . como* is used to say "*as much as*" and *tantos / tantas . . . como* is used to say "as many as": **tanto** *dinero* **como . . . tantas** *amigas*

*como . . . Tanto* and *tanta* match the number and gender of the noun to which they refer.

**Superlatives** Use this pattern to express the idea of "most" or "least."

el
la + *noun* + más / menos + *adjective*
los
las

*Es **el programa de televisión más interesante.***
*Son **los perritos más pequeños.***

Several adjectives are irregular when used with comparisons and superlatives.

| | |
|---|---|
| older | mayor |
| younger | menor |
| better | mejor |
| worse | peor |

To say that something is "the most," "the least," "the best," or "the worst" in a group or category, use *de.*

*Es **la chica más seria de** la clase.*
*Es **la mejor película del** festival de cine.*

## Affirmative and Negative Words

To make a sentence negative in Spanish, *no* usually goes in front of the verb or expression. To show that you do not like either of two choices, use *ni . . . ni.*

*Alguno, alguna, algunos, algunas* and *ninguno, ninguna* match the number and gender of the noun to which they refer. When *alguno* and *ninguno* come before a masculine singular noun, they change to *algún* and *ningún.*

| Affirmative | Negative |
|---|---|
| algo | nada |
| alguien | nadie |
| algún | ningún |
| alguno, -a, -os, -as | ninguno, -a |
| siempre | nunca |
| también | tampoco |

## Adverbs

To form an adverb in Spanish, *-mente* is added to the feminine singular form of an adjective. This *-mente* ending is equivalent to the "-ly" ending in English. If the adjective has a written accent, such as *rápida, fácil,* and *práctica,* the accent appears in the same place in the adverb form.

| | | |
|---|---|---|
| general | → | generalmente |
| especial | → | especialmente |
| fácil | → | fácilmente |
| feliz | → | felizmente |
| rápida | → | rápidamente |
| práctica | → | prácticamente |

# Verbos

## Regular Present, Preterite, Imperfect, Future, and Subjunctive

Here are the conjugations for regular -ar, -er, and -ir verbs in the present, preterite, imperfect, future, and subjunctive tenses.

| Infinitive | Present | | Preterite | | Imperfect | | Future | | Subjunctive | |
|---|---|---|---|---|---|---|---|---|---|---|
| estudiar | estudio | estudiamos | estudié | estudiamos | estudiaba | estudiábamos | estudiaré | estudiaremos | estudie | estudiemos |
| | estudias | estudiáis | estudiaste | estudiasteis | estudiabas | estudiabais | estudiarás | estudiaréis | estudies | estudiéis |
| | estudia | estudian | estudió | estudiaron | estudiaba | estudiaban | estudiará | estudiarán | estudie | estudien |
| correr | corro | corremos | corrí | corrimos | corría | corríamos | correré | correremos | corra | corramos |
| | corres | corréis | corriste | corristeis | corrías | corríais | correrás | correréis | corras | corráis |
| | corre | corren | corrió | corrieron | corría | corrían | correrá | correrán | corra | corran |
| vivir | vivo | vivimos | viví | vivimos | vivía | vivíamos | viviré | viviremos | viva | vivamos |
| | vives | vivís | viviste | vivisteis | vivías | vivíais | vivirás | viviréis | vivas | viváis |
| | vive | viven | vivió | vivieron | vivía | vivían | vivirá | vivirán | viva | vivan |

## Present Progressive and Imperfect Progressive

When you want to emphasize that an action is happening *right now*, you use the present progressive tense.

To describe something that was taking place over a period of time *in the past*, use the imperfect progressive.

| Infinitive | Present Progressive | | | | Imperfect Progressive | |
|---|---|---|---|---|---|---|
| estudiar | estoy | estudiando | estamos | estudiando | estaba estudiando | estabámos estudiando |
| | estás | estudiando | estáis | estudiando | estabas estudiando | estabais estudiando |
| | está | estudiando | están | estudiando | estaba estudiando | estaban estudiando |
| correr | estoy | corriendo | estamos | corriendo | estaba corriendo | estábamos corriendo |
| | estás | corriendo | estáis | corriendo | estabas corriendo | estabais corriendo |
| | está | corriendo | están | corriendo | estaba corriendo | estaban corriendo |
| vivir | estoy viviendo | | estamos viviendo | | estaba viviendo | estábamos viviendo |
| | estás viviendo | | estáis viviendo | | estabas viviendo | estabais viviendo |
| | está viviendo | | están viviendo | | estaba viviendo | estaban viviendo |

## Present Perfect Tense

When you want to say what a person *has done,* use the present perfect tense.

| Infinitive | Present Perfect | |
|---|---|---|
| estudiar | he estudiado | hemos estudiado |
| | has estudiado | habéis estudiado |
| | ha estudiado | han estudiado |
| correr | he corrido | hemos corrido |
| | has corrido | habéis corrido |
| | ha corrido | han corrido |
| vivir | he vivido | hemos vivido |
| | has vivido | habéis vivido |
| | ha vivido | han vivido |

# Commands

When telling a friend, a family member, or a young person to do something, use an affirmative *tú* command. To give these commands for most verbs, use the same present-tense forms that are used for *Ud., él, ella*. Some verbs have an irregular affirmative *tú* command.

When telling a friend, a family member, or a young person *not* to do something, use a negative *tú* command. To give these commands for most verbs, drop the *-o* of the present-tense *yo* form and add *-es* for *-ar* verbs and *-as* for *-er* and *-ir* verbs. Some verbs have an irregular negative *tú* command.

To give affirmative or negative commands in the *Ud.* or *Uds.* form, drop the *-o* of the present-tense *yo* form and add *-e* or *-en* for *-ar* verbs and *-a* or *-an* for *-er* and *-ir* verbs. Some verbs have an irregular *Ud.* or *Uds.* command.

For stem-changing and spelling-changing verbs see the tables on pages 506–509.

| Infinitive | Tú | Negative *tú* | Usted | Ustedes |
|---|---|---|---|---|
| estudiar | estudia | no estudies | (no) estudie | (no) estudien |
| correr | corre | no corras | (no) corra | (no) corran |
| vivir | vive | no vivas | (no) viva | (no) vivan |

| Infinitive | Tú | Negative *tú* | Usted | Ustedes |
|---|---|---|---|---|
| dar | da | no des | (no) dé | (no) den |
| decir | di | no digas | (no) diga | (no) digan |
| estar | está | no estés | (no) esté | (no) estén |
| hacer | haz | no hagas | (no) haga | (no) hagan |
| ir | ve | no vayas | (no) vaya | (no) vayan |
| poner | pon | no pongas | (no) ponga | (no) pongan |
| salir | sal | no salgas | (no) salga | (no) salgan |
| ser | sé | no seas | (no) sea | (no) sean |
| tener | ten | no tengas | (no) tenga | (no) tengan |
| venir | ven | no vengas | (no) venga | (no) vengan |

# Stem-changing Verbs

Here is a list of the stem-changing verbs. Only conjugations with changes are highlighted.

## Infinitive in -ar

| Infinitive | Present Indicative | | Present Subjunctive | |
|---|---|---|---|---|
| pensar (e→ie) | pienso | pensamos | piense | pensemos |
| | piensas | pensáis | pienses | penséis |
| | piensa | piensan | piense | piensen |
| Verbs like **pensar:** calentar, comenzar,[1] despertar(se), recomendar, tropezar | | | | |
| contar (o→ue) | cuento | contamos | cuente | contemos |
| | cuentas | contáis | cuentes | contéis |
| | cuenta | cuentan | cuente | cuenten |
| Verbs like **contar:** acostar(se), almorzar, costar, encontrar(se), probar(se), recordar | | | | |
| jugar (u→ue) | juego | jugamos | juegue | juguemos |
| | juegas | jugáis | juegues | juguéis |
| | juega | juegan | juegue | jueguen |

## Infinitive in -er

| Infinitive | Present Indicative | | Present Subjunctive | |
|---|---|---|---|---|
| entender (e→ie) | entiendo | entendemos | entienda | entendamos |
| | entiendes | entendéis | entiendas | entendáis |
| | entiende | entienden | entienda | entiendan |
| Verbs like **entender:** encender, perder | | | | |
| devolver (o→ue) | devuelvo | devolvemos | devuelva | devolvamos |
| past participle: | devuelves | devolvéis | devuelvas | devolváis |
| devuelto | devuelve | devuelven | devuelva | devuelvan |
| Verbs like **devolver:** mover(se), resolver, torcer(se),[2] volver (past participle: **vuelto**) | | | | |

[1]Remember that verbs like *comenzar* and *tropezar* also have a spelling change *(z → c)* in all forms of the present subjunctive. See p. 508 for a complete conjugation of *empezar*.

[2]Verbs like *torcer(se)* also have a spelling change *(c → z)* in all forms of the present subjunctive. See p. 509 for a complete conjugation of *torcer(se)*.

## Stem-changing Verbs (continued)

### Infinitive in *-ir*

| | Indicative | | Indicative | | Subjunctive | |
|---|---|---|---|---|---|---|
| | **Present** | | **Preterite** | | **Present** | |
| pedir (e→i) (e→i)<br>present participle: pidiendo | pido<br>pides<br>pide | pedimos<br>pedís<br>piden | pedí<br>pediste<br>pidió | pedimos<br>pedisteis<br>pidieron | pida<br>pidas<br>pida | pidamos<br>pidáis<br>pidan |
| Verbs like **pedir**: conseguir,* despedir(se), repetir, seguir, vestir(se) | | | | | | |
| preferir (e→ie) (e→i)<br>present participle:<br>prefiriendo | prefiero<br>prefieres<br>prefiere | preferimos<br>preferís<br>prefieren | preferí<br>preferiste<br>prefirió | preferimos<br>preferisteis<br>prefirieron | prefiera<br>prefieras<br>prefiera | prefiramos<br>prefiráis<br>prefieran |
| Verbs like **preferir**: divertir(se), hervir, mentir, sugerir, | | | | | | |
| dormir (o→ue) (o→u)<br>present participle:<br>durmiendo | duermo<br>duermes<br>duerme | dormimos<br>dormís<br>duermen | dormí<br>dormiste<br>durmió | dormimos<br>dormisteis<br>durmieron | duerma<br>duermas<br>duerma | durmamos<br>durmáis<br>duerman |
| Verbs like **dormir**: morir(se) (past participle: **muerto**) | | | | | | |

*Verbs like *conseguir* and *seguir* also have a spelling change *(gu → g)* in all forms of the present
subjunctive. See p. 509 for a complete conjugation of *seguir*.

## Spelling-changing Verbs

These verbs have spelling changes in the present, preterite, and/or subjunctive. The spelling changes are indicated in boldface blue type.

| Infinitive, Present Participle, Past Participle | Present | | Preterite | | Subjunctive | |
|---|---|---|---|---|---|---|
| almorzar (z → c) almorzando almorzado | See regular -ar verbs | | **almorcé** almorzaste almorzó | almorzamos almorzasteis almorzaron | **almuerce** **almuerces** **almuerce** | **almorcemos** **almorcéis** **almuercen** |
| buscar (c → qu) buscando buscado | See regular -ar verbs | | **busqué** buscaste buscó | buscamos buscasteis buscaron | **busque** **busques** **busque** | **busquemos** **busquéis** **busquen** |
| comunicarse (c → qu) comunicándose comunicado | See reflexive verbs | | See reflexive verbs and **buscar** | | See reflexive verbs and **buscar** | |
| conocer (c → zc) conociendo conocido | **conozco** conoces conoce | conocemos conocéis conocen | See regular -er verbs | | **conozca** **conozcas** **conozca** | **conozcamos** **conozcáis** **conozcan** |
| creer (i → y) creyendo creído | See regular -er verbs | | creí creíste **creyó** | creímos creísteis **creyeron** | See regular -er verbs | |
| destruir (i → y) destruyendo destruido | **destruyo** **destruyes** **destruye** | destruimos destruís **destruyen** | destruí destruiste **destruyó** | destruimos destruisteis **destruyeron** | **destruya** **destruyas** **destruya** | **destruyamos** **destruyáis** **destruyan** |
| empezar (z → c) empezando empezado | See stem-changing verbs | | **empecé** empezaste empezó | empezamos empezasteis empezaron | **empiece** **empieces** **empiece** | **empecemos** **empecéis** **empiecen** |
| enviar (i → í) enviando enviado | **envío** **envías** **envía** | enviamos enviáis **envían** | See regular -ar verbs | | **envíe** **envíes** **envíe** | enviemos enviéis **envíen** |
| escoger (g → j) escogiendo escogido | **escojo** escoges escoge | escogemos escogéis escogen | See regular -er verbs | | **escoja** **escojas** **escoja** | **escojamos** **escojáis** **escojan** |
| esquiar (i → í) esquiando esquiado | See **enviar** | | See regular -ar verbs | | See **enviar** | |
| jugar (g → gu) jugando jugado | See stem-changing verbs | | **jugué** jugaste jugó | jugamos jugasteis jugaron | See stem-changing verbs | |
| leer (i → y) leyendo leído | See regular -er verbs | | See **creer** | | See **creer** | |
| obedecer (c → zc) obedeciendo obedecido | See **conocer** | | See regular -er verbs | | See **conocer** | |

## Spelling-changing Verbs (continued)

| Infinitive, Present Participle Past Participle | Present | | Preterite | | Subjunctive | |
|---|---|---|---|---|---|---|
| ofrecer (c → zc)<br>ofreciendo<br>ofrecido | See **conocer** | | See regular *-er* verbs | | See **conocer** | |
| pagar (g → gu)<br>pagando<br>pagado | See regular *-ar* verbs | | See **jugar** | | **pague**<br>**pagues**<br>**pague** | **paguemos**<br>**paguéis**<br>**paguen** |
| parecer (c → zc)<br>pareciendo<br>parecido | See **conocer** | | See regular *-er* verbs | | See **conocer** | |
| practicar (c → qu)<br>practicando<br>practicado | See regular *-ar* verbs | | See **buscar** | | See **buscar** | |
| recoger (g → j)<br>recogiendo<br>recogido | See **escoger** | | See regular *-er* verbs | | See **escoger** | |
| reír(se) (e → í)*<br>riendo (riéndose)<br>reído | **me río**<br>**te ríes**<br>**se ríe** | **nos reímos**<br>**os reís**<br>**se ríen** | **me reí**<br>**te reíste**<br>**se rió** | **nos reímos**<br>**os reísteis**<br>**se rieron** | **me ría**<br>**te rías**<br>**se ría** | **nos riamos**<br>**os riáis**<br>**se rían** |
| reunirse (u → ú)*<br>reuniéndose<br>reunido | **me reúno**<br>**te reúnes**<br>**se reúne** | nos reunimos<br>os reunís<br>**se reúnen** | See preterite regular *-ir* verbs | | **me reúna**<br>**te reúnas**<br>**se reúna** | nos reunamos<br>os reunáis<br>**se reúnan** |
| sacar (c → qu)<br>sacando<br>sacado | See regular *-ar* verbs | | See **buscar** | | See **buscar** | |
| seguir (e → i) (gu → g)*<br>siguiendo<br>seguido | **sigo**<br>**sigues**<br>**sigue** | seguimos<br>seguís<br>**siguen** | See **pedir** | | **siga**<br>**sigas**<br>**siga** | **sigamos**<br>**sigáis**<br>**sigan** |
| tocar (c → qu)<br>tocando<br>tocado | See regular *-ar* verbs | | See **buscar** | | See **buscar** | |
| torcer(se) (o → ue) (c → z)<br>torciendo<br>torcido | **me tuerzo**<br>**te tuerces**<br>**se tuerce** | **nos torcemos**<br>**os torcéis**<br>**se tuercen** | See **conocer** | | **me tuerza**<br>**te tuerzas**<br>**se tuerza** | **nos torzamos**<br>**os torzáis**<br>**se tuerzan** |

*Verbs like **reír(se)**: sonreír, freír (past participle: frito)
*Verbs like **reunirse**: graduarse (present: *me gradúo, te gradúas, se gradúa, nos graduamos, os graduáis, **se gradúan**;* preterite: see preterite of regular *-ar* verbs; subjunctive: *me gradúe, te gradúes, se gradúe, nos graduemos, os graduéis, **se gradúen**)
*Verbs like **seguir**: conseguir

## Irregular Verbs

These verbs have irregular patterns.

| Infinitive<br>Present Participle<br>Past Participle | Present | | Preterite | |
|---|---|---|---|---|
| dar<br>dando<br>dado | doy<br>das<br>da | damos<br>dais<br>dan | di<br>diste<br>dio | dimos<br>disteis<br>dieron |
| decir<br>diciendo<br>dicho | digo<br>dices<br>dice | decimos<br>decís<br>dicen | dije<br>dijiste<br>dijo | dijimos<br>dijisteis<br>dijeron |
| estar<br>estando<br>estado | estoy<br>estás<br>está | estamos<br>estáis<br>están | estuve<br>estuviste<br>estuvo | estuvimos<br>estuvisteis<br>estuvieron |
| haber<br>habiendo<br>habido | he<br>has<br>ha | hemos<br>habéis<br>han | hube<br>hubiste<br>hubo | hubimos<br>hubisteis<br>hubieron |
| hacer<br>haciendo<br>hecho | hago<br>haces<br>hace | hacemos<br>hacéis<br>hacen | hice<br>hiciste<br>hizo | hicimos<br>hicisteis<br>hicieron |
| ir<br>yendo<br>ido | voy<br>vas<br>va | vamos<br>vais<br>van | fui<br>fuiste<br>fue | fuimos<br>fuisteis<br>fueron |
| oír*<br>oyendo<br>oído | oigo<br>oyes<br>oye | oímos<br>oís<br>oyen | oí<br>oíste<br>oyó | oímos<br>oísteis<br>oyeron |
| poder<br>pudiendo<br>podido | puedo<br>puedes<br>puede | podemos<br>podéis<br>pueden | pude<br>pudiste<br>pudo | pudimos<br>pudisteis<br>pudieron |
| poner<br>poniendo<br>puesto | pongo<br>pones<br>pone | ponemos<br>ponéis<br>ponen | puse<br>pusiste<br>puso | pusimos<br>pusisteis<br>pusieron |

*Verbs like **oír**: caerse

# Irregular Verbs (continued)

| | 4 | | | 5 | | | 6 | |
|---|---|---|---|---|---|---|---|---|
| **Imperfect** | | | **Future** | | | **Subjunctive** | | |
| daba | dábamos | | daré | daremos | | dé | demos | |
| dabas | dabais | | darás | dareis | | des | deis | |
| daba | daban | | dará | darán | | dé | den | |
| decía | decíamos | | diré | diremos | | diga | digamos | |
| decías | decíais | | dirás | diréis | | digas | digáis | |
| decía | decían | | dirá | dirán | | diga | digan | |
| estaba | estábamos | | estaré | estaremos | | esté | estemos | |
| estabas | estabais | | estarás | estaréis | | estés | estéis | |
| estaba | estaban | | estará | estarán | | esté | estén | |
| había | habíamos | | habré | habremos | | haya | hayamos | |
| habías | habíais | | habrás | habréis | | hayas | hayáis | |
| había | habían | | habrá | habrán | | haya | hayan | |
| hacía | hacíamos | | haré | haremos | | haga | hagamos | |
| hacías | hacíais | | harás | haréis | | hagas | hagáis | |
| hacía | hacían | | hará | harán | | haga | hagan | |
| iba | íbamos | | iré | iremos | | vaya | vayamos | |
| ibas | ibais | | irás | iréis | | vayas | vayáis | |
| iba | iban | | irá | irán | | vaya | vayan | |
| oía | oíamos | | oiré | oiremos | | oiga | oigamos | |
| oías | oíais | | oirás | oiréis | | oigas | oigáis | |
| oía | oían | | oirá | oirán | | oiga | oigan | |
| podía | podíamos | | podré | podremos | | pueda | podamos | |
| podías | podíais | | podrás | podréis | | puedas | podáis | |
| podía | podían | | podrá | podrán | | pueda | puedan | |
| ponía | poníamos | | pondré | pondremos | | ponga | pongamos | |
| ponías | poníais | | pondrás | pondréis | | pongas | pongáis | |
| ponía | ponían | | pondrá | pondrán | | ponga | pongan | |

# Irregular Verbs (continued)

| 1 Infinitive Present Participle Past Participle | 2 Present | | 3 Preterite | |
|---|---|---|---|---|
| querer | quiero | queremos | quise | quisimos |
| queriendo | quieres | queréis | quisiste | quisisteis |
| querido | quiere | quieren | quiso | quisieron |
| saber | sé | sabemos | supe | supimos |
| sabiendo | sabes | sabéis | supiste | supisteis |
| sabido | sabe | saben | supo | supieron |
| salir | salgo | salimos | salí | salimos |
| saliendo | sales | salís | saliste | salisteis |
| salido | sale | salen | salió | salieron |
| ser | soy | somos | fui | fuimos |
| siendo | eres | sois | fuiste | fuisteis |
| sido | es | son | fue | fueron |
| tener | tengo | tenemos | tuve | tuvimos |
| teniendo | tienes | tenéis | tuviste | tuvisteis |
| tenido | tiene | tienen | tuvo | tuvieron |
| traer | traigo | traemos | traje | trajimos |
| trayendo | traes | traéis | trajiste | trajisteis |
| traído | trae | traen | trajo | trajeron |
| venir | vengo | venimos | vine | vinimos |
| viniendo | vienes | venís | viniste | vinisteis |
| venido | viene | vienen | vino | vinieron |
| ver | veo | vemos | vi | vimos |
| viendo | ves | veis | viste | visteis |
| visto | ve | ven | vio | vieron |

# Irregular Verbs (continued)

|   | 4 | | 5 | | 6 | |
|---|---|---|---|---|---|---|
|   | **Imperfect** | | **Future** | | **Subjunctive** | |
| quería | queríamos | querré | querremos | quiera | queramos |
| querías | queríais | querrás | querréis | quieras | queráis |
| quería | querían | querrá | querrán | quiera | quieran |
| sabía | sabíamos | sabré | sabremos | sepa | sepamos |
| sabías | sabíais | sabrás | sabréis | sepas | sepáis |
| sabía | sabían | sabrá | sabrán | sepa | sepan |
| salía | salíamos | saldré | saldremos | salga | salgamos |
| salías | salíais | saldrás | saldréis | salgas | salgáis |
| salía | salían | saldrá | saldrán | salga | salgan |
| era | éramos | seré | seremos | sea | seamos |
| eras | erais | serás | seréis | seas | seáis |
| era | eran | será | serán | sea | sean |
| tenía | teníamos | tendré | tendremos | tenga | tengamos |
| tenías | teníais | tendrás | tendréis | tengas | tengáis |
| tenía | tenían | tendrá | tendrán | tenga | tengan |
| traía | traíamos | traeré | traeremos | traiga | traigamos |
| traías | traíais | traerás | traeréis | traigas | traigáis |
| traía | traían | traerá | traerán | traiga | traigan |
| venía | veníamos | vendré | vendremos | venga | vengamos |
| venías | veníais | vendrás | vendréis | vengas | vengáis |
| venía | venían | vendrá | vendrán | venga | vengan |
| veía | veíamos | veré | veremos | vea | veamos |
| veías | veíais | verás | veréis | veas | veáis |
| veía | veían | verá | verán | vea | vean |

# Reflexive Verbs

| Infinitive and Present Participle | Present | |
|---|---|---|
| lavarse<br>lavándose | me lavo | nos lavamos |
| | te lavas | os laváis |
| | se lava | se lavan |
| | **Preterite** | |
| | me lavé | nos lavamos |
| | te lavaste | os lavasteis |
| | se lavó | se lavaron |
| | **Subjunctive** | |
| | me lave | nos lavemos |
| | te laves | os lavéis |
| | se lave | se laven |

| Familiar *(tú)* Commands |
|---|
| lávate |
| no te laves |

| Formal *(Ud. and Uds.)* Commands |
|---|
| lávese |
| no se lave |

Sometimes the reflexive pronouns *se* and *nos* are used to express the idea "(to) each other." These are called reciprocal actions: ***Nos*** *dábamos la mano.*

# Vocabulario español-inglés

The *Vocabulario español-inglés* contains all active vocabulary from the text, including vocabulary presented in the grammar sections.

A dash (—) represents the main entry word. For example, **pasar la —** after **la aspiradora** means **pasar la aspiradora.**

The number following each entry indicates the chapter in which the word or expression is presented. A Roman numeral (I) indicates that the word was presented in REALIDADES 1.

The following abbreviations are used in this list: *adj.* (adjective), *dir. obj.* (direct object), *f.* (feminine), *fam.* (familiar), *ind. obj.* (indirect object), *inf.* (infinitive), *m.* (masculine), *pl.* (plural), *prep.* (preposition), *pron.* (pronoun), *sing.* (singular).

## A

**a** to *(prep.)* (I)

— **…le gusta(n)** he/she likes (I)

— **…le encanta(n)** he/she loves (I)

— **casa** (to) home (I)

— **causa de** because of (5A)

— **la derecha (de)** to the right (of) (5A)

— **la izquierda (de)** to the left (of) (I)

— **la una de la tarde** at one (o'clock) in the afternoon (I)

— **las ocho de la mañana** at eight (o'clock) in the morning (I)

— **las ocho de la noche** at eight (o'clock) in the evening / at night (I)

— **menudo** often (I)

— **mí también** I do (like to) too (I)

— **mí tampoco** I don't (like to) either (I)

¿— **qué hora?** (At) what time? (I)

— **tiempo** on time (1A)

— **veces** sometimes (I)

— **ver.** Let's see. (I)

**al (a + el), a la** to the (I)

**abierto, -a** open (8A)

el **abogado, la abogada** lawyer (9A)

**abordar** to board (8A)

**abrazar(se)** to hug (4B)

el **abrigo** coat (I)

**abril** April (I)

**abrir** to open (I)

el **abuelo, la abuela** grandfather, grandmother (I)

los **abuelos** grandparents (I)

**aburrido, -a** boring (I)

**aburrir** to bore (I)

**aburrirse** to get bored (6A)

**me aburre(n)** it bores me (they bore me) (I)

**acabar de + *inf.*** to have just … (I)

el **accidente** accident (5B)

**acción: película de —** action film (6B)

el **aceite** cooking oil (7A)

**acompañar** to accompany (7B)

**acostarse (o →ue)** to go to bed (2A)

las **actividades extracurriculares** extracurricular activities (1B)

el **actor** actor (I)

la **actriz,** *pl.* **las actrices** actress (I)

la **actuación** acting (6B)

**acuerdo:**

**Estoy de —.** I agree. (I)

**No estoy de —.** I don't agree. (I)

**además (de)** in addition (to), besides (9B)

**adhesiva: la cinta —**

transparent tape (1A)

**¡Adiós!** Good-bye! (I)

**¿Adónde?** (To) where? (I)

la **aduana** customs (8A)

el **aduanero, la aduanera** customs officer (8A)

el **aeropuerto** airport (8A)

**afeitarse** to shave (2A)

el **aficionado, la aficionada** fan (6A)

**afortunadamente** fortunately (5A)

la **agencia de viajes** travel agency (8A)

el / la **agente de viajes** travel agent (8A)

**agitado, -a** agitated (6A)

**agosto** August (I)

el **agricultor, la agricultora** farmer (9A)

el **agua** *f.* water (I)

el — **de colonia** cologne (2A)

el **aguacate** avocado (7B)

**ahora** now (I)

**ahorrar** to save (9B)

**aire: al — libre** outdoors (7B)

el **aire acondicionado** air conditioning (9B)

el **ajedrez** chess (1B)

el **ajo** garlic (7A)

**al** *(a + el),* **a la** to the (I)

— **aire libre** outdoors (7B)

— **final** at the end (6A)

— **horno** baked (7A)

— **lado de** next to (I)

**alegre** happy (6A)

la **alfombra** rug (I)

**algo** something (I)

¿— **más?** Anything else? (I)

el **algodón** cotton (2B)

**alguien** someone, anyone (1A)

**algún, alguno, -a** some (1A)

— **día** some day (9A)

**algunos, as** some, any (1A)

**allí** there (I)

el **almacén,** *pl.* **los almacenes** department store (I)

**almorzar (o→ue) (z→c)** to have lunch (1A)

el **almuerzo** lunch (I)

**en el —** for lunch (I)

**alquilar** to rent (6B)

**alrededor de** around (4B)

**alto, -a** tall (I); high (2B)

amarillo, -a yellow (I)

la ambulancia ambulance (5B)

el amor love (6B)

anaranjado, -a orange (I)

ancho, -a wide (3B)

el anciano, la anciana older man, older woman (I)

los ancianos older people (I)

el anillo ring (I)

el animador, la animadora cheerleader (1B)

el animal animal (I)

el aniversario anniversary (4B)

anoche last night (I)

los anteojos de sol sunglasses (I)

antes de before (I, 2A)

antiguo, -a old, antique (4B)

anunciar to announce (2B)

el anuncio announcement (8A)

añadir to add (7A)

no añadas don't add (7A)

el año year (I)

el — pasado last year (I)

¿Cuántos —s tiene(n)...? How old is / are ...? (I)

Tiene(n)...—s. He / She is / They are ...(years old). (I)

apagar (g → gu) to put out (fire) (5A); to turn off (7A)

el apartamento apartment (I)

aplaudir to applaud (6A)

aprender (a) to learn (I)

— de memoria to memorize (1A)

apretado, -a tight (2B)

aproximadamente approximately (3B)

aquel, aquella that (over there) (2B)

aquellos, aquellas those (over there) (2B)

aquí here (I)

el árbol tree (I)

los aretes earrings (I)

el argumento plot (6B)

el armario closet, locker (I, 1A)

el arquitecto, la arquitecta architect (9A)

arreglar (el cuarto) to straighten up (the room) (I)

arreglarse (el pelo) to fix (one's hair) (2A)

arrestar to arrest (6B)

el arroz rice (I)

el arte: la clase de — art class (I)

las artes the arts (9A)

las — marciales martial arts (1B)

la artesanía handicrafts (8B)

el artículo article (5A)

el artista, la artista artist (9A)

artístico, -a artistic (I)

asado, -a grilled (7B)

asar to grill, to roast (7B)

el ascensor elevator (8B)

asco: ¡Qué —! How awful! (I)

el asiento seat (1A)

asistir a to attend (1B)

asustado, -a frightened (5A)

atención: prestar to pay attention (1A)

atento, -a attentive (8B)

el / la atleta athlete (6A)

la atracción, pl. las atracciones attraction (I)

atrevido, -a daring (I)

la audición, pl. las audiciones audition (2A)

el auditorio auditorium (6A)

el autobús, pl. los autobuses bus (I)

el / la auxiliar de vuelo flight attendant (8A)

la avenida avenue (3B)

el avión airplane (I)

¡Ay! ¡Qué pena! Oh! What a shame / pity! (I)

ayer yesterday (I)

la ayuda help (1A)

ayudar to help (I)

el azúcar sugar (I)

azul blue (I)

**B** _____

bailar to dance (I)

el bailarín, la bailarina, pl. los bailarines dancer (1B)

el baile dance (I)

bajar to go down (5A)

bajar (información) to download (I)

bajo, -a short (stature) (I); low (2B)

el banco bank (3A)

la banda (musical) band (1B)

la bandera flag (I)

bañarse to take a bath (2A)

el baño bathroom (I)

el traje de — swimsuit (I)

barato, -a inexpensive, cheap (I)

el barco boat, ship (I)

el barrio neighborhood (I)

basado, -a: estar — en to be based on (6B)

el básquetbol: jugar al — to play basketball (I)

Basta! Enough! (3B)

bastante enough, rather (I)

batir to beat (7A)

el bebé, la bebé baby (4B)

beber to drink (I)

las bebidas drinks (I)

béisbol: jugar al — to play baseball (I)

bello, -a beautiful (8B)

los beneficios benefits (9A)

besar(se) to kiss (4B)

la biblioteca library (I)

bien well (I)

— educado, -a well-behaved (4A)

bienvenido, -a welcome (8A)

bilingüe bilingual (9A)

el bistec beefsteak (I)

blanco, -a white (I)

los bloques blocks (4A)

la blusa blouse (I)

la boca mouth (I)

la boda wedding (2A)

el **boleto** ticket (I)

el **bolígrafo** pen (I)

los **bolos: jugar a los —** to bowl (1B)

la **bolsa** bag, sack (I)

el **bolso** purse (I)

el **bombero, la bombera** firefighter (5A)

**bonito, -a** pretty (I)

el **bosque** forest (9B)

las **botas** boots (I)

el **bote:**

> **pasear en —** to go boating (I)

> **el — de vela** sailboat (8B)

la **botella** bottle (I)

el **brazo** arm (I)

**bucear** to scuba dive, to snorkel (I)

**bueno (buen), -a** good (I)

> **Buenas noches.** Good evening. (I)

> **Buenas tardes.** Good afternoon. (I)

> **Buenos días.** Good morning. (I)

**buscar (c→qu)** to look for, to search (for) (I)

la **búsqueda** search (1B)

> **hacer una —** to do a search (1B)

el **buzón,** *pl.* **los buzones** mailbox (3A)

# C

el **caballo: montar a —** to ride horseback (I)

la **cabeza** head (I)

**cada día** every day (I)

la **cadena** chain (I)

**caerse** to fall (5B)

> **(yo) me caigo** I fall (5B)
> **(tú) te caes** you fall (5B)

> **se cayó** he/she fell (5B)

> **se cayeron** they/you fell (5B)

el **café** coffee, café (I)

la **caja** box (I); cash register (2B)

el **cajero, la cajera** cashier (2B)

el **— automático** ATM (8B)

los **calcetines** socks (I)

la **calculadora** calculator (I)

el **caldo** broth (7A)

la **calefacción** heat (9B)

**calentar (e→ie)** to heat (7A)

**caliente** hot (7A)

la **calle** street, road (I)

**calor:**

> **Hace —.** It's hot. (I)

> **tener —** to be warm (I)

la **cama** bed (I)

> **hacer la —** to make the bed (I)

la **cámara** camera (I)

> **la — digital** digital camera (I)

el **camarero, la camarera** waiter, waitress (I)

el **camarón,** *pl.* **los camarones** shrimp (7A)

**cambiar** to change, to exchange (8B)

**caminar** to walk (I)

la **caminata** walk (7B)

> **dar una —** take a walk (7B)

el **camión,** *pl.* **los camiones** truck (3B)

la **camisa** shirt (I)

la **camiseta** T-shirt (I)

el **campamento** camp (I)

el **campeón, la campeona,** *pl.* **los campeones** champion (6A)

el **campeonato** championship (6A)

el **campo** countryside (I)

el **canal** (TV) channel (I)

la **canción,** *pl.* **las canciones** song (I, 1B)

**canoso: pelo —** gray hair (I)

**cansado, -a** tired (I)

el / la **cantante** singer (1B)

**cantar** to sing (I)

**capturar** to capture (6B)

la **cara** face (2A)

**cara a cara** face-to-face (I)

**caramba** good gracious (3A)

la **carne** meat (I)

> **la — de res** steak (7B)

el **carnet de identidad** ID card (1A)

**caro, -a** expensive (I)

la **carpeta** folder (I)

> **la — de argollas** three-ring binder (I)

la **carrera** career (9A)

la **carretera** highway (3B)

la **carta** letter (I, 3A)

> **echar una —** to mail a letter (3A)

el **cartel** poster (I)

la **cartera** wallet (I)

el **cartero, la cartera** mail carrier (9A)

el **cartón** cardboard (I)

la **casa** home, house (I)

> **a —** (to) home (I)

> **en —** at home (I)

> **— de cambio** currency exchange (8B)

**casarse (con)** to get married (to) (4B)

**casi** almost (I, 3A)

**castaño: pelo —** brown (chestnut) hair (I)

el **castillo** castle (8B)

la **catedral** cathedral (8B)

**catorce** fourteen (I)

la **causa** cause (5A)

**a — de** because of (5A)

la **cebolla** onion (I)

**celebrar** to celebrate (I)

la **cena** dinner (I)

el **centro** center, downtown (I, 3A)

> **el — comercial** mall (I)

> **el — de reciclaje** recycling center (I)

**cepillarse (los dientes)** to brush (one's teeth) (2A)

el **cepillo** brush (2A)

> **el — de dientes** toothbrush (3A)

**cerca (de)** close (to), near (I)

el **cerdo** pork (7B)

    la **chuleta de —** pork chop (7B)

el **cereal** cereal (I)

la **cereza** cherry (7B)

**cero** zero (I)

**cerrado, -a** closed (8A)

**cerrar** to close (3A)

la **cesta** basket (7B)

el **champú** shampoo (3A)

la **chaqueta** jacket (I)

**charlar** to chat (4B)

el **cheque:**

    **cobrar un —** to cash a check (3A)

    el **— de viajero** traveler's check (2B)

    el **— (personal)** (personal) check (2B)

la **chica** girl (I)

el **chico** boy (I)

**chocar (c→qu) con** to crash into, to collide with (5B)

la **chuleta de cerdo** pork chop (7B)

el **cielo** sky (7B)

**cien** one hundred (I)

las **ciencias:**

    la **clase de — naturales** science class (I)

    la **clase de — sociales** social studies class (I)

el **científico,** la **científica** scientist (9A)

**(es) cierto** (it is) certain (9B)

**cinco** five (I)

**cincuenta** fifty (I)

el **cine** movie theater (I)

la **cinta adhesiva** transparent tape (1A)

el **cinturón,** *pl.* los **cinturones** belt (2A)

la **cita** date (2A)

la **ciudad** city (I)

**claro, -a** light (color) (2B)

la **clase** class (I)

    la **sala de clases** classroom (I)

¿**Qué — de ...?** What kind of ...? (I)

el **club,** *pl.* los **clubes** club (1B)

    el **— atlético** athletic club (1B)

**cobrar un cheque** to cash a check (3A)

el **coche** car (I)

la **cocina** kitchen (I)

    **cocinar** to cook (I)

el **codo** elbow (5B)

la **colección,** *pl.* las **colecciones** collection (4A)

**coleccionar** to collect (4A)

el **colegio** secondary school, high school (9A)

la **colina** hill (9B)

el **collar** necklace (I)

el **color,** *pl.* los **colores** color (I)

    ¿**De qué — ...?** What color ...? (I)

    **de sólo un —** solid-colored (2B)

la **comedia** comedy (I)

el **comedor** dining room (I)

el **comentario** commentary (6A)

**comenzar (e →ie) (z →c )** to start (5A)

**comer** to eat (I)

**cómico, -a** funny, comical (I)

la **comida** food, meal (I)

**como** like, as (I)

¿**Cómo?:**

    ¿**— eres?** What are you like? (I) ¿**— es?** What is he / she like? (I)

    ¿**— está Ud.?** How are you? *formal* (I)

    ¿**— estás?** How are you? *fam.* (I)

    ¿**— lo pasaste?** How was it (for you)? (I)

    ¿**— se dice...?** How do you say ...? (I)

    ¿**— se escribe...?** How is...spelled? (I)

    ¿**— se hace...?** How do you make...? (7A)

¿**— se llama?** What's his / her name? (I)

¿**— se va...?** How do you go to...? (3B)

¿**— te llamas?** What is your name? (I)

¿**— te queda(n)?** How does it (do they) fit (you)? (I)

¡**Cómo no!** Of course! (3A)

la **cómoda** dresser (I)

**cómodo, -a** comfortable (2A)

**compartir** to share (I)

la **competencia** competition (6A)

**competir (e→i)** to compete (6A)

**complicado, -a** complicated (I, 3B)

la **composición,** *pl.* las **composiciones** composition (I)

**comprar** to buy (I)

**comprar recuerdos** to buy souvenirs (I)

**comprender** to understand (I)

la **computadora** computer (I)

    la **— portátil** laptop computer (I)

    **usar la —** to use the computer (I)

**comunicarse (c→qu)** to communicate (I)

    **(tú) te comunicas** you communicate (I)

    **(yo) me comunico** I communicate (I)

la **comunidad** community (I)

**con** with (I)

    **— destino a** going to (8A)

    **— mis / tus amigos** with my / your friends (I)

    ¿**— qué se sirve?** What do you serve it with? (7A)

    ¿**— quién?** With whom? (I)

el **concierto** concert (I)

el **concurso** contest (2A)

    el **— de belleza** beauty contest (6A)

    el **programa de —s** game show (I)

el **conductor, la conductora** driver (3B)

**congelado, -a** frozen (7A)

**conmigo** with me (I)

**conocer (c→zc)** to know, to be acquainted with (I, 1A)

**conseguir (e → i)** to obtain (8B)

**consentido, -a** spoiled (4A)

**conservar** to conserve (9B)

el **consultorio** doctor's /dentist's office (3A)

el **contador, la contadora** accountant (9A)

la **contaminación** pollution (9B)

**contaminado, -a** polluted (9B)

**contar (o→ue) (chistes)** to tell (jokes) (4B)

**contento, -a** happy (I)

**contestar** to answer (1A)

**contigo** with you (I)

**contra** against (9B)

la **corbata** tie (I)

el **coro** chorus, choir (1B)

el **correo** post office (3A)

el **correo electrónico** e-mail (I)

**escribir por —** to write e-mail (I)

**correr** to run (I)

**cortar** to cut (I, 7A)

**— el césped** to mow the lawn (I)

**—se** to cut oneself (5B)

**—se el pelo** to cut one's hair (2A)

**cortés,** *pl.* **corteses** polite (8B)

las **cortinas** curtains (I)

**corto, -a** short *(length)* (I)

**los pantalones —s** shorts (I)

la **cosa** thing (I)

**costar (o→ue)** to cost (I)

**¿Cuánto cuesta(n)...?** How much does (do) … cost? (I)

la **costumbre** custom (4B)

**crear** to create (I)

**— una página Web** to create a Web page (1B)

**creer (i→y):**

**Creo que...** I think...

**Creo que no.** I don't think so. (I)

**Creo que sí.** I think so. (I)

el **crimen** crime (6B)

el / la **criminal** criminal (6B)

el **crítico, la crítica** critic (6B)

el **cruce de calles** intersection (3B)

**cruzar** to cross (3B)

el **cuaderno** notebook (I)

la **cuadra** block (3B)

el **cuadro** painting (I)

**¿Cuál?** Which? What? (I)

**¿— es la fecha?** What is the date? (I)

**¿Cuándo?** When? (I)

**¿Cuánto?:**

**¿— cuesta(n)...?** How much does (do)...cost? (I)

**¿— tiempo hace que...?** How long...? (1B)

**¿Cuántos, -as?** How many? (I)

**¿—s años tiene(n)...?** How old is / are...? (I)

**cuarenta** forty (I)

**cuarto, -a** fourth (I)

**y —** quarter past *(in telling time)* (I)

el **cuarto** room (I)

**cuatro** four (I)

**cuatrocientos, -as** four hundred (I)

la **cuchara** spoon (I)

la **cucharada** tablespoon(ful) (7A)

el **cuchillo** knife (I)

el **cuello** neck (5B)

la **cuenta** bill (I)

la **cuerda** rope (4A)

el **cuero** leather (2B)

**cuidar a** to take care of (3A)

el **cumpleaños** birthday (I)

**¡Feliz —!** Happy birthday! (I)

**cumplir años** to have a birthday (4B)

el **cupón de regalo,** *pl.* **los cupones de regalo** gift certificate (2B)

el **curso: tomar un curso** to take a course (I)

## D

**dar** to give (I)

**— +** *movie or TV program* to show (I)

**— de comer al perro** to feed the dog (I)

**— puntadas** to stitch *(surgically)* (5B)

**— un discurso** to give a speech (1A)

**— una caminata** to take a walk (7B)

**dar(se) la mano** to shake hands (4B)

**de** of, from (I)

**— acuerdo.** OK. Agreed. (3B)

**— algodón** cotton (2B)

**— cuero** leather (2B)

**¿— dónde eres?** Where are you from? (I)

**— ida y vuelta** round trip (8A)

**— la mañana / la tarde / la noche** in the morning / afternoon / evening (I)

**— lana** wool (2B)

**— moda** in fashion (2B)

**— negocios** business (9A)

**— niño** as a child (4A)

**— oro** gold (2A)

**— pequeño** as a child (4A)

**— plata** silver (2A)

**— plato principal** as a main dish (I)

**— postre** for dessert (I)

**— prisa** in a hurry (5A)

**¿— qué color ...?** What color ...? (I)

**¿— qué está hecho, -a?** What is it made of? (2B)

**— repente** suddenly (5A)

**— seda** silk (2B)

— **sólo un color** solid-colored (2B)

— **tela sintética** synthetic fabric (2B)

**¿— veras?** Really? (I)

— **vez en cuando** once in a while (4A)

**debajo de** underneath (I)

**deber** should, must (I)

**decidir** to decide (I)

**décimo, -a** tenth (I)

**decir** to say, to tell (I)

**¿Cómo se dice ...?** How do you say ...? (I)

**dime** tell me (I)

**¡No me digas!** You don't say! (I)

**¿Qué quiere — ...?** What does...mean? (I)

**Quiere — ...** It means ... (I)

**Se dice...** You say... (I)

las **decoraciones** decorations (I)

**decorar** to decorate (I)

el **dedo** finger (I)

**Déjame en paz.** Leave me alone. (3B)

**dejar** to leave (something), to let (3B)

**no dejes** don't leave, don't let (7A)

**delante de** in front of (I)

**delicioso, -a** delicious (I)

los **demás, las demás** others (I)

**demasiado** too (I)

el / la **dentista** dentist (3A)

**dentro de** inside (7B)

**depende** it depends (2A)

el **dependiente, la dependienta** salesperson (I)

**deportista** athletic, sports-minded (I)

**derecha: a la — (de)** to the right (of) (I)

**derecho** straight (3B)

el **derecho** (study of) law (9A)

el **desayuno** breakfast (I)

**en el —** for breakfast (I)

**descansar** to rest, to relax (I)

los **descuentos: la tienda de —** discount store (I)

**desde** from, since (3B)

**desear** to wish (I)

**¿Qué desean (Uds.)?** What would you like? formal (I)

el **desfile** parade (4B)

el **desierto** desert (9B)

**desobediente** disobedient (4A)

el **desodorante** deodorant (2A)

**desordenado, -a** messy (I)

**despacio** slowly (3B)

el **despacho** office (home) (I)

**despedirse (e→i) (de)** to say good-bye (to) (4B)

el **despertador** alarm clock (I)

**despertarse (e→ie)** to wake up (2A)

**después (de)** afterwards, after (I)

**destino: con — a** going to (8A)

la **destrucción** destruction (9B)

**destruir (i→y)** to destroy (5A)

el / la **detective** detective (6B)

**detrás de** behind (I)

**devolver (o→ue) (un libro)** to return (a book) (3A)

el **día** day (I)

**Buenos —s.** Good morning. (I)

**cada —** every day (I)

**el — festivo** holiday (4B)

**¿Qué — es hoy?** What day is today? (I)

**todos los —s** every day (I)

la **diapositiva** slide (I)

**dibujar** to draw (I)

el **diccionario** dictionary (I)

**diciembre** December (I)

**diecinueve** nineteen (I)

**dieciocho** eighteen (I)

**dieciséis** sixteen (I)

**diecisiete** seventeen (I)

los **dientes** teeth (2A)

**cepillarse —** to brush one's teeth (2A)

**el cepillo de —** toothbrush (2A)

**diez** ten (I)

**difícil** difficult (I)

**digital: la cámara —** digital camera (I)

**dime** tell me (I)

el **dinero** money (I)

el **dinosaurio** dinosaur (4A)

la **dirección,** pl. **las direcciones** direction (6B)

**la — electrónica** e-mail address (I)

**directo, -a** direct (8A)

el **director, la directora** (school) principal (6B)

el **disco compacto** compact disc (I)

**grabar un —** to burn a CD (I)

el **discurso** speech (1A)

**discutir** to discuss (1A)

el **diseñador, la diseñadora** designer (9A)

**disfrutar de** to enjoy (8B)

el **disquete** diskette (I)

**divertido, -a** amusing, fun (I)

**divertirse (e→ie) (e→i)** to have fun (4B)

**doblar** to turn (3B)

**doce** twelve (I)

el **documento** document (I)

**doler (o→ue)** to hurt (I, 5B)

el **dolor** pain (5B)

**domingo** Sunday (I)

**dónde:**

**¿—?** Where? (I)

**¿De — eres?** Where are you from? (I)

**dormido, -a** asleep (5A)

**dormir (o→ue) (o→u)** to sleep (I)

**—se** to fall asleep (6A)

el **dormitorio** bedroom (I)

**dos** two (I)

**los / las dos** both (I)

**doscientos, -as** two hundred (I)

el **drama** drama (I)

la **ducha** shower (2A)

**ducharse** to take a shower (2A)

**dudar** to doubt (9B)

el **dueño, la dueña** owner (9A)

**dulce** sweet (7B)

los **dulces** candy (I)

**durante** during (I)

**durar** to last (I, 8A)

el **durazno** peach (7B)

**E** _____

**echar una carta** to mail a letter (3A)

**ecológico, -a** ecological (9B)

**económico, -a** economical (9B)

el **edificio de apartamentos** apartment building (5A)

la **educación física: la clase de —** physical education class (I)

**efectivo: en —** cash (2B)

los **efectos especiales** special effects (6B)

**eficiente** efficient (9B)

**ejemplo: por —** for example (2A)

el **ejercicio: hacer —** to exercise (I)

el _m. sing._ the (I)

**él** he (I)

la **electricidad** electricity (9B)

los **electrodomésticos: la tienda de —** household-appliance store (I)

**electrónico, -a: la dirección —** e-mail address (I)

**elegante** elegant (2A)

**eliminar** to eliminate (9B)

**ella** she (I)

**ellas** _f._ they (I)

**ellos** _m._ they (I)

**emocionado, -a** excited, emotional (6A)

**emocionante** touching (I)

el **empate** tie (6A)

**empezar (e→ie) (z→c)** to begin, to start (I, 1A)

el **empleado, la empleada** employee (8A)

**en** in, on (I)

— + _vehicle_ by, in, on (I)

— **casa** at home (I)

— **efectivo** cash (2B)

— **la ... hora** in the ... hour (class period) (I)

— **la Red** online (I)

— **línea** online (1B)

— **medio de** in the middle of (3B)

— **peligro de extinción** endangered, in danger of extinction (9B)

— **punto** exactly _(time)_ (8B)

¿— **qué puedo servirle?** How can I help you? (I)

— **realidad** really (2B)

— **seguida** right away (3A)

**enamorado, -a de** in love with (6B)

**enamorarse (de)** to fall in love (with) (6B)

**encantado, -a** delighted (I)

**encantar** to please very much, to love (I)

**a él / ella le encanta(n)** he / she loves (I)

**me / te encanta(n)...** I / you love ... (I)

**encender (e→ie)** to turn on, to light (7A)

**encima de** on top of (I)

**encontrar (o→ue)** to find (2B)

la **energía** energy (9B)

**enero** January (I)

el **enfermero, la enfermera** nurse (5B)

**enfermo, -a** sick (I)

**enlatado, -a** canned (7A)

**enojado, -a** angry (6A)

**enojarse** to get angry (6A)

**enorme** enormous (4B)

la **ensalada** salad (I)

**la — de frutas** fruit salad (I)

**ensayar** to rehearse (1B)

el **ensayo** rehearsal (1B)

**enseñar** to teach (I)

**entender (e→ie)** to understand (1A)

**entonces** then (I)

la **entrada** entrance (2B)

**entrar** to enter (I)

**entre** among, between (1B)

**entregar** to turn in (1A)

el **entrenador, la entrenadora** coach, trainer (6A)

la **entrevista** interview (6A)

**entrevistar** to interview (6A)

**entusiasmado, -a** excited (2A)

**enviar (i→í)** to send (I, 3A)

el **equipaje** luggage (8A)

**facturar el —** to check luggage (8A)

el **equipo** team (1B)

**el — de sonido** sound (stereo) system (I)

**el — deportivo** sports equipment (3A)

**¿Eres...?** Are you ...? (I)

**es** is; (he / she / it) is (I)

— **cierto** it's true (9B)

— **el** _(number)_ **de** _(month)_ it is the... of... _(in telling the date)_ (I)

— **el primero de** _(month)._ It is the first of ... (I)

— **la una.** It is one o'clock. (I)

— **necesario.** It's necessary. (I)

— **un(a) ...** It's a ... (I)

la **escala** stopover (8A)

la **escalera** stairs, stairway (I), ladder (5A)

**escaparse** to escape (5A)

la **escena** scene (6B)

**escoger (g→j)** to choose (2B)

**esconder(se)** to hide (oneself) (5A)

**escribir:**

¿**Cómo se escribe ...?** How

is ... spelled? (I)

   — **cuentos** to write stories (I)

   — **por correo electrónico** to write e-mail (I)

   — **un informe sobre...** to write a report about...

   **Se escribe ...** It's spelled ... (I)

**el escritor, la escritora** writer (9A)

**el escritorio** desk (I)

**escuchar música** to listen to music (I)

**la escuela primaria** primary school (I)

**la escuela técnica** technical school (9A)

**ese, esa** that (I, 2B)

**eso: por —** that's why, therefore (I)

**esos, esas** those (I, 2B)

**el espacio** (outer) space (9B)

**los espaguetis** spaghetti (I)

**la espalda** back (5B)

**el español: la clase de —** Spanish class (I)

**especial** special (2A)

**especialmente** especially (I)

**el espejo** mirror (I)

**esperar** to wait (3B)

**la esposa** wife (I)

**el esposo** husband (I)

**el esquí acuático** waterskiing (8B)

**esquiar** to ski (I)

**la esquina** corner (3B)

**Está hecho, -a de ...** It is made of ... (2B)

**esta noche** this evening (I)

**esta tarde** this afternoon (I)

**la estación,** *pl.* **las estaciones** season (I)

   **la — de servicio** service station (3A)

**el estadio** stadium (I)

**el estante** shelf, bookshelf (I)

**estar** to be (I)

   **¿Cómo está Ud.?** How are

you? *formal* (I)

**¿Cómo estás?** How are you? *fam.* (I)

   **— +** *present participle* to be + *present participle* (I)

   — **basado, -a en** to be based on (6B)

   — **de moda** to be in fashion (2B)

   — **en línea** to be online (I, 1B)

   — **enamorado, -a de** to be in love with (6B)

   — **seguro, -a** to be sure (3B)

   **No estoy de acuerdo.** I don't agree. (I)

**la estatua** statue (3B)

**este, esta** this (I, 2B)

**este fin de semana** this week end (I)

**el estilo** style (2B)

**el estómago** stomach (I)

**estos, estas** these (I, 2B)

   **¿Qué es esto?** What is this? (I)

**estrecho, -a** narrow (3B)

**la estrella (del cine)** (movie) star (6B)

**el / la estudiante** student (I)

**estudiar** to study (I)

**estudioso, -a** studious (I)

**la estufa** stove (7A)

**estupendo, -a** stupendous, wonderful (8B)

**el evento especial** special event (2A)

**exagerado, -a** outrageous (2B)

**el éxito** success (6B)

   **tener —** to be successful (6B)

**examinar** to examine, to check (5B)

**la excursión,** *pl.* **las excursiones** excursion, short trip (8B)

**la experiencia** experience (I)

**explicar** to explain (1A)

**la explosión,** *pl.* **las explosiones** explosion (5A)

**extracurricular** extracurricular

(1B)

**extranjero, -a** foreign (8A)

**el / la extraterrestre** alien (6B)

## F

**fácil** easy (I)

**facturar** to check (luggage) (8A)

**la falda** skirt (I)

**faltar** to be missing (I)

**famoso, -a** famous (8B)

**fantástico, -a** fantastic (I)

**la farmacia** pharmacy (3A)

**fascinante** fascinating (I)

**fascinar** to fascinate (6B)

**favorito, -a** favorite (I)

**febrero** February (I)

**la fecha: ¿Cuál es la —?** What is the date? (I)

**¡Felicidades!** Congratulations! (4B)

**felicitar** to congratulate (4B)

**¡Feliz cumpleaños!** Happy birthday! (I)

**fenomenal** phenomenal (6A)

**feo, -a** ugly (I)

**la fiesta** party (I)

   **la — de sorpresa** surprise party (4B)

**el fin de semana:**

   **este —** this weekend (I)

   **los fines de semana** on weekends (I)

**final: al final** at the end (6A)

**flojo, -a** loose (2B)

**la flor,** *pl.* **las flores** flower (I)

**la fogata** bonfire (7B)

**el fósforo** match (7B)

**la foto** photo (I)

**la fotografía** photography (1B)

**el fotógrafo, la fotógrafa** photographer (1B)

**el fracaso** failure (6B)

**frecuentemente** frequently (4B)

**el fregadero** sink (7A)

**freír (e→í)** to fry (7A)

las **fresas** strawberries (I)

**fresco, -a** fresh (7A)

los **frijoles** beans (7B)

el **frío:**

> **Hace —.** It's cold. (I)

> **tener —** to be cold (I)

**frito, -a** fried (7A)

**fue** it was (I)

> **— un desastre.** It was a disaster. (I)

el **fuego** fire (7A)

los **fuegos artificiales** fireworks (4B)

la **fuente** fountain (3B); source (9B)

**fuera (de)** outside (7B)

**funcionar** to function, to work (9B)

**furioso, -a** furious (6A)

el **fútbol: jugar al —** to play soccer (I)

el **fútbol americano: jugar al —** to play football (I)

el **futuro** future (9A)

**G** _____

el **galán,** *pl.* **los galanes** leading man (6B)

la **galleta** cookie (I)

**ganar** to win (I); to earn *(money)* (1B)

> **—se la vida** to make a living (9A)

la **ganga** bargain (2B)

el **garaje** garage (I)

la **gasolina** gasoline (3A)

**gastar** to spend (2B)

el **gato** cat (I)

el **gel** gel (2A)

**generalmente** generally (I)

**generoso, -a** generous (4A)

**¡Genial!** Great! (I)

la **gente** people (I)

el / la **gerente** manager (9A)

la **gimnasia** gymnastics (1B)

> **hacer —** to do gymnastics (1B)

el **gimnasio** gym (I)

**gira: — hacer una —** to take a tour (8B)

el **globo** balloon (I)

el **gol** goal (in sports) (6A)

> **meter un —** to score a goal (6A)

el **golf: jugar al —** to play golf (I)

la **gorra** cap (I)

**grabar** to record (1B)

> **— un disco compacto** to burn a CD (I)

**gracias** thank you (I)

**gracioso, -a** funny (I)

la **graduación,** *pl.* **las graduaciones** graduation (9A)

**graduarse (u→ú)** to graduate (9A)

los **gráficos** computer graphics (I)

**grande** large (I)

la **grapadora** stapler (1A)

**grasoso, -a** fatty (7B)

**grave** serious (9B)

**gris** gray (I)

**gritar** to scream (5A)

los **guantes** gloves (I)

**guapo, -a** good-looking (I)

la **guardería infantil** day-care center (4A)

la **guerra** war (9B)

el / la **guía** guide (8B)

la **guía** guidebook (8B)

los **guisantes** peas (I)

**gustar:**

> **a él / ella le gusta(n)** he / she likes (I)

> **(A mí) me gusta ...** I like to ... (I)

> **(A mí) me gusta más...** I like to ... better (I prefer to ...) (I)

> **(A mí) me gusta mucho ...** I like to ... a lot (I)

> **(A mí) no me gusta ...** I don't like to ... (I)

> **(A mí) no me gusta nada ...** I don't like to...at all. (I)

> **Le gusta ...** He / She likes... (I)

**Me gusta ...** I like... (I)

**Me gustaría...** I would like ... (I)

**Me gustó.** I liked it. (I)

**No le gusta ...** He / She doesn't like ... (I)

**¿Qué te gusta hacer?** What do you like to do? (I)

**¿Qué te gusta hacer más?** What do you like better (prefer) to do? (I)

**Te gusta ...** You like ... (I)

**¿Te gusta ...?** Do you like to ...? (I)

**¿Te gustaría?** Would you like? (I)

**¿Te gustó?** Did you like it? (I)

**H** _____

**haber** to have *(as an auxiliary verb)* (6B)

> **había** there was / there were (4B)

la **habitación,** *pl.* **las habitaciones** room (8B)

> **la — doble** double room (8B)

> **la — individual** single room (8B)

**hablar** to talk (I)

> **— por teléfono** to talk on the phone (I)

**habrá** there will be (9A)

**hacer** to do (I)

> **¿Cómo se hace...?** How do you make...? (7A)

> **¿Cuánto tiempo hace que...?** How long...? (1B)

**hace +** *time expression* ago (I)

**Hace +** *time* **+ que ...** It has been ... (1B)

**Hace calor.** It's hot. (I)

**Hace frío.** It's cold. (I)

**Hace sol.** It's sunny. (I)

**— ejercicio** to exercise (I)

**— el papel de** to play the role of (6B)

**— escala** to stop over (8A)

**— gimnasia** to do gymnastics

(1B)

**— la cama** to make the bed (I)

**— la maleta** to pack the suitcase (8A)

**— ruido** to make noise (8B)

**— un picnic** to have a picnic (4B)

**— un viaje** to take a trip (8A)

**— un video** to videotape (I)

**— una búsqueda** to do a search (1B)

**— una gira** to take a tour (8B)

**— una parrillada** to have a barbecue (7B)

**— una pregunta** to ask a question (1A)

**¿Qué hiciste?** What did you do? (I)

**¿Qué tiempo hace?** What is the weather like? (I)

**(tú) haces** you do (I)

**(yo) hago** I do (I)

**hambre: Tengo —.** I'm hungry. (I)

la **hamburguesa** hamburger (I)

la **harina** flour (7B)

**has visto** you have seen (6B)

**hasta** until (3A); as far as, up to (3B)

**— luego.** See you later. (I)

**— mañana.** See you tomorrow. (I)

**— pronto.** See you soon. (3A)

**hay** there is, there are (I)

**— que** one must (I)

**haya** *(subjunctive)* there is, there are (9B)

**haz** *(command)* do, make (I)

**he visto** I have seen (6B)

**hecho: ¿De qué está — ?** What is it made of? (2B)

el **helado** ice cream (I)

**herido, -a** injured (5A)

el **herido, la herida** injured person (5A)

el **hermano, la hermana** brother, sister (I)

el **hermanastro, la hermanastra** stepbrother, stepsister (I)

los **hermanos** brothers, brother(s) and sister(s) (I)

el **héroe** hero (5A)

la **heroína** heroine (5A)

**hervir (e→ie) (e→i)** to boil (7A)

el **hijo, la hija** son, daughter (I)

los **hijos** children, sons (I)

**histórico, -a** historical (8B)

el **hockey** hockey (1B)

la **hoja de papel** sheet of paper (I)

**¡Hola!** Hello! (I)

el **hombre** man (I)

**el — de negocios** businessman (9A)

el **hombro** shoulder (5B)

la **hora: en la... —** in the...hour (class period) (I)

**¿A qué —?** (At) what time? (I)

el **horario** schedule (I)

la **hormiga** ant (7B)

el **horno** oven (7A)

**al —** baked (7A)

**horrible** horrible (I)

el **horror: la película de —** horror movie (I)

el **hospital** hospital (I)

el **hotel** hotel (I)

**hoy** today (I)

**hubo** there was, there were (5A)

el **hueso** bone (5B)

los **huevos** eggs (I)

el **humo** smoke (5A)

el **huracán,** *pl.* **los huracanes** hurricane (5A)

**ida y vuelta** round-trip (8A)

**identidad: carnet de —** ID card

el **idioma** language (9A)

la **iglesia** church (I)

**igualmente** likewise (I)

**impaciente** impatient (I)

**importante** important (I)

**importa(n): me/te —** it matters (it's important)/they matter to me/to you (2B)

**impresionante** impressive (I)

el **incendio** fire (5A)

**increíble** incredible (I)

**infantil** childish (I)

la **información** information (I)

el **informe** report (I, 1A)

el **ingeniero, la ingeniera** engineer (9A)

el **inglés: la clase de —** English class (I)

el **ingrediente** ingredient (7A)

**inmediatamente** immediately (2B)

**inolvidable** unforgettable (I)

**insistir en** to insist (8A)

la **inspección,** *pl.* **las inspecciones de seguridad** security checkpoint (8A)

**inteligente** intelligent (I)

el **interés** interest (1B)

**interesante** interesting (I)

**interesar** to interest (I)

**me interesa(n)** it interests me (they interest me) (I)

la **inundación,** *pl.* **las inundaciones** flood (5A)

**investigar (g → gu)** to investigate (5A)

el **invierno** winter (I)

la **inyección,** *pl.* **las inyecciones** injection, shot (5B)

**poner una —** to give an injection (5B)

**ir** to go (I)

**— a +** *inf.* to be going to + *verb* (I)

**— a la escuela** to go to school (I)

**— a pie** to go on foot (3A)

**— de cámping** to go camping (I)

**— de compras** to go shopping (I)

**— de pesca** to go fishing (I)

**— de vacaciones** to go on vacation (I)

**¡Vamos!** Let's go! (I)

el **itinerario** itinerary (8B)

la **izquierda: a la — (de)** to the left (of) (I)

## J

el **jabón** soap (3A)

el **jardín,** *pl.* **los jardines** garden, yard (I)

los **jeans** jeans (I)

**joven** *adj.* young (I)

el / la **joven** young man, young woman (I)

los **jóvenes** young people (1B)

las **joyas (de oro, de plata)** (gold, silver) jewelry (2A)

la **joyería** jewelry store (I)

las **judías verdes** green beans (I)

**jueves** Thursday (I)

el **juez, la jueza,** *pl.* **los jueces** judge (9A)

el **jugador, la jugadora** player (6A)

**jugar (a) (u→ue) (g→gu)** to play *(games, sports)* (I)

**— a los bolos** to bowl (1B)

**— al básquetbol** to play basketball (I)

**— al béisbol** to play baseball (I)

**— al fútbol** to play soccer (I)

**— al fútbol americano** to play football (I)

**— al golf** to play golf (I)

**— al tenis** to play tennis (I)

**— al vóleibol** to play volleyball (I)

**— videojuegos** to play video games (I)

el **jugo:**

el **— de manzana** apple juice (I)

el **— de naranja** orange juice (I)

el **juguete** toy (I)

**julio** July (I)

**junio** June (I)

**juntarse** to join (9B)

## L

la **the** *f. sing.* (I); it, her *f. dir. obj. pron.* (I)

los **labios** lips (2A)

el **laboratorio** laboratory (I, 1A)

el **lado: al — de** next to (I)

el **ladrón, la ladrona,** *pl.* **los ladrones** thief (6B)

el **lago** lake (I)

la **lámpara** lamp (I)

la **lana** wool (2B)

el **lápiz,** *pl.* **los lápices** pencil (I)

**largo, -a** long (I)

**las the** *f. pl.;* **them, you** *formal pl. f. dir. obj. pron.* (I)

**— dos, los dos** both (I)

**lástima: ¡Qué —!** What a shame! (5B)

**lastimarse** to hurt oneself (5B)

la **lata** can (I)

**lavar** to wash (I)

**— el coche** to wash the car (I)

**— la ropa** to wash the clothes (I)

**— los platos** to wash the dishes (I)

**—se la cara** to wash one's face (2A)

**le** (to / for) him, her, you *formal sing. ind. obj. pron.* (I)

**— gusta ...** He / She likes... (I)

**— traigo ...** I will bring you ... (I)

**No — gusta ...** He / She doesn't like ... (I)

la **lección,** *pl.* **las lecciones de piano** piano lesson (class) (I)

**tomar lecciones** to take lessons (1B)

la **leche** milk (I)

la **lechuga** lettuce (I)

el **lector DVD** DVD player (I)

**leer (i→y) revistas** to read magazines (I)

**lejos (de)** far (from) (I)

**lentamente** slowly (2A)

la **leña** firewood (7B)

**les** (to / for) them; you *(formal) pl. ind. obj. pron.* (I)

el **letrero** sign (2B)

**levantar pesas** to lift weights (I)

**levantarse** to get up (2A)

la **ley** law (9A)

la **librería** bookstore (I)

el **libro** book (I)

la **liga** league (6A)

la **limonada** lemonade (I)

**limpiar el baño** to clean the bathroom (I)

**limpio, -a** clean (I)

la **línea:**

**estar en —** to be online (I, 1B)

**la — aérea** airline (8A)

la **liquidación,** *pl.* **las liquidaciones** sale (2B)

**listo, -a** ready (8A)

**llamar:**

**— por teléfono** to call on the phone (5A)

**¿Cómo se llama?** What's his / her name? (I)

**¿Cómo te llamas?** What is your name? (I)

**Me llamo ...** My name is ... (I)

la **llave** key (8B)

el **llavero** key chain (I)

la **llegada** arrival (8A)

**llegar: llegar tarde** to arrive late (1A)

**llenar (el tanque)** to fill (the tank) (3A)

**llevar** to wear (I); to take, to carry, to bring (I)

**llevarse bien / mal** to get along well / badly (4B)

**llorar** to cry (4B)

**llover (o→ue)** to rain (5A)

**Llueve.** It's raining. (I)

la **lluvia** rain (5A)

**lo** it, him, you *formal m. dir. obj. pron.* (I)

   — **siento.** I'm sorry. (I)

**lo** **que** what (1A)

**loco, -a: volverse (o→ue)** — to go crazy (6A)

el **locutor, la locutora** announcer (5A)

**los** the *m. pl.* (I); them, you *formal pl. m. dir. obj. pron.* (I)

   — **dos, las dos** both (I)

   — **fines de semana** on weekends (I)

   — **lunes, los martes...** on Mondays, on Tuesdays... (I)

**luchar** to fight (9B)

**luego** then (2A)

el **lugar** place (I)

la **Luna** the moon (9B)

**lunes** Monday (I)

   **los lunes** on Mondays (I)

la **luz,** *pl.* **las luces** light (I)

## M

la **madrastra** stepmother (I)

la **madre (mamá)** mother (I)

el **maíz** corn (7B)

**mal** bad, badly (I)

la **maleta** suitcase (8A)

   **hacer la** — to pack the suitcase (8A)

**malo, -a** bad (I)

**manejar** to drive (3B)

la **manera** way, manner (9B)

la **mano** hand (I)

   **darse la** — to shake hands (4B)

**mantener: para** — **la salud** to maintain one's health (I)

la **mantequilla** butter (I)

la **manzana** apple (I)

   **el jugo de** — apple juice (I)

**mañana** tomorrow (I)

la **mañana:**

   **a las ocho de la** — at eight (o'clock) in the morning (I)

   **de la** — in the morning (I)

el **maquillaje** make-up (2A)

el **mar** sea (I)

la **marca** brand (2B)

los **mariscos** shellfish (7A)

**marrón** *pl.* **marrones** brown (I)

**martes** Tuesday (I)

   **los martes** on Tuesdays (I)

**marzo** March (I)

**más:**

   **¿Qué** —**?** What else? (I)

   — **...que** more...than (I)

   — **de** more than (I)

   — **o menos** more or less (I)

**matar** to kill (6B)

las **matemáticas: la clase de** — mathematics class (I)

los **materiales** supplies, materials (1A)

**mayo** May (I)

la **mayonesa** mayonnaise (7B)

**mayor,** *pl.* **mayores** *adj.* older (I)

los **mayores** grown-ups (4B)

**me** (to / for) me *dir., ind. obj. pron.* (I)

   — **aburre(n)** it / they bore(s) me (I)

   — **estás poniendo nervioso, -a.** You are making me nervous. (3B)

   — **falta(n) ...** I need ... (I)

   — **gustaría** I would like (I)

   — **gustó.** I liked it. (I)

   — **importa(n)** it matters (it's important) they matter to me (2B)

   — **interesa(n)** it / they interest(s) me (I)

   — **llamo ...** My name is ... (I)

   — **parece que** it seems to me (2B)

   — **queda(n) bien / mal.** It / They fit(s) me well / poorly. (I)

   — **quedo en casa.** I stay at home. (I)

   **¿— trae...?** Will you bring me ...? *formal* (I)

el **mecánico, la mecánica** mechanic (9A)

**media, -o** half (I)

   **y** — thirty, half past (I)

**mediano, -a** medium (2B)

la **medicina** medicine (5B)

el **médico, la médica** doctor (3A)

**medio ambiente** environment (9B)

**mejor:**

   **el/ la** —**, los / las** —**es** the best (I)

   —**(es) que** better than (I)

**mejorar** to improve (9B)

el **melón,** *pl.* **los melones** melon (7B)

**memoria: aprender de** — to memorize (1A)

**menor** younger (I)

**menos:**

**más o** — more or less (I)

   — **... que** less / fewer ... than (I)

   — **de** less / fewer than (I)

**mentir (e→ie) (e→i)** to lie (4A)

el **menú** menu (I)

**menudo: a** — often (I)

el **mercado** market (2B)

el **mes** month (I)

la **mesa** table (I)

   **poner la** — to set the table (I)

la **mesita** night table (I)

**meter:** — **un gol** to score a goal (6A)

el **metro** subway (3B)

**mezclar** to mix (7A)

la **mezquita** mosque (I)

**mi, mis** my (I)

**mí:**

   **a** — **también** I do (like to) too (I)

   **a** — **tampoco** I don't (like to) either (I)

   **para** — in my opinion, for me (I)

el **microondas** microwave (7A)

el **miedo: tener** — **(de)** to be

scared (of), to be afraid (of) (I)

**el miembro** member (1B)

    **ser —** to be a member (1B)

**mientras (que)** while (4B)

**miércoles** Wednesday (I)

**mil** thousand (I)

**militar** *(adj.)* military (9A)

**un millón de / millones de** a million / millions of (6A)

**mío, -a, -os, -as** mine (2A)

**mirar** to look (at) (I)

**mismo, -a** same (I)

**la mochila** bookbag, backpack (I)

**moda: de —** in fashion (2B)

**los modales** manners (4B)

**mojado, -a** wet (7B)

**molestar** to bother (4A)

**el momento: un —** a moment (I)

**la moneda** coin (4A)

**el mono** monkey (I)

**las montañas** mountains (I)

**montar:**

    **— a caballo** to ride horse back (I)

    **— en bicicleta** to ride a bicycle (I)

    **— en monopatín** to skateboard (I)

**el monumento** monument (I)

**morado, -a** purple (I)

**morirse (o →ue)(o →u)** to die (6A)

    **se murieron** they died (5A)

**la mosca** fly (7B)

**la mostaza** mustard (7B)

**la moto acuática** jet skiing (8B)

**moverse (o→ue)** to move (5B)

**mucho, -a** a lot (I)

    **— gusto** pleased to meet you (I)

**muchos, -as** many (I)

**los muebles** furniture (5A)

**muerto, -a** dead (5A)

**la mujer** woman (I)

    **la — de negocios**

businesswoman (9A)

**las muletas** crutches (5B)

**la multa** ticket (3B)

**el mundo** world (4A)

**la muñeca** doll (4A); wrist (5B)

**el muñeco** action figure (4A)

**el músculo** muscle (5B)

**el museo** museum (I)

**el músico, la música** musician (1B)

**muy** very (I)

    **— bien** very well (I)

## N

**nacer** to be born (4B)

**nada** nothing (I)

    **(A mí) no me gusta — ...** I don't like to...at all. (I)

**nadar** to swim (I)

**nadie** no one, nobody (1A)

**la naranja: el jugo de —** orange juice (I)

**la nariz,** *pl.* **las narices** nose (I)

**la natación** swimming (1B)

**la naturaleza** nature (9B)

**navegar** to sail, to navigate (8B)
    **— en la Red** to surf the Web (I, 1B)

**necesario: Es —.** It's necessary. (I)

**necesitar:**

    **necesitas** you need (I)

    **necesito** I need (I)

**los negocios** business (9A)

    **el hombre de —** business man (9A)

    **la mujer de —** business woman (9A)

**negro: el pelo negro** black hair (I)

**nervioso, -a** nervous (2A)

**nevar (e→ie)** to snow (5A)

    **Nieva.** It's snowing. (I)

**ni ... ni** neither ... nor, not ... or (I)

**ningún, ninguno, -a** no, none, not any (1A)

**el niño, la niña** young boy, young girl (I)

**los niños** children (I)

**No comas.** Don't eat. (7A)

**No dejes** Don't leave, don't let (7A)

**No escribas.** Don't write. (7A)

**No estoy de acuerdo.** I don't agree. (I)

**No hables.** Don't speak. (7A)

**¡No me digas!** You don't say! (I)

**no ... todavía** not yet (6B)

**la noche:**

    **a las ocho de la —** at eight (o'clock) in the evening, at night (I)

    **Buenas —s.** Good evening. (I)

    **de la —** in the evening, at night (I)

    **esta —** this evening, tonight (I)

**nos** (to / for) us *dir., ind. obj. pron.* (I)

    **¡— vemos!** See you later! (I)

**nosotros, -as** we (I)

**la nota** grade, mark (in school) (1A)

    **sacar una buena —** to get a good grade (1A)

**el noticiero** newscast (5A)

**novecientos, -as** nine hundred (I)

**noveno, -a** ninth (I)

**noventa** ninety (I)

**noviembre** November (I)

**el novio, la novia** boyfriend, girlfriend (I)

**la nube** cloud (7B)

**nuestro, -a, -os, -as** our, ours (I)

**nueve** nine (I)

**nuevo, -a** new (I)

**el número** shoe size (2B)

**nunca** never (I)

## O

**o** or (I)

**obedecer (c →zc)** to obey (4A)

**obediente** obedient (4A)

la **obra de teatro** play (I)

**observar** to observe (8B)

**ochenta** eighty (I)

**ocho** eight (I)

**ochocientos, -as** eight hundred (I)

**octavo, -a** eighth (I)

**octubre** October (I)

**ocupado, -a** busy (I)

**ocurrir** to occur (5A)

**ofender** to offend (8B)

la **oficina** office (9A)

**ofrecer (c→zc)** to offer (4A)

**oír** to hear (5A)

el **ojo** eye (I)

la **olla** pot (7A)

el **olor** smell, odor (7B)

**olvidarse de** to forget about (7A)

  **no te olvides de** don't forget about / to (7A)

  **se me olvidó** I forgot (3A)

**once** eleven (I)

la **oportunidad** opportunity (1B)

**ordenado, -a** neat (I)

el **oro** gold (2A)

la **orquesta** orchestra (1B)

**os** (to / for) you *pl. fam. dir., ind. obj. pron.* (I)

**oscuro, -a** dark (2B)

el **oso** bear (I)

  **el — de peluche** teddy bear (4A)

el **otoño** fall, autumn (I)

**otro, -a** other, another (I)

**otra vez** again (I)

**¡Oye!** Hey! (I)

### P

la **paciencia** pacience (8A)

  **tener —** to be patient (8A)

**paciente** *adj.* patient (I)

el **padrastro** stepfather (I)

el **padre (papá)** father (I)

los **padres** parents (I)

**pagar (por)** to pay (for) (I)

la **página Web** Web page (I)

el **país** country (I)

el **pájaro** bird (I)

la **palabra** word (1A)

el **palacio** palace (8B)

el **palo de golf** golf club (3A)

el **pan** bread (I)

  **el — tostado** toast (I)

la **pantalla** (computer) screen (I)

los **pantalones** pants (I)

  **los — cortos** shorts (I)

las **papas** potatoes (I)

  **las — fritas** French fries (I)

el **papel** role (6B)

  **el — picado** cut-paper decorations (I)

  **hacer el — de** to play the role of (6B)

la **papelera** wastepaper basket (I)

**para** for (I)

  **— + inf.** in order to (I)

  **— la salud** for one's health (I)

  **— mantener la salud** to maintain one's health (I)

  **— mí** in my opinion, for me (I)

  **¿ — qué sirve?** What's it (used) for? (I)

  **— ti** in your opinion, for you (I)

el **paramédico, la paramédica** paramedic (5A)

**parar** to stop (3B)

**parecer:**

  **me parece que** it seems to me (2B)

  **¿Qué te parece?** What do you think? / How does it seem to you? (2B)

la **pared** wall (I)

los **parientes** relatives (4B)

el **parque** park (I)

  **el — de diversiones** amusement park (I)

  **el — nacional** national park (I)

**parrilla: a la —** on the grill (7B)

**participar (en)** to participate (in) (1B)

el **partido** game, match (I)

el **pasajero, la pasajera** passenger (8A)

el **pasaporte** passport (8A)

**pasar** to pass, to go (3B)

  **¿Cómo lo pasaste?** How was it (for you)? (I)

  **— la aspiradora** to vacuum (I)

  **— tiempo con amigos** to spend time with friends (I)

  **¿Qué pasa?** What's happening? (I)

  **¿Qué te pasó?** What happened to you? (I, 5B)

el **pasatiempo** pastime (1B)

**pasear en bote** to go boating (I)

el **pasillo** aisle (8A)

la **pasta dental** toothpaste (3A)

**pastel** *adj.* pastel *(color)* (2B)

el **pastel** cake (I)

los **pasteles** pastries (I)

las **pastillas** pills (5B)

**patinar** to skate (I)

los **patines** skates (3A)

el **patio de recreo** playground (4A)

el **pavo** turkey (7B)

la **paz** peace (9B)

el **peatón,** *pl.* **los peatones** pedestrian (3B)

el **pedazo** piece, slice (7A)

**pedir (e→i)** to order, to ask for (I)

  **— ayuda** to ask for help (1A)

  **— prestado, -a (a)** to borrow (from) (2A)

el **peine** comb (2A)

**pelar** to peel (7A)

**pelearse** to fight (4A)

la **película** film, movie (I)

  **la — de acción** action film (6B)

  **la — de ciencia ficción** science fiction movie (I)

  **la — de horror** horror movie

(I)

**la — policíaca** crime movie, mystery (I)

**la — romántica** romantic movie (I)

**ver una —** to see a movie (I)

**(en) peligro de extinción** in danger of extinction, endangered (9B)

**peligroso, -a** dangerous (3B)

**pelirrojo, -a** red-haired (I)

el **pelo** hair (I, 2A)

**el — canoso** gray hair (I)

**el — castaño** brown (chestnut) hair (I)

**el — negro** black hair (I)

**el — rubio** blond hair (I)

la **pelota** ball (3A)

**peluche: el oso de —** teddy bear (4A)

**pensar (e→ie)** to plan, to think (I)

**peor:**

**el / la —, los / las —es** the worst (I)

**—(es) que** worse than (I)

**pequeño, -a** small (I)

**perder (e→ie)** to lose (6A)

**Perdón.** Excuse me. (I)

**perezoso, -a** lazy (I)

el **perfume** perfume (I)

el **periódico** newspaper (I)

el **permiso de manejar** driver's license (3B)

**permitir** to permit, to allow (4A)

**pero** but (I)

el **perrito caliente** hot dog (I)

el **perro** dog (I)

la **persona** person (I)

el **personaje principal** main character (6B)

**pesas: levantar —** to lift weights (I)

el **pescado** fish *(as a food)* (I)

el **pez,** *pl.* **los peces** fish (4A)

**picante** spicy (7B)

**picar** to chop (7A)

el **picnic** picnic (4B)

el **pie** foot (I)

la **piedra** rock (7B)

la **pierna** leg (I)

el / la **piloto** pilot (8A)

la **pimienta** pepper (I)

**pintarse (las uñas)** to paint, to polish (one's nails) (2A)

el **pintor, la pintora** painter (9A)

la **piña** pineapple (7B)

la **piñata** piñata (I)

la **piscina** swimming pool (I)

el **piso** story, floor (I)

**primer —** second floor (I)

**segundo —** third floor (I)

la **pizza** pizza (I)

**planear** to plan (8A)

la **planta** plant (9B)

la **planta baja** ground floor (I)

el **plástico** plastic (I)

la **plata** silver (2A)

el **plátano** banana (I)

el **plato** plate, dish (I)

**de — principal** as a main dish (I)

**el — principal** main dish (I)

la **playa** beach (I)

la **plaza** plaza (3B)

**pobre** poor (I)

**pobrecito, -a** poor thing (5B)

**poco: un — (de)** a little (I)

**poder (o→ue)** to be able to (I)

**(tú) puedes** you can (I)

**(yo) puedo** I can (I)

**se puede** you can (7A)

el / la **policía** police officer (3B)

**policíaca: la película —** crime movie, mystery (I)

la **política** politics (9A)

el **político, la política** politician (9A)

el **pollo** chicken (I)

**poner** to put, to place (I)

**pon** *(command)* put, place (I)

**— la mesa** to set the table (I)

**— una inyección** to give an injection (5B)

**— una multa** to give a ticket (3B)

**—se** to apply, to put on *(clothing, make up, etc.)* (2A); + *adj.* to become (6A)

**(tú) pones** you put (I)

**(yo) pongo** I put (I)

**por** for (how long) (3A); by, around, along, through (3B)

**— ejemplo** for example (2A)

**— eso** that's why, therefore (I)

**— favor** please (I)

**— lo general** in general (4A)

**¿— qué?** Why? (I)

**— supuesto** of course (I)

**— ... vez** for the ... time (6A)

**porque** because (I)

**portarse bien / mal** to behave well / badly (4A)

la **posesión,** *pl.* **las posesiones** possession (I)

el **postre** dessert (I)

**de —** for dessert (I)

la **práctica** practice (1B)

**practicar (c→qu) deportes** to play sports (I)

**práctico, -a** practical (I)

el **precio** price (I, 2B)

**preferir (e→ie) (e→i)** to prefer (I)

**(tú) prefieres** you prefer (I)

**(yo) prefiero** I prefer (I)

la **pregunta** question (1A)

**hacer una —** to ask a question (1A)

el **premio** prize (6A)

**preparar** to prepare (I)

**—se** to get ready (2A)

la **presentación,** *pl.* **las presentaciones** presentation (I)

el **presentador, la presentadora** presenter (6A)

**prestar atención** to pay attention (1A)

la **primavera** spring (I)

**primer (primero), -a** first (I)

**— piso** second floor (I)

el **primo, la prima** cousin (I)

los **primos** cousins (I)

**prisa** hurry (3B)

**de —** in a hurry (5A)

**tener —** to be in a hurry (3B)

**probar (o→ue)** to taste, to try (7A)

**probarse (o→ue)** to try on (2B)

el **problema** problem (I)

la **profesión**, *pl.* **las profesiones** profession (9A)

el **profesor, la profesora** teacher (I)

el **programa** program, show (I)

el **— de concursos** game show (I)

el **— de dibujos animados** cartoon (I)

el **— de entrevistas** interview program (I)

el **— de estudios** course of studies (9A)

el **— de la vida real** reality program (I)

el **— de noticias** news program (I)

el **— deportivo** sports program (I)

el **— educativo** educational program (I)

el **— musical** musical program (I)

**prohibir: se prohíbe** it is forbidden (1A)

**pronto** soon (3A)

**Hasta —.** See you soon. (3A)

la **propina** tip (8B)

**propio, -a** own (I)

**proteger (g→j)** to protect (9B)

el **proyecto** project (1A)

el **— de construcción** construction project (I)

el **público** audience (6A)

el **pueblo** town (9B)

**puede: se —** you can (7A)

**puedes: (tú) —** you can (I)

**puedo: (yo) —** I can (I)

el **puente** bridge (3B)

la **puerta** door (I)

la **— de embarque** departure gate (8A)

**pues** well *(to indicate pause)* (I)

el **puesto** (food) stand (7B)

la **pulsera** bracelet (I)

el **reloj —** watch (I)

las **puntadas** stitches (5B)

**dar —** to stitch *(surgically)* (5B)

**puntual** punctual (8B)

el **pupitre** desk (I)

**puro, -a** pure (9B)

## Q

**que** who, that (I)

**qué:**

**¿Para — sirve?** What's it (used) for? (I)

**¡— +** *adj.!* How ...! (I)

**¡— asco!** How awful! (I)

**¡— buena idea!** What a good / nice idea! (I)

**¿— clase de...?** What kind of ... ? (I)

**¿— desean (Uds.)?** What would you like? *formal* (I)

**¿— día es hoy?** What day is today? (I)

**¿— es esto?** What is this? (I)

**¿— hiciste?** What did you do? (I)

**¿— hora es?** What time is it? (I)

**¡— lástima!** What a shame! (5B)

**¿— más?** What else? (I)

**¿— pasa?** What's happening? (I)

**¡— pena!** What a shame / pity! (I)

**¿— quiere decir... ?** What does ... mean? (I)

**¿— tal?** How are you? (I)

**¿— tal es ...?** How is (it)...? (6B)

**¿— te gusta hacer?** What do you like to do? (I)

**¿— te gusta hacer más?** What do you like better (prefer) to do? (I)

**¿— te parece?** What do you think? / How does it seem to you? (I, 2B)

**¿— te pasó?** What happened to you? (I, 5B)

**¿— tiempo hace?** What's the weather like? (I)

**quedar** to fit, to be located (I, 3B)

**quedarse** to stay (3A)

el **quehacer (de la casa)** (household) chore (I)

**quemar(se)** to burn (oneself), to burn up (5A)

**querer (e→ie)** to want (I)

**¿Qué quiere decir...?** What does...mean? (I)

**Quiere decir...** It means... (I)

**quisiera** I would like (I)

**(tú) quieres** you want (I)

**(yo) quiero** I want (I)

**¿Quién?** Who? (I)

**quince** fifteen (I)

**quinientos, -as** five hundred (I)

**quinto, -a** fifth (I)

el **quiosco** newsstand (8B)

**quisiera** I would like (I)

**quitar** to take away, to remove (3B)

**— el polvo** to dust (I)

**quizás** maybe (I)

## R

la **radiografía** X-ray (5B)

**sacar una —** to take an X-ray (5B)

**rápidamente** quickly (I, 2A)

la **raqueta de tenis** tennis racket (3A)

el **ratón**, *pl.* **los ratones** (computer) mouse (I)

**razón: tener —** to be correct (I)

**realista** realistic (I)

la **recepción** reception desk (8B)

la **receta** prescription (5B); recipe (7A)

**recetar** to prescribe (5B)

**recibir** to receive (I)

**reciclar** to recycle (I)

**recientemente** recently (2B)

**recoger (g→j)** to collect, to gather (I)

**recomendar (e→ie)** to recommend (6B)

**recordar (o→ue)** to remember (4B)

los **recuerdos** souvenirs (I)

**comprar —** to buy souvenirs (I)

la **Red:**

**en la —** online (I)

**navegar (g→gu) en la —** to surf the Web (I, 1B)

**reducir** to reduce (9B)

el **refresco** soft drink (I)

el **refrigerador** refrigerator (7A)

**regalar** to give (a gift) (4B)

el **regalo** gift, present (I)

**regatear** to bargain (8B)

**registrar** to inspect, to search *(luggage)* (8A)

la **regla** rule (1A)

**regresar** to return (I)

**regular** okay, so-so (I)

la **reina** queen (6A)

**reírse (e→i)** to laugh (4B)

el **reloj** clock (I)

**el — pulsera** watch (I)

**repente: de —** suddenly (5A)

**repetir (e → i)** to repeat (1A)

el **reportero, la reportera** reporter (5A)

**rescatar** to rescue (5A)

la **reservación,** *pl.* **las reservaciones** reservation (8A)

**reservado, -a** reserved, shy (I)

**resolver (o→ue)** to solve (9B)

**respetar** to respect (1A)

el **restaurante** restaurant (I)

**resultar** to result, to turn out (6A)

el **retraso** delay (8A)

la **reunión,** *pl.* **las reuniones** meeting (1B); gathering (4B)
**reunirse (u→ú)** to meet (4B)

el **rey,** king *pl.* **los reyes** king and queen (8B)

**rico, -a** rich, tasty (I)

el **río** river (I)

**robar** to rob, to steal (6B)

la **rodilla** knee (5B)

**rojo, -a** red (I)

**romántico, -a: la película —** romantic movie (I)

**romper** to break (I)

**—se** to break, to tear (5B)

la **ropa: la tienda de —** clothing store (I)

**rosado, -a** pink (I)

**roto, -a** broken (5B)

**rubio, -a** blond (I)

**ruedas: silla de —** wheelchair (5B)

el **ruido** noise (8B)

## S

**sábado** Saturday (I)

**saber** to know (how) (I, 1B)

**(tú) sabes** you know (how to) (I)

**(yo) sé** I know (how to) (I)

el **sabor** taste (7B)

**sabroso, -a** tasty, flavorful (I)

el **sacapuntas,** *pl.* **los sacapuntas** pencil sharpener (I)

**sacar (c→qu):**

**— fotos** to take photos (I)

**— la basura** to take out the trash (I)

**— un libro** to take out, to check out a book (3A)

**— una buena nota** to get a good grade (1A)

**— una radiografía** to take an X-ray (5B)

la **sal** salt (I)

la **sala** living room (I)

**la — de clases** classroom (I)

**la — de emergencia** emergency room (5B)

el **salario** salary (9A)

la **salchicha** sausage (I)

la **salida** exit (2B); departure (8A)

**salir** to leave, to go out (I)

el **salón de belleza,** *pl.* **los salones de belleza** beauty salon (2A)

los **salones de chat** chat rooms (1B)

la **salsa** salsa, sauce (7A)

**la — de tomate** ketchup (7B)

**saltar (a la cuerda)** to jump (rope) (4A)

la **salud:**

**para la —** for one's health (I)

**para mantener la —** to maintain one's health (I)

**saludar(se)** to greet (4B)

**salvar** to save (5A)

la **sandía** watermelon (7B)

el **sándwich de jamón y queso** ham and cheese sandwich (I)

la **sangre** blood (5B)

la **sartén** frying pan (7A)

**se abre** opens (3A)

**se cierra** closes (3A)

**se me olvidó** I forgot (3A)

**se murieron** they died (5A)
**se prohíbe ...** it's forbidden ... (1A)

**se puede** you can (7A)

**sé: (yo) —** I know (how to) (I)

el **secador** blow dryer (2A)

**secarse** to dry (2A)

**seco, -a** dry (7B)

el **secretario, la secretaria** secretary (9A)

**sed:**
**Tengo —.** I'm thirsty. (I)

la **seda** silk (2B)

**seguida: en —** right away (3A)

**seguir (e→i)** to follow, to continue (3B)

— **una carrera** to pursue a career (9A)

**según** according to (I)

— **mi familia** according to my family (I)

**segundo, -a** second (I)

— **piso** third floor (I)

**seguro, -a** sure (3B)

**seis** six (I)

**seiscientos, -as** six hundred (I)

el **sello** stamp (3A)

la **selva tropical** rain forest (9B)

el **semáforo** stoplight (3B)

la **semana** week (I)

**este fin de —** this weekend (I)

**la — pasada** last week (I)

**los fines de —** on weekends (I)

el **sendero** trail (7B)

**sentirse (e→ie) (e→i)** to feel (5B)

la **señal** sign (3A)

**la — de parada** stop sign (3B)

**señor (Sr.)** sir, Mr. (I)

**señora (Sra.)** madam, Mrs. (I)

**señorita (Srta.)** miss, Miss (I)

**separar** to separate (I)

**septiembre** September (I)

**séptimo, -a** seventh (I)

**ser** to be (I)

**¿Eres...?** Are you...? (I)

**es** he / she is (I)

**fue** it was (I)

**no soy** I am not (I)

**soy** I am (I)

**ser: será** it, he, she will be (6B)

**serio, -a** serious (I)

la **servilleta** napkin (I)

**servir (e→i)** to serve, to be useful (I)

**¿En qué puedo —le?** How can I help you? (I)

**¿Para qué sirve?** What's it (used) for? (I)

**sirve para** it is used for (I)

**sesenta** sixty (I)

**setecientos, -as** seven hundred (I)

**setenta** seventy (I)

**sexto, -a** sixth (I)

**si** if, whether (I)

**sí** yes (I)

**siempre** always (I)

**siento: Lo —.** I'm sorry. (I)

**siete** seven (I)

**siguiente** next, following (8B)

la **silla** chair (I)

**la — de ruedas** wheelchair (5B)

**simpático, -a** nice, friendly (I)

**sin** without (I)

— **duda** without a doubt (5A)

la **sinagoga** synagogue (I)

el **sitio Web** Web site (I)

**sobre** on, about (I, 1A)

**sociable** sociable (I, 1A)

**¡Socorro!** Help! (5A)

el **software** software (I)

el **sol:**

**Hace —.** It's sunny. (I)

**los anteojos de —** sunglasses (I)

**tomar el —** to sunbathe (I)

**solar** solar (9B)

**sólo** only (I)

**de — un color** solid-colored (2B)

**solo, -a** alone (I)

**Son las...** It is ... *(in telling time)* (I)

**sonreír (e→í)** to smile (4B)

la **sopa de verduras** vegetable soup (I)

la **sorpresa** surprise (4B)

el **sótano** basement (I)

**soy** I am (I)

**su, sus** his, her, your *formal,* their (I)

**subir** to go up (5A)

**sucio, -a** dirty (I)

la **sudadera** sweatshirt (I)

el **suelo** ground, floor (7B)

**sueño: tener —** to be sleepy (I)

el **suéter** sweater (I)

**sugerir (e→ie) (e→i)** to suggest (8A)

el **supermercado** supermarket (3A)

**supuesto: por —** of course (I)

el **surf de vela** windsurfing (8B)

**suyo,-a,-os,-as** his, hers, yours, theirs (2A)

## T

**tal: ¿Qué — ?** How are you? (I)

**¿Qué — es?** How is it? (6B)

**tal vez** maybe, perhaps (8B)

**talentoso, -a** talented (I)

la **talla** size (2B)

**también** also, too (I)

**a mí —** I do (like to) too (I)

**tampoco: a mí —** I don't (like to) either (I)

**tan** so (2B)

**— + *adj.*** so + adj. (2B)

**— + *adj.* + como** as + *adj.* + as (1B)

el **tanque** tank (3A)

el **tanteo** score (6A)

**tanto** so much (I)

**tantos, -as + *noun* + como** as much / many + *noun* + as (1B)

**tarde** late (I)

**la —** afternoon (I)

**a la una de la —** at one (o'clock) in the afternoon (I)

**Buenas —s.** Good afternoon.(I)

**de la —** in the afternoon (I)

**esta —** this afternoon (I)

**llegar (g→gu) —** to arrive late (1A)

la **tarea** homework (I)

la **tarjeta** card (I, 3A)

**la — de crédito** credit card (2B)

**la — de embarque** boarding pass (8A)

**la — postal** postcard (8B)

**la** **taza** cup (I)

**te** (to / for) you *sing. dir., ind. obj. pron.* (I)

¿**— gusta ... ?** Do you like to...? (I)

¿**— gustaría?** Would you like? (I)

¿**— gustó?** Did you like it? (I)

**— importa(n)** it matters (it's important), they matter to you (2B)

**— ves (bien)** you look (good) (2A)

**el** **té** tea (I)

**el — helado** iced tea (I)

**el** **teatro** theater (I)

**el** **teclado** (computer) keyboard (I)

**el** **técnico, la técnica** technician (9A)

**la** **tecnología** technology / computers (I)

**la clase de —** technology / computer class (I)

**la** **tela sintética** synthetic fabric (2B)

**la** **telenovela** soap opera (I)

**el** **televisor** television set (I)

**el** **templo** temple, Protestant church (I)

**temprano** early (I)

**tendremos** we will have

**el** **tenedor** fork (I)

**tener** to have (I)

¿**Cuántos años tiene(n) ...?** How old is / are...? (I)

**— calor** to be warm (I)

**— cuidado** to be careful (3B)

**— éxito** to succeed, to be successful (6B)

**— frío** to be cold (I)

**— miedo (de)** to be scared (of), to be afraid (of) (I)

**— paciencia** to be patient (8A)

**— prisa** to be in a hurry (3B)

**— razón** to be correct (I)

**— sueño** to be sleepy (I)

**Tengo hambre.** I'm hungry. (I)

**Tengo que ...** I have to... (I)

**Tengo sed.** I'm thirsty. (I)

**Tiene(n)...años.** He / She is / They are ... (years old). (I)

**el** **tenis: jugar al —** to play tennis (I)

**tercer (tercero), -a** third (I)

**terminar** to finish, to end (I)

**el** **terremoto** earthquake (5A)

**ti** you *fam. after prep.*

¿**Y a —?** And you? (I)

**para —** in your opinion, for you (I)

**el** **tiempo:**

**a —** on time (1A)

¿**Cuánto — hace que...?** How long have you been...? (1B)

**el — libre** free time (I)

**pasar — con amigos** to spend time with friends (I)

¿**Qué — hace?** What's the weather like? (I)

**la** **tienda** store (I)

**la — de descuentos** discount store (I)

**la — de electrodomésticos** household-appliance store (I)

**la — de ropa** clothing store (I)

**Tiene(n)...años.** He / She is / They are ... (years old). (I)

**la** **Tierra** Earth (9B)

**las** **tijeras** scissors (1A)

**tímido, -a** timid (4A)

**típico, -a** typical (8B)

**el** **tío, la tía** uncle, aunt (I)

**los** **tíos** uncles, aunt(s) and uncle(s) (I)

**tirar** to spill, to throw away (7A)

**no tires** don't spill, don't throw away (7A)

**la** **toalla** towel (2A)

**el** **tobillo** ankle (5B)

**tocar (c→qu) la guitarra** to play the guitar (I)

**el** **tocino** bacon (I)

**todavía** still (3A)

**no... —** not yet (6B)

**todo el mundo** everyone (4A)

**todos, -as** all (I)

**— los días** every day (I)

**tomar:**

**— el sol** to sunbathe (I)

**— lecciones** to take lessons (1B)

**— un curso** to take a course (I)

**los** **tomates** tomatoes (I)

**tonto, -a** silly, stupid (I)

**torcerse (o→ue) (c→z)** to twist, to sprain (5B)

**la** **tormenta** storm (5A)

**la** **tortuga** turtle (4A)

**trabajador, -ora** hardworking (I)

**trabajar** to work (I)

**el** **trabajo** work, job (I)

**el — voluntario** volunteer work (I)

**traer:**

**Le traigo...** I will bring you... (I)

¿**Me trae ...?** Will you bring me ...? *formal* (I)

**el** **tráfico** traffic (3B)

**el** **traje** suit (I)

**el — de baño** swimsuit (I)

**tranquilo, -a** calm (2A)

**tratar de** to try to (5A)

**tratarse de** to be about (6B)

**travieso, -a** naughty, mischievous (4A)

**trece** thirteen (I)

**treinta** thirty (I)

**treinta y uno** thirty-one (I)

**tremendo, -a** tremendous (I)

**el** **tren** train (I)

**el — eléctrico** electric train (4A)

**tres** three (I)

**trescientos, -as** three hundred (I)

el **triciclo** tricycle (4A)

**triste** sad (I)

**tropezar (e→ie) (z→c) (con)** to trip (over) (5B)

**tu, tus** your (I)

**tú** you *fam.* (I)

el / la **turista** tourist (8A)

**tuyo, -a, -os, -as** yours (2A)

**U** _____

**Ud. (usted)** you *formal sing.* (I)

**Uds. (ustedes)** you *formal pl.* (I)

**¡Uf!** ugh!, yuck! (I)

**último, -a** the last / final (6A)

**un, una** a, an (I)

— **poco (de)** a little (I)

la **una: a la —** at one o'clock (I)

la **universidad** university (9A)

**uno** one (I)

**unos, -as** some (I)

las **uñas** nails (2A)

**usado, -a** used (I)

**usar la computadora** to use the computer (I)

**usted (Ud.)** you *formal sing.* (I)

**ustedes (Uds.)** you *formal pl.* (I)

las **uvas** grapes (I)

**V** _____

las **vacaciones: ir de —** to go on vacation (I)

**valiente** brave (5A)

el **valle** valley (9B)

**¡Vamos!** Let's go! (I)

**varios, -as** various, several (3A)

el **vaso** glass (I)

el **vecino, la vecina** neighbor (4A)

**veinte** twenty (I)

**veintiuno, -a (veintiún)** twenty-one (I)

la **vela** sail (8B)

la **venda** bandage (5B)

el **vendedor, la vendedora** vendor (8B)

**vender** to sell (I)

**venir** to come (I)

la **ventana** window (I)

la **ventanilla** (airplane) window (8A)

**ver** to see (I)

**a —** ... Let's see... (I)

**¡Nos vemos!** See you later! (I)

**te ves (bien)** you look good (2A)

**— la tele** to watch television (I)

**— una película** to see a movie (I)

el **verano** summer (I)

**veras: ¿De —?** Really? (I)

la **verdad** truth (4A)

**¿Verdad?** Really? (I)

**verde** green (I)

el **vestido** dress (I)

**vestirse (e→i)** to get dressed (2A)

el **veterinario, la veterinaria** veterinarian (9A)

la **vez,** *pl.* **las veces:**

**a veces** sometimes (I)

**de — en cuando** once in a while 4A)

**otra —** again (I)

**por ... —** for the ... time (6A)

**viajar** to travel (I)

el **viaje** trip (I)

la **víctima** victim (6B)

la **vida** life (5A)

el **video** videocassette (I)

la **videocasetera** VCR (I)

los **videojuegos: jugar —** to play video games (I)

el **vidrio** glass (I)

**viejo, -a** old (I)

**viernes** Friday (I)

el **vinagre** vinegar (7A)

la **violencia** violence (6B)

**violento, -a** violent (I)

**visitar** to visit (I)

**— salones de chat** to visit chat rooms (I, 1B)

**vivir** to live (I)

**vivo, -a** bright (color) (2B); living, alive (5A)

el **vóleibol: jugar al —** to play volleyball (I)

**volver (o→ue)** to return (1B)

**—se loco, -a** to go crazy (6A)

la **voz,** *pl.* **las voces** voice (1B)

el **voluntario, la voluntaria** volunteer (I)

**vosotros, -as** you *fam. pl.* (I)

el **vuelo** flight (8A)

**vuestro, -a, -os, -as** your, yours (I)

**W** _____

**Web: crear una página Web** to create a Web page (1B)

**Y** _____

**y** and (I)

**¿— a ti?** And you? (I)

**— cuarto** quarter past (I)

**— media** thirty *(in telling time)* (I)

**¿— tú?** And you? *fam.* (I)

**¿— usted (Ud.)?** And you? *formal* (I)

**ya** already (I, 3B)

el **yeso** cast (5B)

**yo** I (I)

el **yogur** yogurt (I)

**Z** _____

las **zanahorias** carrots (I)

la **zapatería** shoe store (I)

los **zapatos** shoes (I)

el **zoológico** zoo (I)

# English-Spanish Vocabulary

The *English-Spanish Vocabulary* contains all active vocabulary from the text, including vocabulary presented in the grammar sections.

A dash (—) represents the main entry word. For example, **to play** — after **baseball** means **to play baseball**

The number following each entry indicates the chapter in which the word or expression is presented. A Roman numeral (I) indicates that the word was presented in REALIDADES 1.

The following abbreviations are used in this list: *adj.* (adjective), *dir. obj.* (direct object), *f.* (feminine), *fam.* (familiar), *ind. obj.* (indirect object), *inf.* (infinitive), *m.* (masculine), *pl.* (plural), *prep.* (preposition), *pron.* (pronoun), *sing.* (singular).

## A

**a, an** un, una (I)

**a little** un poco (de) (I)

**a lot** mucho, -a (I)

**able: to be — to** poder (o → ue) (I)

**about** sobre (I, 1A)

　　**to be —** tratarse de (6B)

**accident** el accidente (5B)

to **accompany** acompañar (7B)

**according to** según (I)

　　**— my family** según mi familia (I)

**accountant** el contador, la contadora (9A)

**acquainted: to be — with** conocer (c → zc) (I, 1B)

**acting** la actuación (6B)

**action figure** el muñeco (4A)

**action film** la película de acción (6B)

**actor** el actor (I)

**actress** la actriz, *pl.* las actrices (I)

to **add** añadir (7A)

　　**addition: in — (to)** además (de) (9B)

　　**address: e-mail —** la dirección electrónica (I)

**afraid: to be — (of)** tener miedo (de) (I)

**after** después de (I)

**afternoon:**

　　**at one (o'clock) in the afternoon** a la una de la tarde (I)

　　**Good —.** Buenas tardes. (I)

　　**in the —** de la tarde (I)

　　**this —** esta tarde (I)

**afterwards** después (I)

**again** otra vez (I)

**against** contra (9B)

**agitated** agitado, -a (6A)

**ago** hace + *time expression* (I)

**agree:**

　　**I —.** Estoy de acuerdo. (I)

　　**I don't —.** No estoy de acuerdo. (I)

**Agreed.** De acuerdo. (3B)

**air conditioning** el aire acondicionado (9B)

**airline** la línea aérea (8A)

**airplane** el avión (I)

**airport** el aeropuerto (8A)

**aisle** el pasillo (8A)

**alarm clock** el despertador (I)

**alien** el / la extraterrestre (6B)

**alive** vivo, -a (5A)

**all** todos, -as (I)

**almost** casi (I, 3A)

**alone** solo, -a (I)

**along** por (3B)

**already** ya (I, 3B)

**also** también (I)

**always** siempre (I)

**am:**

　　**I —** (yo) soy (I)

　　**I — not** (yo) no soy (I)

**ambulance** la ambulancia (5B)

**among** entre (1B)

**amusement park** el parque de diversiones (I)

**amusing** divertido, -a (I)

**and** y (I)

　　**— you?** ¿Y a ti? *fam.* (I); ¿Y tu? *fam.* (I); ¿Y usted (Ud.)? *formal* (I)

**angry** enojado, -a (6A)

　　**to get —** enojarse (6A)

**animal** el animal (I)

**ankle** el tobillo (5B)

**anniversary** el aniversario (4B)

to **announce** anunciar (2B)

**announcement** el anuncio (8A)

**announcer** el locutor, la locutora (5A)

**another** otro, -a (I)

to **answer** contestar (1A)

**ant** la hormiga (7B)

**antique** antiguo, -a (4B)

**any** algunos, -as (1A)

**anyone** alguien (1A)

**Anything else?** ¿Algo más? (I)

**apartment** el apartamento (I)

　　**— building** el edificio de apartamentos (5A)

to **applaud** aplaudir (6A)

**apple** la manzana (I)

　　**— juice** el jugo de manzana (I)

**approximately** aproximadamente (3B)

**April** abril (I)

**architect** el arquitecto, la arquitecta (9A)

**Are you … ?** ¿Eres … ? (I)

**arm** el brazo (I)

**around** por (3A, 3B); alrededor de (4B)

to **arrest** arrestar (6B)

**arrival** la llegada (8A)

to **arrive late** llegar (g → gu) tarde (1A)

**art class** la clase de arte (I)

**article** el artículo (5A)

**artist** el artista, la artista (9A)

**artistic** artístico, -a (I)

**arts** las artes (9A)

　　**martial —** las artes marciales (1B)

**as** como (I)

   **— a child** de niño (4A); de pequeño (4A)

   **— a main dish** de plato principal (I)

   **— far as** hasta (3B)

**as much / many + *noun* + as** tantos, -as + *noun* + como

**as + *adj.* + as** tan + *adj.* + como (1B)

to  **ask for** pedir (e → i) (I)

   **— help** pedir ayuda (1A)

to  **ask a question** hacer una pregunta (1A)

**asleep** dormido, -a (5A)

   **to fall—**dormirse (6A)

**at:**

   **— eight (o'clock)** a las ocho (I)

   **— eight (o'clock) at night** a las ocho de la noche (I)

   **— eight (o'clock) in the evening** a las ocho de la noche (I)

   **— eight (o'clock) in the morning** a las ocho de la mañana (I)

   **— home** en casa (I)

   **— one (o'clock)** a la una (I)

   **— one (o'clock) in the afternoon** a la una de la tarde (I)

   **— the end** al final (6A)

   **— what time?** ¿A qué hora? (I)

**athlete** el / la atleta (6A)

**ATM** el cajero automático (8B)

to  **attend** asistir a (1B)

**attentive** atento, -a (8B)

**attention: to pay —** prestar atención (1A)

**attraction(s)** la atracción, *pl.* las atracciones (I)

**audience** el público (6A)

**audition** la audición, *pl.* las audiciones (2A)

**auditorium** el auditorio (6A)

**August** agosto (I)

**aunt** la tía (I)

**aunt(s) and uncle(s)** los tíos (I)

**autumn** el otoño (I)

**avenue** la avenida (3B)

**avocado** el aguacate (7B)

# B

**baby** el / la bebé (4B)

**back** la espalda (5B)

**backpack** la mochila (I)

**bacon** el tocino (I)

**bad** malo, -a (I); mal (I)

**badly** mal (I)

**bag** la bolsa (I)

**baked** al horno (7A)

**ball** la pelota (3A)

**balloon** el globo (I)

**banana** el plátano (I)

**band** *(musical)* la banda (1B)

**bandage** la venda (5B)

**bank** el banco (3A)

**barbecue: to have a —** hacer una parrillada (7B)

**bargain** la ganga (2B)

to  **bargain** regatear (8B)

**baseball: to play —** jugar al béisbol (I)

**based: to be — on** estar basado, -a en (6B)

**basement** el sótano (I)

**basket** la cesta (7B)

**basketball: to play —** jugar al básquetbol (I)

**bathroom** el baño (I)

to  **be** ser (I); estar (I)

   **He / She is / They are ... (years old).** Tiene(n) ... años. (I)

   **How old is / are ... ?** ¿Cuántos años tiene(n)...? (I)

   **to — + *present participle*** estar + *present participle* (I)

   **to — a member** ser miembro (1B)

   **to — able to** poder (o → ue) (I)

**to — about** tratarse de (6B)

**to — acquainted with** conocer (c → zc) (I)

**to — afraid (of)** tener miedo (de) (I)

**to — based on** estar basado, -a en (6B)

**to — born** nacer (4B)

**to — careful** tener cuidado (3B)

**to — cold** tener frío (I)

**to — correct** tener razón (I)

**to — going to + *verb*** ir a + *inf.* (I)

**to — in a hurry** tener prisa (3B)

**to — in fashion** estar de moda (2B)

**to — in love with** estar enamorado, -a de (6B)

**to — located** quedar (I, 3B)

**to — online** estar en línea (I, 1B)

**to — scared (of)** tener miedo (de) (I)

**to — sleepy** tener sueño (I)

**to — sure** estar seguro, -a (3B)

**to — useful** servir (I)

**to — warm** tener calor (I)

**beach** la playa (I)

**beans** los frijoles (7B)

**bear** el oso (I)

to  **beat** batir (7A)

**beautiful** bello, -a (8B)

**beauty contest** el concurso de belleza (6A)

**beauty salon** el salón de belleza, *pl.* los salones de belleza (2A)

**because** porque (I)

   **— of** a causa de (5A)

to  **become** ponerse (6A)

**bed** la cama (I)

   **to go to —** acostarse (o → ue) (2A)

   **to make the —** hacer la cama (I)

**bedroom** el dormitorio (I)

**beefsteak** el bistec (I)

**before** antes de (I, 2A)

to **begin** empezar (e → ie) (I)

to **behave well / badly** portarse bien / mal (4A)

**behind** detrás de (I)

**belt** el cinturón, *pl.* los cinturones (2A)

**benefits** los beneficios (9A)

**besides** además (de) (9B)

**best: the —** el / la mejor, los / las mejores (I)

**better than** mejor(es) que (I)

**between** entre (1B)

**bicycle: to ride a —** montar en bicicleta (I)

**bilingual** bilingüe (9A)

**bill** la cuenta (I)

**binder: three-ring —** la carpeta de argollas (I)

**bird** el pájaro (I)

**birthday** el cumpleaños (I)

   **Happy —!** ¡Feliz cumpleaños! (I)

   **to have a —** cumplir años (4B)

**black hair** el pelo negro (I)

**block** la cuadra (3B)

**blocks** los bloques (4A)

**blond hair** el pelo rubio (I)

**blood** la sangre (5B)

**blouse** la blusa (I)

**blow dryer** el secador (2A)

**blue** azul (I)

to **board** abordar (8A)

**boarding pass** la tarjeta de embarque (8A)

**boat** el barco (I)

   **sail —** el bote de vela (8B)

**boating: to go —** pasear en bote (I)

to **boil** hervir (e → ie) (e → i) (7A)

**bone** el hueso (5B)

**bonfire** la fogata (7B)

**book** el libro (I)

**bookbag** la mochila (I)

**bookshelf** el estante (I)

**bookstore** la librería (I)

**boots** las botas (I)

to **bore** aburrir (I)

   **it / they bore(s)** me aburre(n) (I)

   **to get bored** aburrirse (6A)

**boring** aburrido, -a (I)

**born: to be —** nacer (4B)

to **borrow (from)** pedir (e → i) prestado, -a (a) (2A)

**both** los dos, las dos (I)

to **bother** molestar (4A)

**bottle** la botella (I)

to **bowl** jugar a los bolos (1B)

**box** la caja (I)

**boy** el chico (I)

   **young —** el niño (I)

**boyfriend** el novio (I)

**bracelet** la pulsera (I)

**brand** la marca (2B)

**brave** valiente (5A)

**bread** el pan (I)

to **break** romper (I); romperse (5B)

**breakfast** el desayuno (I)

   **for —** en el desayuno (I)

**bridge** el puente (3B)

**bright** *(color)* vivo, -a (2B)

to **bring** traer (I); llevar (I)

   **I will — you ...** Le traigo ... (I)

   **Will you — me ... ?** ¿Me trae ... ? (I)

**broken** roto, -a (5B)

**broth** el caldo (7A)

**brother** el hermano (I)

**brothers; brother(s) and sister(s)** los hermanos (I)

**brown** marrón (I)

   **— (chestnut) hair** el pelo castaño (I)

**brush** el cepillo (2A)

   **tooth —** el cepillo de dientes (3A)

to **brush (one's teeth)** cepillarse (los dientes) (2A)

to **burn a CD** grabar un disco compacto (I)

to **burn (oneself), to burn up** quemar(se) (5A)

**bus** el autobús, *pl.* los autobuses (I)

**business** los negocios (9A)

   **— man** el hombre de negocios (9A)

   **— woman** la mujer de negocios (9A)

**busy** ocupado, -a (I)

**but** pero (I)

**butter** la mantequilla (I)

to **buy** comprar (I)

   **— souvenirs** comprar recuerdos (I)

**by** por (3B)

   **— +** *vehicle* en + *vehicle* (I)

## C

**café** el café (I)

**cake** el pastel (I)

to **call: to — on the phone** llamar por teléfono (5A)

**calculator** la calculadora (I)

**calm** tranquilo, -a (2A)

**camera** la cámara (I)

   **digital —** la cámara digital (I)

**camp** el campamento (I)

**can** la lata (I)

**can:**

   **I —** (yo) puedo (I)

   **you —** (tú) puedes (I); se puede (7A)

**candy** los dulces (I)

**canned** enlatado, -a (7A)

**cap** la gorra (I)

to **capture** capturar (6B)

**car** el coche (I)

**card** la tarjeta (I, 3A)

   **credit —** la tarjeta de crédito (2B)

   **ID —** el carnet de identidad

   **post —** la tarjeta postal (8B)

**cardboard** el cartón (I)

care: to take — of cuidar a (3A)

career la carrera (9A)

careful: to be — tener cuidado (3B)

carrots las zanahorias (I)

to carry llevar (I)

cartoon el programa de dibujos animados (I)

cash en efectivo (2B)

to cash a check cobrar un cheque (3A)

cash register la caja (2B)

cashier el cajero, la cajera (2B)

cast el yeso (5B)

castle el castillo (8B)

cat el gato (I)

cathedral la catedral (8B)

cause la causa (5A)

CD: to burn a — grabar un disco compacto (I)

to celebrate celebrar (I)

center el centro (I, 3A)

cereal el cereal (I)

certain: it is — es cierto (9B)

chain la cadena (I)

chair la silla (I)

wheel — la silla de ruedas (5B)

champion el campeón, la campeona, pl. los campeones (6A)

championship el campeonato (6A)

to change cambiar (8B)

channel (TV) el canal (I)

character: main — el personaje principal (6B)

to chat charlar (4B)

chat rooms los salones de chat (1B)

cheap barato, -a (I)

check:

to cash a — cobrar un cheque (3A)

traveler's — el cheque de viajero (2B)

personal — el cheque personal (2B)

to check (luggage) facturar (el equipaje) (8A); examinar (5B)

to check out sacar (c → qu) (3A)

cheerleader el animador, la animadora (1B)

cherry la cereza (7B)

chess el ajedrez (1B)

chicken el pollo (I)

child: as a — de niño (4A); de pequeño (4A)

childish infantil (I)

children los hijos (I); los niños (I)

choir el coro (1B)

to chop picar (c → qu) (7A)

chore: household — el quehacer (de la casa) (I)

chorus el coro (1B)

to choose escoger (g → j) (2B)

church la iglesia (I)

Protestant — el templo (I)

city la ciudad (I)

class la clase (I)

classroom la sala de clases (I)

clean limpio, -a (I)

to clean the bathroom limpiar el baño (I)

clock el reloj (I)

to close cerrar (3A)

close (to) cerca (de) (I)

closed cerrado, -a (8A)

closes se cierra (3A)

closet el armario (I)

clothing store la tienda de ropa (I)

cloud la nube (7B)

club el club, pl. los clubes (1B)

athletic — el club atlético (1B)

coach el entrenador, la entrenadora (6A)

coat el abrigo (I)

coffee el café (I)

coin la moneda (4A)

cold:

It's —. Hace frío. (I)

to be — tener frío (I)

to collect recoger (g → j) (I)

to collect coleccionar (4A)

collection la colección, pl. las colecciones (4A)

to collide with chocar (c → qu) con (5B)

cologne el agua de colonia (2A)

color:

What — ... ? ¿De qué color ... ? (I)

—s los colores (I)

comb el peine (2A)

to come venir (I)

comedy la comedia (I)

comfortable cómodo, -a (2A)

comical cómico, -a (I)

commentary el comentario (6A)

to communicate comunicarse (c → qu) (I)

I — (yo) me comunico (I)

you — (tú) te comunicas (I)

community la comunidad (I)

compact disc el disco compacto (I)

to burn a — grabar un disco compacto (I)

to compete competir (e → i) (6A)

competition la competencia (6A)

complicated complicado, -a (I, 3B)

composition la composición, pl. las composiciones (I)

computer la computadora (I)

— graphics los gráficos (I)

— keyboard el teclado (I)

— mouse el ratón (I)

— screen la pantalla (I)

—s / technology la tecnología (I)

laptop — la computadora portátil (I)

to use the — usar la computadora (I)

concert el concierto (I)

to **congratulate** felicitar (4B)

**Congratulations!** ¡Felicidades! (4B)

to **conserve** conservar (9B)

**construction project** el proyecto de construcción (I)

**contest** el concurso (2A)

**beauty —** el concurso de belleza (6A)

to **continue** seguir (e → i) (3B)

to **cook** cocinar (I)

**cookie** la galleta (I)

**cooking oil** el aceite (7A)

**corn** el maíz (7B)

**corner** la esquina (3B)

**correct: to be —** tener razón (I)

to **cost** costar (o → ue) (I)

**How much does (do) ... —?** ¿Cuánto cuesta(n)? (I)

**cotton** el algodón (2B)

**country** el país, *pl.* los países (I)

**countryside** el campo (I)

**course:**

**to take a —** tomar un curso (I)

**— of studies** el programa de estudios (9A)

**cousin** la prima, el primo (I)

**—s** los primos (I)

to **crash into** chocar (c → qu) con (5B)

**crazy: to go –** volverse loco, -a (6A)

to **create** crear (I)

**to — a Web page** crear una página Web (1B)

**credit card** la tarjeta de crédito (2B)

**crime** el crimen (6B)

**— movie** la película policíaca (I)

**criminal** el / la criminal (6B)

**critic** el crítico, la crítica (6B)

to **cross** cruzar (3B)

**crutches** las muletas (5B)

to **cry** llorar (4B)

**cup** la taza (I)

**currency exchange** la casa de cambio (8B)

**curtains** las cortinas (I)

**custom** la costumbre (4B)

**customs** la aduana (8A)

**customs officer** el aduanero, la aduanera (8A)

to **cut** cortar (I, 7A)

**to — oneself** cortarse (5B)

**to — one's hair** cortarse el pelo (2A)

**to — the lawn** cortar el césped (I)

**cut-paper decorations** el papel picado (I)

## D

**dance** el baile (I)

to **dance** bailar (I)

**dancer** el bailarín, la bailarina *pl.* los bailarines (1B)

**dangerous** peligroso, -a (3B)

**daring** atrevido, -a (I)

**dark** oscuro, -a (2B)

**date: What is the —?** ¿Cuál es la fecha? (I)

**date** la cita (2A)

**daughter** la hija (I)

**day** el día (I)

**every —** todos los días (I); cada día (I)

**What — is today?** ¿Qué día es hoy? (I)

**day care center** la guardería infantil (4A)

**dead** muerto, -a (5A)

**December** diciembre (I)

to **decide** decidir (I)

to **decorate** decorar (I)

**decorations** las decoraciones (I)

**delay** el retraso (8A)

**delicious** delicioso, -a (I)

**delighted** encantado, -a (I)

**dentist** el / la dentista (3A)

**deodorant** el desodorante (2A)

**department store** el almacén,

*pl.* los almacenes (I)

**departure** la salida (8A)

**departure gate** la puerta de embarque (8A)

**depend: it depends** depende (2A)

**desert** el desierto (9B)

**designer** el diseñador, la diseñadora (9A)

**desk** el pupitre (I); el escritorio (I)

**dessert** el postre (I)

**for —** de postre (I)

to **destroy** destruir (i → y) (5A)

**destruction** la destrucción (9B)

**detective** el / la detective (6B)

**dictionary** el diccionario (I)

**Did you like it?** ¿Te gustó? (I)

to **die** morirse (o→ue) (o→u) (6A)

**difficult** difícil (I)

**digital camera** la cámara digital (I)

**dining room** el comedor (I)

**dinner** la cena (I)

**dinosaur** el dinosaurio (4A)

**direct** directo, -a (8A)

**direction** la dirección, *pl.* las direcciones (6B)

**director** el director, la directora (6B)

**dirty** sucio, -a (I)

**disaster: It was a —.** Fue un desastre. (I)

**discount store** la tienda de descuentos (I)

to **discuss** discutir (1A)

**dish** el plato (I)

**as a main —** de plato principal (I)

**main —** el plato principal (I)

**diskette** el disquete (I)

**disobedient** desobediente (4A)

to **do** hacer (I)

**— (command)** haz (I)

**— you like to ... ?** ¿Te gusta ... ? (I)

**I —** (yo) hago (I)

**to — a project** hacer un proyecto (1A)

**to — a search** hacer una búsqueda (1B)

**to — gymnastics** hacer gimnasia (1B)

**you —** (tú) haces (I)

**What did you —?** ¿Qué hiciste? (I)

**doctor** el médico, la médica (3A)

**doctor's / dentist's office** el consultorio (3A)

**document** el documento (I)

**dog** el perro (I)

**to feed the —** dar de comer al perro (I)

**doll** la muñeca (4A)

**Don't eat.** No comas. (7A)

**Don't leave, Don't let** No dejes (7A)

**Don't speak.** No hables. (7A)

**Don't write.** No escribas. (7A)

**door** la puerta (I)

**double room** la habitación doble (8B)

**doubt: without a —** sin duda (5A)

to **doubt** dudar (9B)

to **download** bajar (información) (I)

**downtown** el centro (3A)

**drama** el drama (I)

to **draw** dibujar (I)

**dress** el vestido (I)

**dressed: to get —** vestirse (2A)

**dresser** la cómoda (I)

to **drink** beber (I)

**drinks** las bebidas (I)

to **drive** manejar (3B)

**driver** el conductor, la conductora (3B)

**driver's license** el permiso de manejar (3B)

**dry** seco, -a (7B)

to **dry** secarse (c → qu) (2A)

**dryer: blow —** secador (2A)

**during** durante (I)

to **dust** quitar el polvo (I)

**DVD player** el lector DVD (I)

# E

**e-mail:**

**— address** la dirección electrónica (I)

**to write —** escribir por correo electrónico (I)

to **earn** ganar (1B)

to **enjoy** disfrutar de (8B)

**early** temprano (I)

to **earn** *(money)* ganar (1B)

**earrings** los aretes (I)

**Earth** la Tierra (9B)

**earthquake** el terremoto (5A)

**easy** fácil (I)

to **eat** comer (I)

**ecological** ecológico, -a (9B)

**economical** económico, -a (9B)

**educational program** el programa educativo (I)

**efficient** eficiente (9B)

**eggs** los huevos (I)

**eight** ocho (I)

**eight hundred** ochocientos, -as (I)

**eighteen** dieciocho (I)

**eighth** octavo, -a (I)

**eighty** ochenta (I)

**either** tampoco (I)

**I don't (like to) —** a mí tampoco (I)

**elbow** el codo (5B)

**electric train** el tren eléctrico (4A)

**electricity** la electricidad (9B)

**elegant** elegante (2A)

to **eliminate** eliminar (9B)

**elevator** el ascensor (8B)

**eleven** once (I)

**else:**

**Anything —?** ¿Algo más? (I)

**What —?** ¿Qué más? (I)

**emergency room** la sala de

emergencia (5B)

**emotional** emocionado, -a (6A)

**employee** el empleado, la empleada (8A)

**end: at the —** al final (6A)

to **end** terminar (I)

**endangered** en peligro de extinción (9B)

**energy** la energía (9B)

**engineer** el ingeniero, la ingeniera (9A)

**English class** la clase de inglés (I)

to **enjoy** disfrutar de (8B)

**enormous** enorme (4B)

**enough** bastante (I)

**Enough!** ¡Basta! (3B)

to **enter** entrar (I)

**entrance** la entrada (2B)

**environment** medio ambiente (9B)

to **escape** escaparse (5A)

**especially** especialmente (I)

**evening:**

**Good —.** Buenas noches. (I)

**in the —** de la noche (I)

**this —** esta noche (I)

**every day** cada día (I), todos los días (I)

**everyone** todo el mundo (4A)

**exactly** en punto (8B)

to **examine** examinar (5B)

**example: for —** por ejemplo (2A)

**excited** entusiasmado, -a (2A); emocionado, -a (6A)

**exchange: currency —** la casa de cambio (8B)

to **exchange** cambiar (8B)

**excursion** la excursión, *pl.* las excursiones (8B)

**Excuse me.** Perdón. (I)

to **exercise** hacer ejercicio (I)

**exit** la salida (2B)

**expensive** caro, -a (I)

**experience** la experiencia (I)

to **explain** explicar (c → qu) (1A)

**explosion** la explosión, *pl.* las explosiones (5A)

**extinction: in danger of** — en peligro de extinción (9B)

**extracurricular** extracurricular (1B)

— **activities** las actividades extracurriculares (1B)

**eye** el ojo (I)

# F

**fabric: synthetic** — la tela sintética (2B)

**face** la cara (2A)

**face-to-face** cara a cara (I)

**failure** el fracaso (6B)

to **fall** caerse (5B)

**I** — (yo) me caigo (5B)

to — **asleep** dormirse (o→ue) (o→u) (6A)

to — **in love (with)** enamorarse (de) (6B)

**you** — (tú) te caes (5B)

**fall** el otoño (I)

**famous** famoso, -a (8B)

**fan** el aficionado, la aficionada (6A)

**fantastic** fantástico, -a (I)

**far (from)** lejos (de) (I)

**farmer** el agricultor, la agricultora (9A)

to **fascinate** fascinar (6B)

**fascinating** fascinante (I)

**fashion: to be in** — estar de moda (2B)

**fast** rápidamente (I)

**father** el padre (papá) (I)

**fatty** grasoso, -a (7B)

**favorite** favorito, -a (I)

**February** febrero (I)

to **feed the dog** dar de comer al perro (I)

to **feel** sentirse (e → ie) (e → i) (5B)

**fewer:**

— **... than** menos ... que (I)

— **than ...** menos de ... (I)

**fifteen** quince (I)

**fifth** quinto, -a (I)

**fifty** cincuenta (I)

to **fight** luchar (9B)

to **fight** pelearse (4A)

to **fill (the tank)** llenar (el tanque) (3A)

**film** la película (I)

**final** último, -a (6A)

to **find** encontrar (o → ue) (2B)

**finger** el dedo (I)

to **finish** terminar (I)

**fire** el incendio (5A); el fuego (7A)

**firefighter** el bombero, la bombera (5A)

**firewood** la leña (7B)

**fireworks** los fuegos artificiales (4B)

**first** primer (primero), -a (I)

**fish** el pescado (I); el pez, *pl.* los peces (4A)

**to go** —**ing** ir de pesca (I)

to **fit: It / They** —**(s) me well / poorly.** Me queda(n) bien / mal. (I)

**five** cinco (I)

**five hundred** quinientos, -as (I)

to **fix (one's hair)** arreglarse (el pelo) (2A)

**flag** la bandera (I)

**flavorful** sabroso, -a (I)

**flight** el vuelo (8A)

**flight attendant** el / la auxiliar de vuelo (8A)

**flood** la inundación, *pl.* las inundaciones (5A)

**floor** el piso (I); el suelo (7B)

**ground** — la planta baja (I)

**second** — el primer piso (I)

**third** — el segundo piso (I)

**flour** la harina (7B)

**flower** la flor, *pl.* las flores (I)

**fly** la mosca (7B)

**folder** la carpeta (I)

to **follow** seguir (e → i) (3B)

**following** siguiente (8B)

**food** la comida (I)

**food stand** el puesto (7B)

**foot** el pie (I)

**football: to play** — jugar (u → ue) (g → gu) al fútbol americano (I)

**for** para (I); por (3A)

— **breakfast** en el desayuno (I)

— **example** por ejemplo (2A)

— **lunch** en el almuerzo (I)

— **me** para mí (I)

— **the ... time** por ... vez (6A)

— **you** para ti (I)

**for (how long)** por (3A)

**forbidden: It is** —. Se prohíbe. (1A)

**foreign** extranjero, -a (8A)

**forest** el bosque (9B)

**rain** — la selva tropical (9B)

to **forget about/to** olvidarse de (7A)

**don't** — no te olvides de (7A)

**forgot: I** — se me olvidó (3A)

**fork** el tenedor (I)

**fortunately** afortunadamente (5A)

**forty** cuarenta (I)

**fountain** la fuente (3B)

**four** cuatro (I)

**four hundred** cuatrocientos, -as (I)

**fourteen** catorce (I)

**fourth** cuarto, -a (I)

**free time** el tiempo libre (I)

**French fries** las papas fritas (I)

**frequently** frecuentemente (4B)

**fresh** fresco, -a (7A)

**Friday** viernes (I)

**fried** frito, -a (7A)

**friendly** simpático, -a (I)

**frightened** asustado, -a (5A)

**from** de (I); desde (3B)

**Where are you** —? ¿De dónde eres? (I)

**frozen** congelado, -a (7A)

**fruit salad** la ensalada de frutas (I)

to **fry** freír (e → í) (7A)

**frying pan** la sartén, *pl.* las sartenes (7A)

**fun** divertido, -a (I)

to have — divertirse (e → ie) (e → i) (4B)

to **function** funcionar (9B)

**funny** gracioso, -a (I); cómico, -a (I)

**furious** furioso, -a (6A)

**furniture** los muebles (5A)

**future** el futuro (9A)

## G

**game** el partido (I)

**game show** el programa de concursos (I)

**garage** el garaje (I)

**garden** el jardín, *pl.* los jardines (I)

**garlic** el ajo (7A)

**gasoline** la gasolina (3A)

to **gather** recoger (g → j) (I)

**gathering** la reunión, *pl.* las reuniones (4B)

**gel** el gel (2A)

**general: in —** por lo general (4A)

**generally** generalmente (I)

**generous** generoso, -a (4A)

**get:**

to — a good grade sacar (c → qu) una buena nota (1A)

to — along well / badly llevarse bien / mal (4B)

to — angry enojarse (6A)

to — bored aburrirse (6A)

to — dressed vestirse (e → i) (2A)

to — married casarse (con) (4B)

to — ready prepararse (2A)

to — up levantarse (2A)

**gift** el regalo (I)

**gift certificate** el cupón de

regalo, *pl.* los cupones de regalo (2B)

**girl** la chica (I)

young — la niña (I)

**girlfriend** la novia (I)

to **give** dar (I); regalar (4B)

to — a speech dar un discurso (1A)

to — a ticket poner una multa (3B)

to — an injection poner una inyección (5B)

**glass** el vaso (I); el vidrio (I)

**gloves** los guantes (I)

to **go** ir (I); pasar (3B)

Let's —! ¡Vamos! (I)

to be —ing to + *verb* ir a + *inf.* (I)

to — to bed acostarse (o → ue) (2A)

to — boating pasear en bote (I)

to — camping ir de cámping (I)

to — crazy volverse (o → ue) loco, -a (6A)

to — down bajar (5A)

to — fishing ir de pesca (I)

to — on foot ir a pie (3A)

to — on vacation ir de vacaciones (I)

to — out salir (I)

to — shopping ir de compras (I)

to — to bed acostarse (o → ue) (2A)

to — to school ir a la escuela (I)

to — up subir (5A)

**goal** *(in sports)* el gol (6A)

to score a — meter un gol (6A)

**going to** con destino a (8A)

**gold** el oro (2A)

**golf:**

— club el palo de golf (3A)

to play — jugar (u → ue) (g → gu) al golf (I)

**good** bueno (buen), -a (I)

— afternoon. Buenas tardes. (I)

— evening. Buenas noches. (I)

— gracious caramba (3A)

— morning. Buenos días. (I)

**Good-bye!** ¡Adiós! (I)

**good-looking** guapo, -a (I)

**grade** *(in school)* la nota (1A)

to get a good — sacar una buena nota (1A)

to **graduate** graduarse (u → ú) (9A)

**graduation** la graduación, *pl.* las graduaciones (9A)

**grandfather** el abuelo (I)

**grandmother** la abuela (I)

**grandparents** los abuelos (I)

**grapes** las uvas (I)

**gray** gris (I)

— hair el pelo canoso (I)

**greasy** grasoso, -a (7B)

**Great!** ¡Genial! (I)

**green** verde (I)

— beans las judías verdes (I)

to **greet** saludar(se) (4B)

to **grill** asar (7B)

**grill: on the —** a la parrilla (7B)

**grilled** asado, -a (7B)

**ground** el suelo (7B)

**ground floor** la planta baja (I)

**grown-ups** los mayores (4B)

**guide** el / la guía (8B)

**guidebook** la guía (8B)

**guitar: to play the —** tocar la guitarra (I)

**gym** el gimnasio (I)

**gymnastics** la gimnasia (1B)

## H

**hair** el pelo (I, 2A)

black — el pelo negro (I)

blond — el pelo rubio (I)

brown (chestnut) — el pelo castaño (I)

**gray —** el pelo canoso (I)

    **to cut one's —** cortarse el pelo (2A)

    **to fix one's —** arreglarse el pelo (2A)

**half** media, -o (I)

    **— past** y media *(in telling time)* (I)

**ham and cheese sandwich** el sándwich de jamón y queso (I)

**hamburger** la hamburguesa (I)

**hand** la mano (I)

    **to shake —s** darse la mano (4B)

**handicrafts** la artesanía (8B)

**happy** contento, -a (I); alegre (6A)

    **— birthday!** ¡Feliz cumpleaños! (I)

**hardworking** trabajador, -ora (I)

**to have** tener (I)

    **I — to ...** tengo que + *inf.* (I)

    **to — a barbecue** hacer una parrillada (7B)

    **to — a birthday** cumplir años (4B)

    **to — a picnic** hacer un picnic (4B)

    **to — fun** divertirse (e → ie) (e → i) (4B)

    **to — just...** acabar de + *inf.* (I)

    **to — lunch** almorzar (o → ue) (z → c) (1A)

**to have** haber *(as an auxiliary verb)* (6B)

**he** él (I)

**he / she is** es (I)

    **He / She is / They are ... (years old).** Tiene(n) ... años. (I)

**head** la cabeza (I)

**health:**

    **for one's —** para la salud (I)

    **to maintain one's —** para mantener la salud (I)

**to hear** oír (5A)

**heat** el fuego (7A); la calefacción (9B)

**to heat** calentar (e → ie) (7A)

**Hello!** ¡Hola! (I)

**to help** ayudar (I)

    **How can I — you?** ¿En qué puedo servirle? (I)

**help** la ayuda (1A)

**Help!** ¡Socorro! (5A)

**her** su, sus *possessive adj.* (I); la *dir. obj. pron.* (I); le *ind. obj. pron.* (I)

**hers** suyo, -a (2A)

**here** aquí (I)

**hero** el héroe (5A)

**heroine** la heroína (5A)

**Hey!** ¡Oye! (I)

**to hide (oneself)** esconder(se) (5A)

**high** alto, -a (2B)

**high school** el colegio (9A)

**highway** la carretera (3B)

**hill** la colina (9B)

**him** lo *dir. obj. pron.* (I); le *ind. obj. pron.* (I)

**his** su, sus (I); suyo, -a (2A)

**historical** histórico, -a (8B)

**hockey** el hockey (1B)

**holiday** el día festivo (4B)

**home** la casa (I)

    **at —** en casa (I)

    **— office** el despacho (I)

    **(to) —** a casa (I)

**homework** la tarea (I)

**horrible** horrible (I)

**horror movie** la película de horror (I)

**horseback: to ride —** montar a caballo (I)

**hospital** el hospital (I)

**hot** caliente (7A)

    **— dog** el perrito caliente (I)

    **It's —.** Hace calor. (I)

**hotel** el hotel (I)

**hour: in the ... —** en la ... hora *(class period)* (I)

**house** la casa (I)

**household:**

**—-appliance store** la tienda de electrodomésticos (I)

    **— chore** el quehacer (de la casa) (I)

**how!**

    **— +** *adj.!* ¡Qué + *adj.!* (I)

    **— awful!** ¡Qué asco! (I)

**How?** ¿Cómo? (I)

    **— are you?** ¿Cómo está Ud.? *formal* (I); ¿Cómo estás? *fam.* (I); ¿Qué tal? *fam.* (I)

    **— can I help you?** ¿En qué puedo servirle? (I)

    **— do you go to ... ?** ¿Cómo se va...? (3B)

    **— do you make ... ?** ¿Cómo se hace ...? (7A)

    **— do you say ... ?** ¿Cómo se dice... ? (I)

    **— does it (do they) fit (you)?** ¿Cómo te queda(n)? (I)

    **— does it seem to you?** ¿Qué te parece? (2B)

    **— is ... spelled?** ¿Cómo se escribe ... ? (I)

    **— is (it) ... ?** ¿Qué tal es...? (6B)

    **— long ... ?** ¿Cuánto tiempo hace que...? (1B)

    **— many?** ¿Cuántos, -as? (I)

    **— much?** ¿Cuánto?

    **— much does (do) ... cost?** ¿Cuánto cuesta(n) ... ? (I)

    **— old is / are ... ?** ¿Cuántos años tiene(n) ... ? (I)

    **— was it (for you)?** ¿Cómo lo pasaste? (I)

**to hug** abrazar(se) (z → c) (4B)

**hundred: one —** cien(to) (I)

**hungry: I'm —.** Tengo hambre. (I)

**hurricane** el huracán, *pl.* los huracanes (5A)

**hurt** doler (o → ue) (I, 5B)

**to hurt oneself** lastimarse (5B)

**hurry** prisa (3B)

    **in a —** de prisa (5A)

    **to be in a —** tener prisa (3B)

**husband** el esposo (I)

## I

**I** yo (I)

— **am** soy (I)

— **am not** no soy (I)

— **don't think so.** Creo que no. (I)

— **have seen** he visto (6B)

— **stay at home.** Me quedo en casa. (I)

— **think ...** Creo que ... (I)

— **think so.** Creo que sí. (I)

— **will bring you ...** Le traigo ... (I)

—**'m hungry.** Tengo hambre. (I)

—**'m sorry.** Lo siento. (I)

—**'m thirsty.** Tengo sed. (I)

**I do too** a mí también (I)

**I don't either** a mí tampoco (I)

**I forgot** se me olvidó (3A)

**I would like** Me gustaría (I); (yo) quisiera (I)

**ice cream** el helado (I)

**iced tea** el té helado (I)

**ID card** el carnet de identidad (1A)

**if** si (I)

**immediately** inmediatamente (2B)

**impatient** impaciente (I)

**important** importante (I)

**impressive** impresionante (I)

to **improve** mejorar (9B)

**in** en (I)

— **danger of extinction** en peligro de extinción (9B)

— **front of** delante de (I)

— **general** por lo general (4A)

— **love with** enamorado, -a de (6B)

— **my opinion** para mí (I)

— **order to** para + *inf.* (I)

— **the ... hour** en la ... hora *(class period)* (I)

— **the middle of** en medio de (3B)

— **your opinion** para ti (I)

**incredible** increíble (I)

**inexpensive** barato, -a (I)

**information** la información (I)

**ingredient** el ingrediente (7A)

**injection** la inyección, *pl.* las inyecciones (5B)

  **to give an** — poner una inyección (5B)

**injured** herido, -a (5A)

**injured person** el herido, la herida (5A)

**inside** dentro de (7B)

to **insist** insistir en (8A)

to **inspect** registrar (8A)

**intelligent** inteligente (I)

**interest** el interés (1B)

to **interest** interesar (I)

  **it / they interest(s) me** me interesa(n) (I)

**interesting** interesante (I)

**intersection** el cruce de calles (3B)

**interview** la entrevista (6A)

— **program** el programa de entrevistas (I)

to **interview** entrevistar (6A)

to **investigate** investigar (g → gu) (5A)

**is** es (I)

  **he / she** — es (I)

  **it** — **true** es cierto (9B)

**it** la, lo *dir. obj. pron.* (I)

— **depends** depende (2A)

— **fits (they fit) me well / poorly.** Me queda(n) bien / mal. (I)

— **has been ...** Hace + *time* + que ... (1B)

— **is ...** Son las *(in telling time)* (I)

— **is forbidden ...** Se prohíbe ... (1A)

— **is made of ...** Está hecho, -a de ... (2B)

— **is one o'clock.** Es la una. (I)

— **is the ... of ...** Es el *(number)* de *(month) (in telling the date)* (I)

— **is the first of ...** Es el primero de *(month).* (I)

— **seems to me** me parece que (2B)

— **was** fue (I)

— **was a disaster.** Fue un desastre. (I)

—**'s a ...** es un / una ... (I)

—**'s cold.** Hace frío. (I)

—**'s hot.** Hace calor. (I)

—**'s necessary.** Es necesario. (I)

—**'s raining.** Llueve. (I)

—**'s snowing.** Nieva. (I)

—**'s sunny.** Hace sol. (I)

**it / he / she will be** será (6B)

**itinerary** el itinerario (8B)

## J

**jacket** la chaqueta (I)

**January** enero (I)

**jeans** los jeans (I)

**jet skiing** la moto acuática (8B)

**jewelry (gold, silver)** las joyas (de oro, de plata) (2A)

**jewelry store** la joyería (I)

**job** el trabajo (I)

to **join** juntarse (9B)

**judge** el juez, la jueza, *pl.* los jueces (9A)

**juice:**

  **apple** — el jugo de manzana (I)

  **orange** — el jugo de naranja (I)

**July** julio (I)

to **jump (rope)** saltar (a la cuerda) (4A)

**June** junio (I)

**just: to have** — ... acabar de + *inf.* (I)

## K

**ketchup** la salsa de tomate (7B)

**key** la llave (8B)

**key chain** el llavero (I)

**keyboard (computer)** el teclado (I)

**to kill** matar (6B)

**kind: What — of ... ?** ¿Qué clase de ... ? (I)

**king** el rey (8B)

**to kiss** besar(se) (4B)

**kitchen** la cocina (I)

**knee** la rodilla (5B)

**knife** el cuchillo (I)

**to know** saber (I); conocer (c → zc) (I, 1A)

    **I —** (yo) conozco (I)

    **I — (how to)** (yo) sé (I)

    **you —** (tú) conoces (I)

    **you — (how to)** (tú) sabes (I)

## L

**laboratory** el laboratorio (I, 1A)

**ladder** la escalera (5A)

**lake** el lago (I)

**lamp** la lámpara (I)

**language** el idioma (9A)

**laptop computer** la computadora portátil (I)

**large** grande (I)

**last** último, -a (6A)

**last:**

    **— night** anoche (I)

    **— week** la semana pasada (I)

    **— year** el año pasado (I)

**to last** durar (I, 8A)

**late** tarde (I)

**to arrive —** llegar tarde (1A)

**later: See you —** ¡Hasta luego!; ¡Nos vemos! (I)

**to laugh** reírse (e → í) (4B)

**law** la ley (9A); *(study of)* el derecho (9A)

**lawyer** el abogado, la abogada (9A)

**lazy** perezoso, -a (I)

**leading man** el galán, *pl.* los galanes (6B)

**league** la liga (6A)

**to learn** aprender (a) (I)

**leather** el cuero (2B)

**to leave** salir (I); *(something)* dejar (3B)

    **don't —** no dejes (7A)

**Leave me alone.** Déjame en paz. (3B)

**left: to the — (of)** a la izquierda (de) (I)

**leg** la pierna (I)

**lemonade** la limonada (I)

**less:**

    **— ... than** menos ... que (I)

    **— than** menos de (I)

**lessons: to take —** tomar lecciones (1B)

**to let** dejar (3B)

    **don't —** no dejes (7A)

**Let's go!** ¡Vamos! (I)

**Let's see ...** A ver ... (I)

**letter** la carta (I, 3A)

    **to mail a —** echar una carta (3A)

**lettuce** la lechuga (I)

**library** la biblioteca (I)

**to lie** mentir (e → ie) (e → i) (4B)

**life** la vida (5A)

**to lift weights** levantar pesas (I)

**to light** encender (e → ie) (7A)

**light** *(color)* claro, -a (2B); la luz, *pl.* las luces (I)

**like** como (I)

**to like:**

    **Did you — it?** ¿Te gustó? (I)

    **Do you — to ... ?** ¿Te gusta ... ? (I)

    **He / She doesn't — ...** No le gusta ... (I)

    **He / She —s ...** Le gusta ... (I); A él / ella le gusta(n) ... (I)

    **I don't — to ...** (A mí) no me gusta ... (I)

    **I don't — to ... at all.** (A mí) no me gusta nada ... (I)

    **I — ...** Me gusta ... (I)

    **I — to ...** (A mí) me gusta ... (I)

    **I — to ... a lot** (A mí) me gusta mucho ... (I)

    **I — to ... better** (A mí) me gusta más ... (I)

    **I —d it.** Me gustó. (I)

    **I would —** Me gustaría (I); quisiera (I)

    **What do you — better (prefer) to do?** ¿Qué te gusta hacer más? (I)

    **What do you — to do?** ¿Qué te gusta hacer? (I)

    **What would you — ?** ¿Qué desean (Uds.)? (I)

    **Would you —?** ¿Te gustaría? (I)

    **You — ...** Te gusta ... (I)

**likewise** igualmente (I)

**lips** los labios (2A)

**to listen to music** escuchar música (I)

**little: a —** un poco (de) (I)

**to live** vivir (I)

**living** vivo, -a (5A)

    **to make a —** ganarse la vida (9A)

**living room** la sala (I)

**located: to be —** quedar (3B)

**locker** el armario (1A)

**long** largo, -a (I)

    **How — ?** ¿Cuánto tiempo hace que ...? (1B)

**to look:**

    **to — (at)** mirar (I)

    **to — for** buscar (c → qu) (I)

    **you — (good)** te ves (bien) (2A)

**loose** flojo, -a (2B)

**to lose** perder (e → ie) (6A)

    **lot: a —** mucho, -a (I)

**to love** encantar (I)

    **He / She —s ...** A él / ella le encanta(n) ... (I)

**I / You — ...** Me / Te encanta(n) ... (I)

**love** el amor (6B)

  **to be in — with** estar enamorado, -a de (6B)

  **to fall in — with** enamorarse de (6B)

**low** bajo, -a (2B)

**luggage** el equipaje (8A)

  **to check —** facturar el equipaje (8A)

**lunch** el almuerzo (I)

  **for —** en el almuerzo (I)

  **to have —** almorzar (o → ue) (z → c) (1A)

## M

**madam** (la) señora (Sra.) (I)

**made:**

  **It's — of ...** Está hecho, -a de (2B)

  **What's it — of?** ¿De qué está hecho, -a?

**magazines: to read —** leer revistas (I)

**mail:**

  **— carrier** el cartero, la cartera (9A)

  **—box** el buzón, *pl.* los buzones (3A)

  **to — a letter** echar una carta (3A)

**main:**

  **— character** el personaje principal (6B)

  **— dish** el plato principal (I)

    **as a —** de plato principal (I)

to **maintain one's health** para mantener la salud (I)

to **make:**

  **—** *(command)* haz (I)

  **to — a living** ganarse la vida (9A)

  **to — noise** hacer ruido (8B)

  **to — the bed** hacer la cama (I)

**You are making me nervous.** Me estás poniendo nervioso, -a. (3B)

**make-up** el maquillaje (2A)

**mall** el centro comercial (I)

**man** el hombre (I)

  **leading —** el galán *pl.* los galanes (6B)

  **older —** el anciano (I)

  **business—** el hombre de negocios (9A)

**manager** el / la gerente (9A)

**manner** la manera (9B)

**manners** los modales (4B)

**many** muchos, -as (I)

  **as — as** tantos, -as + *noun* + como (1B)

  **How —?** ¿Cuántos, -as? (I)

**March** marzo (I)

**mark** (in school) la nota (1A)

  **to get a good —** sacar (c → qu) una buena nota (1A)

**market** el mercado (2B)

**married: to get — (to)** casarse (con) (4B)

**martial arts** las artes marciales (1B)

**match** el fósforo (7B); el partido (I)

**materials** los materiales (1A)

**mathematics class** la clase de matemáticas (I)

**matter: It (They) matter(s) to me / to you** me / te importa(n) (2B)

**May** mayo (I)

**maybe** quizás (I); tal vez (8B)

**mayonnaise** la mayonesa (7B)

**me** me *ind., dir. obj. pron* (I)

  **for —** para mí (I), me (I)

  **it matters / they matter to — ** me importa(n) (2B)

  **it seems to —** me parece que (2B)

  **— too** a mí también (I)

  **to —** me (I)

  **with —** conmigo (I)

**meal** la comida (I)

to **mean:**

  **It —s ...** Quiere decir ... (I)

  **What does ... —?** ¿Qué quiere decir ... ? (I)

**meat** la carne (I)

**mechanic** el mecánico, la mecánica (9A)

**medicine** la medicina (5B)

**medium** mediano, -a (2B)

to **meet** reunirse (u → ú) (4B)

**meeting** la reunión, *pl.* las reuniones (1B)

**melon** el melón, *pl.* los melones (7B)

**member** el miembro (1B)

  **to be a —** ser miembro (1B)

**to memorize** aprender de memoria (1A)

**menu** el menú (I)

**messy** desordenado, -a (I)

**microwave** el microondas (7A)

**middle: in the — of** en medio de (3B)

**military** *(adj.)* militar (9A)

**milk** la leche (I)

**million** un millón (6A)

  **—s of** millones de (6A)

**mine** mío, -a, -os, -as (2A)

**mirror** el espejo (I)

**mischievous** travieso, -a (4A)

**Miss** (la) señorita (Srta.) (I)

**missing: to be —** faltar (I)

to **mix** mezclar (7A)

**moment: a —** un momento (I)

**Monday** lunes (I)

  **on —s** los lunes (I)

**money** el dinero (I)

**money exchange** la casa de cambio (8B)

**monkey** el mono (I)

**month** el mes (I)

**monument** el monumento (I)

**moon** la Luna (9B)

**more:**

    **— ... than** más ... que (I)

    **— or less** más o menos (I)

    **— than** más de (I)

**morning:**

    **Good —** Buenos días. (I)

    **in the —** de la mañana (I)

**mosque** la mezquita (I)

**mother** la madre (mamá) (I)

**mountains** las montañas (I)

**mouse** (computer) el ratón, *pl.* los ratones (I)

**mouth** la boca (I)

to **move** moverse (o → ue) (5B)

**movie** la película (I)

    **action —** la película de acción (6B)

    **— theater** el cine (I)

    **to see a —** ver una película (I)

to **mow the lawn** cortar el césped (I)

**Mr.** (el) señor (Sr.) (I)

**Mrs.** (la) señora (Sra.) (I)

**much:**

    **as —** tanto, -a (1B)

    **how —?** ¿Cuánto? (I)

    **so —** tanto (I)

**muscle** el músculo (5B)

**museum** el museo (I)

**music:**

    **to listen to —** escuchar música (I)

**musical program** el programa musical (I)

**musician** el músico, la música (1B)

**must** deber (I)

    **one —** hay que (I)

**mustard** la mostaza (7B)

**my** mi (I); mis (I)

    **— name is ...** Me llamo ... (I)

**mystery** la película policíaca (I)

**N**

**nails** las uñas (2A)

**name:**

    **My — is ...** Me llamo ... (I)

    **What is your —?** ¿Cómo te llamas? (I)

    **What's his / her —?** ¿Cómo se llama? (I)

**napkin** la servilleta (I)

**narrow** estrecho, -a (3B)

**national park** el parque nacional (I)

**nature** la naturaleza (9B)

**naughty** travieso, -a (4A)

to **navigate:** navegar (g → gu) (8B)

**near** cerca (de) (I)

**neat** ordenado, -a (I)

**necessary: It's —.** Es necesario. (I)

**neck** el cuello (5B)

**necklace** el collar (I)

to **need:**

    **I —** necesito (I)

    **I — ...** Me falta(n) ... (I)

    **you —** necesitas (I)

**neighbor** el vecino, la vecina (4A)

**neighborhood** el barrio (I)

**neither ... nor** ni ... ni (I)

**nervous** nervioso, -a (2A)

**never** nunca (I)

**new** nuevo, -a (I)

**news program** el programa de noticias (I)

**newscast** el noticiero (5A)

**newspaper** el periódico (I)

**newsstand** el quiosco (8B)

**next** siguiente (8B)

    **— to** al lado de (I)

**nice** simpático, -a (I)

**night:**

    **at —** de la noche (I)

    **last —** anoche (I)

    **— table** la mesita (I)

**nine** nueve (I)

**nine hundred** novecientos, -as (I)

**nineteen** diecinueve (I)

**ninety** noventa (I)

**ninth** noveno, -a (I)

**no** no (I); ningún, ninguno (1A)

**no one** nadie (1A)

**nobody** nadie (1A)

**noise** el ruido (8B)

**none** ningún, ninguno, -a (1A)

**nose** la nariz, *pl.* las narices (I)

**not:**

    **— yet** no ... todavía (6B)

    **— ... or** ni ... ni (I)

**notebook** el cuaderno (I)

**nothing** nada (I)

**November** noviembre (I)

**now** ahora (I)

**nurse** el enfermero, la enfermera (5B)

**O**

**obedient** obediente (4A)

to **obey** obedecer (c → zc) (4A)

to **observe** observar (8B)

to **obtain** conseguir (e → i) (8B)

to **occur** ocurrir (5A)

**o'clock:**

    **at eight —** a las ocho (I)

    **at one —** a la una (I)

**October** octubre (I)

**odor** el olor (7B)

**of** de (I)

    **— course** por supuesto (I), ¡Cómo no! (3A)

    **What is it made —?** ¿De qué está hecho, -a? (2B)

to **offend** ofender (8B)

to **offer** ofrecer (c → zc) (4A)

**office (home)** el despacho (I)

**office** la oficina (9A)

**often** a menudo (I)

**Oh! What a shame / pity!** ¡Ay! ¡Qué pena! (I)

**okay** regular (I); De acuerdo. (3B)

**old** viejo, -a (I); antiguo, -a (4B)

    **He / She is / They are ... years —.** Tiene(n) ... años. (I)

**How — is / are ... ?** ¿Cuántos años tiene(n) ... ? (I)

   **—er** mayor, *pl.* mayores (I)

   **—er man** el anciano (I)

   **—er people** los ancianos (I)

   **—er woman** la anciana (I)

**on** en (I), sobre (1A)

   **— Mondays, on Tuesdays ...** los lunes, los martes ... (I)

   **— the grill** a la parrilla (7B)

   **— time** a tiempo (1A)

   **— top of** encima de (I)

   **— weekends** los fines de semana (I)

**once in a while** de vez en cuando (4A)

**one** uno (un), -a (I)

   **at —** (o'clock) a la una (I)

   **— hundred** cien (I)

   **— must** hay que (I)

   **— thousand** mil (I)

**onion** la cebolla (I)

**online** en la Red (I)

   **to be —** estar en línea (I, 1B)

**only** sólo (I)

to **open** abrir (I)

**open** abierto, -a (8A)

**opens** se abre (3A)

**opinion: in my —** para mí (I)

**opportunity** la oportunidad (1B)

**or** o (I)

**orange** anaranjado, -a (I)

   **— juice** el jugo de naranja (I)

**orchestra** la orquesta (1B)

to **order** pedir (e→ i) (I)

**other** otro, -a (I)

**others** los / las demás (I)

**our** nuestro(s), -a(s) (I)

**ours** nuestro(s), nuestra(s) (2A)

**outdoors** al aire libre (7B)

**outer space** el espacio (9B)

**outrageous** exagerado, -a (2B)

**outside** fuera (de) (7B)

**oven** el horno (7A)

**own** propio, -a (I)

**owner** el dueño, la dueña (9A)

## P

to **pack the suitcase** hacer la maleta (8A)

**page: Web —** la página Web (1B)

**pain** el dolor (5B)

to **paint (one's nails)** pintarse (las uñas) (2A)

**painter** el pintor, la pintora (9A)

**painting** el cuadro (I)

**palace** el palacio (8B)

**pants** los pantalones (I)

**paper: sheet of —** la hoja de papel (I)

**parade** el desfile (4B)

**paramedic** el paramédico, la paramédica (5A)

**parents** los padres (I)

**park** el parque (I)

   **amusement —** el parque de diversiones (I)

   **national —** el parque nacional (I)

to **participate** (in) participar (en) (1B)

**party** la fiesta (I)

   **surprise —** la fiesta de sorpresa (4B)

to **pass** pasar (3B)

**passenger** el pasajero, la pasajera (8A)

**passport** el pasaporte (8A)

**pastel** *(colors)* pastel *adj.* (2B)

**pastime** el pasatiempo (1B)

**pastries** los pasteles (I)

**patience** la paciencia (8A)

**patient** paciente (I)

   **to be —** tener paciencia (8A)

to **pay (for)** pagar (g → gu) (por) (I)

to **pay attention** prestar atención (1A)

**peace** la paz (9B)

**peach** el durazno (7B)

**peas** los guisantes (I)

**pedestrian** el peatón, *pl.* los peatones (3B)

to **peel** pelar (7A)

**pen** el bolígrafo (I)

**pencil** el lápiz, *pl.* los lápices (I)

   **— sharpener** el sacapuntas, *pl.* los sacapuntas (I)

**people** la gente (I)

   **older —** los ancianos (I)

   **young —** los jóvenes (1B)

**pepper** la pimienta (I)

**perfume** el perfume (I)

**perhaps** tal vez (8B)

to **permit, to allow** permitir (4A)

**person** la persona (I)

**pharmacy** la farmacia (3A)

**phenomenal** fenomenal (6A)

**phone: to talk on the —** hablar por teléfono (I)

**photo** la foto (I)

   **to take —s** sacar (c → qu) fotos (I)

**photographer** el fotógrafo, la fotógrafa (1B)

**photography** la fotografía (1B)

**physical education class** la clase de educación física (I)

**piano lesson (class)** la lección de piano (I)

**picnic** el picnic (4B)

**piece** el pedazo (7A)

**pills** las pastillas (5B)

**pilot** el / la piloto (8A)

**piñata** la piñata (I)

**pineapple** la piña (7B)

**pink** rosado, -a (I)

**pizza** la pizza (I)

**place** el lugar (I)

to **place** poner (I)

to **plan** pensar (e → ie) + *inf.* (I); planear (8A)

**plant** la planta (9B)

**plastic** el plástico (I)

**plate** el plato (I)

**play** la obra de teatro (I)

to **play** jugar (u → ue) (g → gu) (a) *(games, sports)* (I); tocar *(an instrument)* (I) to — **baseball** jugar al béisbol (I)

to — **basketball** jugar al básquetbol (I)

to — **football** jugar al fútbol americano (I)

to — **golf** jugar al golf (I)

to — **soccer** jugar al fútbol (I)

to — **sports** practicar deportes (I)

to — **tennis** jugar al tenis (I)

to — **the guitar** tocar la guitarra (I)

to — **the role of** hacer el papel de (6B)

to — **video games** jugar videojuegos (I)

to — **volleyball** jugar al vóleibol (I)

**player** el jugador, la jugadora (6A)

**playground** el patio de recreo (4A)

**plaza** la plaza (3B)

**please** por favor (I)

to — **very much** encantar (I)

**pleased to meet you** mucho gusto (I)

**plot** el argumento (6B)

**police officer** el / la policía (3B)

to **polish (one's nails)** pintarse (las uñas) (2A)

**polite** cortés, *pl.* corteses (8B)

**politician** el político, la política (9A)

**politics** la política (9A)

**polluted** contaminado, -a (9B)

**pollution** la contaminación (9B)

**pool** la piscina (I)

**poor** pobre (I)

— **thing** pobrecito, -a (5B)

**pork** el cerdo (7B)

— **chop** la chuleta de cerdo (7B)

**possession** la posesión, *pl.* las posesiones (I)

**postcard** la tarjeta postal (8B)

**post office** el correo (3A)

**poster** el cartel (I)

**pot** la olla (7A)

**potatoes** las papas (I)

**practical** práctico, -a (I)

**practice** la práctica (1B)

to **prefer** preferir (e → ie) (e → i) (I)

I — (yo) prefiero (I)

I — **to ...** (a mí) me gusta más ... (I)

you — (tú) prefieres (I)

to **prepare** preparar (I)

to **prescribe** recetar (5B)

**prescription** la receta (5B)

**present** el regalo (I)

**presentation** la presentación, *pl.* las presentaciones (I)

**presenter** el presentador, la presentadora (6A)

**pretty** bonito, -a (I)

**price** el precio (I, 2B)

**principal** *(of a school)* el director, la directora (6B)

**primary school** la escuela primaria (I)

**prize** el premio (6A)

**problem** el problema (I)

**profession** la profesión, *pl.* las profesiones (9A)

**program** el programa (I)

**project** el proyecto (1A)

**Protestant church** el templo (I)

to **protect** proteger (g → j) (9B)

**punctual** puntual (8B)

**pure** puro, -a (9B)

**purple** morado, -a (I)

**purse** el bolso (I)

to **pursue a career** seguir (e → i) una carrera (9A)

to **put** poner (I)

— *(command)* pon (I)

I — (yo) pongo (I)

to — **on** *(clothing, make-up, etc.)* ponerse (2A)

to — **out** *(fire)* apagar (g → gu) (5A)

you — (tú) pones (I)

**quarter past** y cuarto (I)

**queen** la reina (6A)

**question** la pregunta (1A)

**to ask a —** hacer una pregunta (1A)

**quickly** rápidamente (I, 2A)

**rain** la lluvia (5A)

**rain forest** la selva tropical (9B)

to **rain** llover (o → ue) (5A)

**It's —ing.** Llueve. (I)

**rather** bastante (I)

to **read magazines** leer revistas (I)

**ready** listo, -a (8A)

**to get —** prepararse (2A)

**realistic** realista (I)

**reality program** el programa de la vida real (I)

**really** en realidad (2B)

**Really?** ¿Verdad? (I); ¿De veras? (I)

to **receive** recibir (I)

**recently** recientemente (2B)

**reception desk** la recepción (8B)

**recipe** la receta (7A)

to **recommend** recomendar (e → ie) (6B)

to **record** grabar (1B)

to **recycle** reciclar (I)

**recycling center** el centro de reciclaje (I)

**red** rojo, -a (I)

—**haired** pelirrojo, -a (I)

to **reduce** reducir (9B)

**refrigerator** el refrigerador (7A)

**rehearsal** el ensayo (1B)

to **rehearse** ensayar (1B)

**relatives** los parientes (4B)

to **relax** descansar (I)

to **remember** recordar (o → ue) (4B)

to **remove** quitar (3B)

to **rent** alquilar (6B)

to **repeat** repetir (e → i) (1A)

**report** el informe (I, 1A)

**reporter** el reportero, la reportera (5A)

to **rescue** rescatar (5A)

**reservation** la reservación, *pl.* las reservaciones (8A)

**reserved** reservado, -a (I)

to **respect** respetar (1A)

to **rest** descansar (I)

**restaurant** el restaurante (I)

to **result** resultar (6A)

to **return** regresar (I); volver (o→ue) (1B)

    **to — a book** devolver (o → ue) (un libro) (3A)

**rice** el arroz (I)

**rich** rico, -a (I)

to **ride:**

    **to — a bicycle** montar en bicicleta (I)

    **to — horseback** montar a caballo (I)

**right:**

    **to the — (of)** a la derecha (de) (I)

    **— away** en seguida (3A)

**ring** el anillo (I)

**river** el río (I)

**road** la calle (I)

to **roast** asar (7B)

to **rob** robar (6B)

**rock** la piedra (7B)

**role** el papel (6B)

    **to play the — of** hacer el papel de (6B)

**romantic movie** la película romántica (I)

**room** el cuarto (I); la habitación, *pl.* las habitaciones (8B)

    **chat —** el salón de chat, *pl.* los salones de chat (1B)

    **double —** la habitación doble (8B)

    **single —** la habitación individual (8B)

to **straighten up the —** arreglar el cuarto (I)

**rope** la cuerda (4A)

**round-trip** ida y vuelta (8A)

**ruins** las ruinas (8B)

**rug** la alfombra (I)

**rule** la regla (1A)

to **run** correr (I)

## S

**sack** la bolsa (I)

**sad** triste (I)

to **sail** navegar (g → gu) (8B)

**sailboat** el bote de vela (8B)

**salad** la ensalada (I)

    **fruit —** la ensalada de frutas (I)

**salary** el salario (9A)

**sale** la liquidación, *pl.* las liquidaciones (2B)

**salesperson** el dependiente, la dependienta (I)

**salon: beauty —** el salón de belleza, *pl.* los salones de belleza

**salsa** la salsa (7A)

**salt** la sal (I)

**same** mismo, -a (I)

**sandwich: ham and cheese —** el sándwich de jamón y queso (I)

**Saturday** sábado (I)

**sausage** la salchicha (I)

to **save** ahorrar (9B); salvar (5A)

to **say** decir (I)

    **How do you —?** ¿Cómo se dice? (I)

    **to — good-bye** despedirse (e → i) de (4B)

    **You —** ... Se dice ... (I)

    **You don't —!** ¡No me digas! (I)

**scared: to be — (of)** tener miedo (de) (I)

**scene** la escena (6B)

**schedule** el horario (I)

**school** la escuela (I)

    **high —** el colegio (9A)

    **primary —** la escuela primaria (I)

    **technical —** la escuela técnica (9A)

**science:**

    **— class** la clase de ciencias naturales (I)

    **— fiction movie** la película de ciencia ficción (I)

**scientist** el científico, la científica (9A)

**scissors** las tijeras (1A)

**score** el tanteo (6A)

to **score (a goal)** meter un gol (6A)

to **scream** gritar (5A)

**screen: computer —** la pantalla (I)

to **scuba dive** bucear (I)

**sea** el mar (I)

**search** la búsqueda (1B)

    **to do a —** hacer una búsqueda (1B)

to **search (for)** buscar (I)

**season** la estación, *pl.* las estaciones (I)

**seat** el asiento (1A)

**second** segundo, -a (I)

    **— floor** el primer piso (I)

**secretary** el secretario, la secretaria (9A)

**security checkpoint** la inspección, *pl.* las inspecciones de seguridad (8A)

to **see** ver (I)

    **Let's —** A ver ... (I)

    **— you later!** ¡Nos vemos!; Hasta luego. (I)

    **— you soon.** Hasta pronto. (3A)

    **— you tomorrow.** Hasta mañana. (I)

    **to — a movie** ver una película (I)

**seem:**

    **How does it — to you?** ¿Qué te parece? (2B)

    **it —s to me** me parece que (2B)

**seen:**

    **I have —** he visto (6B)

    **you have —** has visto (6B)

to **sell** vender (I)

to **send** enviar (i → í) (I, 3A)

to **separate** separar (I)

**September** septiembre (I)

**serious** serio, -a (I); grave (9B)

to **serve** servir (e → i) (I)

    **What do you — it with?**
    ¿Con qué se sirve? (7A)

**service station** la estación de servicio (3A)

to **set the table** poner la mesa (I)

**seven** siete (I)

**seven hundred** setecientos, -as (I)

**seventeen** diecisiete (I)

**seventh** séptimo, -a (I)

**seventy** setenta (I)

**several** varios, -as (3A)

**shake hands** dar(se) la mano (4B)

**shame: What a —!** ¡Qué lástima! (5B)

**shampoo** el champú (3A)

to **share** compartir (I)

to **shave** afeitarse (2A)

**she** ella (I)

**sheet of paper** la hoja de papel (I)

**shelf** el estante (I)

**shellfish** los mariscos (7A)

**ship** el barco (I)

**shirt** la camisa (I)

    **T—** la camiseta (I)

**shoe store** la zapatería (I)

**shoes** los zapatos (I)

**shoe size** el número (2B)

**short** bajo, -a *(stature);* corto, -a *(length)* (I)

**shorts** los pantalones cortos (I)

**shot** la inyección, *pl.* las inyecciones (5B)

**should** deber (I)

**shoulder** el hombro (5B)

**show** el programa (I)

to **show** + *movie or TV program* dar (I)

**shower** la ducha (2A)

    **to take a —** ducharse (2A)

**shrimp** el camarón, *pl.* los camarones (7A)

**shy** reservado, -a (I)

**sick** enfermo, -a (I)

**sign** el letrero (2B); la señal (3A)

    **stop —** la señal de parada (3B)

**silk** seda (2B)

**silly** tonto, -a (I)

**silver** la plata (2A)

**since** desde (3B)

to **sing** cantar (I)

**singer** el / la cantante (1B)

**sink** el fregadero (7A)

**sir** (el) señor (Sr.) (I)

**sister** la hermana (I)

**site: Web —** el sitio Web (I)

**six** seis (I)

**six hundred** seiscientos, -as (I)

**sixteen** dieciséis (I)

**sixth** sexto, -a (I)

**sixty** sesenta (I)

**size** *(shoe)* el número, la talla (2B)

to **skate** patinar (I)

to **skateboard** montar en monopatín (I)

**skates** los patines (3A)

to **ski** esquiar (i → í) (I)

**skirt** la falda (I)

**sky** el cielo (7B)

to **sleep** dormir (o→ue) (o → u) (I)

to **fall asleep** dormirse (o → ue) (o → u) (6A)

**sleepy: to be —** tener sueño (I)

**slice** el pedazo (7A)

**slide** la diapositiva (I)

**slowly** lentamente (2A); despacio (3B)

**small** pequeño, -a (I)

**smell** el olor (7B)

to **smile** sonreír (e → í) (4B)

**smoke** el humo (5A)

to **snorkel** bucear (I)

to **snow:** nevar (e → ie) (5A)

    **It's —ing.** Nieva. (I)

**so** tan (2B)

**so + *adj.*** tan + *adj.* (1B)

**so much** tanto (I)

**so-so** regular (I)

**soap** el jabón (3A)

**soap opera** la telenovela (I)

**soccer: to play —** jugar (u → ue) (g → gu) al fútbol (I)

**sociable** sociable (I)

**social studies class** la clase de ciencias sociales (I)

**socks** los calcetines (I)

**soft drink** el refresco (I)

**software** el software (I)

**solar** solar (9B)

**solid-colored** de sólo un color (2B)

to **solve** resolver (o → ue) (9B)

**some** unos, -as (I); algún, alguno, -a (1A)

    **— day** algún día (9A)

**someone** alguien (1A)

**something** algo (I)

**sometimes** a veces (I)

**son** el hijo (I)

    **—s; —(s) and daughter(s)** los hijos (I)

**song** la canción, *pl.* las canciones (I, 1B)

**soon** pronto (3A)

    **See you —.** Hasta pronto. (3A)

**sorry: I'm —.** Lo siento. (I)

**sound (stereo) system** el equipo de sonido (I)

**soup: vegetable —** la sopa de verduras (I)

**source** la fuente (9B)

**souvenirs** los recuerdos (I)

    **to buy —** comprar recuerdos (I)

**space** el espacio (9B)

**spaghetti** los espaguetis (I)

**Spanish class** la clase de español (I)

**special** especial (2A)

**special effects** los efectos especiales (6B)

**special event** el evento especial (2A)

**speech** el discurso (1A)

**to spell:**

How is ... spelled? ¿Cómo se escribe ... ? (I)

It's spelled ... Se escribe ... (I)

**to spend** gastar (2B)

to — time with friends pasar tiempo con amigos (I)

**spicy** picante (7B)

**to spill** tirar (7A)

don't — no tires (7A)

**spoiled** consentido, -a (4A)

**spoon** la cuchara (I)

**sports:**

— equipment el equipo deportivo (3A)

—-minded deportista (I)

— program el programa deportivo (I)

to play — practicar (c → qu) deportes (I)

**spring** la primavera (I)

**stadium** el estadio (I)

**stairs, stairway** la escalera (I)

**stamp** el sello (3A)

**stand** (food) el puesto (7B)

**stapler** la grapadora (1A)

**star: movie —** la estrella (del cine) (6B)

**to start** empezar (e → ie) (I); comenzar (e → ie) (z → c) (5A)

**statue** la estatua (3B)

**to stay:** quedarse (3A)

I — at home. Me quedo en casa. (I)

**steak** la carne de res (7B)

**to steal** robar (6B)

**stepbrother** el hermanastro (I)

**stepfather** el padrastro (I)

**stepmother** la madrastra (I)

**stepsister** la hermanastra (I)

**stereo system** el equipo de sonido (I)

**still** todavía (3A)

**to stitch** (surgically) dar puntadas (5B)

**stitches** las puntadas (5B)

**to stop** parar (3B)

**to stop over** hacer escala (8A)

**stop sign** la señal de parada (3B)

**stoplight** el semáforo (3B)

**stopover** la escala (8A)

**store** la tienda (I)

book— la librería (I)

clothing — la tienda de ropa (I)

department — el almacén, pl. los almacenes (I)

discount — la tienda de descuentos (I)

household-appliance — la tienda de electrodomésticos (I)

jewelry — la joyería (I)

shoe — la zapatería (I)

**stories: to write —** escribir cuentos (I)

**storm** la tormenta (5A)

**story** el piso (I)

**stove** la estufa (7A)

**to straighten up the room** arreglar el cuarto (I)

**straight** derecho (3B)

**strawberries** las fresas (I)

**street** la calle (I)

**student** el / la estudiante (I)

**studies: course of —** el programa de estudios (9A)

**studious** estudioso, -a (I)

**to study** estudiar (I)

**stupendous** estupendo, -a (8B)

**stupid** tonto, -a (I)

**style** el estilo (2B)

**subway** el metro (3B)

**to succeed** tener éxito (6B)

**success** el éxito (6B)

to be —ful tener éxito (6B)

**suddenly** de repente (5A)

**sugar** el azúcar (I)

**to suggest** sugerir (e → ie) (e → i) (8A)

**suit** el traje (I)

**suitcase** la maleta (8A)

**summer** el verano (I)

**to sunbathe** tomar el sol (I)

**Sunday** domingo (I)

**sunglasses** los anteojos de sol (I)

**sunny: It's —.** Hace sol. (I)

**supermarket** el supermercado (3A)

**supplies** los materiales (1A)

**sure** seguro, -a (3B)

**to surf the Web** navegar (g → gu) en la Red (I, 1B)

**surprise** la sorpresa (4B)

**sweater** el suéter (I)

**sweatshirt** la sudadera (I)

**sweet** dulce (7B)

**to swim** nadar (I)

**swimming** la natación (1B)

**swimsuit** el traje de baño (I)

**synagogue** la sinagoga (I)

**synthetic fabric** la tela sintética (2B)

# T

**T-shirt** la camiseta (I)

**table** la mesa (I)

to set the — poner la mesa (I)

**tablespoon(ful)** la cucharada (7A)

**to take** llevar (I)

to — a bath bañarse (2A)

to — a course tomar un curso (I)

to — a shower ducharse (2A)

to — **a tour** hacer una gira (8B)

to — **a trip** hacer un viaje (8A)

to — **a walk** dar una caminata (7B)

to — **away** quitar (3B)

to — **care of** cuidar a (3A)

to — **lessons** tomar lecciones (1B)

to — **out** sacar (c → qu) (3A)

to — **out the trash** sacar la basura (I)

to — **photos** sacar fotos (I)

to — **an X-ray** sacar una radiografía (5B)

**talented** talentoso, -a (I)

to **talk** hablar (I)

to — **on the phone** hablar por teléfono (I)

**tall** alto, -a (I)

**tank** el tanque (3A)

**tape: transparent** — la cinta adhesiva (1A)

**taste** el sabor (7B)

to **taste** probar (o → ue) (7A)

**tasty** sabroso, -a (I); rico, -a (I)

**tea** el té (I)

**iced** — el té helado (I)

to **teach** enseñar (I)

**teacher** el profesor, la profesora (I)

**team** el equipo (1B)

to **tear** romperse (5B)

**technical school** la escuela técnica (9A)

**technician** el técnico, la técnica (9A)

**technology / computers** la tecnología (I)

**technology / computer class** la clase de tecnología (I)

**teddy bear** el oso de peluche (4A)

**teeth** los dientes (2A)

to brush one's — cepillarse los dientes (2A)

**television: to watch** — ver la tele (I)

**television set** el televisor (I)

to **tell** decir (I)

— **me** dime (I)

to — **jokes** contar (o → ue) (chistes) (4B)

**temple** el templo (I)

**ten** diez (I)

**tennis: to play** — jugar (u → ue) (g → gu) al tenis (I)

**tennis racket** la raqueta de tenis (3A)

**tenth** décimo, -a (I)

**thank you** gracias (I)

**that** que (I); ese, esa (I); *(over there)* aquel, aquella (2B)

—**'s why** por eso (I)

**the** el, la (I) los, las (I)

— **best** el / la mejor, los / las mejores (I)

— **worst** el / la peor, los / las peores (I)

**theater** el teatro (I)

**movie** — el cine (I)

**their** su, sus (I)

**theirs** suyo, -a, suyos, -as (2A)

**them** las, los *dir. obj. pron.* (I), les *ind. obj. pron.* (I)

**then** entonces (I); luego (2A)

**there** allí (I)

— **is / are** hay (I); haya *(subjunctive)* (9B)

— **was** hubo (5A)

— **was / — were** había (4B)

— **will be** habrá (9A)

**therefore** por eso (I)

**these** estos, estas (I)

**they** ellos, ellas (I)

**they died** se murieron (5A)

**thief** el ladrón, la ladrona, *pl.* los ladrones (6B)

**thing** la cosa (I)

to **think** pensar (e → ie) (I)

**I don't** — **so.** Creo que no. (I)

**I** — ... Creo que ... (I)

**I** — **so.** Creo que sí. (I)

**What do you** — **(about it)?** ¿Qué te parece? (I)

**third** tercer (tercero), -a (I)

**third floor** el segundo piso (I)

**thirsty: I'm** —. Tengo sed. (I)

**thirteen** trece (I)

**thirty** treinta (I); y media *(in telling time)* (I)

**thirty-one** treinta y uno (I)

**this** este, esta (I)

— **afternoon** esta tarde (I)

— **evening** esta noche (I)

— **weekend** este fin de semana (I)

**What is** — ? ¿Qué es esto? (I)

**those** esos, esas (I); *(over there)* aquellos, aquellas (2B)

**thousand: a** — mil (I)

**three** tres (I)

**three hundred** trescientos, -as (I)

**three-ring binder** la carpeta de argollas (I)

**through** por (3B)

to **throw away** tirar (7A)

**Thursday** jueves (I)

**ticket** el boleto (I); la multa (3B)

**to give a** — poner una multa (3B)

**tie** la corbata (I); el empate (6A)

**tight** apretado, -a (2B)

**time:**

**At what** —? ¿A qué hora? (I)

**for the ...** — por ... vez (6A)

**free** — el tiempo libre (I)

**on** — a tiempo (1A)

**to spend** — **with friends** pasar tiempo con amigos (I)

**What** — **is it?** ¿Qué hora es? (I)

**timid** tímido, -a (4A)

**tip** la propina (8B)

**tired** cansado, -a (I)

**to** a *prep.* (I)

**in order** — para + *inf.* (I)

**— the** a la, al (I)

**— the left (of)** a la izquierda (de) (I)

**— the right (of)** a la derecha (de) (I)

**toast** el pan tostado (I)

**today** hoy (I)

**tomatoes** los tomates (I)

**tomorrow** mañana (I)

See you **—.** Hasta mañana. (I)

**tonight** esta noche (I)

**too** también (I); demasiado (I)

I do (like to) **—** a mí también (I)

me **—** a mí también (I)

**toothbrush** el cepillo de dientes (3A)

**toothpaste** la pasta dental (3A)

**top: on — of** encima de (I)

**touching** emocionante (I)

**tour: to take a —** hacer una gira (8B)

**tourist** el / la turista (8A)

**towel** la toalla (2A)

**town** el pueblo (9B)

**toy** el juguete (I)

**traffic** el tráfico (3B)

**trail** el sendero (7B)

**train** el tren (I)

electric **—** el tren eléctrico (4A)

**trainer** el entrenador, la entrenadora (6A)

**transparent tape** la cinta adhesiva (1A)

to **travel** viajar (I)

**travel agency** la agencia de viajes (8A)

**travel agent** el / la agente de viajes (8A)

**tree** el árbol (I)

**tremendous** tremendo, -a (I)

**tricycle** el triciclo (4A)

**trip** el viaje (I)

to take a **—** hacer un viaje (8A)

to **trip** (over) tropezar (e → ie) (z → c) (con) (5B)

**tropical rain forest** la selva tropical (9B)

**truck** el camión, *pl.* los camiones (3B)

**truth** la verdad (4A)

to **try** probar (o → ue) (7A)

to **try on** probarse (o → ue) (2B)

to **try to** tratar de (5A)

**Tuesday** martes (I)

on **—s** los martes (I)

**turkey** el pavo (7B)

to **turn** doblar (3B)

to **— in** entregar (g → gu) (1A)

to **— off** apagar (g → gu) (7A)

to **— on** encender (e → ie) (7A)

to **— out** resultar (6A)

**turtle** la tortuga (4A)

**TV channel** el canal (I)

**twelve** doce (I)

**twenty** veinte (I)

**twenty-one** veintiuno (veintiún) (I)

to **twist** torcerse (o → ue) (c → z) (5B)

**two** dos (I)

**two hundred** doscientos, -as (I)

**typical** típico, -a (8B)

## U

**Ugh!** ¡Uf! (I)

**ugly** feo, -a (I)

**uncle** el tío (I)

**uncles; uncle(s) and aunt(s)** los tíos (I)

**underneath** debajo de (I)

to **understand** comprender (I); entender (e → ie) (1A)

**university** la universidad (9A)

**unforgettable** inolvidable (I)

**until** hasta (3A)

**up to** hasta (3B)

**us: (to / for) —** nos *dir., ind. obj. pron.* (I)

to **use:**

to **— the computer** usar la computadora (I)

What's it **—d for?** ¿Para qué sirve? (I)

**used** usado, -a (I)

**useful:**

to be **—** servir (e → i) (I)

is **— for** sirve para (I)

## V

**vacation: to go on —** ir de vacaciones (I)

to **vacuum** pasar la aspiradora (I)

**valley** el valle (9B)

**various** varios, -as (3A)

**VCR** la videocasetera (I)

**vegetable soup** la sopa de verduras (I)

**vendor** el vendedor, la vendedora (8B)

**very** muy (I)

**— well** muy bien (I)

**veterinarian** el veterinario, la veterinaria (9A)

**victim** la víctima (6B)

**video games: to play —** jugar videojuegos (I)

**videocassette** el video (I)

to **videotape** hacer un video (I)

**vinegar** el vinagre (7A)

**violence** la violencia (6B)

**violent** violento, -a (I)

to **visit** visitar (I)

to **— chat rooms** visitar salones de chat (I, 1B)

**voice** la voz, *pl.* las voces (1B)

**volleyball: to play —** jugar (u → ue) (g → gu) al vóleibol (I)

**volunteer** el voluntario, la voluntaria (I)

**— work** el trabajo voluntario (I)

# W

to **wait** esperar (3B)

**waiter, waitress** el camarero, la camarera (I)

to **wake up** despertarse (e → ie) (2A)

to **walk** caminar (I)

  **to take a —** dar una caminata (7B)

**wall** la pared (I)

**wallet** la cartera (I)

to **want** querer (e → ie) (I)

  **I —** (yo) quiero (I)

  **you —** (tú) quieres (I)

**war** la guerra (9B)

**warm: to be —** tener calor (I)

**was** fue (I)

to **wash** lavar (I)

  **to — the car** lavar el coche (I)

  **to — the clothes** lavar la ropa (I)

  **to — the dishes** lavar los platos (I)

  **to — one's face** lavarse la cara (2A)

**wastepaper basket** la papelera (I)

**watch** el reloj pulsera (I)

to **watch television** ver la tele (I)

**water** el agua (I)

**watermelon** la sandía (7B)

**waterskiing** el esquí acuático (8B)

**way** la manera (9B)

**we** nosotros, -as (I)

to **wear** llevar (I)

**weather: What's the — like?** ¿Qué tiempo hace? (I)

**Web:**

  **to create a — page** crear una página Web (1B)

  **to surf the —** navegar (g → gu) en la Red (I, 1B)

  **— page** la página Web (I, 1B)

  **— site** el sitio Web (I)

**Wednesday** miércoles (I)

**wedding** la boda (2A)

**week** la semana (I)

  **last —** la semana pasada (I)

**weekend:**

  **on —s** los fines de semana (I)

  **this —** este fin de semana (I)

**welcome** bienvenido, -a (8A)

**well** bien (I); pues ... *(to indicate pause)* (I)

  **very —** muy bien (I)

  **— -behaved** bien educado, -a (4A)

**wet** mojado, -a (7B)

**What?** ¿Cuál? ¿Qué? (I)

  **— are you like?** ¿Cómo eres? (I)

  **(At) — time?** ¿A qué hora? (I)

  **— color ... ?** ¿De qué color ... ? (I)

  **— day is today?** ¿Qué día es hoy? (I)

  **— did you do?** ¿Qué hiciste? (I)

  **— do you like better (prefer) to do?** ¿Qué te gusta hacer más? (I)

  **— do you like to do?** ¿Qué te gusta hacer? (I)

  **— do you serve it with?** ¿Con qué se sirve? (7A)

  **— do you think (about it)?** ¿Qué te parece? (I, 2B)

  **— does ... mean?** ¿Qué quiere decir ... ? (I)

  **— else?** ¿Qué más? (I)

  **— happened to you?** ¿Qué te pasó? (I, 5B)

  **— is it made of?** ¿De qué está hecho, -a? (2B)

  **— is she / he like?** ¿Cómo es? (I)

  **— is the date?** ¿Cuál es la fecha? (I)

  **— is this?** ¿Qué es esto? (I)

  **— is your name?** ¿Cómo te llamas? (I)

  **— kind of . . . ?** ¿Qué clase de . . .? (I)

  **— time is it?** ¿Qué hora es? (I)

  **— would you like?** ¿Qué desean (Uds.)? (I)

  **—'s happening?** ¿Qué pasa? (I )

  **—'s his / her name?** ¿Cómo se llama? (I)

  **—'s it (used) for?** ¿Para qué sirve? (I)

  **—'s the weather like?** ¿Qué tiempo hace? (I)

**what!:**

  **— a good / nice idea!** ¡Qué buena idea! (I)

  **— a shame / pity!** ¡Qué pena! (I); ¡Qué lástima! (5B)

**what** lo que (1A)

**wheelchair** la silla de ruedas (5B)

**When?** ¿Cuándo? (I)

**Where?** ¿Dónde? (I)

  **— are you from?** ¿De dónde eres? (I)

  **(To) —?** ¿Adónde? (I)

**whether** si (I)

**Which?** ¿Cuál? ¿Cuáles? (I)

**while** mientras (que) (4B)

  **once in a —** de vez en cuando (4A)

**white** blanco, -a (I)

**who** que (I)

**Who?** ¿Quién? (I)

**Why?** ¿Por qué? (I)

**wide** ancho, -a (3B)

**wife** la esposa (I)

**will be** será (6B)

**Will you bring me ... ?** ¿Me trae ... ? (I)

to **win** ganar (1B)

**window** la ventana (I)

**window** *(airplane)* la ventanilla (8A)

**windsurfing** el surf de vela (8B)

**winter** el invierno (I)

**with** con (I)

— **me** conmigo (I)

— **my / your friends** con mis / tus amigos (I)

— **whom?** ¿Con quién? (I)

— **you** *familiar* contigo (I)

**What do you serve it —?** ¿Con qué se sirve? (7A)

**without** sin (I)

— **a doubt** sin duda (5A)

**woman** la mujer (I)

**older woman** la anciana (I)

**business—** la mujer de negocios (9A)

**wonderful** estupendo, -a (8B)

**wool** la lana (2B)

**word** la palabra (1A)

**work** el trabajo (I)

**volunteer —** el trabajo voluntario (I)

to **work** trabajar (I); funcionar (9B)

**world** el mundo (4A)

**worse than** peor(es) que (I)

**worst: the —** el / la peor, los / las peores (I)

**Would you like?** ¿Te gustaría? (I)

**wrist** la muñeca (5B)

to **write:**

**to — e-mail** escribir por correo electrónico (I)

**to — stories** escribir cuentos (I)

**writer** el escritor, la escritora (9A)

X

**X-ray** la radiografía (5B)

**Y**

**yard** el jardín, *pl.* los jardines (I)

**year** el año (I)

last — el año pasado (I)

**yellow** amarillo, -a (I)

**yes** sí (I)

**yesterday** ayer (I)

**yet: not —** no ... todavía (6B)

**yogurt** el yogur (I)

**you** *fam. sing.* tú (I); *formal sing.* usted (Ud.) (I); *fam. pl.* vosotros, -as (I); *formal pl.* ustedes (Uds.) (I); *fam. after prep.* ti (I); *sing. ind., dir. obj. pron.* te (I), *pl. fam. ind. obj. pron.* os (I), *formal ind. obj. pron.* le, les (I), *formal dir. obj. pron.* lo, la, los, las

**And —?** ¿Y a ti? (I)

**for —** para ti (I)

**it matters (it's important), they matter to —** te importa(n) (2B)

**to / for —** *fam. pl.* os (I)

**to / for —** *fam. sing.* te (I)

**with —** contigo (I)

— **can** se puede (7A)

— **don't say!** ¡No me digas! (I)

— **have seen** has visto (6B)

— **look (good)** te ves (bien) (2A)

— **say ...** Se dice ... (I)

**young** joven (I)

— **boy / girl** el niño, la niña (I)

— **man** el joven (I)

— **people** los jóvenes (1B)

— **woman** la joven (I)

—**er** menor, *pl.* menores (I)

—**est** el / la menor, los / las menores (I)

**your** *fam.* tu (I); *fam.* tus, vuestro(s), -a(s) (I); *formal* su, sus (I)

**yours** *fam.* tuyo, -a, -os, -as, *formal* suyo, -a, -os, -as (2A)

**yuck!** ¡Uf! (I)

Z

**zero** cero (I)

**zoo** el zoológico (I)

# Grammar Index

Structures are most often presented first in *A primera vista,* where they are practiced lexically in conversational contexts. They are then explained in a *Gramática* section or are placed as reminders in a *¿Recuerdas?* or *Nota.* Lightface numbers refer to the pages where these structures are initially presented lexically or, after explanation, where student reminders occur. Lightface numbers also refer to pages that review structures first presented in Level 1. **Boldface numbers** refer to pages where new structures are explained.

a personal with **conocer** 56

absolute superlatives 183

accents:
  to separate diphthongs 254
  written 144

adjectives:
  agreement of 3
  demonstrative 102, 104, **114,** 124
  making comparisons with 47, **53**
  possessive 76, **88,** 96
  used as nouns **116**

adverbs, formation of 79

affirmative and negative words 19, 20, **31**

cardinal numbers 99

commands:
  affirmative *tú* 158–159, **168,** 353
  irregular affirmative *tú* 159, **168,** 180
  irregular negative *tú* **356,** 370
  negative *tú* 350, **356,** 370, 382
  *usted, ustedes* 375, **382,** 396

**como:** *see* comparisons

comparisons 46, 47, **53**

**conocer:**
  with **alguien, nadie** 32
  with personal **a** 32, 56
  vs. **saber** 56, 68

contractions 43

**creer que** + subjunctive 488

**dar,** preterite of 142

**decir:**
  affirmative *tú* command 168
  present 155

**diéresis** 459

diminutives (**-ito, -ita**) 183

direct object pronouns; *see* pronouns

**estar** vs. **ser** 86, 96

exclamations with **¡Qué!** 237

**Exploración del lenguaje:**
  antonyms 482
  compound words 383
  false cognates 272
  **gestos** 170
  origins of words from Arabic 113
  prefixes: **des-, im-, in-, ir-** 221
  suffix **-ero(a)** 436
  suffixes: **-oso(a), -dor(a)** 327
  verbs and corresponding **-ción** nouns 60

future tense:
  of regular verbs 452, **460,** 462, 463, 472
  of irregular verbs **decir, poner, querer, salir, venir** 463, **484,** 496
  of irregular verbs **haber, hacer, poder, saber, tener** 452, **462,** 463, 472, 484

**haber:**
  imperfect 222, **248**
  preterite 240, **248**

**hacer:**
  affirmative *tú* command 168
  irregular *yo* form of present tense 15, 155
  with time expressions 46, **58**

**hay que** 19

imperfect and preterite 248, 272, 307

imperfect progressive 288
  and preterite 266, **277**

imperfect tense:
  of **haber** 222, **248**
  of irregular verbs **ir, ser, ver** 186, 189, **196,** 208
  of **jugar, ser, tener** 208
  of regular verbs 186, 188–189, **194**
  other uses of **248**
  to describe a situation 213, **219,** 234, 307
  to describe weather; physical, mental, emotional states; states of being 241, **248**

impersonal **se** 350–351, **360**

indicative mood 410
  of stem-changing verbs 437

indirect object pronouns; *see* pronouns

infinitive:
  in verbal expressions 399
  used after prepositions 81
  with certain verbs and expressions 71

**ir:**
  affirmative *tú* command 168
  imperfect **196,** 208
  **ir + a** + infinitive 43, 460
  present 43
  to indicate future 460

nationalities 6

nouns, making comparisons with 46, **53**

numbers:
  cardinal numbers 99
  in telling time 127

**oír:**
  **¡Oye!** 250
  present **250,** 262
  preterite **250,** 262

**para** 24

**parecer** 116

past participles **331,** 342

personal **a,** with **conocer** 56

**poner:**
  affirmative *tú* command 168
  irregular *yo* form of present 15, 155

# Acknowledgments

**Technical Illustration** Herman Adler Design; p. xxxi

**Illustrations** Wilkinson Studios Artists: Bob Brugger 029, 309, 327, 330, 436; Dennis Dzielak 092; Seitu Hayden 012, 081, 427; Reggie Holladay 023, 089, 130, 144, 186, 187, 212, 213, 266, 267, 330, 427 (l), 431; Tim Jones 004, 008, 019, 022, 058, 060, 074, 075, 087, 106, 145, 154, 158, 159, 190, 191, 217, 225, 241, 249, 270, 271 (tr), 272, 277, 281 (t), 306 (b), 374, 375, 402, 403; Albert Lorenz 164, 256; Judy Love 018, 079, 102, 103, 294, 348, 371, 452, 456, 457, 458 (r), 490; Miguel Luna 023, 228; Jonathan Massie 019 (tl), 036, 046, 047 (m), 051, 064, 083, 107, 135, 139, 163, 169, 271 (m), 275, 281 (br), 310, 320 (l), 352, 354, 390, 476; Tom McKee 034, 083, 114, 131, 134, 136, 229, 240, 244, 246, 248, 249, 251, 270, 295, 306 (tl), 308, 320 (tl), 321, 324, 332, 339; Donna Perrone 035; Tammy Smith 197, 459, 482; Shari Warren 221, 254, 255, 273, 278, 379, 384, 407, 416, 453 (l), 458; Nicole Wong 078, 111, 116, 199, 202 (m), 203 (t), 204, 272, 458, 480, 485, XNR Productions: 254.

**Photography** Corbis = CO. Front Cover: Left, © Kevin Dodge/CO; Top, © Peter Adams/Getty Images; Second from top, © Atlantide Phototravel/CO; Center, © O. Alamany & E. Vicens/CO; Second from bottom, © Elisa Cicinelli/Jupiter Images; Bottom, © Glowimages/Getty Images.

vi (m) David Woods/CO; vii Kevin Schafer; vii, (t) (tr) Joseph Sohm/Visions of America/Corbis; viii, © Nan Coulter/Dallas Morning News; ix John Morrison Photography; xi Jay Penni Photography; xii Carol Maglitta; xix Jay Penni Photography; xvi–xvii Danny Lehman/CO; xvi (l) xvi Heriberto Rodríguez Reuters NewMedia, Inc./CO; xvii © Gary Yim/Shutterstock; xviii–xix Kevin Schafer/CO; xx (bl) Tom Bean/CO; xx–xxi Don Hebert/Taxi/GettyImages; xxii–xxiii Chris Huxley/eStock Photography/PictureQuest; xxiv–xxv Bob Krist/CO; xxvi (bl) V.C.L./Taxi/GettyImages; xxvi–xxvii Michael Busselle/CO; xxvii Sean Sprague/The Image Works; xxviii (bl) Bob Daemmrich/The Image Works; xxviii–xxix David Muench/CO; xxix Bill Ross/CO; xxix Jay Penni Photography; xxxi Pat LaCroix/The Image Bank/Getty Images, Inc.; xxxi Jay Penni Photography; xxxii (tl) HIRB/Index Stock Imagery; xxxii (tr) John Phelan/DDB Stock Photo; 1 (t) Dan Gair Photographic/Index Stock Imagery; (b) © Hemis/Alamy; 2 (bm) Bill Burlingham Photography; (tr) Jay Penni Photography; 3 (br) Reuters NewMedia, Inc./CO; 4 (tr) Richard T. Nowitz/CO; 7 (m) Digital Vision/GettyImages; (tm) Alamy Images; (bm) Digital Vision; (tl) Mad Cow Studio/firstlight/PictureQuest; (bl) PhotoDisc/GettyImages; (r) Thinkstock/PictureQuest; (m) Royalty-Free/CO; (ml) Barbara Penoyar/PhotoDisc/GettyImages; (tr) Royalty-Free/CO; (br) Stanley Fellerman/Royalty-Free/CO; 8(m) Jay Penni Photography; 11 Getty Images; 16 (bl) Silva, Simón, (b. 1961), El día del maestro; 16–17 (bg) Robert Frerck/Odyssey/Chicago; 18 (tl) Jay Penni Photography; 19 (mr) Jay Penni Photography; 24 (bl) Joe Viesti/Viesti Associates; 25 (tr) Bill Burlingham Photography; (br) Rudi von Briel/PhotoEdit; 26 (mr) David Young-Wolff/PhotoEdit; 28 (br) © Latin Stock Collection/Corbis; 29 (tr) Ralf-Finn Hestoft/Index Stock Imagery; 32 (br) Ulrike Welsch/Stock Boston; 33 Photo courtesy of Craig Reubelt; 35 (tr) © Robert Fried/Digital Railroad, © Bayard Presse; 37 (tr) Jay Penni Photography; (br) Jay Penni Photography; 38 (br) Buddy Mays/CO; (mr) © 2003 Danny Lehman/CO; (tr) Jack Kurtz/The Image Works; 39 (m) Jan Murray/Alamy Limited; 39 (tr) © Scot Harger/iStockphoto; 42 (t) Bob Daemmrich Photography; 44 (bl) Berni, Antonio (1905–1981), Club Atlético Nueva Chicago (New Chicago Athletic Club), 1942, oil on canvas, 6' 3/4" x 9' 10-1/4", The Museum of Modern Art/licensed by SCALA, photo courtesy of Art Resource, NY.; (bg) © OSOMEDIA/AGE Fotostock; 46 (ml) Jay Penni Photography; 47 (tr) Jay Penni Photography; (tl) Jay Penni Photography; 50 (mr) Emilio Guzmán/Reuters NewMedia, Inc./CO; 51 (mr) Todd Powell/Index Stock Imagery; 52 (tr) HIRB/Index Stock Imagery; (br) Robert Fried/Stock Boston; 52 (t) © Paul Buck/AP/Wide World Photos; 54 (b) David Young-Wolff/PhotoEdit; 55 (tm, tr) Fernando Botero, Courtesy, Marlborough Gallery, NY; 55 (br) Botero, Fernando (b. 1933), El pájaro (Little Bird), 1988–medium series, bronze sculpture, photo courtesy of Jeremy Horner/CO.; 57 (bl) Tom & Dee Ann McCarthy/CO; 59 (bl) Michael Ochs Archives; (bl) Lucy Nicholson/AFP/CO; 60 (tm) Bill Burlingham Photography; 61 (tl) Getty Images, Inc.; (tr) A. Ramey/Stock Boston; (br) Ghislain & Marie David de Lossy/The Image Bank/GettyImages; 62 (br) Robert Fried Photography; (mr) Robert Frerck/Odyssey/Chicago; (bm Carlos Goldin/CO; 63 (br) Robert Frerck/Odyssey Productions, Inc.; Bonnie Kamin/Photo Edit 64 (both) Bill Burlingham Photography; 65 (all) Bill Burlingham Photography; 66(m) Stephen Simpson/Taxi/GettyImages; (br) Andre Jenny/Focus Group/PictureQuest; (tr) Michael S. Yamashita/CO; (mr) Danny Lehman/CO; 67 (tr) Macduff Everton/CO; 70 (tm) Bill Burlingham Photography; 72 (m) Paul Perez/Latin Focus.com; (bl) Rivera, Diego (1886–1957), Baile en Tehuantepec (Dance in Tehuantepec), 1935, Charcoal and watercolor, 18 15/16 x 23 7/8 inches. Los Angeles County Museum of Art, gift of Mr. and Mrs. Milton W. Lipper, from the Milton W. Lipper Estate. ©2009 Banco de México Diego Rivera & Frida Kahlo Museums Trust/Artists Rights Society (ARS), New York. Photo: ©Museum Associates/LACMA.; 74 (all) Bill Burlingham Photography; 75 (all) Bill Burlingham Photography; 79 (b) Ryan McVay/Getty Images, Inc.; 81 (tr) John Morrison Photography; 82 (tr) Bill Burlingham Photography; (t) © Digital Vision; (br) Bob Daemmrich Photography; 83 (tr) Rob Lewine/CO; 84 (br) Bob Daemmrich/Stock Boston; 85 (ml) Jimmy Dorantes/Latin Focus.com; (tr) Bill Burlingham Photography; (br) © Nik Wheeler/CO; (bl) © Bob Daemmrich/The Image Works, Inc.; 86 (br) Bob Daemmrich Photography; 88 (br) © Ronald de Hommel/Digital Railroad; 90 (m) Carlos Goldin/DDB Stock Photo; 90 (bl) Carlos Goldin/DDB Stock Photo; 91 (tr) Charlie Westerman/ImageState; 91 (mr) Robert Fried Photography; 92 (tr) Jeremy Horner/CO; (mr) Tiziana and Gianni Baldizzone/CO; 93 (tr) David Young-Wolff/PhotoEdit; (mr) Francesco Venturi/CO; (br) Nik Wheeler/CORBIS; 94 Danny Lehman/CO; 95 (all) Danny Lehman/CO; 98 (tm) Robert Frerck/Odyssey/Chicago; 100 (bg) © travelstock44/Alamy; (bl) Infanta Margarita (1651–73) in Blue Dress, 1659 (oil on canvas) by Diego Rodríguez de Silva y Velázquez (1599–1660) Kunstistorisches Museum, Vienna, Austria/Bridgeman Art Library; 102 (bl) Bill Burlingham Photography; 108 (br) Bill Burlingham Photography; 109 (tr) Isaac Hernández/MercuryPress.com; 112 (bl) Bob Daemmrich/Stock Boston; (br) The Granger Collection, New York; 113 Diaphor Agency/Index Stock Imagery, Inc.(bm) Bettmann/CO; (tr) Dallas & John Heaton/CO; 115 (tr) Robert Fried Photography; Daniel Ciccone 117 (both) AP/Wide World; 118 (bm) Royalty-Free/CO; (bl) Bettmann/CO; 119 (mr) Paul A. Souders/CO; (tr) Robert Fried/Stock Boston; (ml) Crabill/Bettmann/CO; 120 (tr) Tony Freeman/PhotoEdit; (br) Paul Rodriguez/© Jimmy Dorantes/LatinFocus.com; 121 (t) Getty Images, Inc.; (b) Robert Fried/Stock Boston; 123 © Jimmy Dorantes/Latin Focus.com; Courtesy, U.S. Latino and Latina WWII Oral History Project/UT Austin; KJ Historical/CO; 126 (tl) Robert Frerck/Odyssey/Chicago; (tr) Ray Juno/CO; 128 (bl) Julio Alpuy (b. 1919), Buenos Aires, 1957, photo courtesy of Cecilia de Torres, Ltd., New York.; 128–129 Jan Butchofsky-Houser/CO; 130 (all) Jay Penni Photography; 135 (br) Dave G. Houser/CO; 136 (br) Bill Burlingham Photography; 137 (tr) © Wolfgang Kaehler 2004 www.wkaehlerphoto.com; (br) Jay Penni Photography; (mr) Robert Fried Photography; 139 Bob Thomas/Stone/GettyImages; 140 (br) © Mug Shots/CO; 141 (tm) Hulton Archive/GettyImages; 142 (br) David Young-Wolff/PhotoEdit; 143 (both) PhotoDisc/GettyImages; 144 (br) Despotovic Dusko/CO Sygma; 145 (br) Jimmy Dorantes/Latin Focus.com; 147 © L. Clarke/Corbis, © Gavin Hellier/Getty Images.; 148 (tr) Paul Almasy/CO; (mr) Jeremy Horner/CO; 149 (br) Robert Fried Photography; (tr) Gisela Damm eStock Photo; 156 (tr) Rivera, Diego (1886–1957), La elaboración de un fresco (The Making of a Fresco), 1931, 271 x 357 inches, The San Francisco Art Institute, California. ©2009 Banco de México Diego Rivera & Frida Kahlo Museums Trust/Artists Rights Society (ARS), New York. Photo: Museum Associates/LACMA.; (bg) Stephen Wilkes/The Image Bank/GettyImages; 156 (background) © PhotoDisc; 158 (bl) Bill Burlingham Photography; 162 (m) Robert Frerck/Odyssey/Chicago; 164 (tr) © Wolfgang Kaehler 2004 www.wkaehlerphoto.com; (tl) Steve Vidler/eStock Photography; (bl) Robert Fried Photography; 165 (br) Robert Fried/Stock Boston; (br) © Sime s.a.s./eStock Photography/PictureQuest; 167 © D. Huest/Alamy, © John Tomaselli/Alamy.; 169 (br) Bettmann/CO; 171 (br) Ferrer y Miró, Juan (b. 1850), An Exposition of Painting, 19th century, photo courtesy of Superstock.; 172 (br) Daniel Ciccone; 173 (m) (t) Kahlo, Frida (1907–1954), El camión (The Bus), 1929, oil on canvas, 26 x 55 cm., © 2009 Banco de México Diego Rivera & Frida Kahlo Museums Trust/Artists Rights Society (ARS), New York.; 173 (b)Washington DC Convention and Tourism Corporation; 174 (br) Rob Crandall/Stock Boston; 175 (tr) Robert Fried Photography; 176 (mr) Rudi von Briel/PhotoEdit; (tr) Robert Frerck/Odyssey/Chicago; (br) Richard Glover/CO; 177 (tr) David Young-Wolff/PhotoEdit; (br) Robert Frerck/Odyssey/Chicago; 182 (tm) Robert Frerck/Odyssey/Chicago; 183 (tr) PhotoDisc/GettyImages; 184–185 Robert Frerck/Odyssey/Chicago; (bl) Picasso, Pablo (1881–1973), Primeros pasos (First Steps), 1943, Yale University

Art Gallery/Gift of Stephen Carlton Clark, B.A. © 2009 Estate of Pablo Picasso/Artists Rights Society (ARS), New York.; 186 (1) Paul Barton/Corbis; (2) Dorling Kindersley Media Library/Pearson; 3) Siede Preis/PhotoDisc/GettyImages; (4) PhotoDisc/GettyImages; (6) Royalty-Free/CO; (7) Jupiter Images; (8) Jay Penni Photography; (bl) Bill Burlingham Photography; (5) PhotoDisc/GettyImages; 190 (br) PhotoDisc/GettyImages; 191 (tr) Robert Van Der Hilst/Stone/GettyImages; 192 (br) Ellen Senisi/The Image Works; 193 (tl) © Getty Images; (br) Carol Shanahan; 194 (br) Robert Frerck/Odyssey/Chicago; 195 Photo courtesy of Carol Shanahan; 196 (br) Rob Tringall, Jr./SportsChrome; 197 (tr) The Granger Collection, New York; 198 (mr) Hulton Archive/GettyImages; 200 (br) Lorenzo Armendariz/Latin Focus; (m) Robert Frerck/Odyssey/Chicago/National Museum of Anthropology; 201 (mr) Goya y Lucientes, Francisco José (1746–1828), Don Manuel Osorio Manrique de Zúñiga, 1788–9, 127 x 101 in., Metropolitan Museum of Art, NY/Bridgeman Art Library.; (bl) Spencer Grant/Painet; Mug Shots/CO; 205 Photo courtesy of Carol Shanahan; (t) © Bob Daemmrich/Bob Daemmrich Photography; 210–211 (bg) Robert Frerck/Odyssey/Chicago; 210 (ml) Ruiz, Antonio "El Corcito" (1897–1964), Desfile cívico escolar (Schoolchildren on Parade), 1936, oil on canvas, 24.5 x 33.5 cm., Col. Averco Patrimonial, Secretaria de Hacienda y Crédito Público.; 212 (tm, ml) Bill Burlingham Photography; (mr) Jay Penni Photography; 212 (m) Jay Penni Photography; 216 (br) © Javier Larrea/AGE Fotostock; 218 (br) Joe Viesti/Viesti Associates; 220 (tr) Bill Burlingham Photography; (br) Stewart Aitchison/DDB Stock Photo; 220 (bm) Courtesy Peggy Palo Boyles; (bl) Bill Burlingham Photography; 221 (tr) Tony Freeman/PhotoEdit; 222 (tr) Garza, Carmen Lomas (b. 1948), Tamalada (Making Tamales), 1988, oil on linen mounted on wood, 24" x 32", Collection of Paula Maciel-Benecke and Norbert Benecke, Aptos, California.; 223 (tr, br) Bettmann/CO; (mr) Goya, Francisco de (1746–1828), Los fusilamientos del 3 de mayo, 1808 (The Shooting of May 3, 1808), 1814, oil on canvas, 8'6" x 11'4", Museo del Prado, Madrid.; 224 (mr) Robert Frerck/Odyssey/Chicago; 225 (br) Steve Dunwell/Index Stock Imagery; 226 (tr) Jacques Janquox/Stone/GettyImages; 227 (tl) Addison Geary/Stock Boston; (bm) © www.andycaulfield.com; 228 (bm) Bill Burlingham Photography; 229 (bl) Suzanne Murphy-Larronde/DDB Stock Photo; (mr) Peggy Boyles; 230 (t) David Simson/Stock Boston; (br) J.P. Courau/DDB Stock Photo; (b) Ryan McVay/PhotoDisc/GettyImages; 231 (tr) Robert Frerck/Odyssey/Chicago; 236 (tl) Royalty-Free/CO; (tm, tr) Massimo Listri/CO; 238–239 AFP/CO; (bl) Gotay de Anderson, Zulia, The Storm, 2002, oil on masonite, 24 x 30 in.; 240 (m) Bill Burlingham Photography; (bm) Bill Gentile/CO; (br) Jorge Silva/Reuters NewMedia, Inc./CO; (br) Tomas del Amo/Index Stock Imagery; (bl) Daniel Anguilar/Reuters NewMedia, Inc./CO; (tm) Robert Brenner/PhotoEdit; (mr) Nigel Shuttleworth/Life File/GettyImages; 241 (tl) Bill Burlingham Photography; 245 (br) Pablo Corral Vega/CO; 246 AFP/EPA/EFE/Robin Townsend/CO; 247 (b) Reuters NewMedia, Inc./CO; 251 (r) Oswaldo Rivas/Reuters NewMedia, Inc./CO; 252 (tr) Joe Viesti/Viesti Associates; (br) Botero, Fernando (b. 1933), Terremoto en Popayán (Earthquake in Popayán), 1999, oil on canvas, 143 x 112 cm., Museo Botero de the Banco de la República de Colombia.; 255 (b) AFP/CO; 256 (tr) Bettmann/CO; 257 (tl) Bettmann/CO; 258 (br) Craig Lovell/CO; (tr) Dave G. Houser/CO; 259 (tr) Bill Burlingham Photography; (b) Bob Krist/CO; 264 (bl) Rivera, Diego (1886–1957), La medicina antigua y la moderna (The History of Medicine in Mexico), 1953, mural, 24-1/4 x 35-1/2 ft., © 2009 Banco de México Diego Rivera & Frida Kahlo Museums Trust/Artists Rights Society (ARS), New York.; 264–265 (m) Associated Press, Lake-Sumter Emergency Services; 271 (br) David Young-Wolff/PhotoEdit; 273 (br) Ted Spiegel/CO; 274 D.Donne Bryant Stock Photography; 276 (br) Ronnie Kaufman/CO; 278 (both) Patrulla Aérea Colombiana - Antioquia; 279 (t) Jim Cummins/CO; (b) Franck Sequin/TempSport/CO; 280 (t) © Albert Gea/Reuters Media; (br) Pablo San Juan/CO; 282 (mr) Pan American Health Organization/Regional Office for the Americas of the World Health Organization; (b) © Alexander Tamargo/Getty Images Entertainment; 283 (tr) AFP/Omar Torres/CO; (tl) Vince Bucci/GettyImages; (mr) Peace Corps; 284 (tr) Spencer Grant/PhotoEdit; (mr) PhotoDisc/GettyImages; 285 (tr) David Young-Wolff/PhotoEdit; (br) Tom Stewart/CO; 292–293 Despotovic Dusko/CO Sygma; 292 (bl) Dalí, Salvador (1904–1989), El futbolista (The Football Player), 1973, lithograph on zinc, 19 x 24 in., © 2009 Salvador Dalí, Gala-Salvador Dalí Foundation, Artists Right Society (ARS), New York, photo courtesy of Natalie Rubin.; 294 (tl) AFP/Jorge Uzon/CO; (tr) Henry Romero/Reuters NewMedia, Inc./CO; (ml) Jay Penni Photography; 298 (tr) Patricio Crooker/Fotosbolivia/The Image Works; 299 (ml) Francisco J. Rangel; 299 Victor Englebert; 300 Chris Trotman/Duomo/CO; (bm) Albert Gea/Reuters/Corbis; 301 (br) Mike Segar/Reuters/Landov; (tl) AP/Wide World; 303 (t) © Stu Forster/Getty Images, (b) © Clive Rose/ Getty Images; 304 (mr) NASA; (tl) CO; (mr) Jan Butchofsky-Houser/CO; (tr) ABC News/GettyImages; 305 Luis Diez Solano/COVER/The Image Works; 307 (mr) Sapia, Mariano (b. 1964), Pantallas (Screens), 2002, oil on canvas, 120 x 170 cm., photo courtesy of Praxis International Art, NY.; Shelley Gazin/CO; 308 (tr) Despotovic Dusko/CO Sygma; 310 (tr) Organizing Committee of XVI Pan-American Games; (l) AFP/John Gibson/CO; 311 (1) Comité Olímpico Cubano; (tl) © Comite Organizador Juegos Pan Americanos Rio 2007/© AP Photo; (1) Comité Olímpico Argentino: (mr) Craig Lovell/Eagle Visions Photography/Alamy; (tr) © Martin Bernetti/Getty Images; 312 (tr) © Telemundo/Photofest; 313 (tr) Spencer Rowell/Taxi/GettyImages; (br) CBS Photo Archive; 318–319 Maury Christian/CO Sygma; (br) Servicio Postal Mexicano, 1996.; 325 (r) Columbia Tristar Motion Pictures Group; (br) Billie L. Porter/Photofest; 326 (br) Sorel/Photofest; 328 (br) Photofest; 330 (bl) © Vince Bucci/Getty Images; 332 (b) © 2004 Focus Features. All Rights Reserved; 334 (br) © Jimmy Dorantes/Latin Focus; 335 (tr) © Jason Kempin/Getty Images Entertainment; 336 (both) Photofest; 337 (tl) Photofest; 338 (br) John Morrison Photography; (tr) Daniel Ciccone; (mr) HIRB/Index Stock Imagery; 344 (tm) Pat LaCroix/The Image Bank/GettyImages; 346–347 Owen Franken/CO; (bl) Silva, Simón, (b. 1961), Tomates (Tomatoes), 1997, gouache on canvas, 18 x 24 in.; 349 (all) Jay Penni Photography; 352 (br) Takehiko Sunada/HAGA/The Image Works; 353 (ml) Renee Comet Photography/StockFood; (bl) Michelle Garrett/CO; (mr) Becky Luigart-Stayner/CO; (br) Amy Reichman/Envision; 355 (br) Andre Baranowski/Envision; (tr) Bruce Coleman Photography; 357 (r) Comet/StockFood; 358 (br) Pablo Corral Vega/CO; (tr) Morton Beebe/CO; 359 (mr) Chris Everard/Stone/GettyImages; 360 (m) Nik Wheeler/CO; (1) Steven Needham/Envision; (2) Bruce Coleman Photography; (3) Photononstop/Envision; (4) Japack Company/CO; (5) Lynda Richardson/CO; (6) Michelle Garrett/CO; (7) Paul Webster/Stone/GettyImages; (8) Mark Ferri/Envision; 361 (mr) Photolibrary.com/Index Stock Imagery; 362 (tr) Danny Lehman/CO; 363 (b) Michael Newman/PhotoEdit; (br) © Jimmy Dorantes/Latin Focus.com; (tr) Danny Lehman/CO; 364 (all) Jay Penni Photography; 365 (Neruda) Hulton Archive/GettyImages; (all) Jay Penni Photography; 366 (tr) James Carrier/StockFood; (br) Jay Penni Photography; 367 (br) Jay Penni Photography; 372–373 Chuck Savage/CO; (bl) Garza, Carmen Lomas (b. 1948), Sandía (Watermelon), 1986, gouache painting on paper, 20 x 28 in., Collection of Dudley D. Brooks & Tomas Ybarra-Frausto, NY., photo courtesy of Wolfgang Dietze.; 377 Jay Penni Photography; 378 (br) Robert Frerck/Odyssey/Chicago; 380 (l) John Dominis/Index Stock Imagery/PictureQuest; (br) Robert Frerck/Odyssey/Chicago; (bl) PhotoDisc/GettyImages; 381 (br) Lois Ellen Frank/CO; 383 (tl) Climent, Elena (b. 1955), Tienda de legumbres (Vegetable Store), 1992, oil on canvas, 36 x 44-1/8 in., courtesy of Mary-Anne Martin/Fine Art, New York.; 384 (br) Thomas Hoeffgen/Taxi/GettyImages; 385 (tr) Galen Rowell/CO; 386 (br) Alison Wright/CO; 387 (br) Latin Focus.com; 388 (tr) Robert Fried Photography; 390–391 John Mitchell/Photo Researchers; 390 (l) Angelina Lax/Photo Researchers; 390 (inset) Tom Bean/CO; 391 (tr) Chip and Rosa María de la Cueva Peterson; (m) Kevin Schafer/CO; (br) Bob Krist/CO; (mr) Kevin Schafer/CO; 392 Latin Focus.com; 393 (t) Paul Barton/CO; (b) Lawrence Sawyer/Index Stock Imagery; 398 (1) Michael S. Yamashita/CO; (2) Doug Stamm/Seapics.com; (3) Paul Steel/CO; (4) Buddy Mays/CO; 400 (bl) "Camino de Salvatierra," John Ramos; 400–401 Mark Wagner/aviation-images.com; 402 (bl) Jay Penni Photography; (mr) John Morrison Photography; (t) John Morrison Photography; (tr) Jay Penni Photography; 403 (mr) Najlah Feanny/CO SABA; (tr) James Marshall/CO; (tl) World Images News Service; (tm) Mark Peterson/CO SABA; 406 (br) Larry Luxner/Luxner News; 407 (br) Larry Luxner/Luxner News; 409 (tr) John Morrison Photography; (mr) Pablo Corral Vega/CO; 411 (tr) Alain Le Garsmeur/CO; 412 (mr) John Lei/Omni-Photo; 413 (br) Robert Frerck/Odyssey/Chicago; 415 (1) Abbie Enock; Travel Ink/CO; (2) Franz-Marc Frei/CO; (3) Giraud Philippe/CO Sygma; (4) Suzanne Murphy-Larronde; 417 (tr) Robert Fried/DDB; (bl) Larry Luxner/Luxner News; 418 (b) Pablo Corral Vega/CO; (m) Paul Rodriguez/Latin Focus; (br) © Tim Whitby/Alamy; 419 (tr) Owen Franken/CO; (m) © Dr. Morley Read/Shutterstock; (tl) Albrecht G. Schaefer/CO; 420 (both) Benson Latin American Collection, University of Texas Library; 421 (tr) Erv Schowengerdt; 424 (bl) Jimmy Dorantes/Latin Focus; 424–425 Danny Lehman/CO; 426 (m) Jay Penni Photography; (bm) Nik Wheeler/CO; (t) Jay Penni Photography; (bl) David Young-Wolff/Alamy Limited; (br) José Fuste Raga/CO; 427 (others) John Morrison Photography; 430 Jan Butchofsky-Houser/CO; 431 (br) David Simchock/Vagabond Vistas Photography; 432 (tm) Jimmy Dorantes/Latin Focus; (tr) D. Stonek/Latin Focus; 433 (l) David Stoecklein/CO; (tr) Tony Arruza/CO; 434 (br) Suzanne Murphy-Larronde; (m) Jeremy Horner/CO; 436 (mr) © Mike Hipple/Alamy; 438 (tr) Sven Martson/The Image Works; 439 Joe Viesti/The Vesti Collection, Inc.; 440 (br) Alan Kearney/Viesti Associates; 442–443 Massimo Listri/CO; 442 (bl) Peter M. Wilson/CO; 443 (br) Larry Luxner/Luxner News; (tr) ML Sinibaldi/CO; 444 (tr) Sappa/Photo Researchers; (br) John Morrison Photography; 445 (tr) Bettmann/CO; (br) Hubert Stadler/CO; 448 (tm) Paul A. Souders/CO; 450 (bl) Siqueiros, David Alfaro (1896–1974), El pueblo a la Universidad y la Universidad al Pueblo (The People for the University and the University for the People) detail, 1950–1954, photo courtesy of Paul Almasy/CO.; 450–451 Farrel Grehan/CO; 452 (bl) Jay Penni Photography; 453 (all) Jay Penni Photography (bl) Richard Haynes; 457 (tr) Jan Halaska/Index Stock Imagery; 458 (br) Daniel Ciccone; 460 (br) Bob Daemmrich Photography; 461 (t) © djjohn/iStockphoto; 463 (br) © Fausto Pérez/Galería Hidalgo; 465 (tr) Owen Franken/CO; (mr) Pablo Corral Vega/CO; 467 (t) Jeff Greenberg / Photo Edit, Inc.; Bob Daemmrich Photography; 468 (bl) Monika Graff/The Image Works; Daniel Ciccone; (mr) David Young-Wolff/PhotoEdit; 469 (tl) Bob Daemmrich/Stock Boston; (br) Bill Bachmann/Stock Boston; 470 (tr) Toaquiza, Julio. Targelia, Christmas Eve, 1990, photo courtesy of Pablo Corral Vega/CO.; (br) Louis, E., Xochimilco, San Miguel de Allende, Guanajuato, México, 20th century, photo courtesy of the Art Archive/Mireille Vautier.; 471 (tr) José Luis Pelaez/CO; 474 (bl) Arreguín, Alfredo (b. 1935), Las garzas (The Herons), 2002, oil on canvas, 42 x 60 in.; 474–475 Michael & Patricia Fogden/CO; 476 Jay Penni Photography; 477 Photo researchers, Inc.; (m inset) © Didier Dorval/Masterfile; (bl inset) © Donald Barger/Shutterstock; (br) C. & J. Isenhart/Tom Stack & Associates; (tr inset) Brian Parker/Tom Stack & Associates; (tr) © szefei/Shutterstock; (l) Mark Garlick/Photo Researchers; 480 (br) © Albert Mendelewski/Shutterstock; 481 (br) Charles Philip/Painet; 483 (eagle coin) David Macias/Photo Researchers; (other coins) Jay Penni Photography/Coins Courtesy of Don Bailey Numismatic Services; (bl) W. Perry Conway/CO; 484 (br) Frank Siteman/PhotoEdit; 485 (tr) © Dr. Morley Read/Shutterstock; 490 (mr) Torres-García, Joaquín (1874–1949), Nueva York a vista de pájaro (New York City: Bird's Eye View), 1920, gouache and watercolor on cardboard, 33.8 x 48.5 cm., Yale University Art Gallery /© 2009 Artists Rights Society (ARS), New York/VEGAP, Madrid.; 490 (tr) Velásquez, José Antonio (1906-1983), Paisaje hondureño de San Antonio de Oriente, 1972, oil on canvas, 47-1/4 x 60-1/2 in., Art Museum of the Americas/Courtesy Organization of American States.; 491 (tr) David Stoecklein/CO; 491 (b) AFP/Getty Images; 492 © Mike Matas/iStockphoto; 493 (tl) © SF Photo/ Shutterstock; (mr) © brytta/iStockphoto; (b) © George D. Lepp/CORBIS; 494 (tr) Michael Lawton/Panoramic Images; (mr) Mark Edwards/Peter Arnold; (br) © Greenpeace; 495 (tr) SuperStock/SuperStock/PictureQuest.

**Text** Chapter 1A, p. 34: "Reglas de oro para estudiar mejor" from *Okapi*, May 2002 © Okapi Bayard Presse. Reprinted by permission. Chapter 3B, p. 174: "Manejo Defensivo" from Manual de Educación y Seguridad Vial www.costaricaweb.com. Reprinted by permission. Chapter 5B, p. 282: "Campeones de la Salud" from the Pan American Health Organization - PAHO. Reprinted by permission. Chapter 6A, p. 310: "Logos y Mascotas" from *Panamericanos Rio 2007* from the Pan American Sports Organization. Chapter 7A, p. 359: Pablo Neruda excerpt from "Oda a las papas fritas" poem belonging to the work *Navegaciones y regresos* © Fundación Pablo Neruda, 2008. Reprinted by permission of Agencia Literaria Carmen Balcells, S.A. Chapter 7A, p. 364: Pablo Neruda excerpt from "Oda al Tomate" poem belonging to the work *Odas elementales* © Fundación Pablo Neruda, 2008. Reprinted by permission of Agencia Literaria Carmen Balcells, S.A. Chapter 7A, p. 365: Pablo Neruda excerpt from "Oda a la cebolla" poem belonging to the work *Odas elementales* © Fundación Pablo Neruda, 2008. Reprinted by permission of Agencia Literaria Carmen Balcells, S.A. Chapter 7B, p. 390: General Trail Information from USDA Forest Service, Southern Region, Caribbean National Forest. Chapter 9B, p. 483: "En Riesgo de extinción 20% de los animales en México" by Julián Sánchez from EL UNIVERSAL domingo, el 25 de agosto de 2002.

*Note: Every effort has been made to locate the copyright owner of material used in this textbook. Omissions brought to our attention will be corrected in subsequent editions.*